SOURCES CHRÉTIENNES

Fondateurs : H. de Lubac, s.j. et † J. Daniélou, s.j.

Directeur : C. Mondésert, s.j.

N° 304

JEAN CHRYSOSTOME

COMMENTAIRE SUR ISAÏE

INTRODUCTION, TEXTE CRITIQUE ET NOTES

PAR

Jean DUMORTIER

Doyen honoraire à la Faculté libre des Lettres et Sciences humaines de Lille

TRADUCTION

PAR

† Arthur LIEFOOGHE

Professeur adjoint à la Faculté libre des Lettres et Sciences humaines de Lille

LES ÉDITIONS DU CERF, 29, Bd de Latour-Maubourg, PARIS 7e

1983

La publication de cet ouvrage a été préparée avec le concours de l'Institut des Sources Chrétiennes (E.R.A. 645 du Centre National de la Recherche Scientifique)

NIHIL OBSTAT :
Lyon, le 26 avril 1983
Cl. MONDÉSERT, s.j.
L. DOUTRELEAU, s.j.

IMPRIMATUR :
Lyon, le 27 avril 1983
J. ALBERTI
cens. dep.

ISBN 2-204-02070-2
ISSN 0750-1978

COMMENTAIRE SUR ISAÏE

AVANT-PROPOS

La traduction du *Commentaire sur Isaïe* est due à M. le chanoine Arthur Liefooghe, mon collègue et ami, récemment décédé. Elle unit l'élégance à la fidélité, mais comme elle avait été faite avant l'établissement définitif du texte critique, j'y ai apporté quelques corrections.

Le Père J. Paramelle, directeur de la Section grecque de l'Institut de Recherche et d'Histoire des Textes, ainsi que Madame G. Astruc, ont grandement facilité mon travail codicologique. Dom Leloir, o.s.b., m'a apporté un précieux concours dans l'interprétation de la version arménienne. Qu'ils en soient ici, tous trois, respectueusement et cordialement remerciés.

J.D.

INTRODUCTION

CHAPITRE Ier
LE COMMENTAIRE SUR ISAÏE

Isaïe, le prophète messianique par excellence, fut peut-être de tous les auteurs de l'Ancien Testament le plus commenté. Après Jésus lui-même [1], le diacre Étienne le cite [2] et l'apôtre Paul se réfère souvent à ce prophète dans les épîtres aux Romains et aux Galates [3]. Origène, au IIIe siècle, prononça *Sur les visions d'Isaïe* des homélies dont nous n'avons gardé que la version latine [4]. Et lorsque Nicolas Mouzan composa, au XIIe s., son *Recueil de commentaires sur le prophète Isaïe, provenant de divers Pères et Docteurs* [5], il put mettre à contri-

1. *Lc* 4, 16-21 ; 24, 27.
2. *Act.* 7, 49.
3. Ainsi *Rom.* 2, 24 et *Is.* 52, 5 ; *Rom.* 3, 15 et *Is.* 59, 7 ; *Rom.* 4, 17 et *Is.* 48, 13 ; *Rom.* 9, 27 et *Is.* 10, 22 ; *Rom.* 9, 29 et *Is.* 1, 9 ; *Rom.* 9, 33 et *Is.* 8, 14 ; *Rom.* 10, 15 et *Is.* 52, 7 ; *Rom.* 10, 16 et *Is.* 53, 1 ; *Rom.* 10, 20 et *Is.* 65, 1 ; *Rom.* 10, 21 et *Is. 65, 2; Rom.* 11, 8 et *Is.* 29, 10 ; *Rom.* 11, 26 et *Is.* 59, 20 ; *Rom.* 11, 27 et *Is.* 27, 9 ; *Rom.* 11, 34 et *Is.* 40, 13 ; *Rom.* 14, 11 et *Is.* 45, 23 et 49, 18 ; *Rom.* 15, 12 et *Is.* 11, 10 ; *Rom.* 15, 21 et *Is.* 52, 15 ; *Gal.* 1, 15 et *Is.* 49, 1 ; *Gal.* 4, 27 et *Is.* 54, 1.
4. *PG* 13, 219-254.
5. *Laurentianus gr.* V, 8.

bution des écrivains ecclésiastiques du IIIe s. comme Denys d'Alexandrie et Eusèbe de Césarée, des auteurs du IVe s. comme Basile de Césarée, Grégoire de Nazianze, Théodore d'Héraclée, Eusèbe d'Émèse, Athanase d'Alexandrie, Grégoire de Nysse, Théodore de Mopsueste et Jean Chrysostome, et au delà, Cyrille d'Alexandrie, Théodoret de Cyr, Isidore de Péluse. Le commentaire de Jean Chrysostome fut encore utilisé par Théodore Daphnopathes, au Xe s., pour composer avec divers autres extraits de l'œuvre de Chrysostome l'homélie peudo-chrysostomienne, *In sanctam diem natalem Christi,* ou *Ecloga 34*[1].

Jean admirait Isaïe à plus d'un titre, comme on peut le voir déjà à la lecture du Prologue du Commentaire. Il y célèbre la liberté de langage, l'indépendance d'esprit, l'élévation de pensée du prophète, mais il souligne aussi son courage pour avertir et pour reprendre les égarés et les pécheurs, et sa compassion pour les aider à supporter les malheurs qu'avaient attirés sur eux leurs crimes. Tels avaient été dans l'Ancien Testament Abraham, Moïse, Jérémie, tels furent dans le Nouveau Pierre et Paul.

Toutefois le principal mérite d'Isaïe, aux yeux de Jean, c'était d'avoir clairement annoncé le Messie et parlé sans ambiguïté de l'Église du Christ. Le prophète se montrait ainsi le meilleur auxiliaire des apologistes chrétiens dans leurs controverses avec les Juifs. Ceux-ci en effet récusaient l'autorité du Nouveau Testament et toute discussion avec eux ne pouvait s'engager que sur le terrain de l'Ancien Testament. Ce sera donc en partant du texte d'Isaïe que Jean s'efforcera de

1. *PG* 63, 821-834. Cf. J.A. DE ALDAMA, *Repertorium pseudochrysostomicum,* Paris 1965, nos 59 et 161, et DARROUZÈS (J.)- WESTERINK (L.G.), *Théodore Daphnopatès Correspondance,* Paris, Éd. du C.N.R.S., 1978, XI-263 p. Cf. GOODALL (Bl.), *The homilies of S. John Chrysostom on the letters of S. Paul to Titus and Philemon,* Berkeley 1979, p. 10.

prouver que Jésus est bien le Messie annoncé par les prophètes.

1. Nature du commentaire

Le commentaire de Jean sur Isaïe n'est pas une œuvre oratoire, analogue aux homélies sur S. Matthieu. L'absence d'exorde, le défaut de formule finale trinitaire, le manque de développements d'ordre éthique le prouvent assez. Ce n'est pas pour autant une œuvre destinée à la lecture érudite, mais bien plutôt un travail préparatoire à la prédication pastorale.

2. Étendue du commentaire

Dans la tradition grecque ce commentaire est incomplet : il s'arrête dans tous nos manuscrits au chapitre 8, verset 10 de l'œuvre d'Isaïe, avec un passage sur l'invasion assyrienne. Montfaucon pense que le dessein de l'auteur était bien d'interpréter intégralement la prophétie, mais qu'il en aurait été empêché par un surcroît d'occupations. On a songé aussi à une œuvre d'exil, interrompue par la mort ; hypothèse que rejette le mauriste par ces mots : *haec omnia incerta sunt, nec nisi augurando proferri possunt*[1].

Une note que nous lisons à la fin du commentaire[2], à la fois dans le *Marcianus gr. 87* et l' *Ottobonianus gr. 7*, nous apprend pourquoi nos mss grecs nous donnent un texte incomplet : Ἕως ὧδε ἐν ἑλληνικοῖς γράμμασιν εὕρηται ἐντεθεῖσα ἡ προθεωρία αὕτη παρὰ τοῦ μακαρίου καὶ ἁγιωτάτου τοῦ ἀρχιεπισκόπου Κωνσταντινουπόλεως Ἰωάννου τοῦ χρυσοστόμου ἀπὸ δὲ ἐντεῦθεν διὰ σημείων.

« Jusqu'ici, c'est en caractères grecs qu'on trouve présentée cette introduction du bienheureux et très saint archevêque de

1. *PG* 56, 6-7. Cf. J. Dumortier, « Une énigme chrysostomienne. Le commentaire inachevé d'Isaïe », *Mélanges de science religieuse*, n° spécial : *Universitas*, Lille 1977, p. 43-47 et *R.E.G.* XCV (1982), p. 171-177.

2. Mgr Paul Canart m'avait signalé l'intérêt de cette note.

Constantinople, Jean Chrysostome, mais à partir d'ici, c'est par des signes. »

Ainsi donc, le scribe qui recopiait le ms. s'était trouvé à un moment donné dans l'incapacité de poursuivre son travail, faute de pouvoir déchiffrer la notation sténographique employée pour la suite du Commentaire. Jean avait donc commenté Isaïe au delà du ch. 8, 10, mais oralement ; il n'avait pas eu le loisir de rédiger. Le même fait s'est produit pour le *Commentaire de l'Épître aux Hébreux*[1].

La découverte d'une ancienne version en langue arménienne, à la fin du siècle dernier, a suscité un vif intérêt. En 1880 en effet, paraissait à Venise par les soins des Mékhitaristes, l'édition d'un ms. arménien du XIIe s. qui contenait, avant sa mutilation, la traduction de tout le commentaire[2].

1. Nous nous permettons de citer ici M. Jean Irigoin : « Διὰ σημείων signifie "écrit en tachygraphie". L'expression désigne d'abord les notes tironiennes (cf. PLUTARQUE, *Vie de Caton le jeune,* ch. 23, 3-4). Elle s'emploie ensuite pour la tachygraphie grecque. Cf. GALIEN, *Sur ses propres livres,* 1 ; LIBANIOS, *Discours* 42, 25 ; voir aussi le *Pap. Oxyrhynchus* 724, 3 (IIe siècle de notre ère), plus les références données par LAMPE (p. 1231), dont la plus intéressante... paraît être le titre des Homélies de Chrysostome sur l'*Épître aux Hébreux* (*PG* 63, 9) ; Ἑρμηνεία εἰς τὴν πρὸς Ἑβραίους ἐπιστολὴν ἀπὸ σημείων μετὰ τὴν κοίμησιν αὐτοῦ παρὰ Κωνσταντίνου πρεσβυτέρου Ἀντιοχείας. Constantin, prêtre d'Antioche, a transcrit (en lettres grecques) l'ἑρμηνεία, d'après la notation tachygraphique. » (Lettre personnelle du 1.10.76). Ce Constantin serait le Constantios de la lettre 114 (*PG* 52, 670). On peut ajouter à ces remarques le texte de SOCRATE, parlant de Jean Chrysostome (*Hist. eccl.* VI, 3 ; *PG* 67, 672 C): ὁποῖοι δέ εἰσιν οἵ τε ἐκδοθέντες παρ' αὐτοῦ λόγοι καὶ οἱ λέγοντος αὐτοῦ ὑπὸ τῶν ὀξυγράφων ἐκληφθέντες, ὅπως τε λαμπροὶ καὶ τὸ ἐπαγωγὸν ἔχοντες, τί δεῖ νῦν λέγειν, ἔξον τοῖς βουλομένοις αὐτοὺς ἀναλέγεσθαι καὶ τὴν ἐξ αὐτῶν ὠφέλειαν καρποῦσθαι. « A quoi bon dire maintenant quels sont les discours qu'il a édités et ceux qui ont été pris à la volée par les tachygraphes, dire leur magnificence et leur persuasion, alors qu'il est possible à qui le désire de les lire et d'en tirer profit ? »

2. Mekitharistae, *Versio armenica in Is. 8-64,* Venetiis 1880. Le texte arménien commence avec le mot *žamanakaç*, en grec καιρῶν, II, 2, 28. L'édition est incomplète, car les pères mékhitaristes n'ont pas utilisé trois

Dans son état actuel, ce manuscrit nous a conservé l'exégèse d'Isaïe du ch. 2, 2 au ch. 54, avec une lacune importante des ch. 21-30. Sept ans plus tard en fut publiée une version latine [1], mais on observera que pour *Is.* 2, 2 - 8, 10, l'éditeur a reproduit textuellement la traduction que Montfaucon avait donnée du texte grec, quitte à signaler en note les divergences les plus notables, quatre-vingt-sept au total. Le plaidoyer le plus convaincant pour l'authenticité du commentaire conservé seulement en arménien est assurément celui de L. Dieu [2]. Nous n'aborderons pas cette discussion qui ne concerne pas notre sujet ; nous ferons simplement remarquer que la note précitée du *Marcianus* et de l'*Ottobonianus* figure déjà dans la version arménienne, rédigée en ces termes :

Minč̣ew ç̣aysvayr gtaw (var. gtakʿ) iwrov jeṙovkʿ greal eraneloyn Yohannu yunarēn (p. 102).

« Jusqu'ici on trouve (var. nous avons trouvé) écrit de la propre main du bienheureux Jean, en grec... »

La note est manifestement tronquée, mais elle reste assez explicite. Le scribe oppose au texte qu'il vient de traduire, texte écrit en caractères grecs et attribué à Jean, un autre texte transcrit, lui, en caractères différents et qui n'est pas de la main, ou du moins de la rédaction de Jean. On observera aussi que ce Jean n'est point présenté ici comme archevêque de Constantinople, un titre que lui décernent les intitulés de tous nos manuscrits du Moyen-Age ; qu'il n'est pas encore qualifié

manuscrits de Jérusalem (S. Jacques), les mss 1853, 2837, 327. Le premier comprend le prologue et les chapitres 1-26. La revue arménienne *Sion* (9, 1935, p. 21-24) a donné le texte du prologue, assorti d'une quarantaine de notes, mais rien de plus, contrairement à ce que dit la *Clavis,* p. 520, nº 4416. Le second, le 2837, est une copie du précédent. Le troisième contient, outre le prologue, les chap. 1, 1 - 7, 17. Nous avons utilisé le prologue édité dans la revue précitée.

1. A. TIROYAN, *In Isaïam prophetam interpretatio S. Joannis Chrysostomi nunc primum ex armenio in latinum sermonem... translata,* Venetiis 1887.

2. L. DIEU, « Le commentaire arménien de S. Jean Chrysostome sur Isaïe est-il authentique ? » *R.H.E.* 16 (1921), p. 7-30.

de Chrysostome, une épithète qui n'apparaît accolée à son nom qu'au VIe s. ; qu'il n'est pas non plus appelé saint, comme dans les eucologes, mais simplement bienheureux, le terme banal attribué aux morts sur les épitaphes dès l'époque hellénistique. Tout ceci, et plus encore l'état de la langue[1], nous amène à penser que notre version remonte au Ve s.

Le traducteur arménien s'est donc trouvé comme le scribe grec en présence d'un texte noté en sténographie, mais, plus expert que lui, il a pu interpréter ces signes et poursuivre son travail. On pourrait aussi supposer qu'il a utilisé un texte déjà rédigé par un secrétaire, mais aujourd'hui perdu. Quoi qu'il en soit, il est improbable que nous possédions pour *Is.* 8, 11 *ad finem* un commentaire rédigé par Chrysostome.

3. Époque de composition

Le Nain de Tillemont[2] et Montfaucon[3] s'accordent pour placer la rédaction du Commentaire à la fin de la période anachorétique ou durant le temps du diaconat, donc avant 386. Ils font remarquer que les attaques contre les Juifs qu'on y décèle[4] sont fréquentes dans les homélies prononcées à

1. « Le Père Nersès Akinean, *Dasakan Hayerēn ew Viennakan Mxit'arean Dproc'α* (*Azgayin Matenadaran*, 134), Wien, 1932, p. 39, place la traduction du Commentaire d'Isaïe au Ve siècle, à l'époque que l'on appelle habituellement l'âge d'or de la littérature arménienne. Je ne pense pas que cette datation ait été contestée par des ouvrages plus récents. » Dom Renoux (lettre personnelle du 12.5.78). Cf. aussi J. DUMORTIER, « La version arménienne du Commentaire sur Isaïe », communication *Eighth Int. Conf. on Patr. Stud., Studia Patristica* XVII (1982), p. 1159-1162.

2. TILLEMONT, *Mémoires pour servir à l'histoire ecclésiastique des six premiers siècles*, XI, 90.

3. MONTFAUCON, *S. Joannis Chrysostomi opera omnia, praefatio in tomum sextum, PG* 56, 6-8.

4. *Com.* I, 4 ; II, 3-4 ; II, 6, *passim.* Cf. A.M. MALINGREY, « La controverse antijudaïque dans l'œuvre de Jean Chrysostome d'après les discours Adversus Judaeos », in *De l'antijudaïsme antique à l'antisémitisme*

Antioche, mais rares dans celles de Constantinople ; de plus, que l'état de l'Empire romain explique les allusions de Chrysostome à la paix universelle[1] qui régnait alors, c'est-à-dire avant 377. Ajoutons pour notre part que les discours *In Oziam* V et VI[2], qu'on peut dater de 386-387, s'inspirent manifestement du Commentaire ch. VI, et l'on sait que Photius nous a conservé un essai homilétique de la même période[3], inspiré par un passage du Commentaire ch. I.

4. Méthode exégétique

Le commentaire de Jean sur Isaïe repose sur la version de la Septante[4] qui, aux yeux des chrétiens de cette époque, passait pour inspirée. Comme Philon et Flavius Josèphe, les auteurs du Nouveau Testament la citent couramment. L'évangéliste Matthieu adopte sa traduction du mot *almâh* (adolescente) par παρθένος (vierge), ce qui lui permet de voir réalisé par la conception virginale l'oracle sur l'Emmanuel[5]. Au IIIe s. de notre ère circulaient cependant d'autres versions, celles d'Aquila, de Symmaque, de Théodotion qui figurèrent dans les Hexaples d'Origène. Il existait aussi une tradition antiochienne que Jean a suivie, et qui fut jadis considérée comme l'œuvre du prêtre Lucien, d'où son nom de version lucianique[6].

contemporain, Univ. Lille III, 1980, p. 87-104. NICÉTAS STÉTHATOS, *Opuscules et lettres,* éd. J. Darrouzès (*SC* 81), Paris 1961, p. 412-413.

1. *Com.* II, 5.
2. *PG* 56, 129-142 ; *SC* 277, p. 178-229.
3. *PG* 104, 284. Cet extrait semble une paraphrase en 53 lignes (éd. Migne) des 14 lignes que nous lisons dans le commentaire.
4. Il lui arrive cependant de citer une variante fournie par l'hébreu ou le syriaque : VII, 8, 37.
5. *Matth.* 1, 22-23 ; *Is.* 7, 14.
6. Si RAHLFS (*Septuaginta,* Stuttgart 1935, p. XXII-XXXI) et même ZIEGLER (*Septuaginta, Isaias,* vol. XIV, Göttingen 1967, p. 73-92) parlent encore de « version lucianique », il vaut mieux aujourd'hui renoncer à cette appellation inexacte et parler seulement d'un « texte antiochien ». Cf.

L'école exégétique d'Antioche s'opposait à celle d'Alexandrie par sa plus grande fidélité au sens littéral. C'est même un trait caractéristique de cette école d'avoir eu recours, pour élucider le vocabulaire biblique, à des lexiques profanes. Jean a pu utiliser, comme son ami Théodore de Mopsueste, le dictionnaire de Diogénianos, un contemporain d'Hadrien[1]. Ces exégètes restaient fidèles à la méthode, prônée jadis par Aristarque dans ses *Recherches homériques,* d'expliquer un auteur par lui-même : Ὅμηρον ἐξ Ὁμήρου σαφηνίζειν[2]. Toute l'Écriture d'ailleurs était considérée comme l'œuvre d'un seul auteur, Dieu lui-même, dont les écrivains sacrés n'étaient que les interprètes[3].

Jean s'efforce donc d'élucider le sens des mots, d'expliquer telle forme grammaticale. Ainsi le vocable δόξα, qui comporte de multiples acceptions en grec, correspond, s'il est appliqué à Dieu, aux termes λαμπρότης, φῶς ἀπόρρητον, « splendeur, lumière indicible[4] ». Les mots ἄνομοι et παράνομοι ne sont pas synonymes[5]. Le terme ὅρασις, « vision », est ambigu : il peut signifier soit une apparition, saisie par les sens, d'un objet matériel, soit la révélation de vérités spirituelles qui s'impose, comme si elle était perçue par les yeux[6]. Les mots Séraphin et Iasub ont une origine sémitique : ils signifient respectivement « bouches enflammées[7] » et « comportement[8] ». Le recours à la

M. SPANNEUT, « La bible d'Eustathe d'Antioche. Contribution à l'histoire de la "version lucianique" », *Studia Patristica* IV (*TU* 79, 1961), p. 171-190; D. BARTHÉLEMY, *Les devanciers d'Aquila,* vol. X des *Supplements to Vetus Testamentum,* Leyde 1963, p. 126-127.

1. Chr. SCHÄUBLIN, *Untersuchungen zu Methode und Herkunft der antiochenischen Exegese,* p. 96, Köln-Bonn 1974.
2. *Op. cit.,* p. 159.
3. *Op. cit.,* p. 160.
4. *Com.* VI, 2, 43-44.
5. *Com.* I, 3, 29. Cf. VII, 8, 48-49.
6. *Com.* I, 1, 1-13.
7. *Com.* VI, 2, 50-54.
8. *Com.* VII, 2, 80-85.

forme ἐκέκραγον et non à ἐκέκραξαν nous indique que les anges ne cessaient de crier[1]. L'emploi de l'article n'est pas indifférent en grec, et Jean le rappelle à propos de l'expression ἡ παρθένος qui ne désigne pas une vierge quelconque, mais *la* Vierge par excellence, celle qui demeure telle après la conception[2]; l'évangéliste dit ainsi en divers passages ὁ Λόγος, ὁ Χριστός, ὁ προφήτης, car « chacun de ces titres était singulier[3] ».

Les hyperboles et les métaphores abondent dans l'œuvre du prophète, mais il ne faut pas les prendre au pied de la lettre. Quand il est dit que les Assyriens ne connaîtront ni la faim, ni la fatigue, ou encore qu'ils camperont dans les ravins et sur les arbres, Jean note τοῦτο ὑπερβολικῶς εἴρηται[4]. Prêter des ailes aux anges, un trône à Dieu, relève de la métaphore, puisque ce sont des êtres incorporels et que Dieu remplit l'univers. C'est là procédé didactique pour nous faire comprendre la nature élevée et sublime des anges[5], la stabilité du règne de Dieu, ou encore sa fonction de juge[6].

Jean a donc pour premier souci d'expliquer le texte sans recourir à l'allégorie[7], chère, nous l'avons dit, aux Alexandrins. Pour ceux-ci en effet il s'agissait d'élever l'âme au-dessus du sens littéral par l'ἀναγωγή. Cette exégèse, il est vrai, laissait le champ libre à toutes les fantaisies. Cependant,

1. *Com.* VI, 3, 40-41.
2. *Com.* VII, 5, 63-66.
3. *Com.* VII, 5, 66-74; *Jn* 1, 1; 1, 25.
4. *Com.* VII, 8, 44-46 et 64-68; cf. V, 2, 10-13 et 29-31.
5. *Com.* VI, 3, 1-2. Cf. *Sur l'incompréhensibilité de Dieu, SC* 28, p. 212-213; *Hom. sur Ozias,* I, 3, *SC* 277, p. 60-61.
6. *Com.* VI, 1, 50-55 et VI, 2, 23-30. *Sur l'incompr., SC* 28, p. 45-47.
7. Dans l'œuvre d'Amphiloque d'Iconium, qui appartient aussi à l'école d'Antioche, on ne relève qu'un seul exemple d'allégorie. Cornelis DATEMA, *Amphilochii Iconiensis Opera,* Leuven 1978, p. XXIX. Dans le commentaire d'*Is.* 1, 22, BASILE DE CÉSARÉE (*PG* 30, 209) mentionne le sens littéral et le sens allégorique, mais CYRILLE D'ALEXANDRIE (*PG* 70, 52-53) et Théodoret de Cyr (*SC* 277, p. 176 s.) ne parlent que du sens allégorique.

puisque l'Écriture elle-même recourt à ce procédé, Jean en use lui aussi, mais avec modération ; et il s'en explique clairement :

« Nous trouvons encore un autre enseignement, qui n'est pas sans importance. Quel est-il donc ? C'est de nous apprendre quand et pour quels passages des Écritures il faut recourir à l'allégorie, de nous apprendre aussi que nous ne sommes pas maîtres de ces règles, mais que c'est dans la fidélité à la pensée de l'Écriture qu'il nous faut user de l'explication allégorique. Voici ce que je veux dire. L'Écriture a employé ici les mots *vigne, clôture, pressoir ;* elle n'a pas laissé l'auditeur maître d'appliquer à sa guise ces termes à des choses et des personnes, mais elle s'est ensuite interprétée elle-même en disant : La Vigne du Seigneur Sabaoth est la maison d'Israël[1]. »

Par contre, lorsque le prophète condamne les trafiquants véreux et les commerçants malhonnêtes, Jean se refuse à voir là des allégories qui désigneraient des hommes qui adultéraient la parole de Dieu : il n'est pas indigne du sublime prophète d'aborder des sujets quotidiens, quand Jésus lui-même a mentionné « d'autres objets considérés comme plus vulgaires encore : salutations, places d'honneur, préséances[2] ».

Par le souci d'expliquer l'Écriture en s'attachant au sens littéral, Jean Chrysostome se montre le fidèle disciple de Diodore de Tarse, qui préférait, et de beaucoup, le genre historique au genre allégorique : τοῦ ἀλληγορικοῦ τὸ ἱστορικὸν πλεῖστον ὅσον προτιμῶμεν[3]. Si les Antiochiens se refusaient à faire violence aux textes ou à y mêler leurs opinions personnelles, ils ne renonçaient pas pour autant au principe fondamental de leur exégèse qui était de lire l'Ancien Testament à la lumière du Nouveau. Non seulement les prophéties messianiques se

1. *Com.* V, 3, 45-54.
2. *Com.* I, 7, 57-72.
3. DIODORE, frg. 57, 64. Chr. SCHÄUBLIN, *op. cit.*, p. 157, observe avec raison : « Son ἱστορικὸν est défini par ἀλήθεια (authenticité, réalité) et πράγματα (ce qui s'est une fois produit, appartient au domaine des faits). »

réalisaient dans le Christ, mais tels personnages ou tels événements du passé biblique annonçaient, ou mieux préfiguraient tel personnage ou tel événement de la Nouvelle Alliance. Un exégète antiochien se livrait donc à deux démarches successives, toutes deux indispensables, la première d'ordre philologique, la seconde d'ordre théologique[1].

La méthode typologique pouvait d'ailleurs s'exercer aussi, dans les limites de l'Ancien Testament, entre les différents livres de la Bible. L'on peut donc se demander s'il ne faut pas rechercher l'origine de ce procédé exégétique dans la tradition rabbinique elle-même. Il est frappant en effet de voir le Christ en user tout naturellement avec ses interlocuteurs, et cela à diverses reprises : que ce soit dans sa réplique aux scribes et aux pharisiens qui lui demandent un signe : « Tout comme Jonas fut dans le ventre du monstre marin trois jours et trois nuits, ainsi le Fils de l'homme sera dans le sein de la terre trois jours et trois nuits[2] » ; que ce soit dans son entretien avec Nicodème, docteur en Israël : « Et comme Moïse éleva le serpent dans le désert, il faut que le Fils de l'homme soit élevé[3] » ; que ce soit dans sa discussion avec les Juifs : « Si vous aviez cru en Moïse, vous croiriez en moi ; car c'est à mon sujet qu'il a écrit[4] ». Mais Paul, qui fut disciple de Gamaliel[5], n'argumente pas autrement lorsqu'il affirme, au sujet des épreuves subies par les Israélites au désert, que ces événements concernaient les Corinthiens persécutés et que cela fut mis par écrit pour l'instruction de ceux qui étaient arrivés « à la fin des temps[6] » ;

1. Chr. SCHÄUBLIN, *op. cit.*, p. 168, précise : « Cette signification hyper-historique de l'événement décrit ne s'exprime pas dans le texte même, et son exploitation théologique ne doit donc pas interférer dans l'interprétation philologique et historique directe. »
2. *Matth.* 12, 40.
3. *Jn* 3, 14.
4. *Jn* 5, 46.
5. *Act.* 22, 3.
6. *I Cor.* 10,6 et 11.

ou encore lorsqu'il voit dans les deux femmes d'Abraham les deux alliances, la juive et la chrétienne[1]. L'auteur de l'*Épître aux Hébreux* enfin distinguera entre l'esquisse des biens à venir que possède la Loi et l'expression même des réalités qui appartient à la Nouvelle Alliance[2]. Ces personnages, ces événements de l'Ancien Testament sont des prophéties en acte, ce que Schäublin appelle *Realprophetien*[3].

Dans le *Commentaire sur Isaïe,* Jean Chrysostome porte souvent sur ce terrain la controverse avec les Juifs. Le passage d'*Isaïe* 1, 26 : « Et après cela, tu seras appelée la cité de justice, Sion la métropole fidèle », est ainsi commenté : « Cependant, nous ne trouvons nulle part ce nom appliqué à la ville de Jérusalem. Que pouvons-nous dire ? Le nom que donne ici le prophète lui est suggéré par les faits. Et cette constatation peut nous être bien utile, lorsque les Juifs nous demandent l'explication du mot *Emmanuel.* Isaïe a dit en effet que le Christ serait nommé de cette façon ; or il ne l'est nulle part ; nous pouvons donc leur répondre qu'il a donné pour nom l'interprétation de la réalité. Il en est de même ici[4] ». Nous retrouvons le même raisonnement pour un autre passage du prophète, en *Is.* 2, 2 : « Et toutes les nations viendront vers elle. – Les Juifs ne pourront pas, malgré toute leur impudence, appliquer cela au Temple. C'est qu'en effet on interdisait aux nations, on les empêchait de la manière la plus stricte de pénétrer dans le Temple. Que dis-je, pénétrer dans le Temple, alors que la Loi leur interdisait avec force menaces les unions avec les nations et réclamait pour les punir le dernier châtiment ? Le prophète

1. *Gal.* 4, 24.
2. *Hébr.* 10, 1.
3. Chr. SCHÄUBLIN, *op. cit.,* p. 169 : « Comme ces prophéties en action ne sont connues de la postérité que par leur représentation écrite, l'interprétation philologique des textes doit, quoique en seconde ligne, avoir affaire à elles. »
4. *Com.* I, 9, 11-20.

Malachie a consacré à cet objet toute sa prophétie, accusant, menaçant, exigeant des comptes pour leurs alliances illégitimes. Cette situation n'est pas la nôtre ; sans aucune crainte, l'Église dilate son sein et elle reçoit chaque jour à bras ouverts tous les peuples de l'univers[1].» Ainsi donc les prédictions d'Isaïe n'avaient pas pour objet la Judée et Jérusalem, sinon elles seraient inintelligibles, mais bel et bien l'Église du Christ. Cette interprétation *typologique* ressortit sans doute au théologien, à qui il appartient de discerner la réalité du message sous la paille des mots, mais ce travail n'est possible, nous l'avons dit, qu'après celui du philologue qui a déterminé le sens du texte. En ce domaine de la philologie, comme le remarque Schäublin, les exégètes de l'école d'Antioche excellèrent, et l'on peut conclure avec ce savant : « Avec leur rationalisme strict et leur effort sincère à ne rien introduire dans le texte qui n'y soit déjà, avec leur interprétation *historique,* qui n'admet que le sens littéral, les Antiochiens méritent de prendre place dans la lignée des meilleurs philologues païens de formation alexandrine[2]. »

1. *Com.* II, 3, 28-39.
2. Chr. SCHÄUBLIN, *op. cit.,* p. 172.

CHAPITRE II

TRADITION MANUSCRITE

1. Table des manuscrits

1	*L*	*Laurentianus gr. Plut. IX, cod. 13*	Xe s.
2	*M*	*Mosquensis gr. 114* (*Vlad.* 55)	Xe s.
3	*V*	*Vaticanus gr. 522*	XIe s.
4	*G*	*Gudianus gr. 2° 50*	XIIe s.
5	*N*	*Marcianus gr. 87*	*circiter* XIIe s.
6	*C*	*Laurentianus gr. Plut. V, cod. 8*	XIIe-XIIIe s.
7	*P*	*Parisinus gr. 777 (Reg. 1933)*	1542
8	*O*	*Vaticanus Ottobonianus gr. 7*	*post* 1543
9	*B*	*Monacensis gr. 38*	1555
10	*O^m*	*Vaticanus Ottobonianus gr. 7, in margine*	XVIIe s.
11	*B^m*	*Monacensis gr. 38, in margine*	XVIIe s.

2. Description des manuscrits

1. *Laurentianus gr. Plut. IX, cod. 13* : ***L,*** Florence, Bibl. Laur. xe s., parchemin, 204 ff., 2 col., 26 à 30 li. *In Isaïam* ff. 1-77v.

Le prologue a disparu et la première page est d'une main récente (xve s.). Après les derniers mots du texte a été ajoutée la mention Ἐπληρώθη ἡ ἑρμηνεία τοῦ Χρυσοστόμου ἡ εἰς τὸν προφήτην Ἡσαΐαν, pour avertir que l'état incomplet du commentaire ne résultait pas de la mutilation du modèle. Vient ensuite le commentaire de Jean sur Jérémie.

2. *Mosquensis gr. 114 (Vlad. 55)* : ***M,*** Moscou, Bibl. synod. xe s., parchemin, 350 ff., 2 col., 33 li. *In Isaïam,* ff. 1-87v.

En marge ou *supra lineam,* on lit quelques variantes provenant du *Laurentianus gr. IX, 13*. Vient ensuite le commentaire de Jean sur Jérémie.

3. *Vaticanus gr. 522* : ***V,*** Cité du Vatican, Bibl. vatic., xie s., parchemin, 169 ff., 2 col., 29-32 li. *In Isaïam,* ff. 68v-154.

Le scribe confond η et ει, ι et ει, ο et ω. Au bas des ff. 117v-119 (= *PG* 56, 60, 13), on lit une dissertation sur l'allégorie chez Chrysostome. Elle serait due, d'après Mgr Canart (lettre personnelle, 19.3.76), non à Isidore de Kiev comme le présumait R. Devreesse, mais à un inconnu ; l'écriture daterait de la fin du XIVe ou du début du XVe s. De la même main sont certaines corrections (136v et 153) et quelques additions (76v, 105, 119, 152v).

4. *Gudianus gr. 2° 50* : ***G,*** Wolfenbüttel, Herzog August. Bibl., XIIe s., parchemin, 78 ff., pleine page, 30 li. *In Isaïam,* ff. 1-78v.

des. mut. VIII, 3, 52 ἀδυνάτοις ἐ]πιχειροῦντες

mais il présente aussi une lacune importante en V, 8, 28 – VI, 5, 42

ἵνα μὴ] τῆς ὁδοῦ – ὅτι παρῆν [ἥνικα

5. *Marcianus gr. 87* : ***N,*** Venise, Bibl. Marc., *circiter* XIIe s., parchemin, 262 ff., pleine page, 31 li. *In Isaïam,* ff. 1-86.

Jusqu'à la page 86, nous avons un commentaire dû à Chrysostome, mais enrichi d'un passage de Basile de Césarée et de quatorze passages de Cyrille d'Alexandrie. Soit *PG* 30, 333-336, et *PG* 70, 68-69 ; 101-104 ; 109-112 ; 137-140 ; 125-128 ; 133 ; 133-135 ; 136-137 ; 144-145 ; 165 ; 169-176 ; 184-185 ; 188-192 ; 217-225.

La page 86 contient la note dont il a été question plus haut et qui nous fournit l'explication du caractère incomplet du Commentaire de Jean.

A partir de la page 87, nous lisons le commentaire d'*Is.* ch. 8, 11 à ch. 19 dans une chaîne formée par Cyrille, Sévère, Eusèbe, Théodoret, Basile et Théodore. Viennent ensuite deux commentaires sur Jérémie : celui de Chrysostome et celui de Théodoret.

On remarquera qu'aux ff. 18r-18v un passage de Cyrille d'Alexandrie Ὅρος – καὶ ἀληθής (*PG* 70, 68-69) remplace le texte de Chrysostome πῶς ἂν τοῦτο – ἀνθρώποις γέγονε (II, 3, 1-6) qu'on trouve dans les autres mss.

6. *Laurentianus gr. Plut. V, cod. 8* : ***C,*** Florence, Bibl. Laur. XIIe-XIIIe s., parchemin, 393 ff., 2 col., 44 li.

Ce manuscrit est une chaîne exégétique sur le prophète Isaïe. A notre commentaire de Chrysostome, l'auteur de la chaîne a ajouté des passages tirés de trois homélies sur Ozias :

1re homélie	τίνος ἕνεκεν – ἐπηρμένου *PG* 56,	100, 54 – 101, 11
	κατεκάλυπτον – ἐπιλύσασθαι	101, 17 – 101, 34
	ἄπληστον – δεσπότη	101, 35 – 102, 8
5e homélie	ἁπάντων – καταλλαγῆς	134, 27 – 135, 8

6e homélie πρὸ τοῦ τῆς – φαίνεσθαι 136, 54 – 137, 12
ἐνδείκνυται – κεκραμένη 137, 32 – 137, 55
καὶ ἡ κραυγὴ – κέκραγεν 138, 1 – 138, 34
et au delà de *Is.* 8, 10 où le texte grec du commentaire fait défaut, des extraits d'autres homélies. Ainsi pour :
Is. 8, 23 - 9, 1 *In Matt.* 14, 1 ὅτι γὰρ – τοῦ τέλους
PG 57, 217
9, 9 *In Genes.* 30, 3-4 κατέβη – κατὰ ταὐτὸ οἰκεῖν
PG 53, 277-279
10, 20-23 *In Epist. ad Rom.* οὐ γὰρ – κατέστησαν
PG 60, 562

Tout en se rattachant, comme nous le verrons, à une famille de mss, le *Laurentianus gr. V, 8* s'en distingue par un nombre considérable de variantes : on en compte plus de deux cents, sans parler des inversions dans l'ordre des mots. Ces variantes sont

– tantôt banales : adjonction ou substitution de particules de liaison comme ἄρα, γάρ, γε, μήν, γοῦν, δέ, τοίνυν ; emploi de synonymes : δίκην pour κόλασιν I, 2, 14 ; ἀφόρητος pour ἄφατος I, 2, 29 ; εἰδώλοις pour γλυπτοῖς I, 9, 54 ; πρόφασιν pour ὑπόθεσιν III, 2, 13 ; addition de certains mots, voire d'une phrase, pour obtenir un effet stylistique : εἴ τις οὖν ἔροιτο πῶς, « si l'on demandait donc comment » (I, 3, 54) ; ἀκούσατε πῶς, « écoutez comment » (I, 3, 55) ; ou simplement gloser le texte : ὅτε καὶ ἐγένετο πᾶσα χώρα κατεστραμμένη ὑπὸ λαῶν ἀλλοτρίων, « quand tout le pays aussi fut soumis par des peuples étrangers » (I, 3, 68) ;

– tantôt originales et destinées à amender un texte corrompu. Ainsi en III, 1, 32 le texte de *LMG* que suit *C* porte : ἡ πηγὴ τῆς παρέσεως οὐκ ἦν αἰτία, ἀλλὰ τὰ ἁμαρτήματα, « la source de la paralysie n'était pas la cause, mais les péchés ». Une phrase pour le moins étrange ! La scribe de *C* a donc corrigé. Il écrit : οὐκ ἄλλο τῆς παρέσεως ἦν αἴτιον, ἀλλὰ τὰ ἁμαρτήματα, « il n'y avait pas d'autre cause à la paralysie que les péchés ». Mais ce faisant il substitue une glose αἴτιον à la leçon authentique πηγή comme le suggèrent, outre la version arménienne, les mss *N* et *V*. On lira donc avec eux ἡ πηγὴ τῆς παρέσεως τὰ ἁμαρτήματα ἦν, « la source de la paralysie, c'étaient les péchés ». *Melk' ēin patčaṙk' andamalucut'eann* (p. 20).

En VI, 4, 60-61, on nous parle d'un Séraphin qui purifie les lèvres du prophète, ὥστε φόβου καὶ παρρησίας αὐτὸν ἐμπλῆσαι, « pour le remplir de peur et d'assurance ». Telle est la leçon singulière de tous nos mss. Le scribe de *C* a corrigé ce texte en substituant θράσους à φόβου, « audace » à « peur » : « pour le remplir d'audace et d'assurance ». Mais si θράσους était la leçon primitive, on ne voit pas pourquoi on lui aurait substitué φόβου. Or nous lisons en arménien : *zi ew zerkiwłn meržescē ew hamarjakutʿeamb lnuc̣* (p. 68), « pour le libérer de sa peur et le remplir d'assurance ». Le traducteur avait sous les yeux un texte plus complet que le nôtre, soit : ὥστε <ἀπαλλάξαι> φόβου καὶ παρρησίας αὐτὸν ἐμπλῆσαι.

En III, 3, 51, la leçon ἐν ἀγῶνι, propre à *C*, est une correction malheureuse de ἐναγῶν, en arménien *piłc*.

En III, 6, 39-40, quand il est question de Dieu qui châtie les dirigeants pour les crimes de leurs subordonnés, nous lisons : ὑπὲρ τῶν εἰς τὸν δῆμον ἁμαρτημάτων ἐγκαλοῦντα τοῖς τὸν δῆμον ἀλγοῦσι, « reprochant les péchés commis envers le peuple à ceux qui font souffrir le peuple ». Telle quelle la phrase est déjà incorrecte, et on a proposé pour ἀλγοῦσι, ἀλγύνουσι *(Bosius apud Savilium)*, ἄγουσι (Savile), ou encore ἀδικοῦσι (Montfaucon). Cette dernière leçon a été introduite par *C*. Mais toutes ces corrections sont insuffisantes, car cette phrase ne s'accorde pas avec son contexte. La version arménienne porte simplement : *ew zżołovrdoc̣n mełs yišxanac̣n pahanǰē,* (p. 32) « et il reproche les péchés des peuples à leurs chefs », littéralement ὅτι τὰ τῶν δήμων ἁμαρτήματα τοῖς ἄρχουσιν ἐγκαλεῖ, ce qui est en parfait accord avec le contexte.

Comme nous avons pu l'observer, les corrections de *C* sont malheureuses, et le recours fréquent aux particules de liaison qu'on remarque dans ce ms. est inconnu tant des autres mss que de l'arménien. On le soumettra donc au jugement sévère porté par Goodall sur le réviseur du Commentaire sur les épîtres à Tite et Philémon : « Puisque le réviseur a remanié un texte corrompu et ce faisant introduit de nouvelles erreurs, il est impossible d'attribuer ces variantes à l'auteur[1]. » Nous savons enfin de bonne source que Nicolas Mouzan, responsable de ces corrections, prend toutes sortes de libertés avec les textes qu'il édite[2], pour les accommoder au goût du jour. Nul

1. B.P.Goodall, *op. cit.*, p. 60.

2. Cet auteur en agit de même pour le texte de Théodoret de Cyr, où il multiplie les particules de liaison, surtout au début des citations. Le dernier éditeur du *Commentaire sur Isaïe* de Théodoret est bien fondé pour dire que le manuscrit de Florence, *Laurentianus V, 8,* est moins sûr que les deux

n'ignore que cet archevêque de Chypre chargea un diacre impérial de récrire la Vie de sainte Parascève, dont le style manquait d'élégance. Et il suffit de lire la préface de la *Catena* pour voir que son auteur ne se présente pas à ses lecteurs comme un simple compilateur, mais comme un auteur qui fait œuvre personnelle.

7. *Parisinus gr. 777 (Reg. 1933)* : ***P,*** Paris, Bibl. Nat., 1542, papier, 332 pages, pleine page, 26 li. *In Isaïam,* p. 17-79.

Le texte du Commentaire est précédé de celui de la 8e homélie *Sur la Pénitence* (*PG* 49, 335-344), qui porte le titre trompeur de Ὑπόμνημα εἰς τὸν προφήτην Ἠσαΐαν. Le commentaire lui-même est intitulé Ἑρμηνεία εἰς τὸν προφήτην Ἠσαΐαν comme il se doit.

Ce manuscrit a servi de base à l'édition de Savile, et Montfaucon déclare n'en avoir pas connu d'autre. Il s'achève avec le formule Ὅτι αὐτῷ ἡ δόξα. C'est une copie du *Vaticanus gr. 522,* due à Christophe Auer et datée de 1542.

8. *Vaticanus Ottobonianus gr. 7* : ***O,*** Rome, Bibl. Vatic., 1543, papier, 223 pages, pleine page, 29 li. *In Isaïam,* p. 49-145.

Ce manuscrit possède les mêmes extraits de Basile de Césarée et de Cyrille d'Alexandrie que le *Marcianus gr. 87.* Il nous conserve aussi la note que donne le *Marcianus.*

Il porte en marge des variantes, empruntées au *Laurentianus gr. V, 8* et dont l'écriture est du XVIIe s.

9. *Monacensis gr. 38* : ***B,*** Munich Bayerisch Staats Bibl., après 1555, papier, 387 pages, pleine page, 30 li. *In Isaïam,* p. 139-223.

Chrysostome fondait en une citation *Is.* 3, 16-26 et *Is.* 4, 1-6, comme le sens s'y prêtait, et nos mss font de même. Mais le scribe du *Monacensis,* qui connaissait la division de la Bible due à Robert Estienne, fait suivre *Is.* 3, 16-26 de son commentaire, avant de citer *Is.* 4, 1-6. On peut en conclure que ce ms. est postérieur à 1555, date de cette édition de la Bible.

Après les derniers mots du Commentaire, on lit τέλος καὶ τῷ θεῷ ἡμῶν δόξα. Le *Monacensis* contient les mêmes extraits de Basile et de Cyrille que nous lisions dans le *Marcianus gr. 87* et l'*Ottobonianus gr. 7,* et présente les mêmes variantes marginales que ce dernier.

Nous n'avons pu atteindre le *Mosquensis 25 (Vlad. 56)* du XIe s., le

autres qui lui sont apparentés, c'est-à-dire les mss de Patmos et de Milan : cf. Jean-Noël GUINOT, *Théodoret de Cyr, Comm. sur Isaïe,* t. I, *SC* 276, p. 111.

Mosquensis 24 (Vlad. 57) du XVe s. qui sont des chaînes, et nous avons négligé le *Vaticanus Ottobonianus gr. 98* du XVIIe s.

Nous ne citerons enfin que pour mémoire l'*Ecloga* 34, qui contient quelques extraits du Commentaire : VII, 4, 39-47 ; VII, 4, 60 - VII, 5, 4 ; VII, 5, 20-54. Ces passages n'offrent en effet aucun intérêt pour l'établissement du texte.

3. Classement des manuscrits

La tradition grecque, que nous avons pu atteindre, comprend 9 manuscrits qui se répartissent en deux familles *x* et *y*. La première compte deux représentants, la seconde se divise en deux groupes.

La différence entre *x* et *y* est clairement marquée dans :

I, 2, 12	πάλιν	*x*	πάλαι	*y*
I, 5, 38	θυσίαν	*x*	οὐσίαν	*y* (faute d'onciale en *x*)
II, 1, 46	ἀναπληρώσας	*x*	ἐξαπλώσας	*y*
II, 7, 3	γνώσεως	*x*	γνώμης	*y*
IV, 1, 19	μεταλαμβάνει	*x*	μεταβάλλει	*y*
VI, 1, 62	οὖν καταβαίνων	*x*	συνκαταβαίνων	*y* (faute d'onciale en *x*)
VII, 8, 22	ξίφος	*x*	πλῆθος	*y*
VIII, 1, 83	κρίσις	*x*	ῥῆσις	*y*

On relève en *x* les lacunes suivantes :

I, 2, 23	εὐμαθεστέρα] τε ἔσται καὶ σαφεστέρα
I, 9, 13-14	ἐπιτεθέν] τί οὖν ἂν εἴποιμεν ;
II, 3, 31	εἰσιέναι] καὶ τί λέγω εἰς τὸν ναὸν εἰσιέναι
III, 4, 71-72	ἀνήρπασεν] οὐδὲ ἐκ βάθρων τὴν πόλιν ἀνέσπασεν
VI, 6, 15	τηκόμενοι] καὶ ἑτέροις μυρίοις πολιορκούμενοι

La famille x réunit le *Vaticanus gr. 522 (V)* et le *Parisinus gr. 777 (P)* ; ce dernier est la copie de l'autre. Cela s'observe pour le Commentaire, mais aussi pour le discours « sur l'Incompréhensibilité de Dieu ».

La famille y se compose de deux groupes α et β.

Le groupe α comprend quatre mss : deux du Xe s., *Laurentianus gr. IX, 13 (L)*, *Mosquensis gr. 114(M)* ; un du XIIe s., *Gudianus 2° 50 (G)* ; un du XIIe-XIIIe s., *Laurentianus gr. V, 8 (C)*.

Pour le prologue, dont est dépourvu *L*, nous avons l'accord de *MGC* :

Pr. 11	ἀνοίας	*MGC*	μανίας	*ceteri*
16	ἐδάκνετο		ἀλγεῖ καὶ δάκνεται	
16	ὠδύρετο		ὀδύρεται	
38	κατασχεθείσης		κατενεχθείσης	

et pour la suite du Commentaire, l'accord de *LMGC* :

I, 2, 5	ἀθρόως	*LMGC*	ἀθρόον	*ceteri*
III, 6, 50	ἐμβάλλειν		ἐμβαλεῖν	
III, 9, 32	παιδίων		παίδων	
V, 3, 35	γῆς		ψυχῆς	
V, 5, 23	τοιοῦτον		τούτων	
VII, 2, 2	ἀνείλοντο		εἵλοντο/εἵλαντο	
VII, 3, 25	προσέθηκε		προστέθεικε	
VII, 6, 47	ἄνθρωποι		ἄνθρωπος	
VII, 6, 90	ὑμῶν		αὐτῶν	

Dans ce groupe, on peut distinguer deux sous-groupes α^1 et α^2, car trois manuscrits qui forment le sous-groupe α^1 nous apparaissent plus étroitement liés entre eux qu'avec le quatrième qui formera le sous-groupe α^2.

Sous-groupe α^1. Il comprend le *Laurentianus gr. IX, 13 (L)*, le *Mosquensis gr. 114 (M)* et le *Gudianus 2° 50 (G)*. Ce sous-groupe présente les variantes suivantes qui lui sont propres :

I, 7, 38	ἁπάντων	*LMG*	ἅπαντα	*ceteri*
I, 7, 42	πεφύτευτο		πεφύτευται	
II, 3, 51	συνεχεῖς		διηνεκεῖς	
II, 34	ἐστι		ἐπὶ	
II, 5, 31	πολεμίων		πολεμικῶν	
Γ 1, 103	διατηροῦσιν		διατηροῦσα	
VIı, 1, 37	κλῆσιν		ἐκκλησίαν	
VIII, 2, 51	βουλεύεσθαι		βούλεσθαι	

Sous-groupe α^2. Il est représenté par le seul *Laurentianus gr. V, 8 (C)*, mais on pourrait lui rattacher en quelque sorte deux autres mss, car il a été collationné au XVIIe s. par les possesseurs de l'*Ottobonianus gr. 7 (O)* et du *Monacensis gr. 38 (B)*. Nous trouvons en effet dans les marges de ces manuscrits des leçons propres à *C*.

II, 9, 22	συμμαχίας	CO^mB^m	βοηθείας	*ceteri*
III, 6, 40	ἀδικοῦσι		ἄλγοῦσι	

VI, 4, 61	θάρρους	φόβου
VII, 4, 9	ὄψονται	λήψονται

et les additions

I, 5, 82 πληρεῖς] + αἵματος
II, 7, 76 προφήτης] + καὶ ἔκυψεν ἄνθρωπος καὶ
III, 6, 43 κολάζεσθαι] + σφόδρα
III, 8, 61 ἱματίων] + τῶν γυναικῶν ἐκείνων
V, 2, 40 ὅτι — μεταφορᾶς (7 mots) : οὐ δεῖ κατὰ λέξιν τὴν μεταφορὰν ἑρμηνεύειν ἀλλὰ τὸν σκοπὸν εἰδότας ἀρκεῖσθαι τούτῳ (13 mots)
V, 7, 18-20 γίνεται] + λέγω δὴ τὸ φάσκειν τὸ πονηρὸν καλόν, καὶ τὸ καλὸν πονηρόν, καὶ τὰ ἑξῆς

Groupe β. Il comprend trois manuscrits étroitement apparentés : le *Marcianus gr. 87 (N)* du XIIe s., l'*Ottobonianus gr. 7 (O)* et le *Monacensis 38 (B),* ces derniers du XVIe s.

La parenté de *NOB* se remarque déjà dans leur composition, car ils présentent les mêmes extraits des commentaires de Basile de Césarée et de Cyrille d'Alexandrie insérés dans le texte de Chrysostome, mais on relève aussi les variantes suivantes qui leur sont propres :

I, 5, 57	ἄμοιροι	*NOB*	ἔρημοι	*ceteri*
II, 4, 80	ᾖδη		ἴδοι	
II, 6, 28	προστέθεικεν		προσέθηκεν	
III, 8, 24	βασκανείαν		βλακείαν	
V, 6, 15	ἀπολιμπανόμενοι		ὑπολιμπανόμενοι	
VI, 2, 60	τοιαῦται		τοιαῦτα	
VI, 2, 73	ἐκέκραγον		ἐκέκραγεν	
VII, 5, 9	ἐποίησεν		πεποίηκεν	

les omissions V, 6, 31 τοῦ] ἁγίου
VI, 1, 36 μονογενὴς] ὑιός
l'addition VI, 3, 72 γὰρ] + τὸ πληρωθῆναι

O et *B* sont des copies de *N,* mais ils ont comblé par contamination quelques lacunes que l'on observe dans leur modèle :

I, 3, 42 ἐτίμησε] καὶ εὐηργέτησε
I, 9, 81 ἔχουσαι] ὡς ἀσθενεῖς
III, 3, 78 ἀπατεῶνας] τοὺς εἴρωνας
III, 4, 56 δόξης] αὐτοὺς
VI, 4, 26 ἀκάθαρτα] αὐτοῦ τὰ
VII, 5, 53 Κύριος] ὑμῖν

4. La version arménienne

L'antiquité de cette version antérieure à la translittération la rend éminemment précieuse pour l'établissement du texte, mais à condition, bien entendu, de recourir directement à l'arménien. Nous l'avons fait chaque fois que nos deux familles de mss étaient en désaccord, et dans le cas où leur accord même ne fournissait pas une lecture satisfaisante.

Quelques exemples permettront de voir déjà l'intérêt de cette confrontation.

En II, 9, 28-30, nos mss donnent καὶ παρ' ἐκείνου ἡ δύναμις ἐν *tur significare* arma ponere, *at hic est* arma sumere, sese armis instruere, *ut ex serie liquet*. Et l'arménien porte *zēn aṙnul* (p. 8), qui signifie « prendre les armes ».

En II, 9, 28-30, nos mss donnent καὶ παρ ἐκείνου ἡ δύναμις ἐν τοσούτῳ κινδύνῳ (*seu* πολέμῳ) τῶν ἤδη πεπλημμελημένων, et Montfaucon, suivi par l'éditeur arménien, écrit : *Et ab eo potestatem esse in tanto periculo vindicandi scelera iam admissa*, en ajoutant le mot *vindicandi*. Or la version arménienne présente : *ew nora ē zoruṫiwnn, zi ayspisi spaṙnaleawk' accē yuṫluṫiwn zaynosik, or i vałuç hetē ēin meluçeal* (p. 18) : « et c'est à lui qu'appartient la puissance, lui qui par de telles menaces amène à s'amender ceux qui auparavant étaient pécheurs ».

En VI, 3, 48, après avoir observé que les Séraphins ne se sont pas bornés à proclamer saint le Seigneur à une ou deux reprises seulement, Jean poursuit, selon l'ensemble de notre tradition : οὐδὲ τρίτον καὶ προσέθηκαν, « ni une troisième fois, et ils ont ajouté ». Telle quelle la phrase est incomplète et en opposition avec le contexte, puisque les Séraphins ont poussé une triple acclamation et que Jean y voit précisément un hommage aux trois personnes divines. On sera donc amené à substituer à οὐδὲ le mot ἀλλὰ, et à traduire : « mais ils ont ajouté une troisième acclamation ». Le οὐδὲ fautif de οὐδὲ τρίτον aurait été entraîné par le οὐδὲ δεύτερον qui précède. Remarquons cependant que le traducteur arménien du ve s. lisait aussi οὐδὲ τρίτον, mais au lieu de corriger οὐδὲ en ἀλλὰ, comme l'y invitait une note marginale, il a introduit cette note dans son texte, en lisant d'ailleurs ἄλλο, *autre chose*, pour ἀλλὰ, *mais*, ce qui l'a entraîné à écrire : *ew kam eriçs, ew ayl yawelin* (p. 66), qu'on traduira par : « ni une troisième fois, et il a ajouté autre chose », c'est-à-dire la fin de l'acclamation : (saint, saint, saint) le Seigneur Sabaoth. Cela nous éclaire sur l'histoire du texte, même si sa lecture n'est pas convaincante.

STEMMA

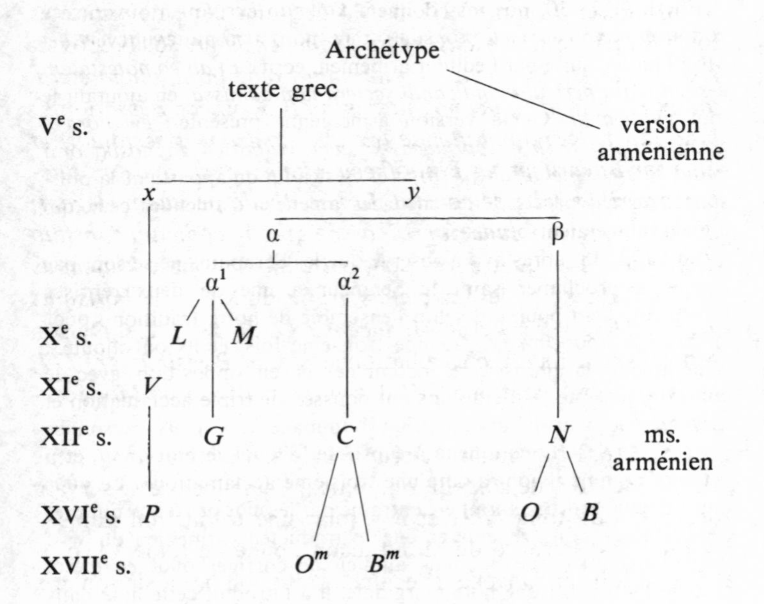

CHAPITRE III

HISTOIRE DES ÉDITIONS

1. Les éditions antérieures

Le *Commentaire sur Isaïe* fut édité à trois reprises parmi les œuvres complètes de S. Jean Chrysostome.

En 1612, Henry Savile publie sans traduction le texte du commentaire au tome I, p. 1016-1086, des Œuvres complètes ; il fait figurer au tome VIII, p. 134-135, une série de variantes fournies par le *Bavaricus*, notre *Monacensis gr. 38*. Il écrivait à ce sujet : *Huius libelli quatuor sunt exemplaria, bina uetera, unum Romae in Vaticano, alterum in Bibliotheca Bessarionis ; bina nova, Regium Lutetiae (ex quo nostrum descriptum) et alterum Bavaricum in Bibliotheca Monachensi, quae ex duobus prioribus fluxisse constat. In hoc libello perquam eleganti in coniecturis fui audacior, ab omne quippe codicum subsidio destitutus* [1]. Les quatre mss dont parle Savile sont le *Vaticanus gr. 1522* du XIe s., le *Marcianus gr. 87* du XIIe s., le *Parisinus gr. 777 (Reg. 1933)* et le *Monacensis gr. 38* du XVIe s. De son propre aveu, Savile n'a collationné que le *Parisinus gr. 777*, mais il a ajouté au tome VIII des variantes tirées du *Monacensis gr. 38*.

En 1616, Fronton du Duc reprend le texte de Savile au tome III, p. 640-767, de son édition, mais il l'améliore en se servant des notes du tome VIII et il y joint une traduction latine.

En 1724, Bernard de Montfaucon donne au tome VI, p. 1-95, une édition nouvelle, avec une traduction latine de son cru, mais se contente de collationner le texte du *Regius 1933* et

1. SAVILE, tome VIII, p. 134.

d'utiliser les variantes du tome VIII de Savile[1]. C'est ce texte que reprend Migne (*PG* 56, 11-94).

Ces trois éditions ne reposent en définitive que sur deux manuscrits du XVIe s., qui ne sont, comme Savile le pensait, que de simples copies.

2. La présente édition

Notre édition repose sur la collation de neuf manuscrits. Ce sont deux mss du Xe s., un du XIe s., trois du XIIe s., trois du XVIe s. parmi lesquels deux présentent des variantes marginales datant du XVIIe s. et provenant du *Laurentianus gr. V, 8.* Nous avons utilisé également la version arménienne.

Il était assurément superflu de recourir pour l'établissement du texte aux mss du XVIe s. qui ne sont que de simples copies, le *Parisinus gr. 777* du *Vaticanus gr. 522,* le *Monacensis gr. 38* et le *Vaticanus Ottobonianus gr. 7* du *Marcianus gr. 87.*

Nous signalons à la fin du volume les additions et omissions de la version arménienne, et faisons figurer dans l'apparat ses variantes les plus caractéristiques.

1. MONTFAUCON, tome VI, p. 94 ; *PG* 56, 11.

INDEX SIGLORUM

Nous ne ferons pas figurer dans l'apparat critique les mss du XVIe s. Nous aurons donc pour représenter

x		le *Vaticanus gr. 522*	sigle *V*
y	α¹	le *Laurentianus gr. IX, 13*	*L*
		le *Mosquensis gr. 114*	*M*
		le *Gudianus gr. 2° 50*	*G*
	α²	le *Laurentianus gr. V, 8*	*C*
	β	le *Marcianus gr. 87*	*N*

Nous ferons figurer la version arménienne, sigle *A*.

Nous signalerons aussi les modifications apportées à l'édition des Mauristes (Bernard de Montfaucon, Paris 1724) par le sigle *Montf.*

TEXTE ET TRADUCTION

ΠΡΟΛΟΓΟΣ

Τοῦ προφήτου τούτου τὸ ἐξαίρετον μάλιστα μὲν καὶ αὐτόθεν ἔστιν ἰδεῖν, δείκνυσι δὲ αὐτὸ ἐντελέστερον ὁ πάντων ἀκριβέστερον τὰς ἀρετὰς αὐτοῦ εἰδὼς Παῦλος, ἅτε Πνεύματι τοσούτῳ φθεγγόμενος. Τὴν γὰρ ἐλευθεροσ-
5 τομίαν αὐτοῦ καὶ τὸ φρόνημα τὸ ἀδούλωτον καὶ τὴν ὑψηλὴν γνώμην καὶ τὴν πολλὴν ἐν τῇ περὶ τοῦ Χριστοῦ προφητείᾳ σαφήνειαν ἐνδεικνύμενος, ἅπαντα ταῦτα ἐνὶ ῥήματι παρέστησεν εἰπών· Ἡσαΐας δὲ ἀποτολμᾷ καὶ λέγει· Εὑρέθην τοῖς ἐμὲ μὴ ζητοῦσιν· ἐμφανὴς ἐγενόμην
10 τοῖς ἐμὲ μὴ ἐπερωτῶσιν[a]. Πολὺ δὲ αὐτοῦ καὶ τὸ συμπαθές. Οὐ γὰρ δὴ μόνον κατεξανίστατο τῆς τοῦ δήμου μανίας, οὐδὲ ἐλευθέρᾳ γλώττῃ καὶ ὑψηλοτέρᾳ γνώμῃ τὰ μέλλοντα αὐτοὺς καταλήψεσθαι λυπηρὰ μετὰ πολλῆς ἀπήγγειλε τῆς παρρησίας, ἀλλὰ καὶ ἐν αὐταῖς ταῖς τῶν πραγμάτων περι-
15 στάσεσιν αὐτῶν οὐκ ἔλαττον τῶν ἐμπιπτόντων ἐν αὐταῖς ἤλγει καὶ ἐδάκνετο καὶ πικρότερον τῶν ἁλόντων ὠδύρετο. Καὶ πάντων δέ, ὡς εἰπεῖν, τῶν προφητῶν καὶ τῶν ἁγίων τοιοῦτον τὸ ἦθος· πατέρων φιλοστοργίαν τῇ περὶ τοὺς ἀρχομένους ἀπέκρυψαν διαθέσει καὶ τὴν τῆς φύσεως
20 τυραννίδα ἐκ πολλοῦ τοῦ περιόντος ὑπερηκόντισαν. Οὐδεὶς γάρ, οὐδείς ποτε φιλόπαις οὕτω τῶν ἐκγόνων περιεκαίετο, ὡς οὗτοι τῶν ἀρχομένων ὑπεραπέθνησκον, ὀδυρόμενοι, θρηνοῦντες, κακῶς πασχόντων αὐτῶν τὸν

Testes V MGCN A

11 κατεξανίστατο : -ίσταται C ‖ μανίας V N A : ἀνοίας MGC ‖ 13 ἀπήγγειλε V N A : ἔλεγεν MGC ‖ 15 αὐτῶν > C ‖ ἐν αὐταῖς > V ‖ 16 ἤλγει καὶ ἐδάκνετο *conieci ex* A : ἀλγεῖ καὶ δάκνεται V ἐδάκνετο *cett.* ‖ ὠδύρετο : ὀδύρεται V N ‖ 18 ἦθος : ἔθος *Montf.* ‖ 19 ἀπέκρυψαν : ἐπεδείξαντο N[pc] ‖

PROLOGUE

La valeur éminente de ce prophète est d'emblée parfaitement visible, mais nul ne la révèle de façon plus parfaite que Paul qui est le connaisseur le plus averti des mérites d'Isaïe, puisqu'un aussi grand Esprit le fait parler. Il souligne la liberté de son langage, l'indépendance de son esprit, l'élévation de sa pensée, la pleine clarté de sa prophétie concernant le Christ, et il a présenté tout cela en une seule phrase : « Isaïe s'enhardit jusqu'à dire : J'ai été trouvé par ceux qui ne me cherchaient pas ; je me suis manifesté à ceux qui ne m'interrogeaient pas[a]. » Grande aussi est sa compassion. Non seulement en effet il s'insurgeait contre la folie du peuple et avait, avec autant de liberté de langage que d'élévation de la pensée, annoncé en toute franchise les maux qui allaient les frapper, mais lorsque survenait la catastrophe elle-même[1], il ne souffrait pas moins, il n'était pas moins blessé que ceux qui y tombaient, et il gémissait plus amèrement que les victimes. D'ailleurs, de tous les prophètes et de tous les saints, tel est, peut-on dire, le caractère : leur attitude envers ceux qu'ils dirigeaient[2] éclipsa la tendresse des pères et dépassa de bien loin la tyrannie de la nature. Jamais, non, jamais un père aimant ne brûla pour ses enfants d'un amour tel que celui qui les faisait mourir pour ceux qu'ils dirigeaient, pleurant, gémissant, priant Dieu quand

21 τῶν : ὑπὲρ τῶν C

a. Rom. 10, 20 ; Is. 65, 1.

1. Le mot περιστάσεις, catastrophes, événements fâcheux, appartient au vocabulaire stoïcien. Cf. ÉPICTÈTE, *Entretiens* II, 6, 17.

2. Le prophète, à cette époque, exerçait en maints domaines, notamment dans celui de la politique, une réelle autorité sur les peuples et sur les rois.

Θεὸν παρακαλοῦντες, συναπαγόμενοι, κοινωνοῦντες τῶν
25 δεινῶν, πάντα καὶ ποιοῦντες καὶ πάσχοντες, ὥστε αὐτοὺς ἐξελέσθαι καὶ τῆς ἄνωθεν ὀργῆς, καὶ τῆς τῶν πραγμάτων ἐπιδρομῆς. Καὶ γὰρ οὐδὲν οὕτως ἐπιτήδειον εἰς ἀρχῆς αἵρεσιν, ὡς ψυχὴ φιλόσοφος καὶ συναλγεῖν ἐπισταμένη. Διὰ τοῦτο καὶ Μωϋσέα τὸν μέγαν ἐπὶ τὸν θρόνον τῆς
30 δημαγωγίας ἀνεβίβασεν ὁ Θεός, ἐπειδὴ προλαβὼν διὰ τῶν ἔργων ἐπεδείξατο τὴν ὑπὲρ τοῦ δήμου φιλοστοργίαν καὶ μετὰ ταῦτα ἔλεγεν· Εἰ μὲν ἀφεῖς αὐτοῖς τὴν ἁμαρτίαν, ἄφες· ἐπεὶ κἀμὲ ἐξάλειψον ἐκ τῆς βίβλου ἧς ἔγραψας[b]. Καὶ αὐτὸς δὲ οὗτος ὁρῶν ἀπολλυμένους, ἔλεγεν· Ἄφετέ
35 με, πικρῶς κλαύσομαι. Μὴ κατισχύσητε παρακαλεῖν με ἐπὶ τὸ σύντριμμα τῆς θυγατρὸς τοῦ γένους μου[c]. Ὁ δὲ Ἱερεμίας καὶ θρήνους μακροὺς συνέθηκε, τῆς πόλεως κατενεχθείσης[d]. Ἰεζεκιὴλ δὲ καὶ συναπῆλθε καὶ τὴν ἀλλοτρίαν τῆς οἰκείας κουφοτέραν εἶναι ἐνόμιζε, μέγιστον
40 εἰς παραμυθίαν τῆς συμφορᾶς ἔχων τὸ παρεῖναι τοῖς κάμνουσι καὶ διορθοῦν τὰ ἑτέρων πράγματα[e]. Καὶ ὁ Δανιὴλ δὲ ὑπὲρ τῆς ἀνόδου τῆς τούτων εἴκοσι καὶ πλείους ἡμέρας διέμεινεν ἄσιτος[f] καὶ πᾶσαν σπουδὴν ἐπεδείξατο, τὸν Θεὸν ἱκετεύων ἀφεθῆναι τῆς πικρᾶς δουλείας αὐτούς.
45 Καὶ τῶν ἁγίων δὲ ἕκαστος ἐντεῦθεν φαίνεται λάμπων. Οὕτω καὶ ὁ Δαυῒδ ὁρῶν τὴν θεήλατον ὀργὴν ἐκείνην ἐπὶ τὸν δῆμον φερομένην, ἐφ' ἑαυτὸν ἐκάλει τὴν πληγήν, λέγων· Ἐγὼ ὁ ποιμὴν ἥμαρτον καὶ ἐγὼ ὁ ποιμὴν ἐκακοποίησα, καὶ οὗτοι, τὸ ποίμνιον, τί ἐποίησαν; Γενέσθω ἡ
50 χείρ σου ἐπ' ἐμοί, καὶ ἐν τῷ οἴκῳ τοῦ πατρός μου[g]. Καὶ ὁ πατριάρχης δὲ Ἀβραὰμ πόρρω τῶν κακῶν ἑστηκὼς καὶ οὐδὲν ἔχων κοινὸν πρὸς τὰ καταληψόμενα τοὺς ἐν

34 δὲ *om.* V || ἀπολλυμένους + αὐτῶν V || 35 κατισχύσητε *scripsi* : -χύσετε V N -χύετε *cett.* || 36 τὸ σύντριμμα : τῇ συντριβῇ C || 38 κατενεχθείσης V N A : κατασχεθείσης MGC || 48 ἐγὼ[1] : εἰ ἐγὼ MG || 50-51 ὁ πατριάρχης δὲ Ἀβραὰμ : ὁ Ἀβραὰμ ὁ πατριάρχης V || 52 οὐδὲν : μηδὲν C

b. Ex. 32, 31-32. c. Is. 22, 4. d. Lam. 1, 5 e. cf. Éz. 1, 1.

ils étaient maltraités, déportés avec eux, partageant leur triste sort, sachant tout faire et tout supporter pour les soustraire à la colère d'en haut et aux malheurs qui fondaient sur eux. Rien n'est apte en effet à prendre le pouvoir comme une âme philosophe[1] et capable de compatir. C'est pour cela que Dieu éleva le grand Moïse à la dignité de chef de la nation, après qu'il eut au préalable montré par ses actes sa tendresse pour son peuple, et plus tard il disait : « Si tu remets leur péché, remets-le ; sinon, efface-moi du livre[2] que tu as écrit[b]. » Et ce même Isaïe en en voyant périr disait : « Laissez-moi, je verserai des larmes amères. N'insistez pas pour me consoler sur la ruine de la fille de mon peuple[c]. » Jérémie, de même, a composé de longues lamentations, quand la ville s'écroula[d]. Ézéchiel partit avec les exilés, jugeant que la terre étrangère lui serait plus douce que son propre pays ; sa plus grande consolation dans le malheur était d'assister les affligés et de redresser la situation des autres[e]. Daniel resta plus de vingt jours à jeun[f] pour demander leur retour, et il déploya tout son zèle à supplier Dieu de les libérer de leur pénible esclavage. Et il apparaît que chacun des saints brille de cette même vertu. Ainsi David, voyant le châtiment envoyé par Dieu sur le peuple, appelait le fléau[3] sur lui-même en disant : « C'est moi, le berger, qui ai péché, c'est moi, le berger, qui ai fait le mal, et ceux-ci, le troupeau, qu'ont-ils fait ? Que ta main soit sur moi et sur la maison de mon père[g] ! » Le patriarche Abraham aussi, qui était à l'abri des malheurs et n'avait rien à redouter des

f. cf. Dan. 10, 2-3. g. II Sam. 24, 17.

1. Cf. PLATON, *Gorgias* 513 A ; *République* VI 487 2.

2. Les noms des citoyens d'un pays figuraient sur des registres (cf. *Jér.* 22, 30 ; *Éz.* 13, 9). Par analogie on donne à Dieu un livre où sont écrits les noms des vivants (cf. *Is.* 34, 16 ; *Ps.* 139, 16), d'où le titre de livre de vie (cf. *Ps.* 69, 29 ; *Is.* 4, 3).

3. Ce fléau est la peste que Dieu envoya pour punir David de son orgueil à vouloir dénombrer son peuple.

Σοδόμοις κακά, ὡς ἐν αὐτοῖς μέσοις τοῖς δεινοῖς ἐμβεβηκώς, οὕτω παρεκάλει καὶ ἐδέετο τοῦ Θεοῦ καὶ οὐδ' ἂν
55 ἀπέστη πάντα ποιῶν καὶ λέγων, ὥστε λῦσαι τὸν χαλεπὸν ἐμπρησμὸν ἐκεῖνον, εἰ μὴ ὁ Θεὸς αὐτὸν ἀφεὶς ἀπῆλθεν[h].

Οἱ δὲ ἐν τῇ Καινῇ καὶ μείζονα ἐπεδείξαντο ταύτης τὴν ἀρετήν, ἅτε καὶ πλείονος ἀπολελαυκότες χάριτος καὶ πρὸς μακρότερα κληθέντες σκάμματα. Διὰ τοῦτο καὶ Πέτρος
60 ἀχούων τοῦ Χριστοῦ λέγοντος, ὅτι τοῖς πλουτοῦσι δυσκολωτάτη ἡ πρὸς τὸν οὐρανὸν εἴσοδος, ἠγωνία καὶ ἔτρεμε, καὶ πεῦσιν προσῆγε λέγων· Τίς ἄρα δύναται σωθῆναι[i]; καίτοι γε ὑπὲρ τῶν καθ' ἑαυτὸν θαρρῶν πραγμάτων. Οὐ γὰρ τὰ ἑαυτῶν ἐσκόπουν, ἀλλὰ τὰ τῆς οἰκουμένης ἐφρόν-
65 τιζον. Καὶ Παῦλος δὲ δι' ὅλων <καὶ πασῶν> τοῦτο ἡμῖν ἐνδείκνυται τῶν ἐπιστολῶν· ὃς οὐδὲ τὸν Χριστὸν ἰδεῖν ἠνέσχετο πρὸ τῆς τῶν ἀνθρώπων σωτηρίας, οὕτω λέγων· Τὸ ἀναλῦσαι καὶ σὺν Χριστῷ εἶναι κρεῖσσον, τὸ δὲ ἐπιμεῖναι τῇ σαρκὶ ἀναγκαιότερον δι' ὑμᾶς[j]. Τοιοῦτον καὶ
70 οὗτος ἡμῖν διατηρεῖ τὸν χαρακτῆρα ὁ προφήτης, καὶ λέγων τὰς ἀποφάσεις τοῦ Θεοῦ μετὰ πολλῆς τῆς παρρησίας καὶ ἐπιτιμῶν τοῖς ἁμαρτάνουσι καὶ παρακαλῶν αὐτὸν συνεχῶς καὶ διὰ μακρῶν τῶν λόγων παροξυνόμενον κατ' αὐτῶν· καὶ τοῦτο μάλιστα πρὸς τῷ τέλει
75 τῆς προφητείας ἔστιν ἰδεῖν, τέως δὲ αὐτῶν ἀναγκαῖον ἄρξασθαι τῶν προοιμίων.

56 ἀφεὶς αὐτὸν ~ CN ‖ 57 ἐπεδείξαντο : ἀπεδείξαντο V C ‖ 58 χάριτος : τῆς χάριτος C ‖ 64 τὰ[1] > V ‖ τὰ[2] N : τῶν MGC > V ‖ 65 καὶ πασῶν *post* ὅλων *addidi ex* A.

maux qui allaient frapper les habitants de Sodome, priait néanmoins et suppliait Dieu comme s'il était engagé au fort des dangers, et il n'aurait pas cessé de tout faire et de tout dire pour conjurer ce terrible embrasement, si Dieu ne l'avait quitté et ne s'était éloigné[h].

Les saints de la Nouvelle Alliance ont cependant manifesté une plus grande vertu encore, car ils furent favorisés d'une grâce plus abondante et appelés à de plus longs combats. Aussi Pierre, entendant le Christ dire qu'il est très difficile pour les riches d'entrer au ciel, était-il angoissé et tremblant, et il posait cette question : « Qui donc peut être sauvé[i] ? » Pourtant, en ce qui le concernait, il avait confiance. Ces hommes n'examinaient pas en effet leur propre cas, mais ils se souciaient du sort de l'univers. Paul nous le montre aussi dans l'ensemble de ses épîtres, lui qui n'acceptait pas même de voir le Christ avant que les hommes ne fussent sauvés ; il disait en effet : « M'en aller pour être avec le Christ serait préférable, mais rester dans la chair est plus nécessaire à cause de vous[j]. » Notre prophète s'attache à la même ligne de conduite, lorsqu'il énonce avec pleine hardiesse les oracles de Dieu, qu'il adresse des reproches aux pécheurs et qu'il ne cesse de prier en de longs discours celui qui est irrité contre eux. On peut le constater surtout à la fin de la prophétie[1], mais c'est le commencement qu'il est temps d'aborder maintenant.

h. cf. Gen. 18, 20-23. i. Lc 18, 26. j. Phil. 1, 23-24.

1. Cf. *Is.* 56-66. Le *Trito-Isaïe* oppose aux misères présentes un avenir merveilleux. Jean, en commençant son commentaire, avait donc bien l'intention de le mener à son terme.

ΚΕΦΑΛ. Α'

1 1. *Ὅρασις, ἣν εἶδεν Ἡσαΐας.*

Ὅρασιν καλεῖ τὴν προφητείαν, ἢ διὰ τὸ πολλὰ τῶν ἐκβησομένων ἐπ' αὐτῆς ὁρᾶν τῆς ὄψεως· ὡς ὁ Μιχαίας εἶδε τὸν λαὸν ἐσπαρμένον· καὶ ὁ Ἰεζεκιὴλ τὴν αἰχμα-5 λωσίαν καὶ τὴν παρανομίαν τῶν τὸν ἥλιον προσκυνούντων καὶ τὸν Θαμούζην· ἢ διὰ τὸ τὴν ἀκοὴν τῶν προφητῶν τὴν ἐκ τοῦ Θεοῦ γενομένην αὐτοῖς μηδὲν ἔλαττον ἔχειν τῆς ὄψεως, ἀλλ' ὁμοίως πληροφορεῖν, ὅπερ ἐν τοῖς βιωτικοῖς οὐκ ἔνι. Ὅτι γὰρ ἑτέρως ἤκουον παρὰ 10 τοὺς λοιποὺς τῶν ἀνθρώπων, φησί· Προσέθηκέ μοι ὠτίον ἀκούειν[a]. Ποιεῖ δὲ καὶ τὸν λόγον ἀξιόπιστον, ὅρασιν εἰπών, καὶ ἀνίστησι τὸν ἀκροατὴν καὶ παραπέμπει πρὸς τὸν τὰ πράγματα δείξαντα. Ἔθος γὰρ αὐτοῖς ἅπασι τοῖς παρὰ τοῦ Θεοῦ διαπορθμεύουσι τὰ λεγόμενα, τοῦτο πρὸ 15 τῶν ἄλλων κατασκευάζειν, ὡς οὐδὲν οἴκοθεν φθέγγονται, ἀλλ' ὅτι θεῖοι χρησμοί τινές εἰσι τὰ λεγόμενα καὶ γράμματα ἐκ τῶν οὐρανῶν καταβάντα. Οὕτω καὶ ὁ Δαυῒδ φησιν· Ἡ γλῶσσά μου κάλαμος γραμματέως ὀξυγράφου[b]. Μὴ τοίνυν τοῦ καλάμου νόμιζε εἶναι τὰ 20 γράμματα, ἀλλὰ τῆς κατεχούσης αὐτὸν δεξιᾶς, τουτέστι, μὴ τῆς γλώττης τοῦ Δαυΐδ, ἀλλὰ τῆς κινούσης αὐτὸν

Testes V LMGCN

1, 2 ὅρασιν + οὖν C ‖ 7 τοῦ > C ‖ 13 τοῖς > L ‖ 14 τοῦ > LMGC ‖ 18 φησιν > V ‖ 19 τοίνυν > LMGC

1. a. Is. 50, 4. b. Ps. 44, 2.

1. Jean songe à *III Rois* 22, 17 et à l'intervention du prophète Michée (Mikaychou) lors de la campagne de Josaphat et d'Achab contre les

CHAPITRE PREMIER

1 Vision d'Isaïe.

Isaïe donne à sa prophétie le nom de vision, soit parce que beaucoup d'événements futurs s'offrirent précisément à sa vue, – ainsi Michée vit le peuple dispersé[1] et Ézéchiel la captivité et la prévarication des adorateurs du soleil et de Tammouz[2] –, soit parce que Dieu avait donné aux prophètes une ouïe qui ne le cédait en rien à la vue, mais procurait la même certitude, ce qui n'est pas le cas dans la vie courante. Qu'ils entendissent d'une autre manière que les autres hommes[3], il l'affirme : « Il m'a attribué une oreille de plus pour entendre[a]. » Mais il rend aussi la parole digne de foi en l'appelant vision, il excite l'attention de l'auditeur et le conduit vers celui qui lui a montré ces réalités. C'est en effet l'habitude de tous ceux qui transmettent les paroles de Dieu d'établir en premier lieu qu'ils ne disent rien de leur propre initiative, mais que leurs messages sont des oracles divins et des écrits descendus du ciel. C'est ce que dit David : « Ma langue est le stylet d'un scribe agile[b]. » Ne crois donc pas que les caractères sont l'œuvre du stylet, mais bien de la main qui le tient ; en d'autres termes, ils ne viennent pas de la langue de David, mais de la grâce qui la met en

Araméens. Ce prophète n'a rien de commun avec Michée (Mika) qui compte parmi les « petits prophètes » du Canon et vécut un siècle plus tard, au VIIIe siècle, sous le règne d'Achaz.

2. Cf. *Éz.* 3, 15 ; 8, 14-16. On sait que Tammouz est le dieu de la fertilité dans la religion babylonienne et qu'il peut être rapproché de l'Adonis syro-phénicien. Sur ce dernier point, voir W. ATALLAH, *Adonis dans la littérature et l'art grecs,* Paris 1966.

3. Il s'agit d'une oreille propre à écouter les voix intérieures.

χάριτος. Καὶ ἕτερος δὲ προφήτης[c] τοῦτο αὐτὸ ἐνδεικνύμενος ἔλεγεν, ὅτι Αἰπόλος ἤμην, φησί, συκάμινα κνίζων· ἵνα μὴ ἀνθρωπίνῃ σοφίᾳ τὰ λεγόμενά τις λογίσηται. Καὶ
25 οὐδὲ τούτῳ ἠρκέσθη μόνον, ἀλλὰ καὶ ἕτερόν τι προσέθηκεν εἰπών· Ἀλλὰ μὴν ἐγὼ ἐνεπλήσθην ἰσχύος ἐν Πνεύματι Κυρίου καὶ κρίματος καὶ δυναστείας[d]. Οὐ γὰρ δὴ μόνον σοφοὺς αὐτοὺς ἡ χάρις, ἀλλὰ καὶ ἰσχυροὺς ἠργάζετο, οὐ τῇ τοῦ σώματος κατασκευῇ, ἀλλὰ τῇ γνώμῃ.
30 Ἐπειδὴ γὰρ πρὸς δῆμον εἶχον ἰταμὸν καὶ ἀναίσχυντον, αἱμάτων διψῶντα προφητικῶν, καὶ σφαγαῖς ἁγίων ἐμμελετῶντα, εἰκότως πολλῆς ἐδέοντο τῆς δυνάμεως, ὥστε μὴ καταπλαγῆναι τὴν ἄφατον αὐτῶν ῥύμην. Διὰ δὴ τοῦτο τῷ μὲν Ἱερεμίᾳ φησί· Τέθεικά σε ὡς στῦλον σιδηροῦν καὶ
35 ὡς τεῖχος χαλκοῦν[e]· τῷ δὲ Ἰεζεκιήλ· Ἐν μέσῳ σκορπίων σὺ κατοικεῖς, μὴ φοβηθῇς ἀπὸ προσώπου αὐτῶν, μηδὲ πτοηθῇς[f]. Καὶ Μωϋσῆς δέ, ἡνίκα ἀπεστέλλετο, οὐχὶ τὸν Φαραὼ δεδοικὼς ἀναδύεσθαι μοι δοκεῖ μόνον, ἀλλ' αὐτὸν μάλιστα τὸν δῆμον τῶν Ἰουδαίων. Τῷ
40 γοῦν Θεῷ διαλεγόμενος καὶ τὸν βάρβαρον ἀφείς, μετὰ πολλῆς τῆς σπουδῆς μαθεῖν ἐζήτει, τί δεῖ πρὸς αὐτοὺς εἰπεῖν ἀπιστοῦντας, ὅτι δὴ παρὰ Θεοῦ ἀφιγμένος εἴη· καὶ τὰ σημεῖα τῆς ἐκείνων ἕνεκεν ἐλάμβανε γνώμης· καὶ μάλα εἰκότως. Εἰ γὰρ εἷς αὐτὸν οὕτως ἐφόβησε καὶ ταῦτα
45 εὐεργετηθείς, τί εἰκὸς ἦν αὐτὸν παθεῖν ἐννοοῦντα τὸν ἄτακτον δῆμον ἐκεῖνον; Διὰ δὴ τοῦτο οὐχὶ σοφίας μόνον, ἀλλὰ καὶ δυνάμεως ἐλάμβανε Πνεῦμα, καὶ ἔλεγεν· Ἐνεπλήσθην ἰσχύος ἐν Πνεύματι Κυρίου καὶ κρίματος καὶ δυναστείας. Καὶ ἕτερος δὲ πάλιν· Ῥῆμα Θεοῦ ἐγένετο

23 ἤμην : ἡμῖν V || φησι > C || 25 τούτῳ : τοῦτο V M[1] || μόνον : μόνῳ LM[2]GC || 26 προσέθηκεν : -τέθεικεν V || 27 δυναστείας : δικαιοσύνης, τουτέστι δυναστείας C || 29 ἠργάζετο V : εἰργάζετο *cett.* || 40 ἀφεὶς > V || 45 αὐτὸν > V || 46 δὴ > V

c. Amos 7, 14. d. Mich. 3, 8. e. Jér. 1, 18. f. Éz. 2, 6.

mouvement. Un autre prophète[c] exprimait ainsi la même idée : « J'étais chevrier, dit-il et pinceur de sycomores[1] », pour qu'on ne mette pas ses paroles au compte de la sagesse humaine. Et il ne s'est pas contenté de cette déclaration, mais il a ajouté ceci[2] : « Pour moi, j'ai été rempli de force par l'Esprit du Seigneur, de jugement et de puissance[d]. » La grâce n'en faisait pas seulement des sages, mais aussi des forts, non par la constitution physique, mais par le caractère. Comme ils avaient affaire à un peuple irritable et impudent, qui avait soif du sang des prophètes et s'exerçait à massacrer les saints, il était naturel qu'il leur fallût une grande force pour ne pas être épouvantés par sa violence inouïe. Voilà pourquoi Dieu dit à Jérémie : « Je t'ai posé comme une colonne de fer et comme un rempart de bronze[e] », et à Ézéchiel : « Tu habites au milieu des scorpions, ne t'effraie pas à leur vue, ne sois pas terrifié[f]. » De même Moïse, recevant sa mission, me paraît se dérober non par crainte du Pharaon seulement, mais surtout du peuple juif lui-même. En tout cas, s'entretenant avec Dieu après avoir quitté le barbare, il s'enquérait avec beaucoup de soin de ce qu'il aurait à dire s'ils refusaient de croire qu'il fût bien venu de la part de Dieu ; il reçut alors le don des miracles en raison de leur disposition d'esprit ; et c'était très justement. En effet, si un seul homme l'avait tellement effrayé, alors qu'il lui avait fait du bien[3], que ne devait-il pas ressentir en pensant à ce peuple indiscipliné ? C'est pourquoi le prophète n'avait pas reçu seulement l'Esprit de sagesse, mais aussi l'Esprit de force, et il disait : « J'ai été rempli de force par l'Esprit du Seigneur, de jugement et de puissance ». Un autre dit : « La parole de

1. On pinçait les figues pour en hâter la maturation.

2. La citation est tirée de Michée (*Mich.* 3, 8) et non d'Amos.

3. Le barbare en question est le pharaon égyptien (*Ex.* 2, 15). L'entretien avec Dieu a lieu sur l'Horeb (*Ex.* 3, 1 - 4, 17). La peur éprouvée par Moïse est due à la crainte d'être dénoncé comme meurtrier par un de ses compatriotes (*Ex.* 2, 11-15).

50 πρὸς Ἱερεμίαν τὸν τοῦ Χελκίου[g]. Καὶ ἕτερος δὲ πάλιν· Λῆμμα Νινευῆ. Βιβλίον ὁράσεως Ναοὺμ τοῦ Ἐλκεσαίου[h]. Καὶ αὐτὸς γὰρ οὗτος ἑτέρῳ ῥήματι τὸ αὐτὸ τοῖς προτέροις ἐνδείκνυται, τοῦ Πνεύματος τὴν κατοχὴν λῆμμα καλέσας. Ἐπειδὴ γὰρ λαμβανόμενοι ὑπὸ τοῦ Πνεύματος
55 οὕτως ἔλεγον, ἅπερ ἔλεγον, τὴν ἐνέργειαν τῆς χάριτος οὕτως ὠνόμασε. Διὰ τοῦτο καὶ Παῦλος πανταχοῦ προτίθησι τῶν Ἐπιστολῶν τὸ τῆς ἀποστολῆς ὄνομα, ὅπερ οἱ προφῆται ἐποίουν διὰ τοῦ λέγειν, ὅρασις καὶ λόγος καὶ λῆμμα καὶ ῥῆμα, τοῦτο διὰ τοῦ τῆς ἀποστολῆς κατα-
60 σκευάζων ὀνόματος. Ὥσπερ γὰρ ὁ λέγων ὅρασιν καὶ ῥῆμα Θεοῦ, οὐ τὰ οἰκεῖα φθέγγεται, οὕτω καὶ ὁ ἀπόστολον ἑαυτὸν καλῶν, οὐ τὰ παρ' ἑαυτοῦ διδάσκει, ἀλλ' ἅπερ ὁ ἀποστείλας ἐκέλευσεν. Ἀποστόλου γὰρ ἀξίωμα, μηδὲν οἴκοθεν ἐπεισάγειν. Διὸ καὶ ὁ Χριστὸς ἔλεγε· Μὴ καλέ-
65 σετε διδάσκαλον ἐπὶ τῆς γῆς· εἷς γὰρ ὑμῶν ἐστιν ὁ διδάσκαλος ὁ ἐν τοῖς οὐρανοῖς[i]· δεικνὺς ὅτι πᾶσα τῶν παρ' ἡμῖν δογμάτων ἡ ἀρχὴ τὴν ῥίζαν ἄνωθεν ἔλαβεν ἐκ τοῦ τῶν οὐρανῶν Δεσπότου, κἂν ἄνθρωποι ὦσιν οἱ πρὸς τὰ λεγόμενα διακονούμενοι.

70 ***Ἣν εἶδεν Ἡσαΐας.*** Τὸ πῶς ὁρῶσιν οἱ προφῆται ταῦτα, ἅπερ ὁρῶσιν, οὐχ ἡμέτερον εἰπεῖν· οὐ γὰρ δυνατὸν ἑρμηνευθῆναι λόγῳ τὸν τρόπον τῆς ὄψεως· ἀλλ' ἐκεῖνος μόνος οἶδε σαφῶς, ὁ τῇ πείρᾳ μαθών. Εἰ γὰρ φύσεως ἔργα καὶ πάθη πολλάκις οὐδεὶς ἂν παραστήσειε λόγῳ, πολλῷ
75 μᾶλλον τὸν τρόπον τῆς τοῦ Πνεύματος ἐνεργείας. Εἰ δὲ ἀμυδραῖς εἰκόσιν ἀποχρησάμενον δεῖ κατατολμῆσαι, οὐχ ὥστε τὸ σαφὲς παραστῆσαι, ἀλλ' ὥστε αἰνίγματι[j] παρασχεῖν, ἐμοὶ δοκεῖ ταὐτὸ καὶ ἐπὶ τῶν προφητῶν γίνεσθαι, οἷον ἂν

51.53.59 λῆμμα : λεῖμμα V ‖ 51 Νινευῆ LMG : Νινευΐ *cett.* ‖ 55 ἅπερ ἔλεγον > V ‖ 63 ἀποστείλας : ἀπόστολος V ἀποστέλλων *Montf.* ‖ 65 ἐστιν ὑμῖν ~ C ‖ 68 οἱ > V ‖ 70 ἣν – Ἡσαΐας > C ‖ τὸ + δὲ C ‖ 71 οὐ V N : οὐδὲ *cett.*

g. Jér. 1, 1. h. Nah. 1, 1. i. Matth. 23, 10. j. cf. I Cor. 13, 12.

Dieu vint à Jérémie, fils de Helcias[g].» Et un autre encore : «Prise[1] sur Ninive. Livre de la vision de Nahum d'Elqoch[h].» Lui aussi indique par une autre expression la même chose que les précédents, en appelant «prise» la possession par l'Esprit. Comme les prophètes délivraient ainsi leur message sous l'emprise de l'Esprit, Nahum a donné ce nom de prise à l'action de la grâce. Voilà aussi pourquoi Paul met partout en tête de ses épîtres son titre d'apôtre ; à l'imitation des prophètes qui parlaient de vision, de discours, de prise, de parole, il use du terme d'apostolat. Celui qui fait connaître une vision et une parole de Dieu n'énonce pas ses propres idées ; de même celui qui se déclare apôtre n'enseigne pas ce qui vient de lui, mais ce dont l'a chargé celui qui l'envoie. La dignité de l'apôtre est de ne rien introduire qui vienne de lui-même. Voilà pourquoi aussi le Christ disait : «N'appelez personne Maître sur la terre ; vous n'avez qu'un maître qui est dans les cieux[i].» Il voulait dire que le principe des enseignements donnés par nous reçoit toujours sa racine d'en haut[2], du Maître des cieux, même si les serviteurs de la parole sont des hommes.

Vision que vit Isaïe. Il ne nous appartient pas de dire comment les prophètes voient ce qu'ils voient ; en effet il n'est pas possible d'expliquer par un discours le mode de la vision ; celui-là seul le connaît clairement qui l'a appris par expérience. S'il est souvent impossible de décrire les actions et les passions de la nature, il l'est beaucoup plus de décrire le mode d'activité de l'Esprit. Cependant, s'il convient d'oser recourir à des images imprécises, non pour offrir la clarté, mais pour faire voir en énigme[j], tel me paraît être le cas des prophètes : si une eau limpide recevant les rayons du soleil en serait illumi-

1. Dans la langue classique, λῆμμα c'est une «recette», et en logique, une «prémisse». Cf. P. Chantraine, *Dictionnaire étymologique de la langue grecque,* Paris 1968, p. 616. Jean pense à l'inspiration divine, qui saisit le prophète. L'hébreu donne ici le mot «oracle».

2. Cf. Platon, *Timée* 90 A ; Plutarque, *Moralia* 400 B, 600 F.

εἰ ἡ καθαρῶν ὑδάτων φύσις ἡλιακὰς ἀκτῖνας δεξαμένη
80 καταυγασθείη, οὕτω καὶ τῶν προφητῶν τὰς ψυχάς, καθαιρομένας οἰκείᾳ ἀρετῇ πρῶτον, ὑποδέχεσθαι τὴν τοῦ Πνεύματος δωρεὰν καὶ πρὸς τὴν λαμπηδόνα ποιουμένας ἐκείνην, τῶν μελλόντων οὕτω δέχεσθαι τὴν γνῶσιν.

Υἱὸς Ἀμώς. Τίνος ἕνεκεν τοῦ πατρὸς μέμνηται; Ἢ διὰ
85 τὰς ὁμωνυμίας, ἢ ὥστε μαθεῖν ὅτι οὐδὲν εὐτέλεια πατρὸς ἐπισκιάζει παιδὸς ἀρετήν· οὐδὲ εὐγένεια τοῦτο τὸ ἐκ μεγάλων φῦναι, ἀλλὰ τὸ μεγάλους αὐτοὺς γενέσθαι. Οὗτός τε ἀσήμου πατρὸς ὤν, πάντων φαιδρότερος γέγονε, τῇ τῆς οἰκείας ἀρετῆς λάμψας ὑπερβολῇ.

2 ***Ἣν εἶδε κατὰ τῆς Ἰουδαίας καὶ κατὰ Ἰερουσαλήμ.*** Τίνος ἕνεκεν διῃρημένως ἑκατέρων ἐμνημόνευσε τῶν χωρίων; Ἐπειδὴ καὶ αἱ τιμωρίαι διῃρημένως γεγόνασι καὶ ἐν διαφόροις καιροῖς, τοῦ Θεοῦ καὶ τοῦτο σοφῶς οἰκονο-
5 μήσαντος, τὸ μὴ πάντας ἀθρόον ἀπολέσαι, ἀλλ' ἠρέμα καὶ κατὰ μικρόν, ὥστε τῇ τῶν ἀπαχθέντων τιμωρίᾳ τοὺς λειπομένους γενέσθαι σωφρονεστέρους. Εἰ δὲ οὐκ ἐχρήσαντο εἰς δέον τῷ φαρμάκῳ, οὐχὶ τοῦ ἰατροῦ, ἀλλὰ τῶν καμνόντων τὸ ἔγκλημα. Ποιεῖ δὲ αὐτὸ διὰ παντὸς καὶ
10 καθ' ἑκάστην γενεάν, οὐ πάντας ὁμοῦ τοὺς τὰ αὐτὰ ἁμαρτάνοντας ὁμοῦ καὶ κολάζων· ἢ γὰρ ἂν ἅπαν ἡμῶν πάλαι προανηρπάσθη τὸ γένος· ἀλλὰ τοὺς μὲν ἐνταῦθα ἀπαιτεῖ δίκην, αὐτοῖς τε ἐκείνοις κουφοτέραν τὴν ἐκεῖ κατασκευάζων κόλασιν καὶ τοῖς συνακμάζουσιν αὐτοῖς
15 μεγίστην τὴν τῆς ἐπὶ τὸ βέλτιον μεταβολῆς προαποτιθέμενος ὑπόθεσιν· τοὺς δὲ μήτε οἴκοθεν, μήτε ἐκ τῆς τοιαύτης οἰκονομίας βουλομένους τι κερδαίνειν, τῇ ἀπαραιτήτῳ καὶ φοβερᾷ τῆς κρίσεως ταμιευόμενος ἡμέρᾳ.

79 εἰ : εἴη V ‖ 81-82 τοῦ – τὴν > G ‖ 83 τῶν οὕτω δέχεσθαι μελλόντων ~ V

2, 1 τῆς > LM ‖ κατὰ² + τῆς M ‖ 2 διῃρημένως + γε μὴν C ‖ ἐμνημόνευσεν ἑκατέρων ~ N ‖ 5 ἀθρόον : ἀθρόως LMGC ‖ 7 λειπομένους : ὑπολει- LMGC ‖ 9 ποιεῖ δὲ αὐτὸ : τοῦτο ποιεῖ ὁ θεὸς LM^{pc}C ‖ 11 ὁμοῦ καὶ > C ‖ 12 πάλαι : πάλιν V > C ‖ 14 κόλασιν : δίκην C ‖ 15 τὴν > V MLGC ‖

née, ainsi l'âme des prophètes, d'abord purifiée par sa propre vertu, reçoit le don de l'Esprit et, pénétrée de cette clarté, acquiert la connaissance de l'avenir[1].

Fils d'Amos. Pourquoi fait-il mention de son père ? Soit à cause des homonymies, soit pour nous apprendre que l'obscurité du père ne jette aucune ombre sur le mérite de l'enfant et que la noblesse n'est pas de naître de grands personnages, mais de devenir grand soi-même. En effet cet homme, bien qu'il fût né d'un père peu connu[2], devint illustre entre tous par l'éclat que lui valut l'excellence de son propre mérite.

2 *(Vision) qu'il vit contre la Judée et contre Jérusalem*. Pourquoi a-t-il mentionné séparément chacun de ces lieux ? Parce que leurs châtiments sont de même survenus séparément, en des circonstances différentes ; Dieu avait en effet disposé avec sagesse que tous ne devaient pas périr ensemble, mais lentement et peu à peu, afin que le châtiment des déportés rendît plus raisonnables ceux qui étaient laissés. S'ils n'employaient pas le remède comme il eût convenu, il fallait en faire grief non au médecin, mais aux malades. Dieu agit ainsi constamment, et pour chaque génération : il ne châtie pas ensemble tous ceux qui commettent en même temps les mêmes fautes ; autrement, toute notre race aurait été détruite depuis longtemps. Aux uns il demande réparation ici-bas, pour eux-mêmes il allège la punition dans l'au-delà et à leurs contemporains il offre une excellente occasion d'améliorer leur conduite. Mais ceux qui ne veulent pas s'amender, ni de leur propre mouvement, ni en vertu d'une telle disposition, il les tient en réserve pour le jour inexorable et terrible du jugement.

17 βουλομένους + ἡμᾶς C || τῇ > *Montf.* || 18 καὶ φοβερᾷ > C

1. C'est l'ὁμοίωσις θεῷ platonicienne, *Théétète* 176 B.
2. Jean confond Amos, le berger de Teqoa devenu prophète, et Amos le père d'Isaïe. Ce dernier était un grand personnage, dont le fils est fier de citer le nom.

Ἐν βασιλείᾳ Ὀζίου καὶ Ἰωάθαν, καὶ Ἄχαζ καὶ
20 ***Ἐζεκίου, οἳ ἐβασίλευσαν τῆς Ἰουδαίας.*** Καὶ τὸν καιρὸν ἀναγκαίως προτίθησι, τὸν φιλόπονον ἀκροατὴν παραπέμπων εἰς τὴν ἱστορίαν τῶν γεγενημένων. Οὕτω γὰρ εὐμαθεστέρα τε ἔσται καὶ σαφεστέρα ἡ προφητεία, εἰ μάθοιμεν, πῶς τῶν πραγμάτων διακειμένων καὶ πῶς τῶν
25 τραυμάτων ἐχόντων τῶν Ἰουδαϊκῶν, οὗτοι τὰ φάρμακα κατεσκεύασαν.

Ἄκουε, οὐρανέ, καὶ ἐνωτίζου, γῆ, ὅτι Κύριος ἐλάλησεν. Πολλοῦ γέμει τοῦ θυμοῦ τὸ προοίμιον. Εἰ γὰρ μὴ σφοδρά τις ἦν καὶ ἄφατος ἡ ὀργή, οὐκ ἂν τοὺς ἀνθρώπους ἀφείς,
30 πρὸς τὰ στοιχεῖα τὸν λόγον ἔτρεψεν. Ποιεῖ δὲ αὐτό, οὐχ ὥστε τὴν ὀργὴν ἐνδείξασθαι μόνον, ἀλλ' ὥστε καὶ αὐτοὺς τοὺς ἀκούειν μέλλοντας μετὰ πολλῆς ἐντρέψαι τῆς ὑπερβολῆς, δεικνὺς ὅτι τῶν ἀναισθήτων φύσει στοιχείων χεῖρον οἱ λόγῳ τετιμημένοι διάκεινται. Τοῦτο δὲ καὶ ἑτέροις ἔθος
35 προφήταις ποιεῖν. Διά τοι τοῦτο καὶ ὁ πρὸς τὸν Ἱεροβοὰμ ἀποσταλείς, ἀφεὶς τὸν βασιλέα πρὸς ὃν ἀπεστέλλετο, τῷ θυσιαστηρίῳ διαλέγεται[a]. Καὶ Ἱερεμίας τὴν γῆν ἐκάλει λέγων· Γῆ, γῆ, γῆ γράψον τὸν ἄνδρα τοῦτον, ἄνδρα ἐκκήρυκτον[b]. Καὶ ἕτερος πάλιν ἔλεγεν· Ἀκούσατε,
40 φάραγγες, θεμέλια τῆς γῆς[c].

Υἱοὺς ἐγέννησα. Οὐ τὴν κοινὴν πρὸς πάντας ἀνθρώπους τίθησιν εἰς αὐτοὺς εὐεργεσίαν, ὅπερ ἦν τὸ γενέσθαι, ἀλλὰ τὴν ἐξαίρετον, ὅπερ ἦν τὸ υἱοὺς γενέσθαι. Πανταχοῦ γὰρ ἄρχει τῶν εὐεργεσιῶν ὁ Θεὸς καὶ ὥσπερ τὸν ἄνθρωπον
45 πλάττων, οὐδέπω γενόμενον ἐτίμησε τῇ ἀρχῇ, εἰπών· Ποιήσωμεν ἄνθρωπον κατ' εἰκόνα ἡμετέραν καὶ καθ' ὁμοίωσιν[d]· ἐπὶ δὲ τῆς Καινῆς καὶ μειζόνως· οὐ γὰρ δὴ μόνον μηδὲν εἰργασμένους, ἀλλὰ καὶ μυρία κακὰ

20 ἐβασίλευσαν + ἐπὶ LMG || 21 προτίθησι : προσ- C || φιλόπονον : φιλόθεον LMGC || 23 ἔσται > MGN || τε – σαφεστέρα > V || 28 τὸ > LMC || μὴ γὰρ ~ LMGC || 29 ἄφατος : ἀφόρητος C || 30 ἔτρεψεν LMGN : ἀνέτρεψεν V ἔστρεψεν C || 31 ἐνδείξασθαι : ἐπι- C || 37 διαλέγεται : διελέγετο LMGC || 38 γῆ^3 > N || 38-39 ἐκκήρυκτον ἄνδρα ~ C

Sous les règnes d'Ozias et de Joathan, d'Achaz et d'Ézéchias, qui régnèrent sur la Judée[1]. Il indique d'abord nécessairement l'époque, renvoyant ainsi l'auditeur studieux à l'histoire des événements. La prophétie sera ainsi plus claire et plus intelligible, si l'on comprend dans quelle situation et pour quelles blessures des Juifs les prophètes leur ont préparé les remèdes.

2 Écoute, ciel, prête l'oreille, terre, car le Seigneur a parlé. Cet exorde est plein d'une indignation profonde. Si la colère du prophète n'était pas violente et inouïe, il ne négligerait pas les hommes pour s'adresser aux éléments. Et il n'agit pas seulement ainsi pour manifester sa colère, mais pour émouvoir par une forte exagération ceux-là mêmes qui vont l'écouter, en montrant que les êtres honorés de la raison sont moins bien disposés que les éléments insensibles par nature. D'autres prophètes emploient le même procédé. Ainsi celui qui fut envoyé à Jéroboam, négligeant le roi auquel il était envoyé, adresse son discours à l'autel[a]. De même, Jérémie interpellait la terre en ces termes : « Terre, terre, terre[2], inscris cet homme comme banni[b]. » Un autre encore disait : « Écoutez, ravins, fondements de la terre[c]. »

J'ai engendré des fils. Il ne mentionne pas à leur intention le bienfait accordé en commun à tous les humains, celui de naître, mais un bienfait éminent, celui de ,enir des fils. Dieu prend en tous domaines l'initiative des bienfaits : quand il façonnait l'homme, il commença par l'honorer avant même qu'il existât, en disant : « Faisons l'homme à notre image et à notre ressemblance[d]. » Sous la Nouvelle Alliance, l'honneur est encore plus grand : il a honoré par le bain de la régénéra-

2. a. cf. III Rois 13, 1-2. b. Jér. 22, 29-30. c. Mich. 6, 2. d. Gen. 1, 26.

1. Les dates approximatives du règne de ces rois sont les suivantes : Ozias 780-740 ; Iothan 740-736 ; Achaz 736-716 ; Ézéchias 716-688.
2. Pour la triple répétition, cf. *Jér.* 7, 4 ; *Is.* 6, 3.

εἰργασμένους ἐτίμησε διὰ τῆς τοῦ λουτροῦ παλιγγενε-
50 σίας[e] · οὕτω καὶ ἐνταῦθα ἔστιν ἰδεῖν, ὅτι τῇ υἱοθεσίᾳ[f] οὐχὶ μόνον οὐδὲν κατωρθωκότας, ἀλλὰ καὶ ἐπταικότας ἐτίμησεν. Οὐ μὴν ἐπειδὴ τιμᾷ πρὸ τῶν πόνων, ἀποστερεῖ μετὰ τοὺς πόνους, ἀλλὰ καὶ τότε μείζονα δίδωσι τὰ ἔπαθλα[g].

55 ***Καὶ ὕψωσα.*** Τὰ ἐν Αἰγύπτῳ, τὰ ἐν τῇ ἐρήμῳ, τὰ ἐν Παλαιστίνῃ ἑνὶ ῥήματι παρέδραμεν. Ἔθος γὰρ τῷ Θεῷ τοῦτο, διὰ τὴν περιουσίαν τῶν εὐεργεσιῶν μὴ κατὰ μικρὸν ἐνδιατρίβειν τῇ διηγήσει τῶν γεγενημένων.

Αὐτοὶ δέ με ἠθέτησαν. Παρέβησάν μου, φησί, τὸν νόμον,
60 τὰ προστάγματά μου κατέλιπον.

3. ***Ἔγνω βοῦς τὸν κτησάμενον, καὶ ὄνος τὴν φάτνην τοῦ κυρίου αὐτοῦ.*** Αἱ συγκρίσεις αὔξησιν τῆς κατηγορίας ποιοῦσιν καὶ μάλιστα ὅταν ἐξ ἀνίσων ὦσιν · καθὼς καὶ ὁ Χριστός φησι. Ἄνδρες Νινευῖται ἀναστήσονται ἐν τῇ
65 κρίσει μετὰ τῆς γενεᾶς ταύτης καὶ κατακρινοῦσιν αὐτήν[h]. καὶ πάλιν Βασίλισσα νότου ἐγερθήσεται ἐν τῇ κρίσει καὶ κατακρινεῖ τὴν γενεὰν ταύτην, ὅτι ἦλθεν ἐκ τῶν περάτων τῆς γῆς ἀκοῦσαι τὴν σοφίαν Σολομῶντος[i]. Καὶ Ἱερεμίας δὲ πάλιν φησί · Πορεύθητε εἰς νήσους Κετιὶμ καὶ ἴδετε ·
70 καὶ εἰς Κεδὰρ ἀποστείλατε καὶ γνῶτε, εἰ ἀλλάξονται ἔθνη τοὺς θεοὺς αὐτῶν · ὁ δὲ λαός μου ἠλλάξατο τὴν δόξαν αὐτοῦ, ἐξ ἧς οὐκ ὠφεληθήσεται[j]. Τὸ ἀνεπαχθὲς τῆς νομοθεσίας δείκνυσι καὶ ὅσον ἀπαιτεῖ παρὰ τῶν ἀνθρώπων μέτρον, ὃ καὶ ἀλόγοις εὔκολον κατορθῶσαι, καὶ ἀλόγων
75 τοῖς ἀνοητοτέροις. Ἀλλ' ἐρεῖ τις, ὅτι ἐκεῖνα ἐν τῇ φύσει

51 οὐδὲν > V || 55 καὶ : ἑνὶ δὲ τῷ ῥήματι, τῷ C || 56 ἑνὶ ῥήματι > C || 60 μου > V N || 70 καὶ[1] > V N || 71 τοὺς > V N || 72 ἀνεπαχθές + γε μὴν C || 73 δείκνυσι : δεικνὺς LMG || δείκνυσι + διὰ τούτων C || 75 φύσει + κατορθούμενον ἐκείνοις C

e. cf. Tite 3, 5. f. cf. Rom. 8, 23 ; Gal. 4, 5. g. cf. II Tim. 2, 5 ; Hébr. 10, 32. h. Lc 11, 32. i. Lc 11, 31. j. Jér. 2, 10-11.

1. Il y a ici en grec une antithèse : κατωρθωκότας désigne à la fois ceux

tion[e] des êtres qui non seulement n'avaient rien fait (pour le mériter), mais qui avaient commis des fautes innombrables. De même ici l'on peut voir qu'il a honoré l'adoption[f] des hommes qui non seulement n'avaient rien fait de bien, mais qui avaient trébuché[1]. Et s'il attribue l'honneur avant les travaux, il n'en prive cependant pas après les travaux, mais il accorde alors des récompenses encore plus grandes[g].

Et je les ai fait grandir. D'un mot, il parcourt les événements d'Égypte, du désert, de Palestine. C'est l'habitude de Dieu, en raison de la surabondance de ses bienfaits, de ne pas s'attarder au détail dans le récit du passé.

Mais eux m'ont méprisé. Ils ont violé ma loi, dit-il, ils ont transgressé mes commandements.

3 Le bœuf connaît son acquéreur, et l'âne la crèche de son maître. Les comparaisons renforcent la gravité de l'accusation, surtout lorsqu'elles opposent des termes inégaux. Le Christ dit aussi : « Les hommes de Ninive se dresseront lors du jugement en face de cette génération et la condamneront[h]. » Et encore[2] : « La reine du Midi se lèvera lors du jugement et condamnera cette génération, car elle est venue des extrémités de la terre pour écouter la sagesse de Salomon[i]. » Jérémie dit de même : « Allez aux îles de Chetiim[3] et regardez ; envoyez vers Cédar et examinez si les nations vont changer de dieux. Mais mon peuple a changé sa gloire contre ce qui ne lui servira de rien[j]. » Il montre que le code des lois n'est pas insupportable et que ce qu'il réclame aux hommes ne dépasse pas la mesure de ce dont les animaux, même les plus stupides d'entre eux, savent s'acquitter facilement. On me dira que ceux-ci en ont la connais-

qui sont vertueux et ceux qui se tiennent debout, ἐπταικότας ceux qui se sont trompés et ceux qui ont bronché. THUCYDIDE, 6,12,1 emploie ces deux mots dans l'opposition succès-revers.

2. Les versets 31 et 32 sont cités dans l'ordre inverse de l'évangéliste. Jean cite donc de mémoire.

3. Chetiim désigne les habitants de Chypre et des îles voisines. Cédar est le nom d'une tribu nomade.

ἔχει τὸ γνωρίζειν. Ἀλλὰ δυνατὸν τὰ φύσει κατορθούμενα ἐκείνοις ἐκ προαιρέσεως ὑφ' ἡμῶν γίνεσθαι.

Ἔγνω βοῦς τὸν κτησάμενον· οὐ τὸ ἐξαίρετον τῆς δωρεᾶς τίθησιν αὐτοῖς, ἀλλὰ καὶ τῇ ὑπερβολῇ τῆς κακίας 80 αὐτῶν αὔξει τὴν κατηγορίαν. Ὥσπερ γὰρ εἰς ἐντροπὴν αὐτῶν τὰ στοιχεῖα καλεῖ, οὕτω πάλιν οὐκ ἀνθρώποις, ἀλλὰ ἀλόγοις αὐτοῖς συγκρίνει, καὶ τούτων τοῖς ἀνοητοτάτοις, 3 καὶ δείκνυσι χείρους κἀκείνων. Οὕτω καὶ Ἱερεμίας ποιεῖ, τρυγόνα καὶ χελιδόνα[a] παράγων εἰς μέσον, καὶ ὁ Σολομῶν δὲ νῦν μὲν πρὸς τὸν μύρμηκα[b], νῦν δὲ πρὸς τὴν μέλιτταν[c] πέμπων τὸν ἀργὸν βίον ζῶντα.

5 ***Ἰσραὴλ δέ με οὐκ ἔγνω.*** Ἐπίτασις κακίας, ὅταν καὶ οἱ ᾠκειωμένοι, καὶ μετὰ τοσαύτας τιμάς, καὶ πάντες ἀθρόον πρὸς τὴν κακίαν ὦσιν ηὐτομοληκότες. Οὐκ εἶπεν Ἰακώβ, ἀλλ' Ἰσραήλ, ὥστε τῇ ἀρετῇ τοῦ προγόνου τῶν ἐκγόνων μείζονα δεῖξαι τὴν ἀγνωμοσύνην. Ὁ μὲν γὰρ τῇ τῆς 10 ψυχῆς ἀρετῇ τὴν εὐλογίαν ἐπεσπάσατο τὴν τῆς προσηγορίας[d], οἱ δὲ διὰ τῆς παρανομίας αὐτὴν προὔδωκαν.

Καὶ ὁ λαός μου ἐμὲ οὐ συνῆκεν· Ἐμέ, φησί, τὸν τοῦ ἡλίου φανερώτερον.

4. ***Οὐαὶ ἔθνος ἁμαρτωλόν.*** Καὶ τοῦτο τοῖς προφήταις 15 ἔθος, τοὺς τὰ ἀνίατα νοσοῦντας θρηνεῖν. Οὕτω καὶ Ἱερεμίας πολλαχοῦ· οὕτω καὶ ὁ Χριστὸς λέγων· Οὐαί σοι Χωραζί, οὐαί σοι Βηθσαϊδά[e]. Ἐπεὶ καὶ τοῦτο διδασκαλίας εἶδος. Ὃν γὰρ οὐκ ἀνεκτήσατο λόγος, τοῦτον πολλάκις διώρθωσε θρῆνος.

20 ***Λαὸς πλήρης ἁμαρτιῶν.*** Ἄλλη προσθήκη κατηγορίας, τὸ καὶ πάντας, καὶ μετ' ἐπιτάσεως.

Σπέρμα πονηρόν. Οὐ τὴν γένεσιν αὐτῶν διαβάλλει, ἀλλὰ

77 γίνεσθαι : γενέσθαι N ‖ 78 ἔγνω – κτησάμενον > C ‖ τὸ ἐξαίρετον LMGC : τῷ ἐξαιρέτῳ *cett.* ‖ 79 τίθησιν *scripsi* : τιθεὶς *cod.* ‖ αὐτοῖς : αὐτοὺς LMC ‖ 83 κἀκείνων χείρους ∼ C

3, 2 εἰς μέσον παράγων ∼ N ‖ 3 μὲν > V ‖ τὸν : τὴν V ‖ 4 πέμπων : πέμπει C ‖ 5 ἐπίτασις + δὲ τοῦτο C ‖ 6 καὶ² > LMGC ‖ ἀθρόον : ἀθρόως LMGC ‖

sance instinctive. Eh bien ! ce que la nature leur fait exécuter correctement, la volonté libre peut nous le faire accomplir.

«Le bœuf connaît son acquéreur. » Il ne les met pas seulement en face de l'excellence du don, mais c'est encore l'excès de leur malice qui lui fait aggraver l'accusation. Après avoir fait appel aux éléments pour les couvrir de confusion, il les compare, non à des hommes, mais aux animaux mêmes, et aux plus stupides d'entre eux, et il montre qu'ils sont plus **3** méchants qu'eux. Jérémie agit de même en citant la tourterelle et l'hirondelle[a], et Salomon, qui renvoie tantôt à la fourmi[b], tantôt à l'abeille[c], celui qui mène une vie oisive.

Mais Israël ne m'a pas connu. La malice est plus grave quand les amis les plus proches, comblés de tant d'honneurs, et tous ensemble, passent dans le camp de la méchanceté. Il n'a pas dit : « Jacob », mais « Israël », pour faire mieux ressortir par la vertu de l'ancêtre l'aberration des descendants. Celui-là s'était attiré par la noblesse de son âme la bénédiction attachée à son nom[d], mais eux y renoncèrent en commettant l'iniquité. *Et mon peuple ne m'a pas compris :* moi, dit-il, plus éclatant que le soleil.

4 Malheur à la nation pécheresse ! C'est encore l'habitude des prophètes de pleurer sur ceux qui souffrent de maladies incurables. Jérémie le fait en maints passages, et aussi le Christ quand il dit : « Malheur à toi, Chorazi, malheur à toi, Bethsaïde[e] ! » Voici encore une forme d'instruction. Celui qu'un discours n'a pu gagner est en effet souvent corrigé par une plainte.

Peuple plein d'iniquité. Nouveau motif d'accusation : tous sont coupables, et ils le sont gravement.

Race perverse. Il n'incrimine pas leur naissance, mais il

7 τὴν > LMGC || 12 μου + φησί C || οὐ συνῆκεν ἐμὲ ~ C || ἐμέ φησι > C

3. a. cf. Jér. 8, 7. b. cf. Prov. 6, 6-8. c. cf. Sir. 11, 3. d. cf. Gen. 32, 29 ; 35, 10. e. Matth. 11, 21.

δείκνυσιν ἐκ πρώτης ἡλικίας ὄντας κακούς. Ὥσπερ γὰρ ὁ Ἰωάννης λέγων· Ὄφεις, γεννήματα ἐχιδνῶν[f], οὐ τὴν
25 φύσιν αὐτὴν ἀτιμάζει· οὐ γὰρ ἂν εἶπε· Ποιήσατε οὖν καρποὺς ἀξίους τῆς μετανοίας[g], εἰ φύσει καὶ ἀπὸ γεννήσεως ἦσαν τοιοῦτοι· οὕτω καὶ ἐνταῦθα λέγων· Σπέρμα πονηρόν, οὐ τὴν γέννησιν αὐτῶν διαβάλλει.

Υἱοὶ ἄνομοι. Οὐκ εἶπε· Παράνομοι, ἀλλ', Ἄνομοι, τῶν
30 οὐδαμῶς εἰληφότων νόμον οὐδὲν ἄμεινον διακείμενοι. Ἀλλὰ τῆς προαιρέσεως τὴν διαφορὰν δηλοῖ.

Ἐγκατελίπετε τὸν Κύριον καὶ παρωργίσατε. Ἐμφαντικῶς τοῦτο εἴρηκε. Καὶ γὰρ ἤρκει τὸ ὄνομα τοῦ Θεοῦ εἰς κατηγορίαν· ὅπερ ὁ Ἱερεμίας ἐγκαλεῖ λέγων· Ὅτι καὶ
35 αὐτοῦ ἀπέστησαν, καὶ δαίμοσι προσηλώθησαν[h].

Τὸν ἅγιον τοῦ Ἰσραήλ. Καὶ τοῦτο κατηγορίας ἐπίτασις, ὅτι κοινὸς ὢν ἁπάντων Δεσπότης, αὐτοῖς ἐγνωρίζετο τότε.

Ἀπηλλοτριώθησαν εἰς τὰ ὀπίσω. 5. ***Τί ἔτι πληγῆτε προστιθέντες ἀνομίας;*** Μεγίστη κατάγνωσις, ὅταν μηδὲ ταῖς
40 τιμωρίαις γίνωνται βελτίους. Καὶ τοῦτο δὲ εἶδος εὐεργεσίας, τὸ κολάζειν. Οὐδὲ γὰρ ἂν ἔχοιεν εἰπεῖν, ὅτι ἐτίμησε καὶ εὐηργέτησε μόνον, ἁμαρτάνοντας δὲ ἠφίει· ἀλλὰ καὶ τιμαῖς ἐφείλκετο καὶ φόβῳ τῶν κολάσεων ἐσωφρόνιζε, καὶ ἐν ἑκατέροις ἔμειναν ἀνίατα νοσοῦντες.
45 Πᾶν εἶδος ἰατρείας ἐπεδείξατο, τέμνων, καίων· τὰ δὲ τῆς νόσου οὐδὲ οὕτως εἶξε, ὃ μάλιστα τοῦ νοσεῖν ἀνίατα σημεῖόν ἐστι, τὸ μηδὲ δύνασθαι δέξασθαι θεραπείαν.

Πᾶσα κεφαλὴ εἰς πόνον καὶ πᾶσα καρδία εἰς λύπην. 6. ***Ἀπὸ ποδῶν ἕως κεφαλῆς οὐκ ἔστιν ἐν αὐτῷ ὁλοκληρία,***

25 αὐτὴν > V C || 30 διακείμενοι : διετέθητε LMGN || 34 ὁ > V GC || 39 μεγίστη + δὴ οὖν τοῦτο C || 42 καὶ εὐηργέτησε > N || 48-50 πᾶσα[1] – φλεγμαίνουσα > C

f. Matth. 3, 7. g. Matth. 3, 8. h. Bar. 4, 7-8.

1. Le livre, qui figure sous le nom de Baruch, le secrétaire de Jérémie, a été rattaché à l'œuvre du prophète et Jean les confond.

indique qu'ils sont méchants depuis leur premier âge. Lorsque Jean dit : « Serpents, race de vipères[f] », il ne flétrit pas la nature elle-même ; sinon, il n'aurait pas dit : « Faites donc de dignes fruits de pénitence[g] », s'ils étaient tels par nature et de naissance ; de même ici, en disant : « Race perverse », le prophète n'incrimine pas leur naissance.

Fils sans loi. Il n'a pas dit : « transgresseurs de la loi », mais « sans loi », nullement mieux disposés que ceux qui n'ont jamais reçu de loi. Mais il montre l'égarement de la volonté libre.

Vous avez abandonné le Seigneur et provoqué sa colère. La formule qu'il emploie est expressive. Le nom de Dieu suffisait en effet pour l'accusation. Jérémie[1] adresse le même reproche : « Ils se sont éloignés de lui et se sont rivés aux démons[h]. »

Le Saint d'Israël. Cela aggrave encore l'accusation, car étant le Maître commun de tous, c'est à eux qu'il se révélait alors.

Ils se sont retirés en arrière. 5 De quel coup vous frapper encore, vous qui accumulez les iniquités ? Voilà la condamnation la plus grave : même les châtiments ne les ont pas rendus meilleurs. En effet, la punition est encore une forme de bienfait[2]. Ils ne pourraient pas dire qu'il s'était contenté de leur accorder des honneurs et des bienfaits, et qu'il les abandonnait, une fois qu'ils avaient péché. Au contraire, il les attirait par des marques d'honneur, les redressait par la crainte des châtiments, mais dans les deux cas ils demeuraient incurables. Il employa toutes les formes de la médecine, il coupait, il brûlait, mais cela même ne fit pas céder la maladie ; or, c'est bien le signe d'un mal désespéré que de ne pas pouvoir recevoir de remède.

Toute tête est dans la peine, tout cœur dans la tristesse. 6 Des pieds à la tête il n'y a rien d'intact en lui, ni blessure, ni

2. Cf. *Gorgias* 527 B.

50 ***οὔτε τραῦμα, οὔτε μώλωψ, οὔτε πληγὴ φλεγμαίνουσα.*** Εἶτα λέγει τὰς κολάσεις καὶ τὰς τιμωρίας· οὐκ ἔλαττον γὰρ τοῦτο εἶδος εὐεργεσίας ἐστὶ καὶ τῆς τιμῆς τῆς εἰς αὐτοὺς γεγενημένης. Πάντας γάρ, φησίν, ἐκάκωσα καὶ εἰς λύπην αὐτοὺς ἐνέβαλον. Εἰ πᾶσα κεφαλὴ εἰς πόνον, πῶς οὐκ
55 ἔστιν οὔτε τραῦμα, οὔτε μώλωψ; Τὸ τραῦμα, τοῦ λοιποῦ σώματος ὑγιαίνοντος, τότε φαίνεται τραῦμα ὄν· εἰ δὲ ὅλον ἡλκωμένον τύχοι, οὐκέτι ἂν φανείη τό ἕλκος. Τοῦτο οὖν ἐνδείξασθαι βούλεται, ὅτι ὅλον τὸ σῶμα ἥλκωτο, καὶ οὐχὶ τὸ μὲν ὑγίαινε, τὸ δὲ ἐξῳδηκὸς ἦν, ἀλλ' ἅπαν φλεγμονή,
60 ἅπαν μώλωψ εἷς.

Οὐκ ἔστι μάλαγμα ἐπιθεῖναι. Τοῦτο τοῦ προτέρου βαρύτερον. Οὐ γὰρ τὸ νοσεῖν οὕτω χαλεπόν, ὡς τὸ νοσοῦντα μηδὲ θεραπεύεσθαι δύνασθαι, καὶ μάλιστα ὅταν ὁ ἰατρὸς τοιοῦτος ᾖ.

65 ***Οὔτε ἔλαιον, οὔτε καταδεσμούς.*** Ὥστε ποιῆσαι τὸν λόγον ἐμφατικόν, ἐπέμεινε τῇ μεταφορᾷ· τοῦτο γὰρ αὐτῆς τὸ ἐξαίρετον.

7. ***Ἡ γῆ ὑμῶν ἔρημος.*** Ταῦτα οὐχ ὡς γεγενημένα ἀπαγγέλλει, ἀλλ' ὡς ἐσόμενα προαναφωνεῖ. Κέχρηνται δὲ τῷ
70 ἔθει οἱ προφῆται τούτῳ, ὁμοῦ τε φοβοῦντες τὸν ἀκροατὴν καὶ τῆς οἰκείας ἀληθείας τὴν δύναμιν ἐνδεικνύμενοι. Ὡς γὰρ τὰ παρελθόντα οὐκ ἔνι μὴ γεγενῆσθαι, οὕτω τὰ μέλλοντα ὑπὸ τῶν προφητῶν λέγεσθαι, οὐκ ἔνι μὴ συμβῆναι, πλὴν εἰ μήποτε μετανοήσαιεν οἱ κολάζεσθαι μέλλοντες.

75 ***Αἱ πόλεις ὑμῶν πυρίκαυστοι.*** Οὐ γὰρ ἠφάνισεν αὐτὰς παντελῶς, ἀλλ' ἀφῆκεν ἑστάναι τὰ λείψανα τοῦ ἐμπρησμοῦ τοῦ βαρβαρικοῦ, μᾶλλον δυνάμενα καθικέσθαι τῆς τῶν ὁρώντων ὄψεως.

51 λέγει : καταλέγει C || 54 ἐνέβαλον + εἴ τις οὖν ἔροιτο πῶς C || πῶς > C || 55 μώλωψ + ἀκούσατε πῶς C || 57 οὖν > C || 59 φλεγμονή : φλεγμονεῖ V C || 61 τοῦτο + δὲ C || 66 ἐμφατικόν : ἐμφαντικόν CN || 68 ἔρημος + ὅτε καὶ ἐγένετο πᾶσα χώρα κατεστραμμένη ὑπὸ λαῶν ἀλλοτρίων C || 68-69 ταῦτα *post* ἀπαγγέλλει *tranp.* C || 72 οὕτω + καὶ C || 73 λέγεσθαι : λεγόμενα C || 75

meurtrissure, ni plaie enflammée. Il parle ensuite des punitions et des châtiments, car ce n'est pas la moindre forme du bienfait ni de l'honneur qui leur a été conféré. « Je les ai tous maltraités, dit-il, et plongés dans l'affliction. » Si toute tête est dans la peine, comment se fait-il qu'il n'y a ni blessure ni meurtrissure ? Quand le reste du corps est sain, la blessure se reconnaît comme une blessure ; mais si tout le corps est blessé, la plaie ne peut plus se voir. Le prophète veut donc montrer que tout le corps était blessé et qu'il n'y avait pas une partie saine et une partie tuméfiée ; mais tout est inflammation, tout ne forme plus qu'une meurtrissure.

Tout pansement est impossible. Ce cas est plus grave que le précédent. Le plus douloureux en effet n'est pas d'être malade, mais de ne pas même pouvoir être soigné quand on l'est, surtout quand il existe un tel médecin.

Pas d'huile ni de ligaments. Pour donner plus de force à son discours, il a poursuivi la même métaphore ; c'en est, en effet, le point culminant.

7 *Votre terre est déserte.* Il ne rappelle pas ici des faits passés, mais il les annonce comme futurs. C'est en effet l'habitude des prophètes d'effrayer l'auditeur tout en manifestant la puissance de la vérité qu'ils détiennent. De même qu'il n'est pas possible que les événements passés n'aient pas eu lieu, de même il ne se peut pas que ce qui doit être dit par les prophètes ne s'accomplisse pas, à moins que ne se convertissent ceux qui sont menacés de châtiment.

Vos villes sont consumées par le feu. Il ne les a pas fait disparaître complètement, mais il a laissé subsister les décombres de l'embrasement causé par les barbares, ce qui pouvait frapper davantage le regard des spectateurs.

αἱ – πυρίκαυστοι : τὸ δὲ πυρίκαυστοι αἱ πόλεις ὑμῶν δηλοῖ ὡς C || γὰρ > C || 78-80 ὄψεως – ἀλλοτρίων : ὄψεως καὶ τὸ ἐνώπιον δὲ ὑμῶν ἀλλότριοι καθεσθίουσι τὴν χώραν ὑμῶν C

Τὴν χώραν ὑμῶν ἐνώπιον ὑμῶν ἀλλότριοι κατεσθίουσιν αὐτὴν καὶ ἠρήμωται κατεστραμμένη ὑπὸ λαῶν ἀλλοτρίων. Ἐπίτασις συμφορᾶς, ὅταν καὶ θεαταὶ τῶν οἰκείων γίνωνται συμφορῶν καὶ μηδὲ ἐξ ἀκοῆς αὐτὰ μανθάνωσι μόνον.

8. ***Ἐγκαταλειφθήσεται ἡ θυγάτηρ Σιών, ὡς σκηνὴ ἐν ἀμπελῶνι καὶ ὡς ὀπωροφυλάκιον ἐν σικυηλάτῳ.*** Μέγα τι ἔχουσι καὶ αἱ εἰκόνες, καὶ μάλιστα αἱ ἐν τῇ Γραφῇ, εἰς παράτασιν τῶν λεγομένων. Τὴν Ἱερουσαλὴμ δὲ καλεῖ θυγατέρα Σιὼν καὶ διὰ τὸ ὑποκεῖσθαι τῷ ὄρει. Ὡς σκηνὴ ἐν ἀμπελῶνι καὶ ὡς ὀπωροφυλάκιον ἐν σικυηλάτῳ. Τοῦ καρποῦ γὰρ ἀνῃρημένου καὶ τῶν γεωργῶν ἀπενεχθέντων, περιττὴ λοιπὸν ἡ τῆς πόλεως οἰκοδομή.

Ὡς πόλις πολιορκουμένη. Τοῦτο τῆς ἀσθενείας αὐτῶν καὶ τῆς ἐγκαταλείψεως αἴνιγμα. Ὅταν γὰρ μηδεὶς ὁ βοηθῶν ᾖ, τότε ἀνάγκη συγκεκλεῖσθαι, τὴν ἀπὸ τῶν τειχῶν ἀσφάλειαν μόνην ἐκδεχομένους.

9. ***Καὶ εἰ μὴ Κύριος Σαβαὼθ ἐγκατέλιπεν ἡμῖν σπέρμα, ὡς Σόδομα ἂν ἐγενήθημεν, καὶ ὡς Γόμορρα ἂν ὡμοιώθημεν.*** Ἔθος ἀεὶ τοῖς προφήταις μὴ μόνον ἐκεῖνα προλέγειν, ἃ μέλλουσι πάσχειν οἱ πλημμελοῦντες δεινά, ἀλλὰ καὶ ἃ παθεῖν ἦσαν ἄξιοι, ἵνα καὶ ἐν αὐτῷ τῷ καιρῷ τῆς τιμωρίας πολλὰς εἰδῶσι τῷ Θεῷ χάριτας, οὐ τὴν ἀξίαν τῶν πλημμελημάτων, ἀλλὰ ἐλάττονα πολλῷ τὴν δίκην τίνοντες. Τοῦτο γοῦν καὶ ἐνταῦθά φησιν, ὅτι τὰ μὲν ἁμαρτήματα αὐτῶν οὐ ταῦτα τὰ εἰρημένα, ἀλλὰ πανωλεθρίαν ἀπῄτει καὶ ὁλοκλήρου τοῦ γένους ἀφανισμὸν παντελῆ · ἃ δὴ καὶ ἐπὶ Σοδόμων συνέβη. Ἡ δὲ τοῦ Θεοῦ φιλανθρωπία οὐκ ἀφῆκε τοῦτο γενέσθαι, πολλῷ τῆς ἁμαρτίας ἐλάττονα τὴν τιμωρίαν ἐπάγουσα. Ἐπειδὴ δὲ πολλὴ τῆς Παλαιᾶς πρὸς τὴν Καινήν ἐστιν ἡ συγγένεια, εἰκότως τοῦτο καὶ ὁ Παῦλος ἀπεχρήσατο · καὶ ἐπιτηδειό-

81 συμφορᾶς + ἐστιν C ‖ 82 αὐτὰ : αὐτὰς

4, 4 παράτασιν : παράστασιν MGC ‖ 5 καὶ > C *Montf.* ‖ 13 ἐγκατέλιπεν : ἐγκατέλειπεν V ‖ 17 ἐν > V LMGN ‖ 18 εἰδῶσι : ἴδωσι V CN ‖ 20 τίνοντες :

Votre pays, des étrangers le dévorent devant vous ; il est devenu désert, saccagé par des peuples étrangers. C'est un surcroît de malheur que d'être témoin de ses propres malheurs, au lieu de les apprendre seulement par ouï-dire.

8 La fille de Sion sera abandonnée comme une hutte dans une vigne, comme un abri de gardien dans un champ de concombres. Les images ont une grande importance, surtout celles de l'Écriture, pour développer ce qui est dit. Il appelle Jérusalem fille de Sion parce qu'elle est située au pied de la montagne. « Comme une hutte dans une vigne, comme un abri de gardien dans un champ de concombres. » Lorsque les fruits ont été emportés, que les agriculteurs ont été emmenés, la bâtisse qu'est la cité est désormais superflue.

Comme une ville assiégée. C'est une allusion à leur état de faiblesse et d'abandon. Quand aucun secours extérieur ne peut venir, il ne reste qu'à s'enfermer, en comptant sur la seule sécurité que donnent les remparts.

9 Et si le Seigneur Sabaoth ne nous avait pas laissé un germe, nous serions devenus comme Sodome, nous aurions été semblables à Gomorrhe. C'est l'usage constant des prophètes de ne pas annoncer seulement le terrible châtiment que doivent subir les pécheurs, mais aussi celui qu'ils auraient mérité de subir, afin qu'au moment même où ils sont punis ils rendent à Dieu d'abondantes actions de grâces, parce que la peine qu'il leur inflige n'est pas égale à leurs fautes, mais qu'elle est bien moindre. Ce qu'il indique ici est que leurs péchés n'appelaient pas les maux dont il a parlé, mais la ruine totale et l'extermination complète de la race tout entière : c'est ce qui eut lieu pour Sodome. Mais la bonté de Dieu ne permit pas que cela se produisît, et le châtiment infligé fut bien moindre que le péché. Comme il y a une grande affinité entre l'Ancien et le Nouveau Testament, Paul a naturellement exprimé la même idée : il le

τείνοντες C || 26 ἢ > V C

τερον εἶπεν ἢ ὁ προφήτης. Ὥσπερ γὰρ ἐν ἐκείνῳ τῷ καιρῷ, εἰ μὴ πολὺς ὁ τοῦ Θεοῦ γέγονεν ἔλεος, πάντες ἂν
30 ἀνηρπάσθησαν[a], οὕτω καὶ ἐν τῷ καιρῷ τῆς τοῦ Χριστοῦ παρουσίας, εἰ μὴ τὰ τῆς χάριτος ἐφάνη, χαλεπώτερα τούτων πάντες ἂν ἔπαθον. Ἐγκατέλιπε δὲ ἡμῖν σπέρμα· τοὺς σωθέντας ἀπὸ τῆς αἰχμαλωσίας λέγει.

10. ***Ἀκούσατε λόγον Κυρίου, ἄρχοντες Σοδόμων,***
35 ***προσέχετε νόμῳ Θεοῦ ἡμῶν, λαὸς Γομόρρας.*** Ἐπειδὴ εἶπεν, ὅτι τὰ Σοδόμων ἦσαν ἄξιοι παθεῖν[b], δείκνυσιν ὅτι καὶ τὰ Σοδόμων ἐτόλμων. Διὸ καὶ ἀπὸ τῆς κοινῆς αὐτοὺς ὀνομάζει προσηγορίας. Ἐπεὶ εἰ μὴ τοῦτο ἦν, οὐδὲ καιρὸν εἶχεν ὁ λόγος. Ὅτι γὰρ οὐ πρὸς Σοδομηνοὺς ἀποτείνεται
40 νῦν, ἀλλὰ πρὸς Ἰουδαίους, καλῶν αὐτοὺς τῇ τῆς προσηγορίας κοινωνίᾳ, δείκνυσι τὰ μετὰ ταῦτα λεγόμενα. Θυσιῶν γὰρ μέμνηται καὶ προσφορῶν καὶ τῆς ἄλλης τῆς νομικῆς λατρείας, ἧς οὐδὲ ἴχνος ἦν παρὰ Σοδομίταις. Νόμῳ Θεοῦ ἡμῶν, τῷ ἐλέγχῳ φησί.

45 11. ***Τί μοι πλῆθος, φησί, τῶν θυσιῶν ὑμῶν; λέγει Κύριος. Πλήρης εἰμὶ ὁλοκαυτωμάτων κριῶν, καὶ στέαρ ἀρνῶν καὶ αἷμα ταύρων καὶ τράγων οὐ βούλομαι.*** Ὁ ψαλμὸς ὁ τεσσαρακοστὸς ἔννατος ἅπας τῷ χωρίῳ τούτῳ προσέοικε, δι' ἑτέρων μὲν ῥημάτων, διὰ τῶν αὐτῶν δὲ ὑφαινόμενος
50 νοημάτων. Τῷ γὰρ ἐν τῷ ψαλμῷ· Προσκαλέσεται τὸν οὐρανὸν ἄνω καὶ τὴν γῆν, τοῦ διακρῖναι τὸν λαὸν αὐτοῦ[c], ἴσον ἐστὶ τὸ Ἄκουε, οὐρανέ, καὶ ἐνωτίζου, γῆ, ὅτι Κύριος ἐλάλησεν· καὶ τὰ ἑξῆς δὲ τοιαῦτα. Ὥσπερ γὰρ ὁ Δαυΐδ φησιν· Οὐκ ἐπὶ ταῖς θυσίαις σου ἐλέγξω σε, τὰ δὲ
55 ὁλοκαυτώματά σου ἐνώπιόν μού ἐστι διαπαντός[d]· οὕτω καὶ ὁ Ἡσαΐας φησί· Τί μοι πλῆθος τῶν θυσιῶν ὑμῶν, λέγει Κύριος. Καὶ πάλιν ὁ μὲν Δαυΐδ φησιν· Οὐ δέξομαι ἐκ τοῦ οἴκου σου μόσχους, οὐδὲ ἐκ τῶν ποιμνίων σου

28 εἶπεν > LMGN ‖ ἢ > V ‖ 32 ἐγκατέλιπε : -λειπε V ‖ 35 νόμῳ : νόμον LMG ‖ ἡμῶν > LMG ‖ 38 ἦν > C ‖ 45 φησί > LMGN ‖ 50 τῷ[1] : τὸ LM ‖ 52 τὸ : τῷ N ‖ 56-57 τί – φησιν > N

fait même d'une façon plus pertinente que le prophète. De même en effet qu'en ce temps-là, si la miséricorde de Dieu n'avait été si grande, tous auraient été exterminés [a], ainsi au temps de l'avènement du Christ, si la grâce ne s'était pas manifestée, ils auraient subi un sort encore plus terrible. Mais il nous a « laissé un germe ». Il parle de ceux qui échappèrent à la captivité.

10 Écoutez la parole du Seigneur, princes de Sodome; soyez attentifs à la loi de notre Dieu, peuple de Gomorrhe. En disant qu'ils méritaient de subir le sort de Sodome [b], il montre qu'ils avaient l'audace de commettre les crimes de Sodome. C'est pourquoi il les désigne par la même appellation. S'il n'en était pas ainsi, son langage manquerait d'à-propos. Qu'il s'adresse ici non aux Sodomites, mais aux Juifs, en leur donnant un nom qui leur soit commun, la suite le fait apparaître. Il mentionne les sacrifices, les oblations et les autres cérémonies prévues par la loi; or, on n'en trouve pas même de trace à Sodome. En parlant de « la loi de notre Dieu », il en donne la preuve.

11 Que m'importe la multitude de vos sacrifices, dit le Seigneur. Je suis rassasié d'holocaustes de béliers; je ne veux pas de la graisse des agneaux, ni du sang des taureaux et des boucs. Le psaume 49 tout entier ressemble à ce passage; sa trame est faite d'autres expressions, mais des mêmes pensées. Il est dit dans le psaume : « Il convoquera le ciel et la terre pour juger son peuple [c] »; or, en voici l'équivalent : « Écoute, ciel; prête l'oreille, terre, car le Seigneur a parlé », et ainsi de suite. David déclare : « Je ne te blâmerai pas pour tes sacrifices; tes holocaustes sont constamment devant moi [d] », et Isaïe dit de même : « Que m'importe la multitude de vos sacrifices, dit le Seigneur. » David dit encore : « Je n'accepterai pas de taurillons de ta maison, ni de boucs venant de tes trou-

4. a. cf. Rom. 9, 29. b. cf. Gen. 19, 24-28. c. Ps. 49, 4. d. Ps. 49, 8.

τράγους[e] · ὁ δὲ Ἠσαΐας · Ὁλοκαυτώματα κριῶν καὶ
60 στέαρ ἀρνῶν καὶ αἷμα ταύρων καὶ τράγων οὐ βούλομαι.
Ἐπειδὴ γὰρ ἐγκαλούμενοι συνεχῶς ἐπὶ τῷ τῆς ἄλλης
ἀρετῆς εἶναι ἔρημοι, ἀντὶ μεγίστης ἀπολογίας τὰς θυσίας
προεβάλλοντο, ὡς συνεχῶς αὐτὰς ἐπιτελοῦντες, εἰκότως
ἑκάτερος ὁ προφήτης, μᾶλλον δὲ καὶ οἱ ἄλλοι πάντες,
65 ταύτης ἐκβάλλουσιν αὐτοὺς τῆς ἀπολογίας. Ὅθεν δῆλον,
ὅτι οὐ προηγουμένως αὐταὶ ἐδόθησαν, ἀλλ' ὥστε παιδα-
γωγίαν γενέσθαι τῆς ἄλλης ἐντεῦθεν αὐτοῖς πολιτείας.
Ἐπεὶ δὲ τῶν ἀναγκαίων κατεπειγόντων ἀμελοῦντες, ἐν
τούτοις ἠσχόληντο, οὐδὲ ταύτας λοιπὸν προσίεσθαί φησιν
70 ὁ Θεός.

12. ***Οὐδὲ ἂν ἔρχησθε ὀφθῆναί μοι.*** Ἐὰν παραγένησθε,
φησίν, εἰς τὸν ναόν.

Τίς γὰρ ἐξεζήτησε ταῦτα ἐκ τῶν χειρῶν ὑμῶν; Καὶ μὴν
ὁλόκληρον σύγκειται βιβλίον τὸ Λευϊτικὸν λεγόμενον, περὶ
75 τῆς τῶν θυσιῶν ἀκριβείας νομοθετοῦν. Καὶ ἐν τῷ
Δευτερονομίῳ δὲ καὶ ἐν ἑτέροις πλείοσι πολλοὶ περὶ
τούτων εἰσὶ διεσπαρμένοι νόμοι. Πῶς οὖν φησι · Τίς
ἐξεζήτησε ταῦτα ἐκ τῶν χειρῶν ὑμῶν; Ἵνα μάθῃς, ὅτι οὐ
προηγούμενον ἦν Θεοῦ θέλημα, τὸ τὰ τοιαῦτα νομοθετεῖν,
80 ἀλλ' ἀπὸ τῆς αὐτῶν ἀσθενείας τὴν ἀρχὴν ἔλαβεν ἡ περὶ
τούτων νομοθεσία. Ὥσπερ γὰρ οὐκ ἐβούλετο γυναῖκα
ἐκβάλλεσθαι τὴν ἅπαξ ἀνδρὶ συναφθεῖσαν, μεῖζον δὲ
ἐκκόπτων κακόν, τὸ μὴ κωλυομένους ἐκβάλλειν, ἀναγκά-
ζεσθαι σφάττειν ἔνδον οὔσας καὶ μισουμένας, τὸ ἔλαττον
85 συνεχώρησεν · οὕτω δὴ καὶ ἐνταῦθα, κωλύων τὸ δαίμοσι
θύειν, κατεδέξατο ὅπερ οὐκ ἐβούλετο, ἵν' ὅπερ ἐβούλετο

59 τράγους : χιμάρους LMG ‖ ὁλοκαυτώματα + τῶν LM ‖ 65 ταύτης > N ‖ 66 αὐταὶ : αὗται LMG ‖ 68 ἀναγκαίων + καὶ LMGN ‖ 69 ἠσχόληντο : ἠσχολοῦντο LMG ‖ προσίεσθαί : προίεσθαί V N ‖ 71 παραγένησθε : -γίνεσθε LMGN ‖ 82 ἐκβάλλεσθαι : ἐκβαλέσθαι V ‖ μεῖζον : μείζων V ‖ 83 κακόν : κακῶν V ‖ ἐκβάλλειν : ἐκβαλεῖν V

e. Ps. 49, 9.

peaux[e].» Et Isaïe : «Je ne veux pas des holocaustes de béliers, de la graisse des agneaux, ni du sang des taureaux et des boucs.» Comme on leur reprochait constamment d'être dépourvus de toute autre vertu et qu'ils faisaient valoir comme suprême excuse les sacrifices dont, disaient-ils, ils s'acquittaient continuellement, on comprend que les deux prophètes ou, plus exactement, tous les prophètes, leur refusent cette défense. On voit donc par là que les sacrifices n'ont pas été établis principalement pour eux-mêmes, mais comme une pédagogie inspirant le reste de leur conduite. Cependant, comme ils négligeaient les devoirs pressants pour ne s'occuper que de ces sacrifices, Dieu dit que désormais il ne les acceptera plus[1].

12 Pas même si vous veniez pour être vus de moi, c'est-à-dire si vous veniez au Temple.

Qui en effet a réclamé cela de vos mains[2] *?* Il existe sans doute un livre entier, appelé Lévitique, qui légifère avec rigueur sur les sacrifices. De même, dans le Deutéronome et dans plusieurs autres livres, on trouve disséminées de nombreuses lois sur ce qui les concerne. Comment Dieu peut-il dire : «Qui a réclamé cela de vos mains?» C'est pour nous apprendre que le dessein premier de Dieu n'était pas de légiférer en cette matière, mais que le point de départ de cette législation était leur faiblesse. Tout comme il ne voulait pas qu'un homme répudiât la femme qu'il avait épousée; mais, que pour couper court à un plus grand mal, à savoir d'être amenés à tuer, par impossibilité de les répudier, les femmes qui étaient chez eux et qui leur étaient odieuses, il avait permis le moindre mal, de même ici, pour empêcher de sacrifier aux dieux, il toléra ce qu'il ne voulait pas, afin d'obtenir le bien qu'il voulait. Le

1. L'indifférence de Dieu à l'égard des sacrifices est souvent rappelée par les prophètes : *Amos* 5, 22; *Jér.* 6, 20; *Mich.* 6, 6-8. La graisse et le sang sont réservés dans les sacrifices à la divinité (cf. *Lév.* 3, 17). Cf. aussi HÉSIODE, *Théogonie* 541, mais avec méprise du poète grec.

2. «De vos mains» est un hébraïsme qui signifie «de vous».

κατορθώσῃ. Τοῦτο γοῦν αὐτὸ πάλιν Μιχαίας ὁ προφήτης ἐνδεικνύμενος ἔλεγε· Μὴ σφάγια καὶ θυσίας προσηνέγκατέ μοι ἔτη τεσσαράκοντα; λέγει Κύριος[f]. Καὶ ὁ
90 Ἱερεμίας δέ φησιν· Οὐ ταῦτά ἐστιν, ἃ ἐνετειλάμην τοῖς πατράσιν ὑμῶν[g].

5 Ἐπειδὴ γὰρ καὶ δαίμονες τοῦτον ἐθεραπεύθησαν τὸν τρόπον, καὶ αὐτὸς οὗτος, ἵνα μηδεμία τοῖς ἀσθενεστέροις ἐντεῦθεν ἀπωλείας γένηται πρόφασις, συνεχῶς διὰ πάντων ταῦτά φησι τῶν προφητῶν. Ἐκεῖνοι μὲν γὰρ καὶ μὴ διδο-
5 μένων ἠγανάκτουν, καὶ συνεχῶς ἐπέκειντο τὴν κνίσσαν καὶ τὸν καπνὸν ἀπαιτοῦντες καὶ λέγοντες·

Τὸ γὰρ λάχομεν γέρας ἡμεῖς.

Αὐτὸς δὲ οὔτε ἐξ ἀρχῆς ᾔτησεν καὶ ἡνίκα ἐκέλευσεν, ἔδειξεν, ὅτι οὐχὶ βουλόμενος τοῦτο ἐπέτρεψεν· οὐ ταύτῃ
10 δὲ μόνον, ἀλλὰ καὶ τῷ καταλῦσαι ταχέως αὐτὰς καὶ ἡνίκα ἐπετελοῦντο, μὴ προσίεσθαι· καὶ διὰ πάντων ἁπαξαπλῶς ἐδήλου ὅτι πολλῷ τῆς μεγαλωσύνης αὐτοῦ τῆς λατρείας οὗτος ὁ τρόπος ἀνάξιος. Τοῦτο οὖν φησι νῦν, ὅτι δι' ὑμᾶς τοῦτο ἠνειχόμην, οὐκ αὐτὸς τούτων ἐδεόμην.

15 ***Πατεῖν μου τὴν αὐλὴν*** 13. ***οὐ προσθήσετε.*** Ἢ τὴν αἰχμαλωσίαν προλέγει, ἢ ἀπαγορεύει καὶ τοῦτο αὐτοῖς, ἐπειδὴ οὐ μετ' ὀρθῆς εἰσῄεσαν γνώμης.

Ἐὰν φέρητέ μοι σεμίδαλιν, μάταιον. Τῶν γὰρ ἐπιταγμάτων τὰ μὲν δι' ἑαυτά, τὰ δὲ δι' ἕτερα γίνεσθαι
20 ἐκελεύετο· οἷον τὸ τὸν Θεὸν εἰδέναι, τὸ μὴ φονεύειν, μὴ μοιχεύειν, καὶ ὅσα τοιαῦτα, διὰ τὴν ἐξ αὐτῆς ὠφέλειαν ἐνομοθετεῖτο· τὸ μέντοι θῦσαι, καὶ θυμίαμα προσενεγκεῖν, καὶ τηρῆσαι σάββατον, καὶ ὅσα τοιαῦτα πάλιν, οὐχ ἵνα

87 Μιχαίας : Ἀμώς *Montf.*

5, 8 ᾔτησεν > N || 13 ἀνάξιος + τοῦτο οὖν φησι νῦν, ὅτι δι' ὑμᾶς τοῦτο ἠνειχόμην, οὐκ αὐτὸς τούτων ἐδεόμην C || 15 ἢ + οὖν C || 16 προλέγει : λέγει C || αὐτοῖς > LMGN || 18 ἐὰν – μάταιον *post* ἀπολαύῃ (32) *transp.* C || 20 φονεύειν + τὸ C || 21 αὐτῆς : αὐτῶν C

f. Amos 5, 25. g. Jér. 7, 22.

prophète Michée[1] exprimait la même idée en disant : « Ne m'avez-vous pas présenté des sacrifices et des oblations pendant quarante ans ? » dit le Seigneur[f]. Et Jérémie déclare : « Ce n'est pas là ce que j'avais prescrit à vos pères[g]. »

Comme les démons étaient également honorés de cette manière, le Seigneur lui-même, ne voulant pas laisser aux plus faibles un prétexte pour se perdre, ne cesse de répéter cet enseignement par la voix de tous les prophètes. Les démons s'indignaient quand on n'offrait pas de sacrifices, ils réclamaient constamment et avec insistance la graisse et la fumée, car, disaient-ils, « c'est notre apanage à nous[2] ». Mais Dieu, lui, n'avait pas demandé cela à l'origine ; et, quand il l'ordonna, il montra qu'il ne s'y résignait pas volontiers. Il ne le montra pas seulement de cette manière, mais aussi en les faisant rapidement cesser et en ne les agréant pas quand on les accomplissait ; bref, il faisait voir de toute manière que cette forme de culte était bien indigne de sa majesté. Le sens de ses paroles est donc : j'ai toléré cela à cause de vous, mais pour moi je n'en avais pas besoin.

13 Vous ne foulerez plus mon sanctuaire[3]. Ou bien il prédit la captivité, ou bien il énonce cette défense parce qu'ils n'entraient pas au Temple avec de bonnes dispositions.

Si vous m'offrez de la fleur de farine, cela est vain. Parmi les préceptes, les uns étaient imposés pour eux-mêmes, les autres pour des raisons différentes ; par exemple les commandements de connaître Dieu, de ne pas tuer, de ne pas commettre l'adultère, et tous les autres du même genre, étaient donnés en raison de leur utilité propre, tandis que ceux d'offrir des sacrifices, de brûler de l'encens, d'observer le sabbat, et ici encore tous les autres du même genre, n'étaient pas donnés simplement en vue

1. Nos manuscrits portent Michée, mais la citation est d'Amos.
2. *Iliade* 4, 49, trad. Paul Mazon.
3. Fouler ou bien piétiner, par allusion au bétail des sacrifices.

αὐτὰ ταῦτα γίνηται ἁπλῶς, ἀλλ' ἵνα ἐκ τῆς τούτων
25 μελέτης τῆς τῶν δαιμόνων ἀπάγωνται θεραπείας. Ἐπεὶ οὖν
οὗτοι ταῦτα μὲν ἐπετέλουν, τὸ δὲ ἐξ αὐτῶν οὐκ
ἐκαρποῦντο κέρδος, ἀλλ' ἔτι τοῖς δαίμοσιν ἦσαν προση-
λωμένοι, εἰκότως καὶ ταῦτα ἐκβάλλεται · ἐπεὶ καὶ δένδρον
εἰκότως τις ἐκτέμνοι, φύλλα μὲν ἔχον καὶ κλάδους,
30 καρπῶν δὲ ἔρημον ὄν. Καὶ γὰρ τῷ γηπόνῳ πᾶσα περὶ τὸ
φυτὸν ἡ ἐπιμέλεια, οὐ διὰ τὸν φλοιὸν καὶ τὸ στέλεχος,
ἀλλ' ἵνα τῶν καρπῶν ἀπολαύῃ.

Θυμίαμα βδέλυγμά μοί ἐστιν. Ὁρᾷς ὅτι οὐ τῇ φύσει τῶν
προσφερομένων ἔχαιρεν, ἀλλὰ τὴν γνώμην τῶν
35 προσαγόντων ἐξήταζε; Διὰ δὴ τοῦτο τὸν μὲν καπνὸν καὶ
τὴν κνίσσαν τὴν ἀπὸ τῆς θυσίας τοῦ Νῶε ὀσμὴν εὐωδίας[a]
ἐκάλεσε, τὸ δὲ θυμίαμα βδέλυγμα. Ὅπερ γὰρ ἔφην, οὐ τὴν
οὐσίαν τῶν δώρων, ἀλλὰ τὴν διάθεσιν τῶν προσφερόντων
ἐπιζητεῖ.

40 ***Τὰς νεομηνίας ὑμῶν, καὶ τὰ σάββατα.*** Παρατηρητέον ὡς
οὐδὲν τῶν ἀναγκαίων ἐκβάλλει, ἀλλὰ ταῦτα ἃ καὶ παρα-
γενόμενος ὁ Χριστὸς κατέλυσεν. Διὸ καὶ ὁ Παῦλος εὐτο-
νώτερον τῷ λόγῳ κεχρημένος, ἡνίκα πρὸς Ἰουδαίους
ἐμάχετο, οὐ ταῦτα μόνον, ἀλλὰ καὶ ἕτερα πλείονα τούτων
45 θείς, τοὺς οὐδὲν οἴκοθεν ἐπιδεικνυμένους οὐδὲν ἐκεῖθεν
κερδαίνειν ἔφησεν, οὕτω λέγων · Εἰ δὲ σὺ Ἰουδαῖος
ἐπονομάζῃ καὶ ἐπαναπαύῃ τῷ νόμῳ καὶ καυχᾶσαι ἐν Θεῷ
καὶ γινώσκεις τὸ θέλημα καὶ δοκιμάζεις τὰ διαφέροντα,
κατηχούμενος ἐκ τοῦ νόμου[b]. Καὶ πάλιν · Περι-
50 τομὴ μὲν γὰρ ὠφελεῖ, ἐὰν νόμον πράσσῃς · ἐὰν δὲ παρα-
βάτης νόμου ἦς, ἡ περιτομή σου ἀκροβυστία γέγονε[c].
Καὶ οὐδὲ ἀπὸ τοῦ πιστευθῆναι αὐτοὺς τὸν νόμον ἔφησέ τι

28 εἰκότως — δένδρον > C ‖ 29 ἐκτέμνοι : ἐκτέμνει LMGC ‖ 30 γὰρ + καὶ C ‖ 32 τῶν καρπῶν : τοῦ καρποῦ C τὸν καρπόν V ‖ 33 ὅτι > C ‖ 38 οὐσίαν : θυσίαν V ‖ προσφερόντων : -φερομένων V ‖ 40 νεομηνίας : νου- LMG ‖ 40-62 παρατηρητέον — ετίθης > C ‖ 51 νόμου > *Montf.* ‖ 52 τι > V

de leur accomplissement, mais pour qu'en s'y appliquant les hommes fussent détournés du culte des démons. Cependant, comme en les observant ils n'en retiraient pas le profit, mais demeuraient encore rivés aux démons, il est normal que ces prescriptions soient abolies, tout comme il serait normal de supprimer un arbre qui aurait des feuilles et des rameaux, mais qui ne porterait pas de fruits. En effet, le cultivateur n'entoure pas la plante de soins dans l'intérêt de l'écorce et du tronc, mais pour jouir lui-même de ses fruits.

L'encens m'est une abomination. Tu le vois, Dieu ne prenait pas plaisir à la nature des offrandes, mais il scrutait les dispositions de ceux qui les apportaient. C'est bien pour cette raison qu'il appela la fumée et la graisse du sacrifice de Noé un « parfum d'agréable odeur[a] », mais l'encens une abomination. Je viens de le dire, il ne considère pas la nature des dons, mais les dispositions de ceux qui les apportent.

Vos néoménies et vos sabbats[1]. On remarquera qu'il ne rejette rien de nécessaire, mais seulement ce que le Christ a aboli lors de sa venue. Aussi Paul, s'exprimant avec plus de véhémence encore, dans ses discussions avec les Juifs, ne se contente-t-il pas de ces seules affirmations, mais il en ajoute d'autres : il déclare que ceux qui ne montrent aucune vertu personnelle ne retirent aucun profit de ces observances : « Si tu arbores le nom de Juif, dit-il, si tu te reposes sur la Loi, te glorifies en Dieu, connais sa volonté, discernes le meilleur, étant instruit par la loi[b]... » Ou encore : « Certes, la circoncision est utile, si tu observes la loi ; mais, si tu la transgresses, ta circoncision est devenue un prépuce[c]. » Paul dit aussi que ce n'est pas parce que la Loi leur a été confiée que ceux à qui elle a été

5. a. Gen. 8, 21. b. Rom. 2, 17-18. c. Rom. 2, 25.

1. La néoménie, fête de la nouvelle lune, comportait holocaustes et sacrifice de paix : cf. *I Sam.* 20, 5 ; 18, 24 ; *Nombr.* 28, 11-15 ; *IV Rois* 4, 23 ; *Amos* 8, 5 ; *Os.* 2, 13. Sur l'obligation d'observer le sabbat, cf. *Ex.* 16, 23 ; 20, 8-11 ; *Lév.* 19, 3 ; 23, 3 ; *Deut.* 5, 12-15.

τοὺς πιστευθέντας καρπώσασθαι, ἐπειδὴ ἠπίστησαν· ὅπερ οὖν καὶ ὁ Δαυῒδ ἑτέρως αἰνιττόμενος ἔλεγε· Τῷ δὲ
55 ἁμαρτωλῷ εἶπεν ὁ Θεός· ἵνα τί σὺ ἐκδιηγῇ τὰ δικαιώματά μου[d]; Ἐπειδὴ γὰρ ἄνω καὶ κάτω τῇ ἀκροάσει τοῦ νόμου μέγα ἐφρόνουν, τῆς πράξεως ὄντες ἔρημοι, καὶ ὁ Παῦλος αὐτοὺς ἐξέβαλε τοῦ καυχήματος εἰπών· Ὁ οὖν διδάσκων ἕτερον, σεαυτὸν οὐ διδάσκεις; καὶ ὁ κηρύσσων μὴ
60 κλέπτειν, κλέπτεις[e]; Καὶ ὁ Δαυῒδ ὁμοίως λέγων· Εἰ ἐθεώρεις κλέπτην, συνέτρεχες αὐτῷ, καὶ μετὰ μοιχῶν τὴν μερίδα σου ἐτίθης[f].

Καὶ ἡμέραν μεγάλην οὐκ ἀνέχομαι. Τὴν πεντηκοστὴν λέγει, τὴν σκηνοπηγίαν, τὸ πάσχα καὶ τὰς λοιπὰς ἑορτάς.

65 ***Νηστείαν καὶ ἀργίαν*** 14. ***καὶ τὰς ἑορτὰς ὑμῶν μισεῖ ἡ ψυχή μου.*** Ἀνθρωπινώτερον πρὸς αὐτοὺς διαλέγεται.

Ἐγενήθητέ μοι εἰς πλησμονήν · εἰς κόρον, εἰς μῖσος. Τοῦτο γὰρ αὐτοῦ δείκνυσι τὴν ἄφατον μακροθυμίαν καὶ τὸ πολλάκις ἁμαρτόντας ἐνεγκεῖν καὶ μὴ πρότερον ἐπ-
70 εξελθεῖν, ἕως αὐτον αὐτοὶ οἱ πεπλημμεληκότες τῇ ὑπερβολῇ τῆς πονηρίας ἐξεκαλέσαντο.

Οὐκέτι ἀνήσω τὰς ἁμαρτίας ὑμῶν. Οὐκέτι μακροθυμήσω. Ταὐτόν ἐστι τὸ ὑπὸ τοῦ Δαυῒδ εἰρημένον· Ταῦτα ἐποίησας, καὶ ἐσίγησα[g].

75 15. ***Ὅταν τὰς χεῖρας ὑμῶν ἐκτείνητε πρός με, ἀποστρέψω τοὺς ὀφθαλμούς μου ἀφ' ὑμῶν· καὶ ἐὰν πληθύνητε τὴν δέησιν, οὐκ εἰσακούσομαι.*** Ὅθεν δῆλον, ὅτι εὐχῆς ὄφελος οὐδέν, καὶ μακρᾶς γινομένης, ὅταν ἐπιμείνῃ τοῖς ἁμαρτήμασιν ὁ εὐχόμενος. Οὐδὲν γὰρ ἀρετῆς ἴσον καὶ
80 τῆς ἀπὸ τῶν ἔργων φωνῆς.

Αἱ γὰρ χεῖρες ὑμῶν αἵματος πλήρεις · τουτέστι, φονικαί· ἀλλ' οὐκ εἶπε φονικαί, ἀλλά· πλήρεις αἵματος, δεικνὺς ὅτι

57 ἔρημοι : ἄμοιροι N ‖ 59 καὶ > LMGN ‖ 63-64 τὴν – ἑορτάς > C ‖ 67 ἐγενήθητέ μοι > C ‖ πλησμονὴν + ἀντὶ τοῦ C ‖ κόρον + ἐστι C ‖ 68 καὶ > C ‖ 69 ἁμαρτόντας : ἁμαρτάνοντας C ‖ 73 τοῦ > LMG ‖ 75 πρός με > LMGN ‖ 76 τὴν > LMGN ‖ 81 αἵματος > V LMGN

confiée en retirent quelque profit, puisqu'ils se sont montrés infidèles[1]. David le suggérait déjà en d'autres termes : « Dieu a dit au pécheur : Pourquoi viens-tu réciter mes commandements[d] ? » Comme ils s'enorgueillissaient démesurément d'avoir entendu la Loi, mais se gardaient de l'accomplir, Paul démasqua ainsi leur présomption : « Toi qui enseignes autrui, tu ne t'enseignes pas toi-même ! Toi qui prêches de ne pas voler, tu voles[e] ! » Et David dans les mêmes termes : « Si tu voyais un voleur, tu courais avec lui, et tu avais partie liée avec les adultères[f]. »

Je ne supporte pas de grand jour. Il parle de la Pentecôte, de la fête des Tabernacles, de la Pâque et des autres fêtes.

14 Mon âme hait votre jeûne et votre repos, ainsi que vos fêtes. Il leur parle davantage à la manière des hommes.

Vous en êtes venus à m'écœurer, à m'inspirer le dégoût et la haine. Voilà une nouvelle preuve de son ineffable longanimité : il supporte la répétition des péchés et n'intervient contre les coupables que lorsqu'ils l'ont défié par l'excès de leur malice.

Je ne remettrai plus vos péchés. Je n'aurai plus de longanimité. C'est aussi ce que dit David : « Tu as fait cela, et j'ai gardé le silence[g]. »

15 Lorsque vous étendrez les mains vers moi, je détournerai de vous les yeux, et si vous multipliez les prières, je n'écouterai pas. Il est donc clair que la prière n'a aucune utilité, même si elle est prolongée, lorsque celui qui prie s'obstine dans ses péchés. Rien en effet n'égale la force de la vertu et de la voix que font entendre les œuvres.

Vos mains sont pleines de sang, c'est-à-dire meurtrières. Cependant, il n'a pas dit « meurtrières », mais « pleines de

d. Ps. 49, 16. e. Rom. 2, 21. f. Ps. 49, 18. g. Ps. 49, 21.

1. Il y a en grec un jeu de mots sur *pisteuô,* « confier » (la loi leur a été confiée) et *apistéô,* « ne pas croire, être infidèle ».

μελέτην ἐποιοῦντο τὴν ἁμαρτίαν, καὶ πανταχοῦ μετ' ἐπι-
6 τάσεως. Καὶ τοῦτο δὲ τῆς ἡμερότητος αὐτοῦ, τὸ
ἀπειλοῦντα ἀπολογεῖσθαι. Τίθησι γὰρ τὰς αἰτίας, δι' ἃς οὐ
προσίεται τὴν εὐχήν.

Λούσασθε, καθαροὶ γίνεσθε. Πῶς, εἰπών· Οὐκέτι ἀνήσω
5 τὰς ἁμαρτίας ὑμῶν, συμβουλεύει καὶ δείξας ἀνίατα
νοσοῦντας διόρθωσιν εἰσάγει; Ἔθος τῷ Θεῷ, καὶ ἡνίκα ἂν
ἀπειλῇ, ἀπαγορεύειν τὴν σωτηρίαν, ὥστε αὐξῆσαι τὸν
φόβον καὶ μὴ ἐνταῦθα καταλύειν τὸν λόγον, ὥστε χρηστὰς
ὑποτεῖναι τὰς ἐλπίδας καὶ ταύτῃ πάλιν εἰς μετά-
10 νοιαν ἐπανάγειν. Καὶ τοῦτο πανταχοῦ γινόμενον ἴδοι τις
ἄν. Ἐπὶ μέντοι τῶν Νινευϊτῶν οὐ διὰ ῥημάτων, ἀλλὰ διὰ
πραγμάτων αὐτὸ πεποίηκεν. Ἐν γὰρ τοῖς λόγοις οὐδὲν
χρηστὸν ὑποσχόμενος, ἀλλὰ γυμνὴν ἐπὶ τῆς ἀπειλῆς
κεῖσθαι τὴν τιμωρίαν ἀφείς, ἐπειδὴ τὰ παρ' ἑαυτῶν ἐπε-
15 δείξαντο πάντες οἱ βάρβαροι, ταχέως ἔλυσε τὴν ὀργήν[a].
Οὕτω καὶ ἐν τῷ ψαλμῷ πάλιν ὁ Δαυΐδ· ἔφθην γὰρ εἰπών,
ὅτι ὅλως δι' ὅλου τῷ προοιμίῳ τοῦτο προσέοικεν· καὶ
ὥσπερ οὗτός φησι· Λούσασθε, καθαροὶ γίνεσθε, μετὰ τὰς
ἀπειλάς· οὕτω καὶ ἐκεῖνος μετὰ τὸ εἰπεῖν· Ἐλέγξω σε
20 καὶ παραστήσω κατὰ πρόσωπόν σου τὰς ἀνομίας σου,
ἐπήγαγε· Θυσία αἰνέσεως δοξάσει με καὶ ἐκεῖ ὁδός, ᾗ
δείξω αὐτοῖς τὸ σωτήριον τοῦ Θεοῦ μου[b]· αἴνεσιν λέγων
τὴν διὰ τῶν ἔργων δοξολογίαν καὶ τὴν ἐπίγνωσιν τὴν εἰς
αὐτόν.

25 Ἵνα δέ, Λούσασθε, καθαροὶ γίνεσθε, ἀκούσαντες, μὴ
τοὺς εἰωθότας νομίσωσι καθαρμούς, ἐπήγαγεν· ***Ἀφέλετε
τὰς πονηρίας ἀπὸ τῶν ψυχῶν ὑμῶν ἀπέναντι τῶν ὀφθαλμῶν
μου, παύσασθε ἀπὸ τῶν πονηριῶν ὑμῶν.*** Τὸ τῆς ἀρετῆς

6, 4 γίνεσθε : γένεσθε LMG || πῶς + δε C || 9 ὑποτεῖναι : ὑποτείνειν C || 17 ὅλως V : ὅλος *cett.* || τοῦτο V : τούτῳ *cett.* || 18 γίνεσθε : γένεσθε LMG || 20 ἀνομίας : ἁμαρτίας C || 21 θυσία : θυσίαν V N || ᾗ : ἣν V LM ἦν N || 22 αὐτοῖς : αὐτῷ LMGCN || μου > V || 27 ἀπὸ τῶν ψυχῶν > C || 28 μου + καὶ C || ὑμῶν + ἁπάντων C

sang», montrant ainsi qu'ils faisaient du péché leur pratique habituelle, et partout avec violence. C'est encore une preuve de sa mansuétude qu'il se justifie de ses menaces. Il expose en effet les raisons pour lesquelles il n'agrée pas leur prière.

16 Lavez-vous, devenez purs. Comment se fait-il qu'après avoir dit : «Je ne remettrai plus vos péchés», il donne encore des conseils, et qu'après avoir montré que leur maladie était incurable, il propose le remède ? Dieu a l'habitude, alors même qu'il menace, d'écarter la perspective du salut afin d'augmenter la crainte, mais de ne pas arrêter là son discours pour suggérer des espérances favorables et ramener ainsi à la conversion. On peut constater qu'il en va de même partout. Pourtant, dans le cas des Ninivites, ce n'est pas par des paroles, mais par des faits qu'il a réalisé son dessein. En paroles, en effet, il n'avait promis rien de bon, mais il avait laissé le châtiment peser sans voile sur la menace; mais lorsque tous les barbares eurent manifesté leur bonne volonté, il mit promptement fin à sa colère[a]. David parle encore de la même manière dans le psaume. Ainsi que je l'ai dit, celui-ci concorde entièrement avec le préambule (d'Isaïe) : de même qu'Isaïe dit après les menaces : «Lavez-vous, devenez purs», ainsi David après avoir dit : «Je te dénoncerai, je mettrai tes iniquités devant ta face», a ajouté : «Un sacrifice de louange m'honorera : c'est la voie par laquelle je leur montrerai le salut de mon Dieu[b].» La louange dont il parle est la glorification par les œuvres, avec la connaissance dont il est l'objet.

Mais afin qu'en entendant dire : «Lavez-vous, devenez purs», ils ne pensent pas seulement aux purifications habituelles, il a ajouté : *Enlevez les iniquités de vos âmes de devant mes yeux, mettez fin à vos actes pervers.* Il a montré ainsi que

6. a. cf. Jonas 3, 4-10. b. Ps. 49, 21 et 23.

εὔκολον ἔδειξε καὶ τὴν τῆς ἐξουσίας ἐλευθερίαν, ὅτι ἐν
30 αὐτοῖς ἦν τὸ μεταβαλέσθαι.

17. ***Μάθετε καλὸν ποιεῖν.*** Οὕτως ὑπὸ τῆς πολλῆς πονηρίας καὶ τὴν ἐπιστήμην τῆς ἀρετῆς ἦσαν ἐκβεβληκότες. Οὕτω καὶ ὁ προφήτης Δαυΐδ φησι· Δεῦτε, τέκνα, ἀκούσατέ μου· φόβον Κυρίου διδάξω ὑμᾶς[c]. Πασῶν γὰρ
35 ἐπιστημῶν αὕτη ἀνωτέρα καὶ πλείονος δεομένη σπουδῆς, ὅσῳ καὶ πλείονα ἔχει τὰ διακωλύοντα, φύσεως τυραννίδα καὶ προαιρέσεως ῥᾳθυμίαν καὶ δαιμόνων ἐπιβουλὰς καὶ πραγμάτων ὄχλον. Οὕτω δὴ καὶ ὁ Βαρούχ· Οὗτος ὁ Θεὸς ἡμῶν· οὐ λογισθήσεται ἕτερος πρὸς αὐτόν· ἐξεῦρε πᾶσαν
40 ὁδὸν ἐπιστήμης[d].

Ἐκζητήσατε κρίσιν. Τουτέστιν, τὸ ἐκδικεῖν τοὺς ἀδικουμένους, ὅπερ πολλοῦ πόνου δεῖται καὶ νηφούσης ψυχῆς. Διὸ καὶ Ἐκζητήσατε εἶπε. Πολλὰ γάρ ἐστι τὰ συσκιάζοντα τὸ δίκαιον, καὶ δωροδοκία καὶ ἄγνοια καὶ δυναστεία
45 καὶ αἰδὼς καὶ φόβος καὶ θεραπεία προσώπων· καὶ δεῖ πολλῆς τῆς ἀγρυπνίας.

Ῥύσασθε ἀδικούμενον. Τοῦτο πλέον τοῦ προτέρου· οὐ γὰρ ἀπαιτεῖ τὸ ψηφίζεσθαι τὰ δίκαια, ἀλλὰ καὶ τὸ εἰς πέρας ἄγειν.

50 ***Κρίνατε ὀρφανὸν καὶ δικαιώσατε χήραν.*** Πολὺς τῷ Θεῷ λόγος τοῦ μηδένα πάσχειν κακῶς, πλείων δέ, ὅταν μετὰ τοῦ πάσχειν κακῶς καὶ ἑτέρᾳ τινὲς ὦσιν ἐνδεδυμένοι συμφορᾷ. Ἡ γὰρ χηρεία καὶ ὀρφανία καὶ καθ' ἑαυτὸ ἀφόρητον· ὅταν δὲ καὶ παρ' ἑτέρων ἐπηρεάζωνται,
55 διπλοῦν τὸ ναυάγιον.

18. ***Καὶ δεῦτε καὶ διαλεχθῶμεν, λέγει Κύριος.*** Παρατηρητέον ὅτι πανταχοῦ τῶν προφητῶν οὐδὲν οὕτως ὁ Θεὸς ἐπιζητεῖ, ὡς τὸ τοῖς ἀδικουμένοις ἐπαμύνειν. Οὕτω

29 ἔδειξεν εὔκολον ~ C ‖ 30 μεταβαλέσθαι : -βάλλεσθαι N ‖ 41 τὸ : καὶ V ‖ 47 ῥύσασθε : ῥύσασθαι V GN ‖ 51 πλείων : πλείω LMGN ‖ 53 χηρεία : χηρανεία *Montf.* ‖ 56 καὶ – κύριος > C ‖ παρατηρητέον + τοίνυν C ‖ 57-58 ὁ θεὸς > LMGC

la vertu était facile et que leur décision était libre, car c'est d'eux qu'il dépendait de se convertir.

17 Apprenez à faire le bien. Ainsi, sous l'effet de leur grande perversité, ils avaient même rejeté la connaissance de la vertu. Le prophète David parle de la même manière : « Venez, mes enfants, écoutez-moi ; je vous enseignerai la crainte du Seigneur[c]. » De toutes les connaissances, celle-ci est la plus élevée ; elle exige d'autant plus de zèle qu'elle se heurte à plus d'obstacles : la tyrannie de la nature, l'indolence de la volonté, les embûches des démons, l'embarras des affaires. Baruch dit aussi : « C'est lui qui est notre Dieu : aucun autre ne lui sera comparé ; il a découvert toutes les voies de la connaissance[d]. »

Recherchez le droit. Cela signifie défendre les victimes de l'injustice, et cela exige beaucoup de peine et une âme attentive. C'est pourquoi il a dit : « recherchez ». Il y a en effet beaucoup de choses qui occultent le droit : la vénalité, l'ignorance, la puissance, la honte, la crainte, l'acception des personnes ; et il faut ici une grande vigilance.

Sauvez la victime de l'injustice. C'est plus que ce qui précède : il ne demande pas seulement d'adopter des décisions justes, mais de les mettre à exécution.

Faites droit à l'orphelin, rendez justice à la veuve. Dieu fait grand cas de ne voir personne souffrir, mais sa préoccupation est plus grande lorsqu'en plus de leurs souffrances certains sont plongés dans un autre malheur. L'état de veuve et celui d'orphelin sont déjà insupportables par eux-mêmes, mais lorsque d'autres personnes y ajoutent leurs vexations, c'est un double naufrage.

18 Venez ! discutons ! dit le Seigneur. Il faut noter que partout chez les prophètes Dieu ne réclame rien avec autant d'insistance que la défense de ceux qui souffrent l'injustice. Il en

c. Ps. 33, 12. d. Bar. 3, 36-37.

γοῦν καὶ ἀλλαχοῦ, ὡς ἐν τῷ Μιχαίᾳ λεγόντων τῶν
60 Ἰουδαίων· Εἰ δώσω πρωτότοκά μου ὑπὲρ ἀσεβείας μου, καρπὸν κοιλίας μου ὑπὲρ ἁμαρτίας ψυχῆς μου, ἐπήγαγε λέγων· Ἀπηγγέλη σοι, ἄνθρωπε, τί καλὸν καὶ τί Κύριος ἐκζητεῖ παρὰ σοῦ, ἀλλ' ἢ τοῦ ποιεῖν κρίμα καὶ ἀγαπᾷν ἔλεον καὶ ἕτοιμον εἶναι τοῦ πορεύεσθαί σε ὀπίσω Κυρίου
65 τοῦ Θεοῦ σου[e]. Καὶ πάλιν ὁ προφήτης Δαυὶδ ἔλεγεν· Ἔλεον καὶ κρίσιν ᾄσομαί σοι, Κύριε[f]. Καὶ δεῦτε δή. Πρότερον τοῖς δικαιώμασιν ὁπλίσας, τότε ἐπὶ τὸ δικαστήριον ἕλκει καὶ διδάξας ὅπως ἂν ἀποδύσαιντο τὰ ἐγκλήματα, τότε ἀπαιτεῖ τὰς εὐθύνας, ἵνα μὴ γυμνοὺς αὐτοὺς
70 τῆς ἀπολογίας λαβὼν κατακρίνῃ. Καὶ διελεγχθῶμεν. Δικασώμεθα, φησίν. Ὁ δικαζόμενος συνήγορος γίνεται καὶ ἰατρός. Εἶτα δεικνύς, ὅτι κἂν μεγάλα ἐργασώμεθα, ἔτι τῆς αὐτοῦ δεόμεθα φιλανθρωπίας εἰς τὸ τῶν ἁμαρτημάτων ἀπαλλαγῆναι, φησίν· ***Ἐὰν ὦσιν ὑμῶν αἱ ἁμαρτίαι ὡς***
75 ***φοινικοῦν, ὡς χιόνα λευκανῶ·*** τὰς ἐκ διαμέτρου ποιότητας ἐναντίας λαβὼν καὶ ὑποσχόμενος πρὸς τὸ ἐναντίον μεταστήσειν αὐτός. ***Ἐὰν δὲ ὦσιν ὡς κόκκινον, ὡς ἔριον λευκανῶ.*** Πολλὴ τῆς τῶν χηρῶν προστασίας ἡ δύναμις, εἴ γε τὴν οὕτω καταρρυπωθεῖσαν ψυχήν, ὡς καὶ αὐτοβαφὴν
80 δέξασθαι πονηρίας, μὴ μόνον ἀπαλλάττει τῆς κακίας, ἀλλὰ καὶ λαμπρὰν οὕτως ἐργάζοιτο.

19. ***Καὶ ἐὰν θέλητε καὶ εἰσακούσητέ μου, τὰ ἀγαθὰ τῆς γῆς φάγεσθε.*** 20. ***Ἐὰν δὲ μὴ θέλητε μηδὲ εἰσακούσητέ μου, μάχαιρα ὑμᾶς κατέδεται. Τὸ γὰρ στόμα Κυρίου ἐλάλησε***
85 ***ταῦτα.*** Ἐπειδὴ γὰρ τοῖς παχυτέροις οὐχ οὕτως ἁμαρτη-

59 καὶ ἀλλαχοῦ > C ‖ Μιχαίᾳ + λέγει C ‖ 59-62 λεγόντων – λέγων > C ‖ 60 μου² > N ‖ 62 ἀπηγγέλη : ἀπηγγέλη ; V ἀπαγγελῶ *Montf.* ‖ 65 ἔλεγεν > C ‖ 66 δή : καὶ διελέχθητε LMG ‖ 67 πρότερον + δὲ C ‖ 71 φησίν + καὶ ἐαν ὦσιν ὑμῶν αἱ ἁμαρτίαι ὡς φοινικοῦν, ὡς χίονα λευκανῶ V LMN ‖ 74 αἱ ἁμαρτίαι ὑμῶν ~ LMGC ‖ 77 αὐτὸς : αὐτὸ V ‖ 77-78 ἐὰν – λευκανῶ > C ‖ 78 πολλὴ + δὲ C ‖ 80 ἀπαλλάττει : ἀπαλλάττειν LM² ἀπαλλάττοι C

est ainsi en tout cas, entre autres exemples, chez le prophète Michée : les Juifs y tiennent ce langage : « Si je donne mes premiers-nés pour mon impiété, le fruit de mes entrailles pour le péché de mon âme », et le prophète reprend : « Il t'a été annoncé, homme, ce qui est bien et ce que le Seigneur exige de toi : rien d'autre que d'accomplir la justice, d'aimer la compassion, et d'être prêt à marcher à la suite du Seigneur ton Dieu[e]. » Le prophète David disait de son côté : « Je chanterai, Seigneur, ta miséricorde et ta justice[f]. » — « Et venez donc ! » Il a commencé par les munir des moyens de se justifier, puis il les traîne au tribunal ; et c'est après leur avoir appris comment se décharger des accusations qu'il leur réclame des comptes, pour n'avoir pas à les condamner en les surprenant dépourvus de défense[1]. — « Discutons ! » Plaidons notre cause, dit-il. Celui qui plaide devient avocat et médecin. Ensuite, voulant montrer que, quand bien même nous aurions accompli de grandes œuvres, nous avons encore besoin de son amour pour être délivrés de nos péchés, il déclare : *Si vos péchés sont comme l'écarlate, je les rendrai blancs comme la neige ;* il a pris deux qualités diamétralement opposées et promis de faire passer lui-même de l'une à son contraire. *Et s'ils sont comme la pourpre, je les rendrai blancs comme la laine* : la protection accordée aux veuves est d'une bien grande efficacité : non seulement elle débarrasse de sa malice une âme qui était souillée au point d'être imprégnée de la teinture du vice, mais elle peut lui donner un tel éclat.

19 Et si vous le voulez, si vous m'écoutez, vous mangerez les produits de la terre. 20 Mais si vous ne le voulez pas, si vous ne m'écoutez pas, l'épée vous dévorera[2]. *La bouche du Seigneur a prononcé ces paroles.* Comme pour les gens gros-

e. Mich. 6, 7-8. f. Ps. 100, 1.

1. Cf. *Gorgias* 523 E.
2. L'épée dévore : cf. *Deut.* 32, 42 ; *II Sam.* 2, 22 ; *Jér.* 2, 30.

μάτων ἀπαλλαγὴ ποθεινὸν καὶ εὐσύνοπτον, ὡς τῶν ἐν τῷ παρόντι βίῳ δοκούντων εἶναι καλῶν ἡ ἀπόλαυσις, μετ' ἐκείνων καὶ ταῦτα ἐπαγγέλλεται· καὶ γὰρ καὶ τοῦτο ἐξ
7 ἐκείνου. Εἶτα δεικνὺς ὅτι εὔκολον ἡ ἀρετή, ἐν τῷ θέλειν αὐτὸ τίθησι μόνον. Ὥστε δὲ μὴ τοῖς χρηστοῖς ἐκλῦσαι, πάλιν εἰς τὰ φοβερὰ κατακλείσας τὸν λόγον ἀξιόπιστον ποιεῖ τῇ δυνάμει τοῦ ταῦτα ἀποφηναμένου.
5 21. ***Πῶς ἐγένετο πόρνη πόλις πιστὴ Σιών;*** Καὶ τῆς ὀδύνης τοῦ λέγοντος καὶ τῆς πολλῆς τῶν Ἰουδαίων ἀναισθησίας ἡ διαπόρησις, καὶ τοῦ παρ' ἐλπίδα γενέσθαι τὸ γεγενημένον. Τοιαῦτα καὶ Παῦλος ἐπὶ Γαλατῶν διαπορεῖ λέγων· Θαυμάζω ὅτι οὕτω ταχέως μετατίθεσθε[a]·
10 ὅπερ ἐν ἐγκλημάτων τάξει καὶ προτροπῆς εἶδός ἐστι, πρὸς ἀρετὴν ἀνακαλούμενον τοὺς ἐκκαλουμένους. Εἰ γὰρ καὶ θαυμαστὸν τὸ λεγόμενον καὶ ἐγκώμιον ἀναμέμικται τῇ κατηγορίᾳ τὴν κατηγορίαν χαλεπωτέραν ποιοῦν. Οὐ γὰρ οὕτω κακίζομεν τοὺς οὐδὲν ὄντας καὶ φαῦλον μετιόντας
15 βίον, ὡς τοὺς σπουδαίους μὲν εἶναι δόξαντας ἔμπροσθεν, τὰ δὲ τῶν πονηρῶν ὕστερον ἐπιδεικνυμένους. Πόρνην δὲ ἐνταῦθα καλεῖ, οὐ σωματικὴν ἀσέλγειαν αἰνιττόμενος, ἀλλὰ τὴν περὶ Θεὸν ἀγνωμοσύνην, ὃ τῆς πορνείας ἐκείνης ἐστὶ χαλεπώτερον. Ἐκεῖ μὲν γὰρ ἄνθρωπος ὁ ὑβριζόμενος,
20 ἐνταῦθα δὲ Θεὸς ὁ ἀθετούμενος. Ποιεῖ δὲ καὶ αὐτὸ καὶ οὗτος καὶ οἱ ἄλλοι πάντες προφῆται· ἐπειδὴ καὶ ὁ Θεὸς κατηξίωσεν ἐν ἀνδρὸς τάξει τῇ πόλει γενέσθαι, τὴν ἄφατον ἀγάπην τὴν περὶ αὐτοὺς ἐνδεικνύμενος· καὶ ὡς περὶ ἀνδρὸς καὶ γυναικὸς πολλαχοῦ διαλέγονται, οὐχ ἵνα εἰς

7, 2 αὐτὸ : αὐτὸν V αὐτὴν C ‖ 5 πῶς — Σιών : δεικτικὴ δὲ ἡ παρὰ τῷ προφήτῃ διαπόρησις C ‖ 7 ἡ διαπόρησις > C ‖ 11 ἀνακαλούμενον τοὺς ἐκκαλουμένους : ἀνακαλουμένους V ‖ 12 ἐγκώμιον : ἐγκωμίων V N ‖ 18 τῆς > V ‖ 19 ὁ > V LMGN ‖ 20 καὶ[1] > GCN ‖ καὶ[2] > V ‖ 23 αὐτοὺς : αὐτοῦ N

7. a. Gal. 1, 6.

siers la délivrance de leurs péchés n'est pas aussi désirable ni aussi évidente que la jouissance de ce qui paraît être des biens dans la vie présente, il promet donc ces biens avec les autres. Cet avantage est d'ailleurs la conséquence de l'autre. Puis, pour montrer que la vertu est facile, il la situe dans la seule volonté. Mais, afin que la promesse des biens ne provoque pas le relâchement, il revient à la sévérité pour clore son discours : il le rend ainsi digne de foi, en montrant la puissance de l'auteur de ces révélations.

21 Comment est-elle devenue une prostituée, Sion, la cité fidèle[1] *?* La perplexité exprime ici le chagrin de celui qui parle et la profonde insensibilité des Juifs, avec le sentiment que ce qui s'est passé n'était pas prévu. Paul éprouve la même perplexité devant les Galates : «Je m'étonne que vous changiez aussi rapidement[a].» A côté des reproches il y a là une sorte d'encouragement en vue de ramener à la vertu ceux qu'il y invite. Si cette parole exprime la surprise, un éloge se mêle aussi à l'accusation, ce qui en aggrave le poids. Nous ne blâmons pas tant des hommes de rien, qui mènent une vie légère, que ceux qui paraissaient d'abord vertueux et qui affichent ensuite la conduite des méchants. Il l'appelle ici prostituée, par allusion non à l'impudicité corporelle, mais à la méconnaissance de Dieu, qui est plus grave que l'autre forme de prostitution. Dans le premier cas, c'est l'homme qui est outragé, dans le second c'est Dieu qui est méprisé. La comparaison qu'il emploie se retrouve chez tous les autres prophètes[2] : Dieu a accepté de se mettre au rang d'époux de cette cité, manifestant ainsi son amour indicible à l'égard de ses habitants ; et les prophètes s'expriment en maints passages comme au sujet d'un époux et d'une épouse, non pour abaisser leur discours au

1. Un nouveau discours commence avec ce verset. Jean ne s'en est point aperçu, semble-t-il.

2. Cf. par exemple *Jér.* 2, 1 ; *Éz.* 6,9 ; 16, 16 ; *Os.* 1, 2.

25 ἀνθρωπίνην παχύτητα κατενέγκωσι τὸν λόγον, ἀλλ' ἵνα διὰ τῶν συντρόφων αὐτοῖς πραγμάτων ἐπὶ τὴν γνῶσιν τῆς τοῦ Θεοῦ χειραγωγήσωσιν αὐτοὺς φιλοστοργίας· ὁμοῦ δὲ καὶ τῷ αἰσχρῷ τῆς προσηγορίας καθάψασθαι βούλονται. Πιστή· τουτέστιν, εὐσεβὴς καὶ πάσης ἀρετῆς γέμουσα·
30 ὥστε κἀντεῦθεν δῆλον, ὅτι πορνείαν οὐ τὴν τῶν σωμάτων λέγει· ἐπεὶ εἶπεν ἄν· Πόλις ἡ σώφρων· οὕτω γὰρ ἦν τὸ ἀντιδιαστελλόμενον τῇ πόρνῃ· νῦν δὲ δεικνὺς ὅτι τὴν ἀσέβειαν αἰνίττεται διὰ τῆς πορνείας, τὸ ἀντικείμενον αὐτῇ τέθεικε, τὴν πίστιν.

35 ***Πλήρης κρίσεως*** · τουτέστι, πλήρης δικαιοσύνης. Πάλιν μέγιστον ἔγκλημα, οὐχ ὅτι πρὸς ὁλόκληρον τὴν κακίαν ηὐτομόλησαν, ἀλλ' ὅτι καὶ ὁλόκληρον προέδωκαν τὴν ἀρετὴν καὶ τὸν πλοῦτον ἅπαντα τῶν ἀγαθῶν ἀθρόον ἀπὸ τῶν χειρῶν ῥίψαντες καὶ πρὸς ἐσχάτην τῶν κακῶν
40 κατενεχθέντες πενίαν.

Ἐν ᾗ δικαιοσύνη ἐκοιμήθη ἐν αὐτῇ. Ηὐλίσθη, κατεσκήνωσε, τουτέστι, πεφύτευτο, ἐρρίζωτο, μετὰ προθυμίας ὑπὸ πάντων κατωρθοῦτο τῶν πολιτῶν. Ἐνδιατρίβει τοῖς ἐγκωμίοις τοῖς προτέροις, ὁμοῦ μὲν αὔξων τὴν κατηγορίαν τὴν
45 ἐκ τῆς μεταβολῆς, ὁμοῦ δὲ χρηστὰς ὑποτείνων τὰς ἐλπίδας καὶ δεικνὺς ὅτι ῥᾴδιον αὐτοὺς ἀνακτήσασθαι πάλιν.

Νῦν δὲ φονευταί. Ἀνδροφόνοι, φησί.

22. ***Τὸ ἀργύριον ὑμῶν ἀδόκιμον.*** Τουτέστι, παράσημον, νόθον, κίβδηλον.

50 ***Οἱ κάπηλοί σου μίσγουσι τὸν οἶνον ὕδατι.*** Ἐπειδὴ προοιμιαζόμενος οὐ κατ' εἶδος αὐτῶν εἶπεν τὴν κακίαν, ἀλλ' ὅτι ἠθέτησαν καὶ ὅτι σπέρμα πονηρὸν ἦσαν καὶ υἱοὶ ἄνομοι, ὃ λοιδορίας ἐδόκει μᾶλλον, ἢ κατηγορίας εἶναι· ἐνταῦθα καὶ αὐτὰ τίθησι κατ' εἶδος τὰ ἐγκλήματα καὶ

29 πιστή : πόλις πιστή φησιν C ‖ τουτέστιν + ἡ V CN ‖ 31 ἡ > C ‖ οὕτω : τοῦτο C ‖ 34 τὴν πίστιν : τῇ πίστει V ‖ 36 μέγιστον + ἕτερον LMGCN ‖ 38 ἅπαντα : ἁπάντων LMG ‖ ἀθρόον : ἀθρόως LMG ‖ 40

niveau de la vulgarité humaine, mais pour mener comme par la main leurs auditeurs, à l'aide des réalités familières, jusqu'à la connaissance de la tendresse de Dieu. Ils veulent en même temps les frapper par la honte qu'inspire cette appellation. — « Fidèle », c'est-à-dire pieuse et pleine de toute vertu, ce qui montre bien aussi qu'il ne parle pas de la prostitution corporelle, car il aurait dit alors : la cité chaste ; c'était en effet le terme opposé à celui de prostituée ; mais pour montrer qu'il visait l'impiété à travers la prostitution, le terme qu'il a opposé est la fidélité.

Pleine de jugement, c'est-à-dire pleine de justice. Ici encore le grand reproche n'est pas qu'ils soient passés à une perversité totale, mais qu'ils aient trahi une vertu totale et que, laissant simultanément échapper de leurs mains tout le trésor des biens, ils soient tombés au degré le plus bas de la misère.

En qui la justice a reposé. Elle y a campé, elle y a dressé sa tente, c'est-à-dire qu'elle y avait été plantée, qu'elle y avait ses racines, qu'elle était pratiquée avec ardeur par tous les citoyens. Il revient avec insistance sur les éloges précédents, à la fois pour aggraver le reproche que mérite le changement et pour suggérer d'heureuses espérances, en leur montrant qu'il est facile pour eux de se ressaisir.

Et maintenant des assassins, des homicides veut-il dire.

22 *Votre argent n'a pas cours,* c'est-à-dire est de mauvais aloi, altéré, faux.

Tes commerçants coupent d'eau leur vin. Il n'était pas entré d'abord dans le détail de leur méchanceté, il avait dit seulement qu'ils s'étaient rendus coupables, qu'ils étaient une race perverse et des fils sans loi, ce qui semblait tenir plus de l'injure que de l'accusation. Ici il entre dans le détail de ces griefs

πενίαν : κακίαν C ‖ 41 ἐν αὐτῇ : ἀντὶ τοῦ C ‖ Ηὐλίσθη + φησί C ‖ 42 πεφύτευτο : πεφύτευται V M[1]CN ‖ 43 ἐνδιατρίβει + δὲ C ‖ 47 φησί > N ‖ 51 εἶπεν αὐτῶν ~ V

55 πρῶτον, ὃ πρῶτόν ἐστι καὶ μέσον καὶ τελευταῖον τῶν κακῶν, τὴν φιλαργυρίαν καὶ τὴν περὶ τὰ συμβόλαια καπηλείαν. Ἀλλά τινες οὐ συνιέντες τὴν ἄφατον τοῦ Θεοῦ σοφίαν, κατ' ἀναγωγὴν τὸ εἰρημένον ἐξέλαβον. Οὐ γὰρ ἄν, φησίν, ὁ μέγας καὶ ὑψηλὸς Ἡσαΐας ὑπὲρ τραπεζιτῶν 60 κακουργίας καὶ καπήλων διαφθορᾶς διελέχθη· ἀλλὰ ἀργύριον ἐνταῦθα τὰ λόγιά φησι τοῦ Θεοῦ καὶ οἶνον τὴν διδασκαλίαν, ἣν ἐθόλουν ἐπεισάγοντες αὐτῶν τὰ διδάγματα. Ἐγὼ δὲ οὔτε ταύτην ἀτιμάζω τὴν ἐξήγησιν, καὶ τὴν ἑτέραν ἀληθεστέραν εἶναί φημι. Οὐ γὰρ μόνον 65 οὐκ ἀνάξιον τοῦ προφήτου τὸ περὶ τούτων διαλέγεσθαι, ἀλλὰ καὶ σφόδρα ἄξιον καὶ αὐτοῦ καὶ τῆς τοῦ Θεοῦ φιλανθρωπίας. Καὶ τί δεῖ τὰ πολλὰ λέγειν; Ὅτε γοῦν τὰ ὑψηλὰ διδάγματα φέρων ἦλθεν ὁ μονογενὴς τοῦ Θεοῦ Παῖς καὶ τὴν τῶν ἀγγέλων καταφυτεύειν ἔμελλε πολιτείαν, 70 οὐκ ὀλίγα περὶ μέτρων καὶ αὐτὸς διείλεκται καὶ τῶν τούτων εὐτελεστέρων εἶναι δοκούντων, ἀσπασμῶν καὶ μεσασμῶν καὶ πρωτοκλισιῶν[b]. Τὰ γὰρ μικρὰ ταῦτα εἶναι δοκοῦντα παραμελούμενα μεγάλα ἁμαρτημάτων ὑπεκκαύματα γίνεται. Εἰ δὲ ἐπὶ τῆς Καινῆς ταῦτα διορθοῦσθαι ἔδει, 75 πολλῷ μᾶλλον ἐπὶ τῆς Παλαιᾶς, ὅτε καὶ παχύτεροι οἱ ἀκροαταὶ καὶ πᾶς αὐτῶν ὁ βίος ἐντεῦθεν ὠρθοῦτο, τοῦ δήμου οὕτω πλέον ἐν τουτοισὶ παιδευομένου, πόρρω πάσης ἀδικίας γίνεσθαι καὶ ἐν μηδενὶ τὸν πλησίον πλεονεκτεῖν μηδὲ τὰς τῶν καταδεεστέρων ἐπιτρίβειν 80 πενίας τῇ κακουργίᾳ τῆς καπηλείας.

8 Τούτων γοῦν ἀμελουμένων καὶ πόλεις πολλάκις ἀνετράπησαν καὶ ἀπὸ θρόνων ἄρχοντες κατηνέχθησαν καὶ πόλεμος ἄσπονδος γέγονεν· ὥσπερ κατορθουμένων εἰρήνη

56 καπηλείαν + τὸ ἀργύριον αὐτῶν ἀδόκιμον λέγει, τουτέστι παράσημον, νόθον, κίβδηλον C ‖ 57 οὐ > V ‖ 58 ἐξέλαβον : ἐξελάβοντο C ‖ 59 φησίν : ἔφη C ‖ 60 καπήλων : καπηλείων N καπηλίων V ‖ 63 οὔτε : οὐδὲ C ‖ ταύτην + καὶ C ‖ 65 τούτων : τοιούτων C ‖ 67 δεῖ : δὴ V MG[1] ‖ 73 μεγάλα :

et met en premier lieu ce qui est le début, le milieu et la fin des maux, la cupidité et la fraude dans les transactions. Certains pourtant, faute de comprendre la sagesse ineffable de Dieu, ont interprété ces paroles en un sens spirituel. Le grand, le sublime Isaïe, dit-on, n'aurait pas parlé de la perfidie des changeurs ni de la corruption des marchands : il entend ici par l'argent les oracles de Dieu, et par le vin la doctrine qu'ils altéraient en y introduisant leurs propres enseignements. Pour ma part, je ne condamne pas cette exégèse, mais je prétends que l'autre est plus correcte. Loin qu'il soit indigne du prophète d'aborder ces questions, cela est au contraire pleinement digne de lui et de la bonté de Dieu. Qu'est-il besoin d'un long discours ? Lorsque le Fils unique de Dieu est venu apporter ses sublimes enseignements et qu'il voulait implanter le genre de vie des anges, il a lui-même beaucoup parlé de mesures et d'autres objets considérés comme plus vulgaires encore : salutations, places d'honneur, préséances[b]. Ces détails qui paraissent mineurs alimentent souvent, si on les néglige, la flamme du péché. Or, s'il était nécessaire de corriger ces égarements sous la Nouvelle Alliance, il l'était beaucoup plus sous l'Ancienne Alliance, alors que les auditeurs étaient plus grossiers et que toute leur vie en tirait sa rectitude, puisque le peuple était ainsi mieux instruit à s'éloigner de toute injustice, à ne faire aucun tort au prochain et à ne pas rendre plus pesante par les fraudes du commerce la pauvreté des indigents.

La négligence de ces règles a fait que souvent des cités ont été bouleversées, que des princes ont été jetés à bas de leurs trônes, qu'ont eu lieu des guerres inexpiables, tout comme leur

μεγάλων C || 74 γίνεται : γίνονται LMGC || 78 ἐν > V || τὸν : τῶν N || 79 τῶν > V

b. cf. Matth. 23, 6-7 ; Lc 6, 38.

πολλὴ καὶ εὐνομία καὶ ἀσφάλεια πρὸς ἀρετὴν χειραγωγοῦσα.

23. ***Οἱ ἄρχοντές σου ἀπειθοῦσιν.*** Μεγίστης νόσου καὶ διαστροφῆς σημεῖον, ὅταν οἱ ἰατροὶ τὰς νόσους ἐπιτρίβωσιν. Ἀρχόντων γὰρ τοῦ δήμου τὰς ἀταξίας καταστέλλειν καὶ πρὸς τὸ δέον ῥυθμίζειν καὶ τῷ νόμῳ ποιεῖν καταπειθεῖς · ὅταν δὲ αὐτοὶ πρῶτοι τοὺς νόμους παραβαίνωσι, πῶς ἂν ἑτέροις γένοιντο διδάσκαλοι; Τὸ γὰρ Ἀπειθοῦσιν, τουτέστιν, οὐ πείθονται τῷ νόμῳ, οὐκ ἀνέχονται τῶν ἐντολῶν · ὃ καὶ Παῦλος ἐγκαλεῖ λέγων · Ὁ οὖν διδάσκων ἕτερον, σεαυτὸν οὐ διδάσκεις[a]; Ὅταν οὖν ἡ ῥίζα διεφθαρμένη ᾖ, τί χρηστόν ἐστι περὶ τῶν κλάδων ὑποπτεύειν;

Κοινωνοὶ κλεπτῶν. Προσθήκη κατηγορίας, ὅτι οὐ μόνον οὐ καταστέλλουσι τὰ δεινά, ἀλλὰ καὶ ἀντιτείνουσιν · οὐ μόνον οὐ πολεμοῦσι τοῖς κλέπταις, ἀλλὰ καὶ συμπράττουσιν, ἐκ διαμέτρου τῆς προσηκούσης ἀρετῆς ἄρχοντι τὴν κακίαν μετιόντες.

Ἀγαπῶντες δῶρα. Ἕτερον φιλοχρηματίας εἶδος χαλεπόν, εὐπρόσωπον μὲν ὑπόθεσιν ἔχον, ἐν προσχήματι δὲ φιλοφροσύνης τὴν ἐσχάτην πλεονεξίαν ἐπιδεικνύμενον. ***Διώκοντες ἀνταπόδομα.*** Μνησικακοῦντες τοῖς ἐχθροῖς, ἀνταποδοῦναι σπουδάζοντες τοῖς λελυπηκόσιν, ὅπερ μέγιστον κακίας εἶδος. Δι' ὃ οὐκ ἐν τῇ Καινῇ μόνον, ἀλλὰ καὶ ἐν τῇ Παλαιᾷ μετὰ πολλῆς εἴργεται τῆς σπουδῆς. Κακίαν γὰρ ἕκαστος, φησί, τοῦ πλησίον αὐτοῦ μὴ μνησικακεῖτε ἐν ταῖς καρδίαις ὑμῶν[b]. Μάλιστα μὲν γὰρ καὶ τὸ δημοτικόν, πολλῷ δὲ μᾶλλον τὸν ἄρχοντα ταύτης δεῖ καθαρεύειν τῆς κακίας καὶ τοῦ πρὸς ἀπέχθειαν ψηφίζεσθαι τοῖς κρινομένοις ἀπηλλάχθαι, ἵνα μὴ ὁ λιμὴν σκόπελος γένηται.

8, 6 ἀπειθοῦσιν + ὅπερ C ‖ 8 τοῦ — ἀταξίας : τὸ τὰς ἀταξίας τοῦ δήμου C ‖ 11 διδάσκαλοι γένοιντο ~ C ‖ 14 οὖν[1] > C ‖ 18 ἀντιτείνουσιν : ἐπι- G[2] ‖ 22 φιλοχρηματίας : φιλαργυρίας V φιλοχρυσίας *Montf.* ‖ 28 εἴργεται :

observation a fait régner une paix, une harmonie et une sécurité profondes, qui menaient comme par la main à la vertu.

23 Tes magistrats sont des rebelles. C'est le signe d'une maladie et d'un désordre très sérieux, quand les médecins aggravent les maladies. Le rôle des magistrats est en effet de réprimer les désordres du peuple, de guider sa marche vers le devoir et de le rendre docile aux lois ; mais, quand ils sont les premiers à transgresser les lois, comment pourraient-ils en instruire les autres ? « Ils sont des rebelles » signifie en effet : ils n'obéissent pas à la loi, ils ne supportent pas les commandements. Et Paul fait le même reproche : « Toi qui instruis les autres, tu ne t'instruis pas toi-même[a] ! » Quand la racine est pourrie, que peut-on attendre de bon des rameaux ?

Complices des voleurs. C'est un surcroît d'accusation : non seulement ils ne répriment pas le mal, mais ils le favorisent ; non seulement ils ne combattent pas les voleurs, mais ils collaborent avec eux et, contrairement à la vertu qui convient à un magistrat, ils s'engagent dans la voie du vice.

Aimant les présents. C'est une autre forme fâcheuse de l'amour des richesses, qui se couvre d'un prétexte spécieux, mais sous le masque de l'amitié trahit une cupidité extrême.

Cherchant à rendre la pareille. Gardant du ressentiment contre leurs ennemis, ils s'efforcent de rendre la pareille à ceux qui leur ont fait du tort, ce qui est une forme très grave de méchanceté. C'est pourquoi non seulement le Nouveau Testament, mais aussi l'Ancien, répriment cela avec une grande énergie : « Que chacun de vous, dit-il, évite de garder en son cœur le souvenir des fautes du prochain[b] ! » Le peuple doit bien se garder de ce vice, mais beaucoup plus encore le magistrat, et celui-ci doit éviter de porter ses jugements en haine des accusés, afin que le port ne devienne pas un écueil.

εἴργετο C || 31 μᾶλλον : πλέον C

8. a. Rom. 2, 21. b. Zach. 7, 10.

35 ***Ὀρφανοῖς οὐ κρίνοντες.*** Τουτέστιν, οὐ προϊστάμενοι, ὥστε τῶν δικαίων τυχεῖν.

Καὶ κρίσει χηρῶν οὐ προσέχοντες. Παρατηρητέον ὅτι οὐ τὸ κακοποιεῖν, ἀλλ' ὅτι καὶ τὸ ἀγαθὸν μὴ ἐργάζεσθαι ἐν τάξει κεῖται πονηρίας, καθάπερ οὖν καὶ ἐν τῇ Καινῇ. Οἱ 40 γὰρ πεινῶντα μὴ θρέψαντες οὐχ ὅτι τὰ ἀλλότρια ἥρπασαν, ἀλλ' ὅτι τὰ αὐτῶν οὐ προήκαντο τοῖς δεομένοις, εἰς τὸ τῆς γεέννης πέμπονται πῦρ[c]· ὥσπερ οὖν καὶ οὗτοι νῦν ἐγκαλοῦνται, οὐχ ὅτι πλεονεκτοῦσιν, οὐδ' ὅτι καταδυναστεύουσιν, ἀλλ' ὅτι καὶ τοῖς δεομένοις τῆς αὐτῶν 45 βοηθείας οὐκ ὀρέγουσι χεῖρα.

24. ***Διὰ τοῦτο τάδε λέγει ὁ Δεσπότης Κύριος Σαβαώθ, ὁ δυνάστης τοῦ Ἰσραήλ·*** τουτέστι, τοῦ λαοῦ. Οὐχ ἁπλῶς δὲ τέθεικεν τὸ δυνάστης, ἀλλὰ ἀναμιμνήσκων αὐτοὺς καὶ τῶν παρ' ἐλπίδας εὐεργεσιῶν καὶ τῶν χαλεπῶν κολάσεων 50 ἃς ὑπέμειναν. Ἐπειδὴ γὰρ πολλὰ πολλάκις ἁμαρτάνοντες καὶ πολλῆς ἀπολαύοντες τῆς μακροθυμίας εἰς ῥᾳθυμίαν ἐνέπιπτον, τοῦτο ἐνδείξασθαι βούλεται, ὅτι δυνατὸν ὅτε βούλεται ἐπεξελθεῖν, καὶ οὐ δεῖται καιρῶν, οὐδὲ χρόνων, ἀλλ' ἕτοιμα αὐτῷ πάντα καὶ παρεσκευασμένα.

55 ***Οὐαὶ τοῖς ἰσχύουσιν ἐν Ἰσραήλ· οὐ παύσεται γάρ μου ὁ θυμὸς ἐν τοῖς ὑπεναντίοις μου.*** Τί γὰρ ἀθλιώτερον τῶν τὸν Θεὸν πολέμιον ἐχόντων; Οὐ παύσεται δὲ ἔλεγεν, οὐχ ἵνα εἰς ἀπόγνωσιν ἐμβάλῃ, ἀλλ' ἵνα αὐξήσας τὸν φόβον εἰς μετάνοιαν καλέσῃ. Τοῦ γάρ· Οὐ παύσεται ὁ θυμός, 60 φοβερώτερον τό· Ἐν τοῖς ὑπεναντίοις μου. Οὐδὲν γὰρ οὕτω τὸν Θεὸν παροξύνειν εἴωθεν, ὡς ἡ κατὰ τῶν πενήτων ἀδικία κατ' αὐτοὺς γινομένη. Οὐαὶ δὲ τοῖς ἰσχύουσιν ἔλεγεν, οὐχ ἁπλῶς τὴν δύναμιν διαβάλλων,

36 ὥστε : ὡς καὶ V C ‖ 38 κακοποιεῖν : κακόν τι ποιεῖν GCN ‖ 43 πλεονεκτοῦσιν, οὐδ' ὅτι > C ‖ 44 καὶ > C ‖ 48 τὸ : ὁ V ‖ 50 πολλά > V ‖ πολλὰ + καὶ N ‖ 52 ἐνέπιπτον : ἔπιπτον V ‖ δυνατὸν + αὐτῷ C ‖ 58 ἐμβάλῃ : ἐμβάλλῃ V C ‖ 59 τοῦ : τὸ LM ‖ 62 κατ' αὐτοὺς > LMGN

Ne faisant pas droit aux orphelins, c'est-à-dire ne les protégeant pas, pour qu'ils obtiennent justice.

Ne prêtant pas attention à la cause des veuves. On remarquera que ce n'est pas faire le mal, mais ne pas faire le bien, qui est mis au rang de la méchanceté : il en est ici comme dans le Nouveau Testament. Là, ceux qui n'ont pas nourri l'affamé sont envoyés au feu de la géhenne[c], non pour avoir dérobé le bien d'autrui, mais pour ne pas avoir donné du leur à ceux qui étaient dans le besoin. De même ici les magistrats sont accusés, non de cupidité ni d'abus de pouvoir, mais de ne pas tendre la main à ceux qui ont besoin de leur secours.

24 C'est pourquoi ainsi parle le Maître, le Seigneur Sabaoth, le Prince d'Israël, c'est-à-dire du peuple. Il n'a pas mis simplement le mot « Prince », mais il leur rappelle les bienfaits inespérés qu'ils ont reçus et les rudes châtiments qu'ils ont subis. Comme ils commettaient souvent de nombreux péchés et, abusant de sa grande longanimité, tombaient dans la négligence, il veut leur montrer qu'il lui est possible d'intervenir quand il lui plaît et qu'il ne tient pas compte des temps et des moments[1], mais que tout est prêt et disposé pour lui.

Malheur aux forts d'Israël, car ma colère ne cessera pas contre mes adversaires. Qu'y a-t-il de plus triste que d'avoir Dieu pour ennemi ? « Elle ne cessera pas » disait-il, non pour pousser au désespoir, mais à seule fin, en augmentant la crainte, d'appeler à la pénitence. « Ma colère ne cessera pas » est une parole terrible ; mais celle-ci : « contre mes adversaires » l'est davantage. Rien en effet généralement n'excite autant l'indignation de Dieu que l'injustice alors commise à l'égard des pauvres. En disant « malheur aux forts », il ne condamnait pas la puissance en elle-même, mais son emploi

c. cf. Lc 16, 19-26.

1. Dieu n'est pas comme les rois de la terre dont les interventions dépendent « des temps et des moments ». Les guerres avaient lieu au printemps. L'expression était passée en proverbe, cf. *II Sam.* 11, 1.

ἀλλὰ τὴν ἐπὶ κακῷ δύναμιν. Ἰσχὺν δὲ ἐνταῦθα οὐ τὴν τοῦ
65 σώματός φησιν, ἀλλὰ τὴν ἀπὸ τῆς τῶν πραγμάτων περιβολῆς δυναστείαν.

Καὶ κρίσιν ποιήσω ἐκ τῶν ἐχθρῶν μου. Κολάσω τοὺς ἐχθρούς μου, ἐχθροὺς αὐτοῦ λέγων τοὺς τῶν πενήτων ἐχθροὺς διὰ τὸ ἐπηρεάζειν ὄντας· τοῦτο δὲ ἔλεγεν, ἵνα
70 μάθῃς τῆς ἀδικίας τὸ μέγεθος.

25. ***Καὶ ἐπάξω τὴν χεῖρά μου ἐπὶ σὲ καὶ πυρώσω σε εἰς καθαρόν.*** Ἵνα μάθῃς, ὅτι οἷα ἂν ᾖ ἡ ὀργὴ τοῦ Θεοῦ καὶ ἡ τιμωρία, οὐκ ἐπὶ κακῷ καὶ τῷ δοῦναι δίκην γίνεται μόνον, ἀλλ' ἐπὶ τῷ βελτίους γενέσθαι καὶ αὐτοὺς τοὺς κολα-
75 ζομένους. Καὶ πυρώσω σε, φησίν, εἰς καθαρόν. Οὐ τοίνυν ὅταν κολαζώμεθα, ἀλλ' ὅταν ἁμαρτάνωμεν, τότε ἀλγεῖν δίκαιον· τὸ μὲν γὰρ ῥύπον, τὸ δὲ καθαρμὸν ἐργάζεται. Τί δέ ἐστιν; Εἰς καθαρόν; Ὡς μηδὲ ἴχνος εἶναι παρὰ σοὶ κηλῖδος. Ὅπερ γάρ ἐστι τῷ χρυσίῳ τὸ πῦρ, τοῦτο τοῖς
80 ῥᾳθύμοις ἡ τιμωρία.

Τοὺς δὲ ἀπειθοῦντας ἀπολέσω καὶ ἀφελῶ πάντας ἀνόμους ἀπὸ σοῦ καὶ πάντας ὑπερηφάνους ταπεινώσω. Οἱ μὲν γὰρ ἀνίατα νοσοῦντες, φησί, καὶ οὐδὲ τιμωρίαις εἴκοντες ἀπολοῦνται. Τί γὰρ ὄφελος τῆς τούτων ζωῆς,
85 ὅταν καὶ ἑαυτοῖς καὶ ἑτέροις ἐπιβουλεύωσιν ἐν τῷ ζῆν; Οἱ δὲ ἐκ τῆς ἐκείνων τιμωρίας δυνάμενοι βελτίους γενέσθαι μενοῦσιν. Δοκεῖ δέ μοι ἐνταῦθα καὶ τὴν αἰχμαλωσίαν αἰνίττεσθαι.

9 26. ***Καὶ ἐπιστήσω τοὺς κριτάς σου ὡς τὸ πρότερον καὶ τοὺς συμβούλους σου ὡς τὸ ἀπ' ἀρχῆς.*** Ἐνταῦθα τὴν ἐπάνοδόν φησι. Τῶν τε γὰρ ἀνίατα νοσούντων ἀναιρεθέντων, τῶν τε ἐπιμέλειαν δέξασθαι δυναμένων διορθω-

67 μου + τουτέστιν C ‖ 69-70 διά — μέγεθος > N ‖ 72 ἵνα + γὰρ C ‖ 73 τῷ : τὸ V L ‖ 74 τῷ : τὸ LM τοῦ V G ‖ καὶ αὐτοὺς : ἑαυτῶν C ‖ 75 σε > N ‖ 77 ῥύπον : ῥυπαρὸν C ‖ καθαρμὸν : καθαρὸν C ‖ ἐργάζεται : ἀπεργάζεται C ‖ 85 τῷ ζῆν : τῷ ζωῇ N ‖ 87 μενοῦσιν : μένουσιν LMGN

pour le mal. Quant à la force dont il parle ici, ce n'est pas celle du corps, mais la puissance que procure la situation où l'on est placé.

Et je ferai justice de mes ennemis personnels. Je châtierai mes ennemis. Ce sont les ennemis des pauvres qu'il appelle ses ennemis, à cause de leur insolence. Il parlait ainsi pour nous apprendre la gravité de l'injustice.

25 Je tournerai ma main contre toi[1] *et je te purifierai par le feu.* Ceci pour apprendre que, quels que soient le courroux de Dieu et le châtiment qu'il inflige, ce dernier n'a pas pour seul but notre malheur et la satisfaction de la justice, mais aussi l'amendement de ceux-là mêmes qui sont punis. « Et je te purifierai par le feu », dit-il. Ce n'est donc pas lorsque nous sommes punis, mais lorsque nous péchons qu'il est juste de nous affliger, car ceci entraîne la souillure, et cela la purification. Qu'entend-il par « purifier » ? C'est faire en sorte qu'il n'y ait plus en toi la moindre trace d'une tache. Ce que le feu est pour l'or, le châtiment l'est pour les négligents.

Je perdrai les rebelles, j'ôterai de toi tous les gens sans loi et j'abaisserai tous les orgueilleux. Ceux qui sont atteints de maladies incurables, et que même les sanctions ne font pas plier, périront. Quelle serait l'utilité de leur vie, puisqu'ils emploient cette vie à tendre des embûches à eux-mêmes et aux autres ? Au contraire, ceux que le châtiment de ces gens-là peut corriger, subsisteront. Il me semble qu'il y a ici une allusion à la captivité.

26 Et je te donnerai des juges comme auparavant, et des conseillers comme à l'origine. Il parle ici du retour. Lorsque ceux dont le mal est incurable ont disparu, que ceux qui sont capables de profiter du traitement ont été corrigés, la dernière

9, 4 δέξασθαι : ἐνδείξασθαι V

1. Jean lit ici ἐπιστήσω, alors que nous lisons dans la Septante ἐπάξω.

5 θέντων, εὐκαίρως καὶ τὸ λοιπὸν τῆς θεραπείας εἶδος προστίθεται, δοκίμων ἀρχόντων ἐπιστασίᾳ καὶ συμβούλων ἀγαθῶν φορᾷ, ἵνα καὶ τοῦ σώματος εἴκοντος τοῖς φαρμάκοις καὶ τῶν ἰατρῶν ἀρίστων ὄντων, πανταχόθεν πρὸς ὑγίειαν ἐπανίῃ τὰ τῆς πόλεως μέρη. Οὐ γὰρ μικρὸν
10 εὐεργεσίας εἶδος ἀρχόντων ἐπιτυγχάνειν ἀγαθῶν.

Καὶ μετὰ ταῦτα κληθήσῃ πόλις δικαιοσύνης, μητρόπολις πιστὴ Σιών. Καίτοι γε οὐδαμοῦ τοῦτο εὑρίσκομεν τὸ ὄνομα τῇ πόλει τῶν Ἱεροσολύμων ἐπιτεθέν. Τί οὖν ἂν εἴποιμεν; Ὅτι τὴν ἀπὸ τῶν πραγμάτων προσηγορίαν
15 ἐνταῦθά φησι. Τοῦτο δὲ ἡμῖν οὐ μικρὸν συμβαλεῖται, ὅταν ἀπαιτῶσιν ἡμᾶς Ἰουδαῖοι τοῦ Ἐμμανουὴλ τὴν ἑρμηνείαν. Ἐπειδὴ γὰρ Ἡσαΐας ἔφησε τὸν Χριστὸν οὕτως ὀνομασθήσεσθαι, οὐδαμοῦ δὲ ὠνόμασται, εἴποιμεν ἂν πρὸς αὐτοὺς ὅτι τὴν ἀπὸ τῶν πραγμάτων σημασίαν ἔφησεν
20 ὄνομα εἶναι· ὥσπερ οὖν καὶ ἐνταῦθα.

27. ***Μετὰ γὰρ κρίματος σωθήσεται ἡ αἰχμαλωσία αὐτῆς καὶ μετὰ ἐλεημοσύνης.*** Μετὰ κρίματος, τουτέστι, μετὰ δίκης καὶ κολάσεως καὶ τιμωρίας τῶν πολεμίων. Μετὰ ἐλεημοσύνης, τουτέστι, πολλῆς τῆς φιλανθρωπίας. Δύο
25 ἐνταῦθα ἐπαγγέλλεται μέγιστα αὐτοῖς δῶρα, τό τε δίκην δοῦναι τοὺς ἀπαγαγόντας τό τε αὐτοὺς πολλῆς ἀπολαῦσαι τῆς εὐημερίας, ὧν ἕκαστον καὶ καθ' ἑαυτὸ μεγίστην ἱκανὸν παρασχεῖν ἡδονήν· ὅταν δὲ καὶ ἀμφότερα συνδράμῃ, ἄφατος γένοιτ' ἂν ἡ εὐφροσύνη. Ἄλλως τε καὶ δεῖξαι
30 βουλόμενος, ὅτι καὶ μετὰ τὴν μακρὰν αἰχμαλωσίαν οὐ διὰ τὸ δοῦναι δίκην ἀξίαν καὶ τὸ τὰ ἁμαρτήματα ἀποκείρασθαι, ἀλλὰ διὰ τὴν φιλανθρωπίαν τὴν αὐτοῦ πρὸς τὴν οἰκείαν ἐπανάγονται καὶ ἐλέου μᾶλλόν ἐστιν ἡ σωτηρία ἢ

5 τὸ λοιπὸν V N : τῶν λοιπῶν *cett.* || εἶδος : τὸ εἶδος LMG || 6-7 ἐπιστασίᾳ... φορᾷ : ἐπιστασία... φορὰ C || 13-14 τί — εἴποιμεν > V || 15 οὐ μικρὸν ἡμῖν ~ LMG || συμβαλεῖται : συμβάλληται V || 16 ἡμᾶς + οἱ LMG || ἑρμηνείαν : προσηγορίαν N || 22 μετὰ^{2} > LMGN || μετά^{2} + γὰρ C || κρίματος + φησί C || 23 πολεμίων + καὶ C || 24 δύο + οὖν C || 25 αὐτοῖς

partie de la cure est utilement appliquée, par l'installation de magistrats respectables et une profusion de bons conseillers, afin que, le corps éprouvant l'effet des remèdes et les médecins étant excellents, les parties de la cité reviennent toutes à la santé. Ce n'est pas en effet un mince avantage que de recevoir de bons magistrats.

Et après cela tu seras appelée la cité de justice, Sion la métropole fidèle. Cependant, nous ne trouvons nulle part ce nom appliqué à la ville de Jérusalem. Que pouvons-nous dire ? Le nom que donne ici le prophète lui est suggéré par les faits. Et cette constatation peut nous être bien utile, lorsque les Juifs nous demandent l'explication du nom « Emmanuel ». Isaïe a dit en effet que le Christ serait nommé de cette façon, or il ne l'est nulle part : nous pouvons donc leur répondre qu'il a donné pour nom l'interprétation de la réalité. Il en est de même ici.

27 Son peuple captif sera sauvé avec jugement et avec miséricorde. Avec jugement, c'est-à-dire avec la justice, le châtiment et la vengeance contre les ennemis. Avec miséricorde, c'est-à-dire avec une grande bonté. Deux dons excellents leur sont ici promis : la peine infligée à ceux qui les ont déportés et la grande prospérité dont ils jouiront eux-mêmes, et si chacun de ces biens suffit à lui seul pour procurer un très vif plaisir, quand tous deux concourent, la félicité est alors indicible. D'ailleurs, pour montrer que même après cette longue captivité, ce n'est pas pour avoir suffisamment expié et avoir extirpé [1] leurs péchés, mais par la bonté de Dieu, qu'ils sont ramenés dans leur patrie, et que le salut est le résultat de la pitié plutôt

μέγιστα ∼ LMGC ‖ τὸ : τοῦ LMG[1] ‖ 26 ἀπαγαγόντας : ἐπ- C ‖ τὸ : τοῦ LMG[1] ‖ 28 παρασχεῖν : παρέχειν LMGC ‖ 31 ἀποκείρασθαι : ἀπολούσασθαι LM[2]GC ‖ 33 ἐλέου : ἐλέους LMG

1. Littéralement : avoir rasé ses péchés. Pour manifester sa douleur on se rasait la tête.

ἀντιδόσεως καὶ ἀμοιβῆς, ἐπήγαγε· Καὶ μετ' ἐλεημοσύνης.
35 28. ***Καὶ συντριβήσονται οἱ ἄνομοι καὶ οἱ ἁμαρτωλοὶ ἅμα.*** Τρίτον καὶ τοῦτο εὐεργεσίας εἶδος, τὸ μηδένα εἶναι τὸν παρασύροντα καὶ πρὸς ἀπάτην ἕλκοντα, ἀλλ' ἐκποδὼν γίνεσθαι τοὺς τῆς πονηρίας διδασκάλους.

Καὶ οἱ ἐγκαταλείποντες τὸν Κύριον συντελεσθήσονται. Οἱ
40 δὲ ἀσεβεῖς, φησίν, ἀπολοῦνται.

29. ***Διότι νῦν αἰσχυνθήσονται ἐν τοῖς εἰδώλοις αὐτῶν, ἐφ' οἷς αὐτοὶ ἐβούλοντο.*** Τινὲς μὲν καὶ κατὰ τὸν παρόντα καιρὸν τὰ εἰρημένα ἁρμόζειν ἐπιχειροῦσιν· ἀλλ' ἡμεῖς οὔτε ἐκείνους αἰτιασόμεθα καὶ τῇ ἀκολουθίᾳ ἑψόμεθα.
45 Ταῦτα γάρ ἐστιν, ἃ συμβήσεσθαί φησιν ἐπὶ τῆς τῶν πολεμίων ἐφόδου. Ὅταν γὰρ τοῦ βαρβάρου τὴν χώραν κατατρέχοντος καὶ τὴν πόλιν περικαθημένου καὶ πάντας ὡς ἐν δικτύοις μέσους ἔχοντος, μηδεὶς ὁ ἀμύνων ᾖ καὶ τὸ νέφος ἐκεῖνο διακρουόμενος διὰ τὴν ἐγκατάλειψιν τοῦ Θεοῦ,
50 εἰκότως καὶ ἐξ αὐτῆς τῶν πραγμάτων τῆς πείρας πολλὴ κατασκεδασθήσεται τῶν τὰ εἴδωλα θεραπευόντων ἡ αἰσχύνη. Ἐφ' οἷς αὐτοὶ ἐβούλοντο, περὶ ἃ ἐσπουδάκεισαν, φησί.

Καὶ αἰσχυνθήσονται ἐπὶ τοῖς γλυπτοῖς αὐτῶν, ἐφ' οἷς
55 ***αὐτοὶ ἐποίησαν.*** Ἐν τάξει διηγήσεως τὴν κατηγορίαν τίθησιν. Ἤρκει γάρ, φησί, καὶ πρὸ τῆς τῶν τραυμάτων ἐκβάσεως, καὶ αὐτὸς τῆς τοιαύτης εἰδωλοποιίας ὁ τρόπος αὐτοὺς καταισχῦναι. Τί γὰρ αἰσχρότερον τοῦ θεόν τινα ἑαυτῷ ποιεῖν;
60 ***Καὶ αἰσχυνθήσονται ἐπὶ τοῖς κήποις αὐτῶν, ἐφ' οἷς ἐπεθύ-***

39 ἐγκαταλείποντες : -λιπόντες LMGN || 41 ἐν : ἐπὶ LMGN || 42-43 τινὲς — ἐπιχειροῦσιν : τὰ δὲ εἰρημένα τινες καὶ κατὰ τὸν παρόντα καιρὸν ἐπιχείρουζιν ἁρμόζειν ∼ C || 52 αὐτοὶ > *Montf.* || ἐβούλοντο + ἤτοι C || ἐσπουδάκεισαν : -κασιν C || 54 γλυπτοῖς : εἰδώλοις C || 54-59 αὐτῶν — ποιεῖν > C || 55 αὐτοὶ > *Montf.* || τὴν > V || 56 φησί > V || τραυμάτων V : πραγμάτων *cett.* || 60 αἰσχυνθήσονται > C || 60-61 ἐφ' οἷς ἐπεθύμησαν > C

que celui d'une compensation et d'un échange, Isaïe a ajouté : « et avec miséricorde ».

28 Et les gens sans loi et les pécheurs seront écrasés ensemble. C'est une troisième forme de bienfait : il ne reste plus personne pour séduire et mener à l'erreur, mais les maîtres d'iniquité sont éliminés.

Et ceux qui abandonnent le Seigneur seront exterminés. Les impies, dit-il, périront.

29 Aussi seront-ils confondus à cause des idoles qu'ils avaient désirées. Certains veulent appliquer ces paroles aussi au temps présent[1] : nous ne leur en ferons pas reproche, mais pour nous, nous suivrons l'enchaînement des faits. Voilà donc ce qui, d'après lui, doit arriver lors de l'invasion des ennemis. Lorsque le barbare parcourt le pays, assiège la ville et enserre tous ses habitants comme dans un filet, lorsqu'il n'y a pas de défenseur pour dissiper cette nuée, car Dieu les a abandonnés, il est naturel que l'épreuve même de la réalité couvre d'une grande confusion les adorateurs des idoles . « Qu'ils avaient désirées », dit-il, dont ils s'étaient entichés.

Et ils rougiront de leurs images gravées qu'ils ont eux-mêmes fabriquées[2]. Sous forme de narration, il lance une accusation. Avant même les blessures qui devaient en résulter, dit-il, le seul fait de fabriquer ainsi des idoles était suffisant pour les couvrir de confusion. Qu'y a-t-il en effet de plus honteux que de se fabriquer un dieu ?

Et ils rougiront de leurs jardins[3] *qui faisaient leurs délices.*

1. On sait que le début du règne d'Arcadius fut marqué par des invasions barbares et que les Huns s'approchèrent même d'Antioche. L'on sait aussi que certaines gens se plaisent à rappeler en de telles circonstances les prophéties funestes. Ce dont Thucydide déjà se moquait agréablement (THUC. II, 54).

2. Le passage καὶ αἰσχυνθήσονται – ἐποίησαν n'appartient qu'à quelques manuscrits de la Septante, à la marge de la syrohexaplaire et au Commentaire de Théodoret.

3. Ces jardins sont analogues aux fameux jardins d'Adonis.

μησαν. Οὐ γὰρ δὴ ξόανα προσεκύνουν μόνον, ἀλλὰ καὶ δένδρα ἐν κήποις ἐθεράπευον.

30. ***Ἔσονται γὰρ ὡς τερέβινθος ἀποβεβληκυῖα αὐτῆς τὰ φύλλα.*** Ἤτοι τὰ εἴδωλα ἢ αὐτοὶ οἱ τὴν πόλιν οἰκοῦντες.
65 Τὴν δὲ εἰκόνα τοῦ δένδρου τούτου παρήγαγε, διά τε τὸ ἐγχώριον εἶναι μάλιστα τὸ φυτὸν καὶ πολὺ παρ' αὐτοῖς καὶ διὰ τὸ σφόδρα ἀνθεῖν καὶ τεθηλέναι, ἡνίκα ἂν ἀκμάζῃ, καὶ ἐσχάτην ἀμορφίαν ἐνδείκνυσθαι, ἐπειδὰν ἀποβάλλῃ τὰ φύλλα.
70 ***Καὶ ὡς παράδεισος ὕδωρ μὴ ἔχων.*** Καὶ ἡ δευτέρα εἰκὼν τῆς προτέρας σαφεστέρα καὶ πιστουμένη τὸν ἐπὶ τῇ προτέρᾳ λόγον εἰρημένον. Οὔτε γὰρ παραδείσου θάλλοντος τερπνότερον οὔτε ἐρημωθέντος ἀτερπέστερον, ἅπερ ἀμφότερα γέγονεν ἐπὶ τῆς μητροπόλεως ἐκείνης. Πάντοτε
75 γὰρ ἦν ἀμείνων καὶ λαμπροτέρα, μυρίοις καλλωπιζομένη κόσμοις· καὶ πάντων εὐτελεστέρα γέγονε καὶ αἰσχροτέρα, τοσοῦτον ἀθρόον εὐκοσμίας ἀποβαλοῦσα πλοῦτον.

31. ***Καὶ ἔσται ἡ ἰσχὺς αὐτῶν ὡς καλάμη στυππείου.*** Αἱ πρότεραι μὲν εἰκόνες εἰς τὸ ἀτερπὲς παρελήφθησαν, αὕτη
80 δὲ εἰς τὸ ἀσθενές· πᾶσαι δὲ σφόδρα ἐναργεῖς καὶ πολὺ τὸ σαφὲς καὶ ἐμφαντικὸν ἔχουσαι. Ὡς καλάμη στυππείου, τουτέστιν, ἀσθενεῖς.

Καὶ αἱ ἐργασίαι αὐτῶν ὡς σπινθὴρ πυρός. Ἐνταῦθα δείκνυσιν ὅτι οἴκοθεν τὰ κακὰ καὶ αὐτοὶ τὴν αἰχμαλωσίαν
85 ἔτεκον καὶ τὴν κάμινον ἀνῆψαν. Ὥσπερ γὰρ σπινθῆρες

61 οὐ γὰρ δὴ : ὅτι οὐ C ‖ μόνον > C ‖ 63 γὰρ > C ‖ 63-64 ἀποβεβληκυῖα – φύλλα > C ‖ 64 ἤτοι τὰ εἴδωλα > V ‖ εἴδωλα + νοῆσον C ‖ αὐτοὶ οἱ... οἰκοῦντες : αὐτοὺς τοὺς... οἰκοῦντας C ‖ 65 δὲ : μέντοι C ‖ παρήγαγε : προήγαγε C ‖ τε > LMGC ‖ 67 ἂν > V ‖ 68 ἀποβάλλῃ : ἀποβάλῃ CN ‖ 70 δευτέρα + δὲ C ‖ εἰκὼν + ἡ τοῦ παραδείσου τοῦ μὴ ἔχοντος ὕδωρ C ‖ 71-72 τὸν... λόγον εἰρημένον *scripsi* : τὸν... εἰρημένον λόγον C τῶν... λόγων εἰρημένων *cett.* ‖ 75 καλλωπιζομένη : ἐγκαλλ- C ‖ 78 στυππείου + καὶ αἱ ἐργασίαι αὐτῶν ὡς σπινθῆρες πυρός, ὡς καλάμη στυππείου, τουτέστιν

Ils n'adoraient pas seulement des statues de bois [1], mais ils rendaient aussi un culte aux arbres [2] dans les jardins.

30 Ils seront comme le térébinthe dépouillé de ses feuilles. Ce peut être les idoles ou les habitants de la ville eux-mêmes. Il a pris la comparaison de cet arbre, parce que cette plante est très commune dans la contrée et très répandue chez eux, et parce qu'elle fleurit et s'épanouit largement quand elle est en pleine force, tandis qu'elle montre une difformité extrême lorsqu'elle a perdu ses feuilles.

Et comme un jardin qui n'a pas d'eau. La deuxième comparaison est plus claire que la première et confirme ce qui a été dit à son propos. Rien n'est plus agréable qu'un jardin couvert de verdure, ni plus triste qu'un jardin qui en est dépouillé : or, ce sont les deux états qu'a connus cette métropole. En tout temps elle fut particulièrement forte et brillante, parée de mille ornements ; et elle est devenue plus vile et plus laide que tout, en perdant d'un seul coup une aussi riche parure.

31 Et leur force sera comme paille d'étoupe [3]. Les comparaisons précédentes ont été prises pour montrer la laideur, et celle-ci pour signifier la faiblesse ; mais toutes sont très claires et ont beaucoup de justesse et de vigueur. « Comme paille d'étoupe », c'est-à-dire faibles.

Et leurs œuvres, comme l'étincelle du feu. Il montre ici que leurs maux sont nés chez eux et qu'ils ont eux-mêmes engendré la captivité et allumé la fournaise. Comme les étincelles en

ἀσθενής C || 79 παρελήφθησαν : παρελείφ- V || 81-82 ὡς – ἀσθενεῖς > N || 82 ἀσθενεῖς : ἀσθενής LMG || 83 αἱ > LMG

1. Le ξόανον est une « statue ou bois travaillé », en principe statue de divinité. C'est l'équivalent du vieux mot βρέτας.

2. Le culte de l'arbre est ici lié à la naissance d'Adonis. Cf. N. ATALLAH, *op. cit.*, p. 23-32.

3. L'association des deux mots « paille » et « étoupe » est malencontreuse. Le texte hébraïque porte : « Le plus vigoureux deviendra de l'étoupe. »

ἐμπίπτοντες πῦρ ἀνεγείρουσιν, οὕτω τὰ ἁμαρτήματα τούτων συναχθέντα τοῦ Θεοῦ τὴν ὀργὴν ἀνῆψεν.

Καὶ κατακαυθήσονται οἱ ἄνομοι καὶ οἱ ἁμαρτωλοὶ ἅμα, καὶ οὐκ ἔσται ὁ σβέσων. Πάλιν ἀπαγορεύει τὴν σωτηρίαν 90 διὰ τὴν αὐτὴν πάλιν αἰτίαν οὐχ ἵνα ἀπογνῶσιν, ἀλλ' ἵνα ταύτῃ γοῦν ἀκμάζοντα τὸν φόβον δεξάμενοι, τὴν πολλὴν ἀποτινάξωνται ῥᾳθυμίαν. Καὶ ἕτερον δέ τι ἐνταῦθα αἰνίττεται, τὸ ἄμαχον αὐτοῦ τῆς δυνάμεως, καὶ ὅτι κολάζοντος αὐτοῦ καὶ τιμωρουμένου, οὐδεὶς ἀντιστῆναι καὶ καταλῦσαι 95 δυνήσεται τὰ δεινά.

95 δυνήσεται : δύναται LMG.

tombant allument le feu, leurs péchés accumulés ont enflammé la colère de Dieu.

Les gens sans loi et les pécheurs seront consumés ensemble, et il n'y aura personne pour éteindre. De nouveau il refuse tout espoir de salut et encore pour la même raison, non pour qu'ils désespèrent, mais pour qu'en concevant une vive frayeur, ils secouent leur grande indolence. Et il suggère encore ici une autre idée, à savoir que sa puissance est irrésistible et que, lorsqu'il les châtie ou en tire vengeance, personne ne pourra lui résister ni mettre fin aux malheurs.

ΚΕΦΑΛ. Β'

1 1. ***Ὁ λόγος ὁ γενόμενος πρὸς Ἡσαΐαν υἱὸν Ἀμώς.***

Ἐντεῦθεν δῆλον ὡς οὐ πάσας ὑφ' ἓν τὰς προφητείας εἰρήκασιν, ἀλλὰ κατὰ διαφόρους ἐμπνεόμενοι καιροὺς περικοπάς τινας ἀπήγγελλον, αἳ συντεθεῖσαι ὕστερον ὑφ'
5 ἓν ὁλόκληρον βιβλίον ἐποίησαν. Διὸ καὶ οὕτως ἄρχεται. Οὐκ ἐντεῦθεν δὲ μόνον τοῦτο δῆλον ἔσται καὶ σαφὲς ἡμῖν, ἀλλ' ἐξ ὧν προϊὼν καὶ τοὺς καιροὺς ἐπισημαίνεται, νῦν μὲν λέγων· Τοῦ ἐνιαυτοῦ, οὗ εἰσῆλθε Νάθαν εἰς Ἄζωτον[a]· νῦν δὲ λέγων· Καὶ ἐγένετο τοῦ ἐνιαυτοῦ, οὗ
10 ἀπέθανεν Ὀζίας ὁ βασιλεύς, εἶδον τὸν Κύριον καθήμενον ἐπὶ θρόνου ὑψηλοῦ καὶ ἐπηρμένου[b]. Οὐ γὰρ ὥσπερ αἱ Ἐπιστολαὶ αἱ Παύλου καὶ τὰ Εὐαγγέλια ὑφ' ἓν συνετέθησαν, οὕτω δὴ καὶ αἱ προφητεῖαι, ἀλλ' ὅπερ ἔφθην εἰπών, ἐν διαφόροις καιροῖς. Ὅθεν καὶ ἀπ' ἀρχῆς ἑτέρας ἄρχεται
15 τοῦ λόγου. Καὶ οὐ διὰ τοῦτο μόνον, ἀλλὰ καὶ διὰ τὸ τὴν ὑπόθεσιν, περὶ ἧς μέλλει διαλέγεσθαι, σφόδρα ἀπηρτῆσθαι τῶν προειρημένων καὶ ὑψηλοτέραν εἶναι. Περὶ γὰρ τῆς τῶν ἐθνῶν κλήσεως καὶ τῆς τοῦ κηρύγματος περιφανείας καὶ τῆς πανταχοῦ τῆς οἰκουμένης ἐκταθείσης γνώσεως καὶ
20 τῆς καταληψομένης τὴν γῆν εἰρήνης ἡμῖν διαλέγεται. Εἰ δὲ μέλλων τοιούτων ἅπτεσθαι δογμάτων, ***Ἰουδαίας*** μέμνηται ***καὶ Ἱερουσαλήμ,*** ξένον οὐδέν. Προφητεία γὰρ ἦν τὸ λεγόμενον, συνεσκιασμένη τέως τῇ τῶν ὀνομάτων

Testes V LMGCN A

1, 2 ἐντεῦθεν + οὖν C ‖ 3 ἐμπνεόμενοι καιροὺς > C ‖ 5 ἐποίησαν βιβλίον ~ C ‖ 6 ἔσται V N : ἐστιν *cett.* ‖ 11 ἐπὶ – ἐπηρμένου > C ‖ 12 αἱ > LMGC ‖ ὑφ' : εἰς CN ‖ 13 αἱ > V ‖ 15 τοῦ + παρόντος C ‖ 16 διαλέγεσθαι μέλλει ~ C ‖ σφόδρα + μὴ C ‖ 21 ἅπτεσθαι τοιούτων ~ N ‖ 23-24 τῇ... προσηγορίᾳ :

CHAPITRE II

1 La parole qui fut adressée à Isaïe, fils d'Amos. Ce titre montre que les prophètes n'ont pas prononcé tous leurs oracles d'une seule traite, mais qu'étant inspirés en différentes circonstances, ils énonçaient des textes brefs, qui étaient ensuite réunis pour former un livre complet. Voilà pourquoi il commence de cette façon. Pourtant, cela n'est pas clair et évident en raison de ce seul texte, mais parce que, dans la suite aussi, Isaïe indique les circonstances, en disant tantôt : « l'année où Nathan entra à Azoth[a] », et tantôt : « il arriva que dans l'année où mourut le roi Ozias, je vis le Seigneur siégeant sur son trône élevé et sublime[b]. » Si les épîtres de Paul et les évangiles ont été composés d'un seul tenant, il n'en est pas de même pour les prophéties : comme je l'ai déjà dit, elles l'ont été en différentes circonstances. C'est aussi pour cette raison qu'Isaïe commence par un exorde distinct son discours. Mais ce n'est pas pour cette seule raison : c'est aussi parce que le sujet qu'il va aborder se distingue nettement de ce qui précède et qu'il est plus élevé. La vocation des nations, la notoriété de la prédication, la connaissance[1] étendue à tout l'univers, la paix qui régnera sur la terre, font la matière de son discours. Qu'au moment d'aborder de tels enseignements, il mentionne *la Judée et Jérusalem,* il n'y a là rien d'insolite. Son discours était en effet une prophétie, momentanément obscurcie par les noms

ταῖς... προσηγορίαις *Montf.*

1. a. Is. 20, 1. b. Is. 6, 1.

1. Cette connaissance est celle des vérités chrétiennes.

προσηγορίᾳ. Ἐπεὶ καὶ τὸν ψαλμὸν τὸν ἑβδομηκοστὸν
25 πρῶτον ὁ Δαυῒδ συντιθέναι μέλλων ἐπέγραψεν αὐτὸν τῷ
Σολομῶντι, καὶ προϊὼν πολλῷ μείζονα τῆς Σολομῶντος
ἀξίας, μᾶλλον δὲ καὶ τῆς ἁπάντων ἀνθρώπων φύσεως
ᾖδεν. Τὸ γάρ, Πρὸ τοῦ ἡλίου διαμένει τὸ ὄνομα αὐτοῦ[c]
καὶ Πρὸ τῆς σελήνης ὁ θρόνος αὐτοῦ[d] καὶ ὅσα τοιαῦτα,
30 οὐδεὶς ἂν οὐδὲ τῶν σφόδρα ἀνοήτων περὶ ἀνθρωπίνης
εἴποι λέγεσθαι φύσεως. Καὶ ὁ Ἰακὼβ δέ, ἡνίκα ταῦτα, ἃ
μέλλει νῦν ὁ Ἡσαΐας λέγειν[e], καὶ πλείονα τούτων προανε-
φώνει · μετὰ γὰρ τῆς τῶν ἐθνῶν κλήσεως καὶ τὸν θάνατον
εἶπε καὶ τὴν ἀνάστασιν καὶ τὸν καιρὸν καθ' ὃν ἔμελλε
35 παρέσεσθαι · οὐδὲ ἐκεῖνος ἀπογυμνώσας αὐτὰ τέθεικεν,
ἀλλὰ τῷ προσωπείῳ τῆς προσηγορίας τοῦ υἱοῦ κρύψας
ἅπερ ἔμελλεν ἐρεῖν, οὕτως αὐτὰ προανεφώνησε, τῷ μὲν
δοκεῖν τὰ συμβησόμενα τῷ Ἰούδᾳ προλέγων · καθὼς δὲ τὸ
τῶν πραγμάτων μαρτυρεῖ τέλος, ἅπερ ἔμελλε κατορθοῦν
40 <ὁ Χριστὸς> προαναφωνῶν. Οὔτε γὰρ προσδοκία ἐθνῶν
Ἰούδας γέγονεν, οὔτε τότε ἔλαμψεν ἡ φυλή, ὅτε ἐξέλιπεν
αὐτῶν ἡ πολιτεία · ἀλλὰ ἅπαντα ταῦτα, ὅτε ὁ Χριστὸς
παρεγένετο, γέγονεν. Εἰ δὲ ἀναισχυντοῖεν Ἰουδαῖοι τοῦτον
παρακρουόμενοι τῆς προφητείας τὸν νόμον, μάλιστα μὲν
45 ἂν καὶ ἐξ αὐτῶν τῶν εἰρημένων ῥᾳδίως διελεγχθεῖεν, εἴ τις
μετὰ ἀκριβείας τὰς προφητείας ἐξαπλώσας καὶ πᾶσαν
ῥῆσιν μετὰ τῆς προσηκούσης ἐξετάζων προσοχῆς, ἁρμόζοι
τὰ εἰρημένα τοῖς γεγενημένοις. Ὥστε δὲ καὶ ἐκ περιουσίας
αὐτῶν ἀπορράψαι τὰ στόματα, οὐκ ἀπὸ τῶν εἰς τὸν
50 Χριστὸν εἰρημένων, ἀλλ' ἀπὸ τῶν εἰς τοὺς αὐτῶν πατρι-
άρχας προφητευθέντων, τοῦτο πειράσομαι ποιῆσαι φανε-

27 φύσεως + κρείττονα N ‖ 28 ᾖδεν : ἴδεν V LM εἶπεν C ‖ 29 καὶ[1] – τοιαῦτα > C ‖ 31-32 ἡνίκα – λέγειν : ἡνίκα ἂν ὁ Ἡσαΐας μέλλει νῦν ταῦτα λέγειν V ‖ 36 τῷ προσωπείῳ : τὸ προσώπειον V ‖ 37 ἅπερ : ἃ V ‖ τῷ : τὸ V ‖ 38 προλέγων : λέγων V C ‖ 40 <ὁ Χριστὸς> *addidi post* C ‖ οὔτε : οὐδὲ LMGC ‖ ἐθνῶν + ὁ C ‖ 41 ἐξέλιπεν : ἐξέλειπεν V M ‖ 42 αὐτῶν : αὐτῆς C ‖ ἅπαντα ταῦτα : ταῦτα πάντα V ‖ 43 ἀναισχυντοῖεν + οἱ LMG ‖ 45 ἂν : οὖν V ‖ 46 ἐξαπλώσας : ἀναπληρώσας V ‖ 47 ἁρμόζοι : ἁρμόζει LMG

qui sont indiqués. De même, lorsque David allait composer le psaume 71, il mit en épigraphe : « A Salomon[1] », mais ensuite il chantait des choses qui dépassaient de beaucoup la dignité de Salomon, et même la nature de tous les hommes. En effet, les phrases que voici : « Son nom subsiste avant le soleil[c] » et : « Son trône précède la lune[d] », et toutes les expressions semblables, même le dernier des insensés n'oserait prétendre qu'elles se rapportent à une nature humaine. Il en est de même pour Jacob, prédisant cela même qu'Isaïe va dire maintenant[e], et d'autres faits plus importants encore ; car, avec la vocation des nations il a annoncé la mort, la résurrection et le temps où cela devait se produire ; il n'a pas non plus exposé cela à découvert, mais masquant ce qu'il allait dire sous le nom de son fils, il l'a prédit sous une forme telle qu'il semblait annoncer ce qui arriverait à Juda ; or, comme le montre la suite des événements, il prédisait en réalité ce que le Christ devait accomplir. En effet, Juda ne fut pas l'attente des nations ; sa tribu n'eut point d'éclat quand leur État disparut[2] ; mais tout cela se réalisa lorsque parut le Christ. Si les Juifs avaient l'impudence de contester cette loi de la prophétie, il serait très facile de les réfuter en considérant les expressions mêmes, si en expliquant avec soin les prophéties et en examinant chaque énoncé avec l'attention requise, on montrait l'accord des paroles avec les faits. Mais pour leur fermer complètement la bouche, j'essaierai de rendre ma démonstration évidente en partant, non de ce qui concerne le Christ, mais des prédictions qui se rapportent à leurs patriarches et je

c. Ps. 71, 17. d. Ps. 71, 5. e. cf. Gen. 49, 10-11.

1. La Septante porte Εἰς Σαλώμων. É. Dhorme note au sujet de l'épigraphe : « Le titre d'après l'usage des psaumes signifie : de Salomon, plutôt que : pour Salomon. » Il ajoute : notre psaume est un psaume d'intronisation qui fut ensuite transformé en psaume messianique. » (*La Bible, Ancien Testament,* t. II, Paris 1959, p. 1051).

2. C'est en 63 avant J.-C. que Pompée s'empare de Jérusalem et que la Palestine devient province romaine.

ρόν, δεικνὺς ὅτι αἱ πολλαὶ τῶν προφητειῶν εἴρηνται μὲν εἰς τοὺς φυλάρχους, ἐξέβησαν δὲ εἰς τοὺς ἐξ ἐκείνων. Καὶ παραδείγματος ἕνεκεν μίαν καὶ δευτέραν εἰπὼν ἱστορίαν,
55 ἅψομαι τῶν προκειμένων. Καὶ γὰρ ὅτε τὸν Συμεὼν καὶ τὸν Λευῒ καλέσας ὁ Ἰακὼϐ προαναφωνεῖ τὰ συμϐησόμενα αὐτοῖς, οὕτως ἔλεγε· Συμεὼν καὶ Λευῒ ἀδελφοί, καὶ κατηγορήσας αὐτῶν τῆς παρανομίας καὶ τῆς ἀδίκου σφαγῆς τῆς εἰς τοὺς Σικημίτας γεγενημένης, προϊὼν φησι·
60 Διαμεριῶ αὐτοὺς ἐν Ἰακώϐ, καὶ διασπερῶ αὐτοὺς ἐν Ἰσραήλ[f]. Τοῦτο δὲ ἐπὶ τοῦ Λευῒ καὶ τοῦ Συμεὼν οὐδεὶς ἂν ἴδοι γεγενημένον, ἀλλ' ἐπὶ τῶν φυλῶν τῶν ἐξ αὐτῶν. Καὶ γὰρ ἡ τοῦ Λευῒ φυλὴ διεσπάρη, τὸ δέκατον μέρος αὐτῆς ἑκάστης φυλῆς ἐχούσης· ἥ τε τοῦ Συμεών, ἥτις τὸ
65 αὐτὸ τοῦτο σχεδὸν ἔπαθε, πάσαις αὐταῖς παρεκταθεῖσα κατὰ τὸν κλῆρον καὶ οὐχ, ὡς ἑκάστη τῶν ἄλλων, συνημμένην ἔλαϐε τὴν κληρουχίαν καὶ πρὸς ἑαυτὴν συγκεκροτημένην. Καὶ ὁ Ἰακὼϐ δεξάμενος εὐλογίας παρὰ τοῦ πατρός, οὐδεμιᾶς αὐτῶν ἀπήλαυσεν αὐτός. Ὁ μὲν γὰρ
70 πατὴρ αὐτοῦ προὔλεγεν εὐετηρίαν πολλὴν καὶ διηνεκῆ δεσποτείαν τοῦ Ἠσαῦ[g]· οὗτος δὲ καὶ τῶν ἀναγκαίων ἠπόρει[h] καὶ θητεύων ἐτρέφετο καὶ τοσοῦτον ἀπέσχε κρατῆσαι τἀδελφοῦ, ὅτι δὴ καὶ περὶ αὐτῶν ἐκινδύνευε τῶν ἐσχάτων καὶ ἅπαξ αὐτῷ συντυχὼν μόνον μετὰ πολλοῦ τοῦ
75 δέους, ἠγάπησε τὸ δυνηθῆναι διαφυγὼν αὐτὸν καὶ σωθῆναι[i]. Τί οὖν ἂν εἴποιμεν πρὸς ταῦτα; ὅτι ψεῦδος ἡ προφητεία; Ἄπαγε· ἀλλ' ὅτι τοιοῦτον αὐτῆς πολλαχοῦ τὸ ἔθος, τὰ ἐφ' ἑτέρων ἐκϐησόμενα ἑτέρων ὑποκειμένων προσώπων λέγειν καὶ ἀποκεχρῆσθαι ὀνόμασιν ἄλλοις ἀνθ'
80 ἑτέρων· ὃ καὶ ἐπὶ τοῦ Χαναὰν γέγονεν[j]. Οὐδὲ γὰρ ὁρῶμεν ἐκεῖνον δουλεύσαντα τοῖς ἀδελφοῖς, οὐ μὴν οὐδὲ τὴν ἀρὰν διαπεσοῦσαν, ἀλλ' ἐπὶ τῶν Γαϐαιονιτῶν

54 μίαν + ἢ C ‖ 59 προϊὼν > C ‖ 64 τοῦ C : *om. cett.* ‖ 65 τοῦτο > *Montf.* ‖ 66 καὶ > C ‖ 67 τὴν χληρουχίαν ἔλαϐε ~ N ‖ 68 Ἰακὼϐ + δὲ C ‖ 75 διαφυγὼν V N : διαφυγεῖν *cett.* ‖ 78 ἐφ' ἑτέρων > V ‖ 82 Γαϐαιονιτῶν :

montrerai que la plupart des prophéties ont été formulées pour les chefs des tribus, mais qu'elles s'accomplirent pour leurs descendants. J'exécuterai ce dessein en prenant comme exemples un ou deux récits. Jacob, ayant appelé Siméon et Lévi, leur annonça en ces termes ce qui devait leur arriver : « Siméon et Lévi sont frères », et, après leur avoir reproché leur crime et l'injuste massacre qu'ils avaient fait des gens de Sichem, il ajouta : « Je les diviserai en Jacob, et je les disperserai en Israël[f]. » Or, nul ne peut voir cela réalisé en la personne de Lévi et de Siméon, mais bien dans les tribus qui descendent d'eux. La tribu de Lévi a bien été dispersée, et chaque tribu en eut la dixième partie. Celle de Siméon subit à peu près le même traitement et fut écartelée par le sort entre toutes les tribus : elle ne reçut pas comme chacune des autres une possession compacte et homogène. Jacob lui-même, qui avait reçu les bénédictions de son père, ne jouit personnellement d'aucune d'elles. Son père lui avait en effet promis une grande prospérité et une domination perpétuelle sur Ésaü[g] ; or, il manqua même du nécessaire[h], vécut d'un travail mercenaire et fut si loin de dominer son frère qu'il courut même les plus grands dangers et que, l'ayant rencontré une seule fois et avec grande crainte, il fut heureux d'avoir pu lui échapper et trouver ainsi le salut[i]. Que dirons-nous de cela ? que la prophétie est un mensonge ? Loin de nous cette pensée ! Nous dirons qu'en maints passages la prophétie se plaît à annoncer l'avenir des uns sous le couvert des autres et d'utiliser les noms des uns pour les autres. Il en fut ainsi pour Chanaan[j] : nous ne voyons pas qu'il ait servi ses frères, mais nous ne voyons pas non plus que la malédiction ait été vaine : elle trouva son accomplis-

Γαβαωνιτῶν LMGN

f. Gen. 49, 5-7 ; cf. 34, 25-26. g. cf. Gen. 27, 28.29.40. h. cf. Gen. 27, 15-30. i. cf. Gen. 33, 1-15. j. cf. Gen. 9, 24-25 ; Jos. 9, 22-23.

λαβοῦσαν τὸ τέλος τῶν ἐκ τοῦ Χαναὰν γεγονότων. Καὶ γὰρ ἐν τάξει ἀρᾶς προφητεία τὸ λεγόμενον ἦν.

2 Τοσούτων τοίνυν καὶ τοιούτων ὄντων παραδειγμάτων τῶν ἀποδεικνύντων ἡμῖν, ὅτι πολλὰ τῶν εἰρημένων λέγεται μὲν ἐφ' ἑτέρων, ἐκβαίνει δὲ ἐπ' ἄλλων καὶ ὀνόμασιν ἀποκέχρηνται οἱ προφῆται, τί θαυμαστὸν εἰ καὶ 5 νῦν τὸ τῆς Ἰουδαίας καὶ τῆς Ἱερουσαλὴμ προθεὶς ὄνομα ὁ προφήτης περὶ τῆς Ἐκκλησίας προαναφωνεῖ; Καὶ γὰρ ἐπειδὴ πρὸς ἀγνώμονας ὁ λόγος ἦν αὐτῷ προφήτας ἀναιροῦντας, τὰ βιβλία καίοντας, τὰ θυσιαστήρια κατασκάπτοντας, εἰκότως τὸ κάλυμμα ἔκειτο ἐπὶ τῇ ἀναγνώσει τῆς 10 παλαιᾶς Διαθήκης, κατὰ τὸν μακάριον Παῦλον[a]. Ἦ γὰρ ἂν καὶ ἠφάνισαν τὰ βιβλία, εἰ συνῆκαν τῆς προφητείας τὴν δύναμιν τῆς περὶ τοῦ Χριστοῦ. Ὅπου γὰρ παρόντα αὐτὸν καὶ θαυματουργοῦντα καὶ ἐντελῆ τῆς οἰκείας δυνάμεως καὶ τῆς πρὸς τὸν Πατέρα συμφωνίας τε καὶ 15 ὁμονοίας παρεχόμενον τὴν ἀπόδειξιν οὐκ ᾐδέσθησαν, οὐδὲ ἀπέστησαν ἕως ἐσταύρωσαν, σχολῇ γε ἂν τῶν περὶ αὐτοῦ λεγόντων ἐφείσαντο, οὓς καὶ χωρὶς τούτου κατέλευον συνεχῶς. Διὰ τοῦτο τοῖς οἰκείοις καὶ γνωρίμοις αὐτοῖς ἐμφιλοχωροῦντες ὀνόμασι, τὰς προφητείας τούτῳ συσκιά- 20 ζουσι τῷ προσώπῳ. Ὅτι γὰρ οὐ περὶ τῆς Ἰουδαίας καὶ Ἱερουσαλὴμ ὁ λόγος, ἑκάστην παράγοντες λέξιν εἰς μέσον μετὰ ἀκριβείας εἰσόμεθα τὰ εἰρημένα.

2. ***Ὅτι ἔσται ἐν ταῖς ἐσχάταις ἡμέραις ἐμφανὲς τὸ ὄρος Κυρίου.*** Ὅρα ἀκρίβειαν προφήτου, οὐ τὰ πράγματα 25 λέγοντος μόνον, ἀλλὰ καὶ τὸν χρόνον ἐπισημαινομένου. Ὅπερ γάρ φησιν ὁ Παῦλος· Ὅτε δὲ ἦλθε τὸ πλήρωμα τῶν καιρῶν[b], καὶ ἑτέρωθι πάλιν· Εἰς οἰκονομίαν τοῦ πληρώματος τῶν καιρῶν[c], τοῦτο ὁ προφήτης φησίν· Ἐν

2, 2 ἀποδεικνύντων : -νυόντων LMG ‖ 3 καὶ : εἰ καὶ C ‖ 4 ὀνόμασιν + ἑτέροις C ‖ ἀποκέχρηνται : κέχρηνται N ‖ 5 καὶ + τὸ C ‖ 7 ἦν ὁ λόγος ~ C ‖ 9 τῇ ἀναγνώσει > C ‖ 13 ἐντελῆ : ἐν τέλει V N ‖ 16 γε ἂν : γὰρ V ‖ 20 προσώπῳ V : τρόπῳ *cett.* ‖ 24 Κυρίου + καὶ C ‖ 27-28 καιρῶν... καιρῶν :

sement chez les Gabaonites issus de Chanaan. Proférée sous forme de malédiction, cette parole était une prophétie.

Si de tels et si grands exemples nous montrent que bien des paroles dites pour certainsse réalisent souvent pour d'autres et que les prophètes emploient librement les noms, faut-il donc s'étonner qu'ici aussi le prophète place les noms de la Judée et de Jérusalem dans ses prédictions sur l'Église ? Comme il s'adressait à des insensés, qui tuaient les prophètes, brûlaient les livres, renversaient les autels, il était donc normal que le voile fût posé sur eux à la lecture de l'Ancien Testament, suivant l'expression du bienheureux Paul[a]. Ils auraient en effet certainement détruit ces livres, s'ils avaient compris la portée de la prophétie qui concernait le Christ. Quand il était présent, qu'il faisait des miracles, qu'il apportait la démonstration parfaite de sa propre puissance, de son union et de son accord avec le Père, ils ne le respectèrent pas et n'eurent point de cesse avant de l'avoir crucifié ; auraient-ils donc épargné par indifférence ceux qui auraient parlé de lui, alors que même sans cela ils les lapidaient fréquemment ? Aussi est-ce en s'arrêtant volontiers à des noms connus et familiers que les prophètes voilent comme d'un masque leurs prédictions. Ce n'est pas de Jérusalem et de Judée qu'il s'agit, mais en expliquant chaque expression nous connaîtrons avec exactitude le sens de ce qui est dit.

2 Dans les derniers jours la montagne du Seigneur sera en évidence. Vois l'exactitude du prophète : il n'énonce pas seulement les faits, mais il en détermine le temps. Ce que dit Paul : « lorsque vint la plénitude des temps[b] », et ailleurs encore : « Pour la dispensation dans la plénitude des temps[c] », le pro-

χρόνου... χρόνου C || 28 [καιρῶν *hic inc.* A *(versio armeniaca)*

2. a. cf. II Cor. 3, 14. b. Gal. 4, 4. c. Éphés. 1, 10.

ταῖς ἐσχάταις ἡμέραις. Ὄρος δὲ τὴν Ἐκκλησίαν καὶ τὸ
30 τῶν δογμάτων ἀκαταγώνιστον καλεῖ. Καθάπερ γὰρ ὄρεσι
κἂν μυρία προσβάλλῃ στρατόπεδα τόξα τείνοντες καὶ
δόρατα ἀφιέντες, μηχανήματα προσάγοντες, ἐκεῖνα μὲν
οὐδὲν παραβλάψαι δυνήσονται, τὴν δὲ οἰκείαν καταλύσαντες ἰσχὺν ἀπελεύσονται· οὕτω δὴ καὶ οἱ τῇ
35 Ἐκκλησίᾳ πολεμήσαντες ἅπαντες ταύτην μὲν οὐκ ἔσεισαν,
τὴν δὲ οἰκείαν ἀπολέσαντες δύναμιν κατῃσχύνθησαν, ἐν
τῷ παίειν διαλυόμενοι καὶ ἐν τῷ βάλλειν ἀσθενοῦντες καὶ
ἐν τῷ ποιεῖν ὑπὸ τῶν πασχόντων νικώμενοι· ὅσπερ καὶ
παράδοξος νίκης τρόπος ἐστὶ καὶ οὐκ ἀνθρώποις, ἀλλὰ
40 Θεῷ μόνῳ δυνατός. Τὸ γὰρ δὴ θαυμαστὸν τῆς Ἐκκλησίας, οὐχ ὅτι ἐνίκησεν, ἀλλ' ὅτι καὶ οὕτως ἐνίκησεν.
Ἐλαυνομένη γάρ, διωκομένη, μυρίοις κατακοπτομένη
τρόποις, οὐ μόνον οὐκ ἠλαττονοῦτο, ἀλλὰ καὶ μείζων
ἐγίνετο καὶ τοὺς ταῦτα ποιεῖν ἐπιχειροῦντας αὐτῷ τῷ
45 πάσχειν μόνον κατέλυεν· ὅπερ ἀδάμας ποιεῖ περὶ τὸν
σίδηρον, τῷ παίεσθαι μόνον διαλύων τοῦ παίοντος τὴν
ἰσχύν· καὶ κέντρα πρὸς τοὺς λακτίζοντας, αὐτὰ μὲν οὐδὲν
ἀμβλύτερα ἐντεῦθεν γινόμενα, τοὺς δὲ λακτίζοντας αἱμάσ-
σοντα πόδας. Διὰ δὴ τοῦτο ὄρος ἐκάλεσεν. Εἰ δὲ οὐκ
50 ἀνέχεται τῆς μεταφορᾶς ὁ Ἰουδαῖος, οἴκοθεν πάλιν
δεχέσθω τὸν ἔλεγχον. Αὐτὸς γὰρ οὗτος ὁ προφήτης
λύκους καὶ ἄρνας ἔφησε τῆς αὐτῆς νομῆς κοινωνήσειν[d]
καὶ μυίαις τὸν Θεὸν συριεῖν[e] καὶ ταῖς μελίσσαις καὶ
ποταμὸν ἀνάγειν ῥαγδαῖον ἐπὶ τοὺς Ἰουδαίους, διὰ τὸ μὴ
55 βούλεσθαι αὐτοὺς ἔχειν τὸ ὕδωρ τοῦ Σιλωάμ[f]. Ἅπερ εἴ
τις ἐπὶ τῶν λέξεων ἐκλάβοι, πολὺ τὸ ἀπερινόητον ἔχει·
ἀλλὰ δεῖ † τὰ ἐκ τούτων σημαινόμενα δεχομένους οὕτω

31 προσβάλλῃ : προσβάλῃ N ‖ στρατόπεδα : στρατεύματα C ‖ 31-34 τείνοντες... ἀφιέντες... προσάγοντες... καταλύσαντες : τείνοντα... ἀφιέντα... προσάγοντα... καταλύσαντα C ‖ 33 οὐδὲν : οὐ δὲ N ‖ 35 πολεμήσαντες V N : πολεμοῦντες *cett.* ‖ 38 ὅσπερ N : ὥσπερ V C ὅπερ *cett.* ‖ 40 μόνῳ : μόνον V ‖ δὴ : μὴ V ‖ 44 αὐτῷ τῷ : αὐτὸ τὸ V ‖ 46 τῷ : τὸ V ‖ 47-48 ἀμβλύτερα οὐδὲν ∼ N ‖ 52 αὐτῆς : οἰκείας C ‖ κοινωνήσειν νομῆς ∼ C ‖ 55

phète le dit ici : « dans les derniers jours ». Il appelle montagne l'Église et l'invincibilité de sa doctrine. Comme on peut diriger contre une montagne des armées innombrables, et tendre des arcs, lancer des javelots, amener des machines de guerre sans qu'on puisse lui faire aucun mal, mais en devant se retirer après avoir épuisé ses propres forces, de même tous ceux qui ont attaqué l'Église ne l'ont pas ébranlée, mais ils ont perdu honteusement leur propre puissance, s'épuisant à frapper, défaillant en lançant leurs traits et vaincus dans leur action par ceux qui la subissaient : voilà une forme paradoxale de victoire, qui n'est pas possible aux hommes, mais à Dieu seul. Ce qui est merveilleux dans l'Église n'est pas qu'elle ait été victorieuse, mais qu'elle l'ait été de cette manière. Poursuivie, persécutée, déchirée de mille façons, non seulement elle n'en était pas diminuée, mais elle s'en trouvait même grandie et, rien qu'en subissant leurs coups, elle abattait ceux qui voulaient les lui donner. Tel est l'effet du diamant sur le fer : à être seulement frappé, il épuise la force de celui qui le frappe ; ou encore des aiguillons pour ceux qui regimbent : eux-mêmes ne s'émoussent pas, mais ils ensanglantent les pieds récalcitrants. C'est bien pour ces raisons qu'il a appelé l'Église une montagne. Si le Juif n'admet pas cette métaphore, qu'il accepte donc cette preuve venue de chez lui. Ce même prophète dit que les loups et les agneaux partageront le même pâturage[d], que Dieu sifflera les mouches et les abeilles[e], qu'il fera monter contre les Juifs un fleuve impétueux, parce qu'ils ne voulaient pas de l'eau de Siloé[f]. Si l'on prend ces expressions à la lettre, elles sont peu intelligibles ; il faut donc interpréter leur signification et préciser ainsi l'enchaînement des idées[1]. Quel en est

τὸ ὕδωρ ἔχειν ~ C || 56 ἐκλάβοι : ἐκλάβῃ C || ἀπερινόητον : ἀνόητον C || 57 δεῖ : δῇ V || 57-58 † τὰ – ἀκολουθίαν † *suspectum*

d. cf. Is. 11, 6 ; 65, 25. e. cf. Is. 7, 18. f. cf. Is. 8, 6-7.

1. Texte corrompu. Traduction approximative.

ποικίλλειν τῶν νοημάτων τὴν ἀκολουθίαν. † Τί οὖν ἐστι τὰ ἐκ τούτων σημαινόμενα; Διὰ μὲν τῶν λύκων καὶ τῶν
60 ἀρνῶν, οἱ τῶν ἀνθρώπων τρόποι οἱ θηριώδεις καὶ ἥμεροι· διὰ δὲ τῶν μυιῶν, τὸ ἀναίσχυντον τῶν Αἰγυπτίων· διὰ δὲ τοῦ ποταμοῦ, τὸ σφοδρὸν τῆς στρατείας τοῦ βαρβάρου· διὰ δὲ τοῦ Σιλωάμ, τὸ πρᾶον καὶ ἐπιεικὲς τοῦ τότε ἄρχοντος τοῦ τῶν Ἰουδαίων ἔθνους. Καὶ οὐδεὶς οὐδὲ τῶν
65 σφόδρα ἀνοήτων πρὸς ταῦτα ἡμῖν ἀντερεῖ. Ὥσπερ γὰρ οὖν ἐκεῖνα ἑτέροις ὀνόμασι παρεδηλώθη, οὕτω καὶ τῆς Ἐκκλησίας τὸ στερρόν, τὸ ἀκίνητον, τὸ ὑψηλόν, τὸ ἀχείρωτον διὰ τῆς τοῦ ὄρους ᾐνίξατο προσηγορίας. Καὶ γὰρ ἕτερος προφήτης[g] τοὺς πεποιθότας ἐπὶ τὸν Θεὸν ὄρει παρα-
70 βάλλει, τὸ ἀκαταγώνιστον αὐτῶν ἐνδεικνύμενος. Ἐμφανές. Τοῦτο οὐδὲ τῆς ἀπὸ τοῦ λόγου λοιπὸν ἑρμηνείας δεῖται. Οὕτως αὐτὴ τῶν πραγμάτων ἡ φύσις σάλπιγγος λαμπροτέραν φωνὴν ἀφίησι, τὸ περιφανὲς ἐνδεικνυμένη τῆς Ἐκκλησίας. Οὐ γὰρ οὕτως ἥλιος φανὸς οὐδὲ τὸ ἐκ
75 τούτου φῶς, ὡς τῆς Ἐκκλησίας τὰ πράγματα.

3 ***Καὶ ὁ οἶκος τοῦ Θεοῦ ἐπ' ἄκρων τῶν ὀρέων.*** Πῶς ἂν τοῦτο ἑρμηνεύσειεν ὁ Ἰουδαῖος; Οὐδαμοῦ γὰρ ἐπ' ἄκρων τῶν ὀρέων ὁ ναὸς ἔστη· ἡ μέντοι τῆς Ἐκκλησίας δύναμις αὐτῶν ἥψατο τῶν οὐρανῶν. Καὶ ὡσανεὶ οἶκος
5 ὑπὲρ κορυφῆς ὀρῶν κείμενος πᾶσίν ἐστι κατάδηλος[a], οὕτω καὶ πολλῷ πλέον αὐτὴ περιφανὴς πᾶσιν ἀνθρώποις γέγονε.

Καὶ ὑψωθήσεται ὑπεράνω τῶν βουνῶν. Τὸ αὐτὸ τοῦτο πάλιν ἡρμήνευσεν, ὅπερ ἐπὶ τοῦ ναοῦ οὐδέποτε συνέβη, οὐδὲ ἡνίκα ἄριστα πράττειν ἐδόκει. Πῶς γάρ, ὅπου γε καὶ
10 ὑπ' αὐτῶν τῶν Ἰουδαίων πολλάκις ἠτιμάζετο καὶ ὑπὸ βαρβαρικῶν ἠφανίζετο χειρῶν; Ἡ δὲ τῆς Ἐκκλησίας

60 τῶν — ἥμεροι : οἱ θηρυώδεις τρόποι τῶν ἀνθρώπων καὶ ἥμεροι ~ LMGC ‖ 62 στρατείας : στρατιᾶς N ‖ 64 ἔθνους C A : βασιλέως *cett.* ‖ 65 γὰρ > C ‖ 70-71 ἐμφανές τοῦτο : τὸ δὲ ἐμφανές, τὸ ὄρος τοῦτο εἶπεν C ‖ 72-73 ἀφίεισι σάλπιγγος λαμπροτέραν φωνήν ~ C ‖ 74 οὐ : οὐδὲ C ‖ 76 καὶ + γὰρ V ‖ καὶ — ὀρέων > C

donc le sens ? Les loups et les agneaux sont les caractères des hommes, les uns féroces, les autres doux ; les mouches figurent l'impudence des Égyptiens ; le fleuve, l'impétuosité de l'armée du Barbare ; et Siloé, la douceur et la modération de celui qui régnait sur la nation des Juifs. Nul, même des plus insensés, ne nous contredira. Comme les prédictions précédentes étaient faites sous des noms différents, de même ici, le prophète fait entendre la fermeté, la stabilité, la sublimité, l'invincibilité de l'Église, en la désignant du nom de montagne. En effet, un autre prophète[g] compare aussi à une montagne ceux qui mettent leur confiance en Dieu, pour bien montrer qu'ils sont invincibles. – « En évidence ». Ces mots n'ont plus besoin d'explication verbale. La nature des choses fait entendre ici un son plus éclatant que la trompette, en montrant la visibilité de l'Église. Le soleil n'est pas si brillant, non plus que la lumière qui en émane, que ne le sont les réalités de l'Église.

Et la maison de Dieu est au sommet des montagnes. Comment le Juif peut-il comprendre ces paroles ? Le Temple ne fut nullement placé sur de hautes montagnes ; mais la puissance de l'Église s'est élevée jusqu'aux cieux. Et comme une maison placée sur le sommet des montagnes est visible pour tous[a], ainsi, et bien mieux encore, l'Église apparaît aux yeux de tous les hommes.

Et elle sera exaltée au-dessus des collines. Isaïe a formulé de nouveau ici cela même qui ne s'est jamais vérifié pour le Temple, même à l'époque de sa plus grande splendeur. Comment serait-ce en effet possible, puisqu'il était souvent profané par les Juifs eux-mêmes et détruit de fond en comble par les mains des Barbares ? Certes, la puissance de l'Église

3, 3 ἔστη : ἐστιν V || 4 καὶ : ἀλλὰ καὶ τὸ C || 7 τοῦτο + δηλοῖ C || 8 ἡρμήνευσεν > C

g. cf. Ps. 124, 1. **3.** a. cf. Matth. 5, 14.

ἰσχὺς ἐπολεμήθη μὲν ἐκείνου χαλεπώτερον καὶ πλέον· εἶξε δὲ οὐδέποτε ταῖς τῶν πολεμούντων χερσίν, ἀλλ' ὑψηλοτέρα καὶ περιφανεστέρα μάλιστα ὑπὸ τῶν πολεμίων
15 ἐγίνετο. Τότε γοῦν τῶν μαρτύρων οἱ δῆμοι, τότε τῶν ὁμολογητῶν τὰ πλήθη, τότε αἱ σιδήρου στερρότεραι ἀπεδείκνυντο ψυχαὶ καὶ τῶν ἀστέρων αὐτῶν ἀκριβέστερον ἔλαμπον, τῶν μὲν σωμάτων αὐτοῖς κατακοπτομένων, τῆς γνώμης δὲ οὐ νικωμένης, ἀλλὰ κρατούσης καὶ στεφα-
20 νουμένης. Τίς εἶδε, τίς ἤκουσε φόνον στέφανον φέροντα καὶ σφαγὴν νίκην ἐργαζομένην καὶ τότε τὸ στρατόπεδον λαμπρότερον γινόμενον, ὅτε πλείους οἱ σφαττόμενοι παρὰ τῶν πολεμίων ἐφαίνοντο;

Καὶ ἥξουσιν ἐπ' αὐτῷ πάντα τὰ ἔθνη. Προϊὼν σαφέσ-
25 τερος ὁ προφήτης γίνεται καὶ μᾶλλον ἀνακαλύπτει τὸν λόγον καὶ τρανότερον δείκνυσι τὴν προφητείαν καὶ ἀκριβέστερον ἀπορράπτει τῶν Ἰουδαίων τὰ στόματα. Τοῦτο γάρ, καὶ εἰ σφόδρα ἀναισχυντοῖεν, οὐ δυνήσονται τῷ ναῷ [τῶν Ἰουδαίων] ἁρμόσαι. Καὶ γὰρ καὶ
30 ἀπηγόρευτο καὶ μεθ' ὑπερβολῆς κεκώλυτο ἔθνη εἰς τὸν ναὸν εἰσιέναι. Καὶ τί λέγω εἰς τὸν ναὸν εἰσιέναι, ὅπου γε καὶ αὐτοῖς μετὰ πολλῆς τῆς ἀπειλῆς ὁ νόμος ἀπηγόρευε τὰς τῶν ἐθνῶν ἐπιμιξίας καὶ τὴν ἐσχάτην ὑπὲρ τούτων ἀπῄτει δίκην; Ὁ γοῦν προφήτης Μαλαχίας ἅπασαν εἰς
35 τοῦτο κατηνάλωσε τὴν προφητείαν, ἐγκαλῶν, ἀπειλῶν, εὐθύνας ἀπαιτῶν τῆς οὐ προσηκούσης ἐπιγαμβρίας. Ἀλλ' οὐ τὰ ἡμέτερα τοιαῦτα, ἀλλὰ μετὰ ἀδείας ἁπάσης ἀναπετάσασα τοὺς κόλπους ἡ Ἐκκλησία, χερσὶν ὑπτίαις ἅπαντα τὰ τῆς οἰκουμένης καθ' ἑκάστην ἡμέραν ὑποδέχεται ἔθνη.
40 Τοῦτο γὰρ καὶ οἱ πρῶτοι τῶν δογμάτων διδάσκαλοι παρὰ τοῦ Μονογενοῦς ἐκελεύσθησαν, ταύτην εὐθέως ἀκούσαντες

14 μάλιστα : μᾶλλον C ‖ 15 ἐγίνετο : ἐγένετο LMG ‖ 17 ἀπεδείκνυντο : ἐπεδείκνυντο N ‖ 24 ἔθνη + ἀλλ' ὅρα ἔτι C ‖ 28 τοῦτο γάρ : τὸ γὰρ ἥξουσιν ἐπ' αὐτὸν πάντα τὰ ἔθνη C ‖ 29 τῶν (+ αὐτῶν V) Ἰουδαίων > A *seclusi* ‖ 31 καὶ — εἰσιέναι > C ‖ 34 Μαλαχίας *ex* A *scripsi* : Ἀγγαῖος *cod.* ‖ 39

fut en butte à des attaques plus rudes et plus fréquentes que celles qu'il eut à subir ; mais jamais elle ne succomba aux coups de ses ennemis ; elle devint au contraire plus grande et plus glorieuse du fait même de ces ennemis. Alors se manifestait le peuple des martyrs, alors la multitude des confesseurs, alors les âmes mieux trempées que le fer, et elles brillaient avec plus d'éclat que les étoiles elles-mêmes, lorsque leurs corps étaient déchiquetés, mais que leur volonté demeurait inflexible et remportait la victoire et la couronne. Vit-on jamais, entendit-on jamais parler de meurtre apportant la couronne, de massacre assurant la victoire et d'une armée devenant plus brillante quand un plus grand nombre de ses soldats étaient égorgés par les ennemis ?

Et toutes les nations viendront vers elle. En avançant, le prophète devient plus clair, il dévoile davantage sa pensée, rend sa prophétie plus nette et ferme la bouche des Juifs d'une manière plus décisive. Ils ne pourront pas en effet, malgré toute leur impudence, appliquer cela au Temple des Juifs. C'est qu'en effet on interdisait aux nations, on les empêchait de la manière la plus stricte de pénétrer dans le Temple. Que dis-je, pénétrer dans le Temple, alors que la Loi interdisait aux Juifs avec force menaces les unions avec les nations et réclamait pour les punir le dernier châtiment ? Le prophète Malachie a consacré à cet objet toute sa prophétie, accusant, menaçant, exigeant des comptes pour leurs alliances illégitimes. Cette situation n'est pas la nôtre ; sans aucune crainte l'Église dilate son sein et elle reçoit chaque jour à bras ouverts[1] tous les peuples de l'univers. C'est en effet le précepte que les premiers maîtres de la doctrine avaient reçu du Fils unique, en entendant directement cette parole : « Allez, ensei-

οἰκουμένης + καὶ C

1. Littéralement : les mains renversées, la paume en l'air : geste d'accueil. Cf. ARISTOPHANE, *Assemblée,* 782-783.

τὴν φωνήν· Πορευθέντες μαθητεύσατε πάντα τὰ ἔθνη[b]. Σκόπει δέ μοι πῶς οὐ τὴν κλῆσιν τῶν ἐθνῶν ᾐνίξατο μόνον ὁ προφήτης, ἀλλὰ καὶ τὴν μετὰ προθυμίας αὐτῶν
45 ὑπακοήν. Οὐ γὰρ εἶπεν· Ἀχθήσονται, ἀλλά· Ἥξουσιν· ὅπερ ἕτερος προφήτης σαφέστερον ἐνδεικνύμενος ἔλεγε· Καὶ οὐ μὴ διδάξωσιν ἕκαστος τὸν πολίτην αὐτοῦ καὶ ἕκαστος τὸν ἀδελφὸν αὐτοῦ, λέγων· Γνῶθι τὸν Κύριον, ὅτι πάντες εἰδήσουσί με ἀπὸ μικροῦ ἕως μεγάλου αὐτῶν[c].
50 Ἐπὶ μὲν γὰρ τῶν Ἰουδαίων καὶ ἡ κτίσις ἀνεστοιχειοῦτο καὶ ἀπειλαὶ συνεχεῖς καὶ κολάσεις διηνεκεῖς καὶ θαύματα ἐπάλληλα καὶ προφητῶν δρόμοι καὶ νομοθέτου φόβος καὶ πολέμων ἀπειλαὶ καὶ βαρβάρων ἔφοδοι καὶ ὀργαὶ θεήλατοι καὶ δείματα ἐκ τῶν οὐρανῶν πεμπόμενα· καὶ ἔμενον
55 σκληροτράχηλοι καὶ ἀπερίτμητοι ὄντες, καθὼς ἡ Γραφή φησιν[d], ἀτενεῖς καὶ δυσένδοτοι· ἐπὶ δὲ τῶν ἐθνῶν ἤρκεσε ῥῆμα ψιλὸν καὶ ἀκοὴ μόνη, καὶ πάντες εὐθέως προσέδραμον. Ὅπερ οὖν καὶ ὁ Δαυῒδ αἰνιττόμενος ἔλεγε· Λαός, ὃν οὐκ ἔγνων, ἐδούλευσέ μοι[e]· καὶ τὸν τρόπον τῆς
60 ὑπακοῆς θαυμάζων προσετίθει· Εἰς ἀκοὴν ὠτίου ἐπήκουσέ μου. Τοῦτο αὐτὸ καὶ ὁ Ἰακὼβ αἰνιγματωδέστερον ἐμφαίνων ἔλεγε· Δεσμεύων πρὸς ἄμπελον τὸν πῶλον αὐτοῦ, καὶ τῇ ἕλικι τὸν πῶλον τῆς ὄνου αὐτοῦ[f]. Καίτοι τίς εἶδεν ἕλικι πῶλον δεσμούμενον καὶ παρεστῶτα ἀμπέλῳ
65 καὶ μὴ λυμαινόμενον τὸν καρπόν; Ἐπὶ μὲν γὰρ τῶν ἀλόγων οὐδείς, ἐπὶ δὲ τῶν ἀνθρώπων μετὰ πολλῆς τοῦτο γέγονε τῆς ἀκριβείας. Οἱ μὲν γὰρ Ἰουδαῖοι μυρίοις δεθέντες δεσμοῖς, συνέτριψαν τὸν ζυγόν, διέρρηξαν τὸν δεσμόν, καθὼς ὁ προφήτης φησί[g]· τὰ δὲ ἔθνη οὐδεμιᾷ
70 τοιαύτῃ δεθέντες ἀνάγκῃ, ἑτοίμως ὑπήκουσαν, ὡς ἂν ἕλικι

51 καί² – διηνεκεῖς > C ‖ διηνεκεῖς : συνεχεῖς LMG ‖ 54 δείματα... πεμπόμενα *ex* A *conieci* : κολάσεις... πεμπόμεναι *cod.* ‖ 55-56 ἡ γραφή φησιν *ex* A *conieci* : ὁ Στέφανος ἔλεγεν *cod.* ‖ 56 ἀτενεῖς καὶ δυσένδοτοι > C ‖ 60 ἐπήκουσε V : ὑπήκουσε *cett.* ‖ 64 εἶδεν GCN A : οἶδεν V LM ‖ ἀμπέλῳ C A : ἄμπελον *cett.* ‖ 68 διέρρηξαν : διέρριψαν C ‖ 69-70 οὐδε-

gnez toutes les nations[b].» Observe ici comment le prophète n'a pas annoncé seulement l'appel adressé aux nations, mais aussi leur empressement à y répondre. Il n'a pas dit : elles seront poussées, mais : elles viendront. Un autre prophète le disait en termes plus clairs : «Ils n'auront plus à instruire chacun son concitoyen, chacun son frère, en disant : Connais le Seigneur, parce que tous me connaîtront, depuis le plus petit jusqu'au plus grand[c].» Pour les Juifs la création était bouleversée, il y avait de constantes menaces, des châtiments incessants, des miracles ininterrompus, les interventions des prophètes, la crainte du législateur, des menaces de guerres, des incursions de barbares, des colères divines, des fléaux venus du ciel, et ils demeuraient le cou raide, incirconcis et, comme le dit l'Écriture[d], obstinés et entêtés. Mais pour les nations, il leur suffit d'une simple parole, d'une seule audition : tous accoururent aussitôt. David le suggérait déjà par ces mots : «Un peuple que je ne connaissais pas s'est mis à mon service[e]» et, admirant la manière dont ils avaient obéi, il ajoutait : «Dès que son oreille a entendu, il m'a écouté.» Jacob faisait voir la même chose en termes plus énigmatiques : «Attachant à la vigne son ânon et au sarment le petit de son ânesse[f].» Qui pourtant a jamais vu un ânon attaché à un sarment, se tenant près d'une vigne sans causer de dommages aux fruits ? On ne l'a jamais vu chez les animaux, mais cela s'est très exactement produit chez les humains. Les Juifs, enchaînés par mille liens, «ont brisé le joug, ont rompu la chaîne», comme dit le prophète[g] ; mais les nations, qui n'étaient pas assujetties à une telle contrainte, ont obéi aussitôt, de même que l'ânon attaché au

μιᾷ τοιαύτη... ἀνάγκῃ : οὐδεμιᾶς τοιαύτης... ἀνάγκης V || 70 δεθέντες : δεθέντα V

b. Matth. 28, 19. c. Jér. 31, 34. d. Act. 7, 51. e. Ps. 17, 45. f. Gen. 49, 11. g. Jér. 5, 5.

πῶλος δεσμούμενος, καὶ οὐδὲν ἐλυμήναντο τῶν ἐπιταγμάτων, ἀλλὰ παρειστήκεισαν πολλὴν ἐνδεικνύμενοι τὴν ὑπακοήν.

3. ***Καὶ πορεύσονται λαοὶ πολλοὶ καὶ ἐροῦσι· Δεῦτε,*** 75 ***καὶ ἀναβῶμεν εἰς τὸ ὄρος τοῦ Κυρίου καὶ εἰς τὸν οἶκον τοῦ Θεοῦ Ἰακώβ.*** Ὅρα χορεύοντας καὶ πανηγυρίζοντας καὶ ἀλλήλοις ἐγκελευομένους καὶ πάντας διδασκάλους γινομένους· καὶ οὐχ ἓν καὶ δεύτερον καὶ τρίτον, ἀλλὰ καὶ πολλὰ ἔθνη συντρέχοντα. Ἥξουσι γάρ, φησί, λαοὶ πολλοὶ 80 καὶ ἐκ διαφόρων χωρῶν, ὅπερ ἐπὶ τῶν Ἰουδαίων οὐδέποτε γέγονεν· ἀλλ' εἰ καί τινες προσῆλθον, ὀλίγοι ποτὲ προσήλυτοι, μετὰ πολλῆς καὶ αὐτοὶ τῆς πραγματείας καὶ οὐδέποτε ἔθνη ἐκλήθησαν, ἀλλὰ προσήλυτοι. Προσήλυτοι γὰρ ἐπὶ σὲ διελεύσονται καί σοι ἔσονται δοῦλοι, φησίν[h]. 85 Εἰ δὲ ἐπιμένει τῇ μεταφορᾷ ὁ προφήτης, ὄρος καλῶν καὶ οἶκον τοῦ Θεοῦ Ἰακώβ, μὴ θαυμάσῃς. Ὅπερ γὰρ ἔφθην εἰπών, νῦν μὲν παρανοίγει, νῦν δὲ συσκιάζει τὴν προφητείαν· τὸ μέν, ἵνα τοῖς συνετωτέροις ἀφορμὰς παράσχῃ τοῦ συνιδεῖν τὰ λεγόμενα· τὸ δέ, ἵνα τῶν ἀγνωμόνων 90 κατάσχῃ τὴν ἄτακτον ῥύμην· καὶ πανταχόθεν ποικίλλει τὸν λόγον.

4 Εἰ δὲ τοῦ Θεοῦ Ἰακὼβ εἶπε, μὴ θορυβηθῇς, ἀγαπητέ· καὶ γὰρ ὁ μονογενὴς Υἱὸς τοῦ Θεοῦ Θεὸς Ἰακὼβ ἦν. Αὐτὸς γὰρ καὶ τὸν νόμον ἔδωκε καὶ τὰ κατ' αὐτοὺς ἐθαυματούργησεν ἅπαντα· καὶ τοῦτο ἐκ τῆς Παλαιᾶς 5 αὐτῆς μάλιστα ἔστιν ἰδεῖν, ἐπειδὴ τῆς Καινῆς οὐδὲ εἷς Ἰουδαίοις λόγος. Ὁ οὖν Ἱερεμίας φησί· Διαθήσομαι ὑμῖν διαθήκην καινήν, οὐ κατὰ τὴν διαθήκην, ἣν διεθέμην τοῖς πατράσιν ὑμῶν[a]· δεικνὺς ὅτι ἑκατέρων τῶν νόμων αὐτὸς

72 ἐνδεικνύμενοι : ἐνδεικνύμενα C ‖ 76 ὅρα : ἀλλ' ὅρα καὶ C ὁρᾷς A ‖ χορεύοντας + τοὺς ἐξ ἐθνῶν C ‖ 77 ἐγκελευομένους + δεῦτε καὶ ἀναβῶμεν τὸ ὄρος τοῦ Κυρίου C ‖ καὶ > N ‖ 78 γινομένους : γενομένους C ‖ 84 σοι > C ‖ 88-90 παράσχῃ... κατάσχῃ : παράσχοι... κατάσχοι V ‖ 90 ἄτακτον : ἄκρατον C

4, 2 τοῦ Θεοῦ υἱὸς ~ LMGC ‖ 5 ἐπειδὴ : ἔτι δὲ C ‖ εἷς + ἐστιν LMGC

sarment, et elles n'ont violé aucun précepte, mais elles s'y sont tenues, faisant preuve ainsi d'une grande docilité.

3 Des peuples nombreux viendront et diront : Venez, montons à la montagne du Seigneur et à la maison du Dieu de Jacob. Vois : ils forment des chœurs, célèbrent des fêtes, s'encouragent mutuellement et deviennent tous des maîtres ; non pas une nation, ni deux, ni trois, mais toutes se rassemblent. Des peuples nombreux viendront, dit-il, et de différentes contrées ; or, cela ne s'est jamais produit chez les Juifs ; si certains sont venus, c'était un petit nombre de prosélytes, et encore avec beaucoup de difficulté, et jamais on ne les a désignés par le nom de nations, mais par celui de prosélytes : « Les prosélytes viendront à toi, et ils seront tes esclaves [h] », dit le prophète. Ne sois pas surpris qu'il s'en tienne à la métaphore, en parlant de montagne et de maison de Dieu de Jacob. Je l'ai dit en commençant : tantôt il entr'ouvre, tantôt au contraire il voile la prophétie, d'une part pour fournir aux plus éclairés les moyens de considérer l'ensemble de ce qu'il dit, d'autre part pour contenir l'élan désordonné des gens irréfléchis ; et il diversifie de toutes manières son discours.

S'il a parlé du Dieu de Jacob, t'en trouble pas, ami : c'est en effet le Fils unique de Dieu qui était le Dieu de Jacob. C'est lui qui a donné la Loi et accompli tous les miracles de leur temps [1]. On recourra pour s'en assurer à l'Ancien Testament lui-même, puisque les Juifs ne tiennent aucun compte du Nouveau. Jérémie déclare : « J'établirai pour vous une alliance nouvelle, différente de celle que j'ai établie pour vos pères [a] » ; il

h. Is. 54, 15. **4.** a. Jér. 31, 31-32.

1. « Personne n'a vu le Père sinon celui qui vient de Dieu » (*Jn* 6,46). C'est une idée chère aux Pères de l'Église que le Verbe est l'expression du Père et que c'est lui que les hommes ont pu voir dans l'A.T. Cf. IRÉNÉE, *Adv. haer.* IV, 7, 4 ; 9, 1 ; 10, 1 ; 20, 9, etc. LÉON LE GRAND, *Serm.* 95, 1 (*SC* 200, p. 288) ; CHROMACE, *Tract.* XXII, 1, 3 (*CCL* IX A, p. 268) ; etc.

ὁ νομοθέτης ἦν. Ὅτι δὲ καὶ τῆς Αἰγύπτου αὐτὸς αὐτοὺς
10 ἀπήλλαξεν, ἐπήγαγεν· Ἐν ἡμέρᾳ ἐπιλαβομένου μου τῆς χειρὸς αὐτῶν, ἐξαγαγεῖν αὐτοὺς ἐκ γῆς Αἰγύπτου[b]. Εἰ δὲ αὐτὸς ἐξήγαγε, καὶ πάντα ἐκεῖνα τὰ ἐν τῇ Αἰγύπτῳ καὶ τὰ ἐν τῇ ἐρήμῳ αὐτὸς ἐποίησε θαύματα.

Καὶ ἀναγγελεῖ ἡμῖν τὴν ὁδὸν αὐτοῦ καὶ πορευσόμεθα ἐν
15 ***αὐτῇ.*** Ὁρᾷς ἕτερόν τινα ἐπιζητοῦντας νόμον; Ὁδὸν γὰρ ἡ Γραφὴ τὰς ἐντολὰς τοῦ Θεοῦ εἴωθε λέγειν· εἰ δὲ ἐπὶ τῆς προτέρας ἔλεγε Διαθήκης, οὐκ ἂν εἶπεν· Ἀναγγελεῖ ἡμῖν· δήλη γὰρ ἦν καὶ σαφὴς καὶ γνώριμος ἅπασι. Καὶ ὅτι οὐ σοφιζόμενοι ταῦτά φαμεν, τὰ μὲν εἰρημένα καὶ τοὺς
20 σφόδρα ἀναισχυντοῦντας ἱκανὰ πεῖσαι. Ἐπειδὴ γὰρ ὁδοῦ μόνον ἐμνήσθη, λέγει καὶ ποίας ὁδοῦ καὶ πολλὰ τίθησιν αὐτῆς τὰ παράσημα. Ἐπήγαγε γοῦν λέγων·

Ἐκ γὰρ Σιὼν ἐξελεύσεται νόμος καὶ λόγος Κυρίου ἐξ Ἱερουσαλήμ. Πρὸς ταῦτα καὶ σφόδρα ἀναισχυντοῦντες
25 Ἰουδαίων παῖδες οὐδὲ διᾶραι τὸ στόμα δυνήσονται. Ὅτι γὰρ περὶ τῆς Καινῆς ταῦτα εἴρηται Διαθήκης, καὶ ἀπὸ τοῦ τόπου καὶ ἀπὸ τοῦ χρόνου καὶ ἀπὸ τῶν δεξαμένων τὸν νόμον καὶ ἀπὸ τοῦ πράγματος τοῦ μετὰ τὸν νόμον καὶ πάντοθεν ἁπλῶς ἔστι συνιδεῖν. Καὶ πρῶτον ἀπὸ τοῦ
30 τόπου, τοῦ Σιὼν ὄρους. Ὁ γὰρ διὰ Μωσέως νόμος ἐν τῷ Σιναίῳ ὄρει τοῖς προγόνοις αὐτῶν ἐδόθη. Πῶς οὖν ἐνταῦθα Ἐκ Σιών φησι; Καὶ οὐκ ἠρκέσθη τούτῳ μόνον, ἀλλὰ καὶ τὸν χρόνον προστέθεικεν. Οὐ γὰρ εἶπεν· Ἐξῆλθε νόμος, ἀλλ', Ἐξελεύσεται νόμος, ὅπερ ἐστὶ
35 μέλλοντος χρόνου καὶ πράγματος οὐδέπω γεγενημένου. Ὅτε δὲ ὁ προφήτης ταῦτα ἔλεγε, πρὸ πολλῶν ἐτῶν ἦν δεδομένος ὁ νόμος· ὁ δὲ τῆς Καινῆς ἔμελλε μετὰ ἔτη πλείονα δίδοσθαι. Διὰ τοῦτο οὐκ εἶπεν· Ἐξῆλθεν, ἀλλ', Ἐξελεύσεται, τουτέστι, μετὰ ταῦτα. Καὶ πάλιν ἐπὶ τὸν

10 ἐπήγαγεν + λέγω C ‖ 12 καί² > LMGCN ‖ 13 αὐτὸς > V ‖ 22 γοῦν : οὖν LMG ‖ 28 τὸν > V ‖ 32 τούτῳ : τοῦτο LMG > V ‖ 34 ἐστι LMG : ἐπὶ *cett.* ἦν *ex* A *suspicor*

montrait ainsi qu'il avait posé lui-même les deux lois. Pour indiquer que c'est lui aussi qui les a délivrés de l'Égypte, il ajouta : « Au jour où je les ai pris par la main, pour les faire sortir du pays d'Égypte[b].» Mais si c'est lui qui les a fait sortir, c'est lui aussi qui a accompli en Égypte et dans le désert les prodiges qu'on connaît.

*Et il nous révélera sa voie et nous y marcherons.*Tu vois qu'ils sont à la recherche d'une loi différente? L'Écriture a coutume d'appeler voie les commandements de Dieu. Or, s'il parlait de la première alliance, il n'aurait pas dit : « il nous révélera », car elle était visible, manifeste et connue de tous. Qu'il n'y ait aucune subtilité mensongère dans ce que nous disons, le texte même suffit pour en convaincre les plus impudents. Après avoir seulement mentionné la voie, il dit de quelle voie il s'agit, et il en indique plusieurs traits caractéristiques. Il ajouta en effet :

De Sion sortira la Loi, et de Jérusalem la parole du Seigneur. Malgré toute leur impudence, les fils des Juifs ne pourront même pas ouvrir la bouche pour contredire ces affirmations. Le lieu, le temps, les personnes qui ont reçu la Loi, les événements qui ont suivi, tout en un mot montre bien qu'elles se rapportent à la Nouvelle Alliance. Et d'abord le lieu, la montagne de Sion. La loi transmise par Moïse fut donnée à leurs ancêtres sur le mont Sinaï. Pourquoi donc dit-il ici : de Sion? Et il ne se contente pas de cette indication, mais il ajoute celle du temps. Il n'a pas dit : la Loi est sortie, mais : elle sortira; cela est bien un futur et se rapporte à un événement qui ne s'est pas encore produit. Quand le prophète s'exprimait ainsi, la Loi était donnée depuis de nombreuses années, mais celle du Nouveau Testament devait l'être après des années plus nombreuses encore. C'est pourquoi il n'a pas dit : elle est sortie, mais : elle sortira, ce qui signifie : plus tard.

b. Ibid.

40 τόπον αὐτὸν καταφεύγει λέγων· Καὶ λόγος Κυρίου ἐξ Ἱερουσαλήμ. Μετὰ ἀκριβείας ἡμῖν τὸ παράσημον τῆς Καινῆς Διαθήκης ἐνταῦθα τίθησι. Καὶ γὰρ νῦν μὲν ἐν τῷ ὄρει καθήμενος, τὰ ὑψηλὰ καὶ τῶν οὐρανῶν ἄξια προστάγματα ἐνομοθέτει, νῦν δὲ ἐν Ἱερουσαλὴμ δια-
45 τρίβων[c]. Εἰπὼν τοίνυν καὶ τὸν τόπον καὶ τὸν χρόνον, προστίθησι καὶ τοὺς ὑποδέχεσθαι αὐτὸν μέλλοντας, πάντοθεν ἀπορράπτων τῶν ἀντιλεγόντων τὰ στόματα. Τίνες οὖν οἱ μέλλοντες αὐτὸν ὑποδέχεσθαι; ἆρα τῶν Ἑβραίων ὁ δῆμος καὶ Ἰουδαίων παῖδες; Οὐδαμῶς, ἀλλ' οἱ ἐξ ἐθνῶν.
50 Διὸ καὶ ἐπήγαγε·

4. ***Καὶ κρινεῖ ἀνάμεσον ἐθνῶν.*** Τοῦτο γὰρ μάλιστα νόμου, τὸ δικάζειν τοῖς μαχομένοις αὐτόν. Ὅτι δὲ οὐ περὶ τῆς Παλαιᾶς ὁ λόγος, δῆλον ἀπὸ τῶν πραγμάτων αὐτῶν. Οὔτε γὰρ σαββατίζομεν, οὐ περιτομὴν ἐδεξάμεθα, οὐ τὰς
55 ἑορτὰς ἐκείνων, οὐκ ἄλλο τῶν παλαιῶν οὐδέν. Ἠκούσαμεν γὰρ Παύλου λέγοντος, ὅτι Ἐὰν περιτέμνησθε, Χριστὸς ὑμᾶς οὐδὲν ὠφελήσει[d] · καί · Ἡμέρας παρατηρεῖσθε, καὶ μῆνας, καὶ καιρούς, καὶ ἐνιαυτούς; Φοβοῦμαι μήπως εἰκῇ κεκοπίακα εἰς ὑμᾶς[e]. Ὅθεν δῆλον ὅτι περὶ τῆς
60 Καινῆς ὁ λόγος, ὅτι γὰρ ἀνάμεσον ἐθνῶν κρίνει, καθὼς καὶ ὁ Παῦλός φησιν · Ἐν ἡμέρᾳ, ὅτε κρινεῖ ὁ Θεὸς τὰ κρυπτὰ τῶν ἀνθρώπων. Πῶς κρινεῖ; εἰπέ μοι · κατὰ τὴν Παλαιὰν Διαθήκην; Οὐδαμῶς, ἀλλά · Κατὰ τὸ εὐαγγέλιόν μου[f]. Εἶδες διάφορα μὲν τὰ ῥήματα, συμφωνοῦντα δὲ τὰ
65 νοήματα; Ἡσαΐας φησί · Κρινεῖ ἀνάμεσον ἐθνῶν · Παῦλος δέ · Κρινεῖ κατὰ τὸ εὐαγγέλιόν μου. Καὶ ἐλέγξει λαὸν πολύν · τοὺς μαχομένους καὶ παραβαίνοντας. Καὶ τοῦτο

40 αὐτὸν : αὐτοῦ C ‖ 41 Ἱερουσαλὴμ + κἀνταῦθα δὲ C ‖ 42 ἐνταῦθα > C ‖ 44 διατρίβων + τὸ κρινεῖ ἀνὰ μέσον ἐθνῶν, περὶ τοῦ καινοῦ νόμου ἀκουστέον C ‖ 45 τοίνυν : καὶ γὰρ C ‖ τόπον + αὐτοῦ C ‖ 46 ὑποδέχεσθαι : ὑποδεχομένους V ‖ πάντοθεν : πανταχόθεν V ‖ 48 αὐτὸν οἱ μέλλοντες ~ C ‖ 52 αὐτόν : αὐτῷ C ‖ 55 ἑορτὰς + τὰς N ‖ 57 παρατηρεῖσθε : παρατηρεῖσθαι

Et de nouveau il a recours à la mention du lieu : « Et de Jérusalem la parole du Seigneur ». Il nous donne ici avec précision le trait caractéristique de la Nouvelle Alliance. En effet, il donnait ses commandements sublimes et dignes des cieux, tantôt en siégeant sur la montagne, tantôt en séjournant à Jérusalem[c]. Après avoir indiqué le lieu et le temps, Isaïe mentionne aussi les destinataires, fermant ainsi la bouche aux contradicteurs par tous les moyens. Quels sont donc ces destinataires ? le peuple des Hébreux, les enfants des Juifs ? Nullement, mais ceux des nations. C'est pourquoi il a ajouté :

4 Il jugera entre les nations. C'est bien le propre de la loi, de juger elle-même ceux qui la combattent. Mais il ne s'agit pas ici de l'Ancienne Alliance : les faits eux-mêmes le prouvent, car nous n'observons pas le sabbat, nous n'avons pas adopté la circoncision, ni les fêtes des Juifs, ni aucune des anciennes observances. Nous avons en effet entendu Paul nous dire : « Si vous vous faites circoncire, le Christ ne vous servira de rien[d] », et aussi : « Vous observez les jours, les mois, les saisons, les années. Je crains de m'être fatigué pour vous vainement[e]. » Il est donc évident qu'il s'agit de la Nouvelle Alliance, car Dieu juge entre les nations, selon cette autre indication de Paul : « au jour où Dieu jugera les pensées secrètes des hommes ». Comment jugera-t-il ? Dis-moi : est-ce d'après l'Ancienne Alliance ? Nullement, mais : « d'après mon Évangile[f] ». As-tu remarqué que si les expressions diffèrent, les pensées concordent ? Isaïe dit : « Il jugera entre les nations. » Paul dit : « Il jugera d'après mon Évangile. » Et il confondra beaucoup de gens : ceux qui le combattent et ceux qui le transgressent. Le

V || 58 καὶ καιρούς > C || 60 κρίνει *ex* A *scripsi* : ἔκρινε *cod.* || καθὼς > C || 65 ἀνάμεσον + τῶν V || 66 δὲ : φησί V N

c. cf. Matth. 5, 1-7.27 ; Jn 10, 23 ; passim. d. Gal. 5, 2.
e. Gal. 4, 10. f. Rom. 2, 16.

δηλῶν ὁ Χριστὸς ἔλεγεν· Οὐκ ἐγὼ κρινῶ ὑμᾶς, ἀλλ' ὁ λόγος, ὃν ἐλάλησα, ἐκεῖνος κρινεῖ ὑμᾶς[8].

70 ***Καὶ συγκόψουσι τὰς μαχαίρας αὐτῶν εἰς ἄροτρα καὶ τὰς ζιβύνας αὐτῶν εἰς δρέπανα. Καὶ οὐ λήψεται ἔθνος ἐπ' ἔθνος μάχαιραν καὶ οὐ μὴ μάθωσιν ἔτι πολεμεῖν.*** Οὐκ ἠρκέσθη σημείοις τοῖς προτέροις ὁ προφήτης. Πολλὴ γὰρ τῆς ἀληθείας ἡ περιουσία. Διὰ τοῦτο καὶ ἕτερον τίθησι γνώ-75 ρισμα τῆς Καινῆς Διαθήκης κατὰ τὴν οἰκουμένην λάμπον ἅπασαν. Τί δὲ τοῦτό ἐστιν; Εἰρήνη καὶ πολέμων ἀναίρεσις. Ὅταν γὰρ ταῦτα γένηται, φησί, τοσαύτη λήψεται εὐνομία τὴν οἰκουμένην, ὡς καὶ αὐτὰ τὰ ὅπλα τὰ πολεμικὰ εἰς γεωργικὰ χαλκεύεσθαι ὄργανα· ὅπερ ἐπὶ τῶν 80 καιρῶν τῶν Ἰουδαίων οὐκ ἄν τις ἴδοι γεγενημένον, ἀλλὰ τοὐναντίον ἅπαν. Οὐ γὰρ διέλειπον ἅπαντα τῆς πολιτείας αὐτῶν τὸν καιρὸν πολεμοῦντες καὶ πολεμούμενοι, καὶ διὰ μακροῦ καὶ δι' ὀλίγου τῶν πολεμίων αὐτοὺς ἐπιόντων. Καὶ γὰρ οἱ ἐκ γειτόνων οἰκοῦντες, μᾶλλον δὲ καὶ οἱ 85 ἐν αὐτῇ τῇ Παλαιστίνῃ χαλεπὰ πράγματα παρέσχον αὐτοῖς πολλάκις καὶ [περὶ] τὸν ἔσχατον ἐπεκρέμασαν κίνδυνον.

5 Καὶ ταῦτα δηλοῖ μὲν ἡ τῶν Βασιλειῶν ἱστορία σαφῶς, ὅλη δι' ὅλης ἐκ πολέμων ὑφαινομένη· δηλοῦσι δὲ οἱ προφῆται πάντες, τὰ γενόμενα ἀπαγγέλλοντες ταῦτα, καὶ πρὶν ἢ γενέσθαι προαναφωνοῦντες· καὶ ἐξ αὐτῆς, ὡς 5 εἰπεῖν, τῆς ἡμέρας, ἧς ἀπηλλάγησαν τῆς Αἰγυπτίων τυραννίδος, ἐν πολέμοις τὸν ἅπαντα χρόνον ἐβίωσαν. Ἀλλ' οὐχὶ νῦν οὕτως, ἀλλὰ πολλὴ κατὰ τὴν οἰκουμένην εἰρήνη. Εἰ δέ τινες γίνονται πόλεμοι, ἀλλ' οὐχ ὁμοίως ὡς πρότερον. Τότε μὲν γὰρ καὶ πόλεις πόλεσι καὶ χῶραι

71 ζιβύνας : ζηβίνας V || 72 ἠρκέσθη + τοίνυν C || 73 τοῖς προτέροις σημείοις ~ LMGCN || 74 διὰ τοῦτο > C || 75 διαθήκης : διαγωγῆς τοῦ ἀνὼ σχήματος C || 76 ἅπασαν : πᾶσαν LMG || *post* ἅπασαν] *lac. in* C || 80 ἴδοι : ἤδη N || 81 διέλειπον : διέλιπον LMG || 83 αὐτοὺς : αὐτοῖς G || 84 οἱ ἐκ – μᾶλλον δὲ καὶ > *Montf.* || 86 περὶ *seclusi*

5, 2 πολέμων *ex* A *scripsi* : πολεμίων *cod.* || 5 τῆς[1] > LMGN || 8 γίνονται VA : γίνοιντο *cett.*

Christ le déclarait de même : « Ce n'est pas moi qui vous jugerai, mais la parole que j'ai prononcée ; c'est elle qui vous jugera[g]. »

Ils briseront leurs épées pour en faire des socs et leurs lances pour en faire des faux. On ne tirera plus l'épée nation contre nation, et on n'apprendra plus à faire la guerre. Le prophète ne s'est pas contenté des signes précédents. La vérité dispose en effet de moyens abondants. C'est pourquoi il ajoute un autre caractère de la Nouvelle Alliance qui resplendit par tout l'univers. Quel est-il ? C'est la paix, la disparition des guerres. Quand cela se produira, dit-il, un tel ordre régnera dans l'univers que les armes de guerre elles-mêmes serviront à forger des outils agricoles ; or, on ne voit pas que cela soit arrivé du temps des Juifs, mais bien tout le contraire. Ils n'ont pas cessé, tant que dura leur État, de faire la guerre et de la subir, avec les invasions plus ou moins prolongées des ennemis. Leurs voisins ou plutôt les habitants mêmes de la Palestine les mirent souvent dans de graves difficultés et les exposèrent au danger suprême.

L'histoire des Règnes le montre clairement, tissée de guerres de part en part ; tous les prophètes le montrent aussi, rapportant ces événements du passé ou prédisant ceux de l'avenir. A partir du jour même, pourrait-on dire, où ils furent libérés de la tyrannie des Égyptiens, ils vécurent en guerre tout le temps. Il n'en est plus ainsi aujourd'hui : une paix profonde règne sur le monde. Si naissent encore des guerres, on ne peut les comparer à celles du passé[1]. Les cités se heurtaient alors aux cités, les

g. Jn 12, 47-48.

1. PLUTARQUE (*Moralia* 408 B-C) célébrait la *pax romana* à l'époque d'Hadrien. Déjà Tite-Live l'avait fait pour le temps d'Auguste (cf. Fragm. 65, dans TITE LIVE, *Histoire romaine,* t. XXXIII, éd. P. Jal, *CUF,* Paris 1979). Jean fait de même au temps de Théodose.

10 χώραις καὶ δῆμοι συνερρήγνυντο δήμοις καὶ ἔθνος ἓν εἰς πολλὰ διετέμνετο μέρη. Καὶ τοῦ Ἰησοῦ τὸ βιβλίον τις ἀναγνοὺς καὶ τῶν Κριτῶν εἴσεται πόσους ἡ Παλαιστίνη ἐν βραχεῖ πολέμους τότε ἐδέξατο καιρῷ. Καὶ οὐ τοῦτο μόνον ἦν τὸ χαλεπόν, ἀλλ' ὅτι πάντας ὅπλα αἱρεῖσθαι ὁ νόμος 15 ἐκέλευσε, καὶ οὐδεὶς ἀτελὴς ταύτης τῆς λειτουργίας ἦν. Καὶ οὐ παρὰ Ἰουδαίοις μόνον οὗτος ὁ νόμος ἐκράτει, ἀλλὰ καὶ πανταχοῦ τῆς οἰκουμένης· ὅπου γε καὶ ῥήτορες καὶ φιλόσοφοι ἐξωμίδος πλέον οὐδὲν ἔχοντες, πολέμου καλοῦντος, καὶ ἀσπίδα μετεχειρίζοντο καὶ ἐπὶ παρατάξεως 20 ἵσταντο. Ὁ γοῦν παρ' Ἀθηναίοις μάλιστα λάμψας ἀπραγμοσύνης ἕνεκεν καὶ φιλοσοφίας Σωκράτης ὁ Σωφρονίσκου καὶ ἅπαξ καὶ δὶς ἐπὶ παρατάξεως ἔστη. Καὶ τῶν ῥητόρων τῶν παρ' αὐτοῖς τὸ κεφάλαιον Δημοσθένης ἀπὸ τοῦ βήματος ἐπὶ τὸν πόλεμον ἐξῄει πολλάκις. Εἰ δὲ 25 ῥήτορας καὶ φιλοσόφους οὐδεὶς ἐξῄρητο νόμος τοῦ πολεμεῖν, σχολῇ γἂν ἕτερός τις τοῦ δήμου ταύτης ἀπήλαυσε τῆς ἀτελείας. Ἀλλ' οὐχὶ τούτων οὐδὲν νῦν γινόμενον ἴδοι τις ἄν. Ἐπειδὴ γὰρ ὁ τῆς δικαιοσύνης ἔλαμψεν ἥλιος, καὶ πόλεις καὶ δῆμοι καὶ ἔθνη πάντα 30 τοσοῦτον ἀπέχουσι τοῦ ζῆν ἐν κινδύνοις τοιούτοις, ὅτι οὐδὲ μεταχειρίζεσθαί τι τῶν πολεμικῶν ἴσασιν, ἀλλ' εἴσω πόλεων καὶ τειχῶν καθήμενοι, πόρρω τὰ τῶν πολέμων μανθάνουσι πράγματα, καὶ δῆμος ἅπας ἐν ἐλευθερίᾳ ζῇ καὶ ἀτελείᾳ τῆς πικροτάτης ταύτης λειτουργίας. Εἰ δέ που καὶ 35 νῦν γίγνονται πόλεμοι, πόρρω που καὶ πρὸς τὰ ἔσχατα τῆς Ῥωμαίων ἀρχῆς, οὐ κατὰ πόλιν καὶ χώρας, ὡς

12-13 πολέμους ἐν βραχεῖ ~ LMGN ‖ 14 αἱρεῖσθαι *ex* A *scripsi* : τίθεσθαι *cod.* ‖ 25 ἐξῄρητο : ἐξηρεῖτο LM²G ‖ 26 γἂν : γὰρ V ‖ 27 νῦν τούτων οὐδὲν ~ LMGN ‖ 31 πολεμικῶν : πολεμίων LMG ‖ 32 πολέμων : πολεμίων LMG

1. La tunique à une manche, l'*exômis*, était portée par les travailleurs manuels. Elle fut adoptée par les philosophes cyniques. Cf. SEXTUS EMPIRICUS, *Questions pyrrhoniennes*, 1, 153.

pays aux pays, les peuples aux peuples, et une même nation se divisait en de nombreuses factions. Il suffit de lire le livre de Josué et celui des Juges pour savoir combien de guerres la Palestine a alors connues en peu de temps. Ce n'était pas la seule chose pénible car, de plus, la Loi avait ordonné à tous de porter les armes, et nul n'était exempt de ce service. Et cette disposition n'était pas en vigueur seulement chez les Juifs, mais partout dans le monde, si bien que les orateurs et les philosophes, qui ne possédaient rien d'autre qu'une tunique[1], se mettaient, à l'appel de la guerre, à manier le bouclier et se tenaient à leur poste de combat. Celui des Athéniens qui a brillé le plus pour son humeur paisible comme pour sa philosophie, Socrate, fils de Sophronisque, tint une première, puis une deuxième fois, son poste au combat[2]. Quant au premier de leurs orateurs, Démosthène, il quitta souvent la tribune pour la guerre[3]. Or, si aucune loi n'exemptait de la guerre les orateurs et les philosophes, à plus forte raison aucune personne du peuple ne jouissait-elle de cette immunité. Mais aujourd'hui on ne voit plus rien de semblable. Depuis qu'a brillé le soleil de justice, cités, peuples et toutes les nations sont si loin de vivre au milieu de tels dangers qu'ils ne savent même plus manier une arme ; mais établis à l'intérieur des villes, derrière les remparts, c'est de loin qu'ils apprennent les faits de guerre ; le peuple tout entier vit dans la liberté, exempt de ce service particulièrement pénible. Si des guerres éclatent encore parfois, ce n'est qu'au loin, aux confins de l'Empire romain, non

2. Socrate servit à l'armée comme hoplite et prit part aux combats livrés à Potidée, Amphipolis et Délion. Il s'y montra très courageux : cf. PLATON, *Banquet* (200 d – 221 c) ; PLUTARQUE, *Alcibiade* 7 (194 E F) ; DIOGÈNE LAËRCE II, 23 ; Jean HUMBERT, *Socrate et les petits socratiques,* Paris 1967, p. 35.

3. En 349, Démosthène fit partie du corps expéditionnaire envoyé en Eubée pour soutenir Ploutarchos le tyran d'Érétrie, et en 338 il combattit à Chéronée.

ἔμπροσθεν. Τότε μὲν γάρ, ὡς ἔφθην εἰπών, καὶ ἐν ἑνὶ ἔθνει μυρίαι συνεχῶς ἐπαναστάσεις ἐγίγνοντο, καὶ πολυπρόσωποι πόλεμοι· νυνὶ δὲ ὅσην ἥλιος ἐφορᾷ γῆν ἀπὸ
40 τοῦ Τίγρητος ἐπὶ τὰς Βρεττανικὰς νήσους, αὐτὴ πᾶσα, καὶ μετὰ ταύτης Λιβύη καὶ Αἴγυπτος καὶ Παλαιστινῶν ἔθνος, μᾶλλον δὲ ἅπαν τὸ ὑπὸ τὴν Ῥωμαίων· ἀρχὴν κείμενον. ἴστε δὲ ὡς αὗται αἱ πόλεις ἀδείας ἀπολαύουσι πάσης, ἀκοῇ τοὺς πολέμους μανθάνουσαι μόνον. Ἠδύνατο μὲν
45 γὰρ καὶ τὰ λείψανα καθελεῖν ὁ Χριστός, ἀλλ' ἀφῆκε σωφρονισμοῦ τινος ὑπόθεσιν τοῖς ῥᾳθυμοῦσι καὶ ὑπὸ τῆς εἰρήνης χαυνοτέροις γινομένοις, τῶν βαρβάρων εἶναι τὰς ἐπιδρομάς. Καὶ ὁ προφήτης δὲ τοῖς δυναμένοις ἀκριβῶς συνιδεῖν αὐτὸ δὴ τοῦτο ᾐνίξατο, ὅπερ ἔφθην εἰπών, τὸ
50 μηκέτι τὰς δι' ὀλίγου γίγνεσθαι ἐπαναστάσεις. Οὐ γὰρ εἶπεν, οὐκ ἔσται πόλεμος παντελῶς, ἀλλὰ τί; Οὐ μὴ ἄρῃ ἔθνος ἐπ' ἔθνος μάχαιραν· καὶ τὴν τῶν δήμων ἐλευθερίαν προστέθεικεν εἰπών, Οὐ μὴ μάθωσιν ἔτι πολεμεῖν, οὔκουν ἴσμεν πολεμεῖν πλὴν ὀλίγων τῶν εἰς τοῦτο ἀποτε-
55 ταγμένων στρατιωτῶν.

5. ***Καὶ νῦν σύ, ὁ οἶκος τοῦ Ἰακώβ, δεῦτε καὶ πορευθῶμεν τῷ φωτὶ Κυρίου.*** 6. ***Ἀνῆκε γὰρ τὸν λαὸν αὐτοῦ, τὸν οἶκον τοῦ Ἰακώβ.*** Ἀπαρτίσας τὴν περὶ τῆς Ἐκκλησίας προφητείαν, πάλιν ἐπὶ τὴν ἱστορίαν μεταβαίνει, ὡς δὴ τῶν
60 ἀκολούθων ἐχόμενος ῥημάτων. Τοιοῦτον γὰρ ἔθος τοῖς προφήταις, μὴ τῇ τῶν εἰρημένων ἀσαφείᾳ μόνον, ἀλλὰ καὶ τῷ σχήματι τῆς ἀκολουθίας συσκιάζειν τὴν προφητείαν. Διόπερ οὐδὲ ἀπηρτισμένον ποιεῖ τὸν λόγον ἀλλὰ ὡς μίαν τινὰ ἕλκων σειράν, οὕτω πρὸς τὴν τῶν Ἰουδαίων νουθε-
65 σίαν μεταβαίνει πάλιν, καί φησι· Καὶ νῦν σύ, ὁ οἶκος τοῦ Ἰακώβ, δεῦτε καὶ πορευθῶμεν τῷ φωτὶ Κυρίου· τουτέστι,

37 ἐν > LMG ‖ 38 συνεχῶς : καὶ συνεχεῖς LMG ‖ 47 χαυνοτέροις γινομένοις *ex* A *scripsi* : χαυνοτέρους γινομένους *cod.* ‖ 48 τοῖς δυναμένοις : τοὺς δυναμένους LMG ‖ 49 δὴ > V ‖ 53 προστέθεικεν : προσέθηκεν LMG ‖ 53-54 οὔκουν ἴσμεν πολεμεῖν > V ‖ 54 ἀποτεταγμένων : τεταγμένων V ‖ 55 στρατιωτῶν] *hic denuo* C ‖ 60-61 τοῖς

comme jadis dans chaque cité et dans chaque contrée [1]. Alors, comme je viens de le dire, dans une seule et même nation se produisaient continuellement des séditions innombrables et des guerres aux visages multiples ; aujourd'hui au contraire, toute la terre qu'éclaire le soleil depuis le Tigre jusqu'aux îles britanniques et avec elle la Libye, l'Égypte et la Palestine, ou plutôt tout ce qui est soumis à l'Empire romain, ces cités, vous le savez, jouissent d'une entière sécurité et ne connaissent la guerre que par ouï-dire. Le Christ aurait pu en faire disparaître les restes, mais pour donner un moyen de s'amender aux indolents que la paix amollissait, il a permis les invasions des Barbares. Le prophète aussi, comme je l'ai déjà dit, a fait entrevoir à ceux qui sont capables de bien comprendre qu'il n'y aurait plus de soulèvements fréquents. Il n'a pas dit : il n'y aura plus de guerres du tout. Qu'a-t-il donc dit ? « On ne brandira plus l'épée nation contre nation », et il a montré aussi la liberté dont jouiront les peuples, en ajoutant : « On n'apprendra plus à faire la guerre », et à l'exception d'un petit nombre de soldats, dont c'est le métier, nous ignorons l'art de la guerre.

5 Et maintenant, maison de Jacob, allons, marchons à la lumière du Seigneur. 6 Car il a délaissé son peuple, la maison de Jacob. Ayant terminé la prophétie qui concerne l'Église, il revient à l'histoire, comme s'il continuait son exposé. C'est en effet l'usage des prophètes de voiler leurs prédictions non seulement par l'obscurité de leurs paroles, mais encore par la manière dont les idées se suivent. C'est pourquoi il n'achève pas son discours, mais comme s'il enchaînait, il revient aux avertissements donnés aux Juifs, en disant : « Et maintenant, maison de Jacob, allons, marchons à la lumière du Seigneur »,

προφήταις CA : αὐτοῖς *cett.* || 61 ἀσαφείᾳ CN A : ἀσφαλείᾳ *cett.* || 65 σὺ > CN || 66 τῷ φωτὶ : ἐν τῷ φωτὶ V

1. En 380, Théodose et Gratien avaient arrêté les Goths en Épire. En 386, Théodose les repoussa sur le Danube.

ταῖς ἐντολαῖς αὐτοῦ, τῷ νόμῳ αὐτοῦ · Λύχνος γὰρ ἐντολὴ νόμου καὶ φῶς καὶ ζωὴ καὶ ἔλεγχος καὶ παιδεία[a] · καὶ ὁ Δαυῒδ πάλιν φησίν · Ἡ ἐντολὴ Κυρίου τηλαυγής, φωτί-
70 ζουσα ὀφθαλμούς[b] · καί · Λύχνος τοῖς ποσί μου ὁ νόμος σου καὶ φῶς ταῖς τρίβοις μου[c]. Καὶ πανταχοῦ οὕτω τὸν νόμον καλούμενον κατίδοι τις ἄν. Οὕτω καὶ Παῦλός φησι · Πέποιθάς τε σεαυτὸν ὁδηγὸν εἶναι τυφλῶν, φῶς τῶν ἐν σκότει, παιδευτὴν ἀφρόνων[d]. Οὐ γὰρ οὕτως αἱ τοῦ
75 ἡλίου ἀκτῖνες χειραγωγοῦσιν ἡμῶν τοῦ σώματος τοὺς ὀφθαλμούς, ὡς αἱ τοῦ νόμου ἐντολαὶ καταυγάζουσι τὰ τῆς

6 ψυχῆς ὄμματα. Δεικνὺς τοίνυν ὁ προφήτης, ὅτι καὶ πρὸ τῆς ἀντιδόσεως καὶ πρὸ τῆς ἀμοιβῆς, ἐν αὐτῷ τῷ πληροῦσθαι τὴν ἀμοιβὴν παρέχουσιν ἡμῖν αἱ ἐντολαί, φῶς αὐτὰς ἐκάλεσεν. Ὥσπερ γὰρ ὀφθαλμὸς ἐν αὐτῷ τῷ φωτί-
5 ζεσθαι κερδαίνει, οὕτω καὶ ψυχὴ ἐν αὐτῷ τῷ πείθεσθαι τῷ νόμῳ τὰ μέγιστα καρποῦται, ἐκκαθαιρομένη καὶ κακίας ἀπαλλαττομένη καὶ πρὸς αὐτὴν ἀναβᾶσα τὴν ἀρετήν· ὥσπερ οὖν τοὐναντίον οἱ παραβαίνοντες καὶ πρὸ τῆς κολάσεως ἐν αὐτῷ τῷ παραβαίνειν δίκην διδόασι, τῶν ἐν
10 σκότει καθημένων[a] ἀθλιώτερον διακείμενοι, φόβου καὶ τρόμου καὶ πονηροῦ γέμοντες συνειδότος καὶ ἐν μεσημβρίᾳ μέσῃ δεδοικότες καὶ τρέμοντες ἅπαντας, τοὺς συνειδότας, τοὺς οὐδὲν συνειδότας.

Ἀνῆκε γὰρ τὸν λαὸν αὐτοῦ, τὸν οἶκον τοῦ Ἰακώβ ·
15 τουτέστιν, εἴασεν, ἀφῆκεν, παρεῖδεν, τῆς αὐτοῦ προνοίας ἐγύμνωσεν. Εἶτα φοβήσας, λέγει καὶ τὴν αἰτίαν, ὥστε αὐτοὺς διορθῶσαι τὰ γεγενημένα. Τίς οὖν ἐστιν ἡ αἰτία;

Ὅτι ἐνεπλήσθη ἡ χώρα αὐτῶν κληδονισμῶν, ὡς ἡ τῶν

68 καὶ[1] > LMGC ‖ καὶ[3] > C

6, 4 γὰρ + ὁ LMGC ‖ 5 καὶ + ἡ LMGC ‖ 8 οὖν > C ‖ 11 συνειδότος γέμοντες ~ LMGC ‖ 13 τοὺς : καὶ τοὺς LMGC ‖ 14 τοῦ > LMGC ‖ 16 εἶτα φοβήσας : φοβήσας οὖν πρότερον C ‖ λέγει : ἔφη C ‖ 17-19 τίς – ἀλλοφύλων > C

5. a. Prov. 6, 23. b. Ps. 18, 9. c. Ps. 118, 105. d. Rom. 2, 19-20.

c'est-à-dire dans ses préceptes, dans sa loi. « Car le précepte est une lampe, une lumière, une vie, une instruction, une discipline[a]. » David dit de même : « Le précepte du Seigneur est lumineux, il éclaire les yeux[b] », et aussi : « Ta loi est une lampe pour mes pieds, une lumière pour mes sentiers[c]. » Et l'on trouverait partout la loi désignée de cette manière. Paul dit aussi : « Tu te flattes d'être le guide des aveugles, la lumière de ceux qui sont dans les ténèbres, l'éducateur des gens dépourvus de sens[d]. » Les rayons du soleil guident moins bien les yeux de notre corps que les préceptes de la loi n'illuminent les regards de notre âme. Pour montrer que même avant la rétribution, même avant la récompense, les préceptes nous donnent cette récompense par leur seul accomplissement, le prophète les a appelés lumière. Comme l'œil reçoit un avantage du seul fait d'être éclairé, l'âme retire les plus grands fruits du seul fait d'obéir à la loi ; elle se purifie, se libère du vice, s'élève jusqu'à la vertu elle-même. Au contraire, les transgresseurs de la loi sont punis dès avant le châtiment par l'acte même de la transgression ; leur état est pire que celui des gens « assis dans les ténèbres[a] » ; en proie à la frayeur, au tremblement, à la mauvaise conscience, même en plein midi ils craignent, ils tremblent devant tous les hommes sans exception, ceux qui connaissent leurs actes et ceux qui les ignorent.

« Il a délaissé son peuple, la maison de Jacob », c'est-à-dire : il l'a laissé de côté, abandonné, dédaigné, il l'a privé des soins de sa Providence. Puis, après les avoir effrayés, il leur en dit la cause, pour qu'ils remédient à la situation. Quelle est donc cette cause ?

C'est que leur pays s'est rempli de divination[1]*, comme celui*

6. a. Is. 42, 7.

1. Au sens strict, le κληδονισμός est le mode de divination qui consiste à tirer un présage d'un mot prononcé au hasard, d'une réponse fortuite, d'un bruit quelconque.

ἀλλοφύλων. Ἔμπροσθεν μὲν γὰρ καπηλείαν αὐτοῖς καὶ
20 φιλαργυρίαν καὶ τὴν τῶν χηρῶν ὑπεροψίαν ἐνεκάλει·
ἐνταῦθα δὲ καὶ δογμάτων πονηρῶν, καὶ ἀσεβείας λείψανα,
κατὰ μικρὸν αὐτοὺς ὑποσύροντα πρὸς τὴν τῶν δαιμόνων
πλάνην. Εἶτα καθικνούμενος αὐτῶν, οὐκ εἶπεν ὅτι κλη-
δονίζονται ἁπλῶς, ἀλλ' ὅτι Ἐνεπλήσθη ἡ χώρα αὐτῶν.
25 Μετὰ πολλῆς ὑπερβολῆς ἡ κακία αὐτῶν πάλιν ηὔξετο,
φησίν. Ὥσπερ ἀνωτέρω ἔλεγε· Λαός, οὐχ ἁπλῶς ἁμαρ-
τωλός, ἀλλά· Πλήρης ἁμαρτιῶν, οὕτω καὶ ἐνταῦθα·
Ἐνεπλήσθη. Εἶτα πάλιν ἐπιτείνων τὸ ὄνειδος προσέθηκεν·
Ὡς τὸ ἀπ' ἀρχῆς. Ἀπ' ἀρχῆς, πότε; Ὅτε Θεὸν οὐκ
30 ἐγνώκεισαν, ὅτε νόμον οὐκ εἰλήφεισαν, ὅτε τῆς εὐεργεσίας αὐτοῦ πεῖραν εἰληφότες οὐκ ἦσαν, ὅτε μετὰ τῶν
ἐθνῶν ἔζων, ὅπερ ἐσχάτης καταγνώσεως ἦν, μηδὲν ἄμεινον
διακεῖσθαι νῦν, μετὰ τὴν τοσαύτην πρόνοιάν τε καὶ ἐπιμέλειαν, τῶν μηδενὸς τούτων ἀπολελαυκότων. Καὶ οὐδὲ
35 ἐνταῦθα ἔστη, ἀλλὰ καταπλήττων αὐτοὺς πάλιν προσ-
τέθεικεν· Ὡς ἡ τῶν ἀλλοφύλων· τῇ συγκρίσει τοῦ προσώπου τὴν κατηγορίαν χαλεπωτέραν ποιῶν. Ὃ καὶ
Παῦλος εἴωθεν ἐργάζεσθαι συνεχῶς· ὡς ὅταν λέγῃ· Περὶ
δὲ τῶν κεκοιμημένων οὐ θέλω ὑμᾶς ἀγνοεῖν, ἀδελφοί, ἵνα
40 μὴ λυπῆσθε, ὡς καὶ οἱ λοιποὶ οἱ μὴ ἔχοντες ἐλπίδα[b]· καὶ
πάλιν· Εἰδέναι ἕκαστον τὸ ἑαυτοῦ σκεῦος κτᾶσθαι ἐν
ἁγιασμῷ καὶ τιμῇ, μὴ ἐν πάθει ἐπιθυμίας. Καὶ οὐκ
ἠρκέσθη τούτῳ, ἀλλὰ προστέθεικε λέγων· Καθὼς καὶ τὰ
λοιπὰ ἔθνη τὰ μὴ εἰδότα τὸν Θεόν[c]. Μάλιστα γὰρ οὗτος ὁ
45 λόγος δάκνειν εἴωθε καὶ τοὺς σφόδρα ἀναπεπτωκότας. Εἰ
δὲ Ἰουδαῖοι ταῦτα ἐγκαλοῦνται, τίνος ἂν τύχοιμεν συγγνώμης ἡμεῖς, ποίας ἀπολογίας, οἱ μετὰ χάριν τοσαύτην

20 τὴν > V ‖ 21 καὶ[1] > LMGCN ‖ δογμάτων πονηρῶν C A : δόγματα πονηρὰ *cett.* ‖ 23 εἶτα > C ‖ αὐτῶν + κληδονισμῶν C ‖ 25 ηὔξετο : ηὔξητο N ‖ 28 προσέθηκεν : προστέθεικεν N ‖ 29 ὅτε + τὸν C ‖ 30 εἰλήφεισαν : εἰλήφθησαν C ‖ 32 καταγνώσεως : ἀπογνώσεως C ‖ 35 προστέθεικεν : προσέθηκεν C ‖ 40 ὡς : καθὼς C ‖ 43 τούτῳ : τοῦτο V ‖ προστέθεικε :

des étrangers. Précédemment, il leur reprochait leurs trafics, leur cupidité, leur mépris des veuves ; mais ici il s'en prend aux traces des doctrines perverses et de l'impiété qui les entraînent peu à peu dans l'égarement des démons. Et pour les toucher davantage, il ne leur dit pas simplement qu'ils s'occupent de divination, mais que leur pays s'en est rempli. Leur perversité, dit-il, s'est démesurément aggravée. De même que plus haut il ne disait pas simplement que le peuple était pécheur, mais plein de péchés, il a dit ici : « Il s'est rempli. » Et pour aggraver le reproche il a encore ajouté : « comme à l'origine ». A l'origine ? Quand donc ? Lorsqu'ils ne connaissaient pas Dieu, qu'ils n'avaient pas reçu la Loi, qu'ils n'avaient pas fait l'expérience de la bonté divine, qu'ils vivaient parmi les nations. Ce qui méritait la condamnation la plus rigoureuse est qu'à présent, après tant d'attentions de la Providence, ils n'étaient pas mieux disposés que ceux qui n'avaient reçu aucune de ces faveurs. Le prophète ne s'est pas arrêté là, mais pour les frapper davantage il a ajouté : « comme le pays des étrangers », rendant l'accusation plus sévère par la comparaison avec autrui. Paul employait constamment ce procédé, par exemple quand il dit : « Au sujet de ceux qui se sont endormis, je ne veux pas, frères, vous laisser dans l'ignorance, afin que vous ne vous attristiez pas comme ceux qui n'ont pas d'espérance[b]. » Ou encore : « Que chacun de vous sache user du corps qui lui appartient avec sainteté et amour, non dans l'emportement de la convoitise. » Il ne s'en tient pas là, mais il a ajouté : « Comme le reste des nations, qui ne connaissent pas Dieu[c]. » Un tel discours était en effet le mieux capable de piquer au vif ceux-là mêmes qui étaient tombés très bas. Mais si les Juifs encourent ces reproches, quelle indulgence pourrions-nous obtenir, nous autres, quelle excuse invoquer, si après avoir

προσέθηκεν C || 44-45 μάλιστα – ἀναπεπτωκότας > C

b. I Thess. 4, 13. c. I Thess. 4, 4-5.

καὶ τιμὴν ἄφατον καὶ τὰς ἀθανάτους ἐλπίδας, πρὸς τὴν αὐτὴν ἐκείνοις καταπίπτοντες πλάνην; Καὶ γὰρ πολλοὶ καὶ
50 νῦν εἰσι τῷ νοσήματι κεχρημένοι τούτῳ καὶ τὸν ἑαυτῶν διαφθείροντες βίον, οἳ τῇ τῶν κληδόνων ἀλογίᾳ ἐκδιδόντες ἑαυτούς, μετὰ τοῦ τῷ Θεῷ προσκρούειν, καὶ περιττὰς καρποῦνται λύπας, καὶ πρὸς τοὺς ὑπὲρ τῆς ἀρετῆς ἐκλύονται πόνους. Καὶ γὰρ ἐσπούδακεν ὁ διάβολος
55 διὰ πάντων τοῦτο πεῖσαι τοὺς ἀνοητοτέρους, ὅτι οὐκ ἐπ' αὐτοῖς τὰ τῆς ἀρετῆς καὶ τὰ τῆς κακίας, οὐδὲ ἐλευθερίᾳ τινὶ προαιρέσεώς εἰσι τετιμημένοι, δύο δὲ ταῦτα τὰ αἴσχιστα κατορθῶσαι βουλόμενος, † καὶ τοὺς ὑπὲρ τῆς ἀρετῆς ἐκλῦσαι πόνους καὶ τὸ μέγιστον τῆς ἐλευθερίας
60 ἀφελέσθαι δῶρον. Τοῦτο διὰ κληδόνων, τοῦτο διὰ συμβόλων, τοῦτο διὰ παρατηρήσεως ἡμερῶν, τοῦτο διὰ τοῦ πονηροῦ τῆς εἱμαρμένης δόγματος, τοῦτο δι' ἑτέρων πολλῶν εἰς τὸν βίον εἰσήγαγε τὸ χαλεπὸν νόσημα, πάντα ἄνω καὶ κάτω ποιῶν. Δι' ὃ δὴ καὶ ὁ προφήτης σφοδρῶς
65 ἔστη κατηγορῶν, ὥστε πρόρριζον ἀνασπάσαι τὸ πάθος.

7 ***Καὶ τέκνα πολλὰ ἀλλόφυλα ἐγεννήθη αὐτοῖς.*** Τί ἐστι· Τέκνα ἀλλόφυλα; Νόμος ἦν αὐτοῖς ἄνωθεν κείμενος διὰ τὸ τῆς γνώμης εὐόλισθον καὶ τὸ τῆς διανοίας εὐεξαπάτητον μηδενὶ τῶν λοιπῶν ἀνθρώπων ἐπιμίγνυσθαι, ὥστε
5 μὴ τὰς τοιαύτας συγγενείας ἀσεβείας ὑπόθεσιν γενέσθαι. Ἐπειδὴ γὰρ οὐ μόνον ἑτέρους διορθῶσαι οὐκ ἴσχυον, ἀλλ' οὐδὲ τὴν παρ' ἑτέρων οἷοί τε ἦσαν διακρούεσθαι βλάβην, τῷ νόμῳ τειχίσας αὐτοὺς καὶ τῆς πρὸς τοὺς λοιποὺς ἐπιμιξίας αὐτοὺς ἀποστήσας, κατ' ἰδίαν αὐτοὺς ἔπλαττε καὶ
10 ἐρρύθμιζεν· ἀγαπητὸν γὰρ ἦν καὶ οὕτως ἀγομένους δυνηθῆναι διατηρῆσαι τὴν παρὰ τοῦ θεοῦ δεδομένην πολι-

49 πλάνην *scripsi ex* A : πενίαν *cod.* || 50-51 τῷ – οἳ > C || 50 τούτῳ : τοῦτο V || 51-52 ἑαυτοὺς ἐκδιδόντες ~ C || 52 καὶ > V || 55 τοῦτο : τούτων LMGN || 58 *post* βουλόμενος *lacunam suspicor ex* A

7, 3 γνώμης : γνώσεως V || 4 λοιπῶν : ἁπάντων C || 5 ὑπόθεσιν ἀσεβείας ~ C || 6 ἑτέρους οὐ μόνον ~ C || 9 αὐτους[1] > C

reçu une grâce si abondante, un honneur indicible et des espérances immortelles, nous tombions dans une erreur semblable à la leur ? Or, il en est encore aujourd'hui beaucoup qui sont atteints de cette maladie, qui gâchent leur vie en s'adonnant à l'extravagance des divinations ; outre qu'ils offensent Dieu, ils moissonnent des chagrins superflus et défaillent devant les efforts qu'exige la vertu. Le diable a en effet cherché par tous les moyens à persuader les insensés que la vertu et le vice ne sont pas en leur pouvoir et qu'ils n'ont pas été favorisés du libre arbitre ; il a voulu réaliser ces deux desseins ignobles, mettre fin à leurs efforts pour pratiquer la vertu et les priver du don éminent de la liberté. Par des augures, par des présages, par l'observation des jours, par la croyance perverse à la fatalité et par beaucoup d'autres moyens il a inoculé à l'existence humaine cette funeste maladie, la bouleversant totalement. Voilà bien pourquoi le prophète accuse avec tant d'énergie, pour extirper le mal jusqu'à la racine.

7 *Et beaucoup d'enfants étrangers leur sont nés*[1]. Que faut-il entendre par les « enfants étrangers » ? Une loi leur avait jadis été donnée à cause de leur volonté fragile et de leur intelligence prompte à l'erreur, pour leur interdire toute union avec le reste des hommes, afin d'éviter que de telles unions ne devinssent une occasion d'impiété. Comme ils n'avaient pas la force de redresser les autres, et n'étaient même pas capables de les empêcher de leur nuire, Dieu avait dressé pour eux le rempart de la Loi, les avait écartés des unions avec le reste des hommes, pour les former et les discipliner séparément, car on pouvait se flatter qu'ainsi dirigés ils auraient pu maintenir la ligne de conduite qui leur était fixée par Dieu ; mais de même

1. Le texte hébreu fait allusion « soit à des tractations d'ordre commercial, soit à des compromissions religieuses » (Osty, *La Bible,* Paris 1973, p. 1533, n. 6).

τείαν αὐτοῖς. Ἀλλ' ὥσπερ τὰς ἄλλας παρέβαινον ἐντολάς, οὕτω δὴ καὶ ταύτης ὑπεριδόντες μετέβησαν πρὸς τὰς τῶν πλησίον ἀγχιστείας καὶ νύμφας ἐκεῖθεν ἀγόμενοι παρὰ
15 Μωαβιτῶν, παρὰ Ἀμμανητῶν, παρ' ἑτέρων ἀσεβῶν ἐθνῶν καὶ τὰς ἄλλας ἀσπαζόμενοι συγγενείας, διδασκάλους πονηρίας ἐδέχοντο καὶ τὸ τῆς εὐγενείας ἀκέραιον διέφθειρον. Τοῦτο τοίνυν μετὰ τῶν ἄλλων ὁ προφήτης ἐγκαλεῖ.

7. ***Ἐνεπλήσθη γὰρ ἡ χώρα αὐτῶν,*** φησίν, ***ἀργυρίου καὶ***
20 ***χρυσίου καὶ οὐκ ἦν ἀριθμὸς τῶν θησαυρῶν αὐτῶν. Καὶ ἐνεπλήσθη ἡ γῆ αὐτῶν ἵππων καὶ οὐκ ἦν ἀριθμὸς τῶν ἁρμάτων αὐτῶν.*** Καὶ ποῖον ἔγκλημα τοῦτο, ἴσως εἴποι τις ἄν, τὸ χρήματα ἔχειν καὶ ἵππους κεκτῆσθαι καὶ μάλιστα ἐπὶ τῆς γενεᾶς ἐκείνης, ὅτε οὐ πολλὴ φιλοσοφίας ἦν ἀκρί-
25 βεια; Τί οὖν ἂν εἴποιμεν; Ὅτι οὐ τὴν χρῆσιν διέβαλλεν, ἀλλὰ τὴν γνώμην τὴν οὐκ εἰς δέον αὐτοῖς κεχρημένην. Ὥσπερ γὰρ ὅταν λέγῃ· Οὐαὶ οἱ ἰσχύοντες[a], οὐ τὴν δυναστείαν αἰτιᾶται, ἀλλὰ τοὺς κακῶς τῇ δυναστείᾳ κεχρημένους· οὕτω δὴ καὶ ἐνταῦθα, οὐχ ὅτι χρήματα ἐκέ-
30 κτηντο, ἀλλ' ὅτι μετὰ πολλῆς τῆς περιουσίας, καὶ ὑπὲρ τὴν χρείαν συνῆγον. Οὐκ ἦν, φησίν, ἀριθμὸς τῶν θησαυρῶν αὐτῶν. Καὶ οὐ τοῦτο μόνον, ἀλλ' ὅτι πεφυσημένοι τῷ πλούτῳ καὶ τῇ τῶν ἵππων δυναστείᾳ κατὰ μικρὸν ἀπὸ τῆς εἰς τὸν Θεὸν ἐλπίδος παρεσύροντο, ὃ καὶ ἀλλαχοῦ αὐτοῖς
35 ὁ προφήτης ἔλεγεν· Οὐαὶ οἱ πεποιθότες ἐπὶ τῇ δυνάμει αὐτῶν καὶ ἐπὶ τῷ πλήθει τοῦ πλούτου αὐτῶν ἐγκαυχώμενοι[b]. Καὶ πάλιν ἑτέρωθι· Οὐ σώζεται βασιλεὺς διὰ πολλὴν δύναμιν καὶ γίγας οὐ σωθήσεται ἐν πλήθει ἰσχύος αὐτοῦ[c]. Καὶ ἐν ἑτέρῳ δὲ πάλιν ψαλμῷ φησιν· Οὐκ ἐν τῇ
40 δυναστείᾳ τοῦ ἵππου θελήσει, οὔτε ἐν ταῖς κνήμαις τοῦ

14 καὶ > LMGCN ‖ ἀγόμενοι : ἀναγόμενοι V ‖ 25 διέβαλλεν : διέβαλεν C διαβάλλει *suspicor ex* A ‖ 31 ἦν + γὰρ C ‖ 34 ὃ > LMGC ‖ 39 ἐν² > V ‖ 40 οὔτε : οὐδὲ LMG

7. a. Is. 1, 24. b. Ps. 48, 7. c. Ps. 32, 16.

qu'ils transgressaient les autres préceptes, ils violèrent aussi celui-là ; ils nouèrent des liens de parenté avec leurs voisins, allèrent chercher des femmes là-bas, chez les Moabites, chez les Ammanites, et dans d'autres nations impies, entrèrent volontiers dans des familles étrangères ; ils recevaient ainsi des maîtres d'iniquité et corrompaient la pureté de leur noble origine. C'est donc cela, avec le reste, que le prophète leur reproche.

7 Leur pays s'est rempli d'argent et d'or, dit-il, *et on ne pouvait compter leurs trésors. Leur pays s'est rempli de chevaux, et on ne pouvait compter leurs chars.* Quel crime y a-t-il donc, dira-t-on peut-être, à avoir de l'argent, à posséder des chevaux, surtout dans un temps où la philosophie[1] n'était guère rigoureuse ? Que pouvons-nous répondre ? C'est que le prophète n'incriminait pas l'usage, mais la volonté qui n'use pas de ces biens comme il faudrait. Lorsqu'il dit : « Malheur aux puissants[a] », il ne condamne pas non plus le pouvoir, mais ceux qui en font un mauvais usage ; de même ici, il ne leur reproche pas de posséder de l'argent, mais d'en accumuler avec surabondance, par-delà le besoin. « On ne pouvait compter leurs trésors », dit-il. Ce n'est pas son seul grief, mais aussi qu'enflés d'orgueil par leur richesse et la vigueur de leurs chevaux, ils étaient peu à peu détournés de mettre leur espoir en Dieu. Un prophète le leur disait également ailleurs : « Malheur à ceux qui se confient dans leur puissance et qui se glorifient dans la grandeur de leur richesse[b]. » Et encore : « Le roi n'est pas sauvé par une grande force, et le géant ne sera pas sauvé par son extrême vigueur[c]. » Dans un autre psaume il dit encore : « Ce n'est pas la vigueur du cheval qu'il agréera, et les

1. La philosophie, c'est le genre de vie plutôt que le corps de doctrines. Jean songe ici à la vie chrétienne. Sur la valeur de ce mot φιλοσοφία chez les Pères, on se reportera à A.-M. MALINGREY, *Philosophia,* Paris 1961.

ἀνδρὸς εὐδοκεῖ. Εὐδοκεῖ Κύριος ἐπὶ τοὺς φοβουμένους αὐτόν[d].

8. ***Καὶ ἐνεπλήσθη ἡ γῆ βδελυγμάτων τῶν ἔργων τῶν χειρῶν αὐτῶν καὶ προσεκύνησαν οἷς ἐποίησαν οἱ δάκτυλοι***
45 ***αὐτῶν.*** Ὥσπερ σοφὸς ἰατρός, ὁ προφήτης πρὸ τοῦ νοσήματος τὴν αἰτίαν λέγει καὶ τὴν πηγὴν τοῦ νοσήματος. Μέλλων γὰρ κατηγορεῖν αὐτῶν τὴν ἀσέβειαν, προλαβὼν εἶπε τὰς ἀφορμὰς τῆς ἀρρωστίας φιλαργυρίαν, ἀπόνοιαν, τὰς οὐ προσηκούσας ἐπιμιξίας, δηλῶν ὅτι ἐνθεῦθεν κατὰ
50 μικρὸν ὑπεσκελίσθησαν εἰς τὸ τῆς ἀπωλείας βάραθρον καὶ εἴδωλα προσεκύνησαν. Εἶτα κωμῳδῶν αὐτῶν τὴν θρησκείαν, ἐπήγαγε· Τῶν ἔργων τῶν χειρῶν αὐτῶν. Τί γὰρ ἂν γένοιτο καταγελαστότερον ἄλλο ἢ ὅταν ἄνθρωπος δημιουργὸς ᾖ θεοῦ; Βδέλυγμα δὲ εἴωθεν ἡ Γραφὴ καλεῖν
55 τὰ εἴδωλα· ἐντεῦθεν καὶ βδέλυγμα ἐρημώσεως λέγεται ὁ ἀνδριάς, ὁ ἐπὶ τοῦ ναοῦ ἑστώς. Ὅταν γὰρ ἴδητε, φησί, τὸ βδέλυγμα τῆς ἐρημώσεως ἑστὼς ἐν τόπῳ ἁγίῳ· ὁ ἀναγινώσκων νοείτω[e]. Ἐπειδὴ γὰρ αὐτοὺς ἀπήγαγε τοῦ πρὸς τὰ αἰσθητὰ ἐπτοῆσθαι, ἀπηγόρευσεν αὐτοῖς πᾶν ἐξεικό-
60 νισμα ποιῆσαι· καὶ βδέλυγμα τοῦτο ἐκάλεσε, πόρρωθεν αὐτοὺς ἀναστέλλων τῆς ἀσεβείας· τὸ γὰρ βδελύττεσθαι τὸ μεθ' ὑπερβολῆς ἐστι μισεῖν, ὡς ἀκάθαρτον, ὡς ἐναγές. Τὸ τοίνυν βδέλυγμα τὸ μισητὸν καὶ ἀποστροφῆς ἄξιον ἐν τῇ Γραφῇ λέγεται. Πᾶν δὲ εἴδωλον τοιοῦτον. Καὶ προσεκύ-
65 νησαν οἷς ἐποίησαν οἱ δάκτυλοι αὐτῶν.

9. ***Καὶ ἔκυψεν ἄνθρωπος καὶ ἐταπεινώθη ἀνήρ.*** Ὥσπερ γὰρ ἡ τοῦ Θεοῦ προσκύνησις εἰς ὕψος ἀνάγει, οὕτως ἡ ἐκείνων τῶν εἰδώλων ταπεινοῖ καὶ κατάγει. Τί γὰρ ταπεινότερον ἀνθρώπου σωτηρίας ἐκπεπτωκότος καὶ τὸν τῶν
70 ὅλων Θεὸν ἐσχηκότος ἐχθρὸν [καὶ] τοῖς ἀψύχοις ὑποκύπτοντος καὶ λίθους θεραπεύοντος; Ὁ μὲν γὰρ Θεὸς εἰς

41 ἐπὶ τοὺς φοβουμένους : ἐν τοῖς φοβουμένοις LMG ‖ 45 πρὸ > V C ‖ 47 τὴν > MG ‖ 49 δηλῶν ὅτι : δηλονότι LM ‖ 53 ἢ > LMGN ‖ 55 ἐντεῦθεν : διὸ C ‖ 68 ἐκείνων > C ‖ τῶν εἰδώλων >V LMGCN ‖ 70 καί *ex* A *delevi*

jarrets de l'homme ne lui plaisent pas. Le Seigneur se complaît en ceux qui le craignent[d]. »

8 Le pays s'est rempli d'abominations, œuvres de leurs mains, et ils se sont prosternés devant ce qu'ont fabriqué leurs doigts. Comme un savant médecin, le prophète, avant de parler de la maladie, en indique les causes et la source. Au moment de condamner leur impiété, il commence par parler des origines de leur faiblesse, la cupidité, la présomption, les unions illégitimes, montrant que peu à peu elles les ont fait tomber dans l'abîme de la perdition et se prosterner devant les idoles. Puis, tournant en dérision leur idolâtrie, il a ajouté : « œuvres de leurs mains ». Que pourrait-il en effet y avoir de plus risible que de voir un homme fabriquer un dieu ? L'Écriture a coutume d'appeler abomination les idoles ; c'est pour cette raison qu'est appelée abomination de la désolation la statue érigée dans le Temple. « Quand vous verrez, dit-il, l'abomination de la désolation dressée dans le lieu saint... Que celui qui lit comprenne[e]. » Lorsque Dieu les eut détournés de la fascination des objets matériels, il leur interdit de fabriquer aucune image ressemblante et il appela cela une abomination, pour bien les éloigner de l'impiété ; abominer, c'est en effet haïr au plus haut point, comme on fait d'un objet impur, d'un objet maudit. L'abomination désigne dans l'Écriture l'objet méprisable et qui inspire la répulsion. Or, toute idole est telle. « Et ils se sont prosternés devant ce qu'ont fabriqué leurs doigts. »

9 Et l'homme s'est courbé, l'homme s'est abaissé. Si se prosterner devant Dieu élève l'homme et le grandit, se prosterner devant les idoles l'abaisse et l'avilit. Qu'y a-t-il de plus bas qu'un homme déchu de son salut et qui a pour ennemi le Dieu de l'univers, quand il se courbe devant des objets inanimés et rend un culte à des pierres ? Dieu nous a en effet élevés

d. Ps. 146, 10-11. e. Matth. 24, 15.

τοσαύτην ἡμᾶς ἀνήγαγε τιμήν, ὡς καὶ τῶν οὐρανῶν ὑψηλοτέρους ποιῆσαι· ὁ δὲ διάβολος εἰς τοσαύτην ἐσπούδασε καταγαγεῖν εὐτέλειαν τοὺς πειθομένους, ὡς καὶ
75 τῶν ἀναισθήτων ἀναισθητοτέρους ἐργάσασθαι. Διὸ δή φησιν ὁ προφήτης· Καὶ ἔκυψεν ἄνθρωπος καὶ ἐταπεινώθη ἀνήρ. Ἤρκει μὲν καὶ αὐτὴ ἡ κατηγορία τὸν νοῦν ἔχοντα ἀπαγαγεῖν τοῦ νοσήματος. Ἐπειδὴ δὲ πολλοὶ τῶν ἀνθρώπων οὐχ οὕτω τὰς ἁμαρτίας ὡς τὰς τιμωρίας δεδοί-
80 κασιν, ἐπήγαγε καὶ τὴν κόλασιν, λέγων· ***Οὐ μὴ ἀνήσω αὐτοῖς.*** Οὐ συγχωρήσω, φησίν, οὐκ ἀφήσω, οὐ παρόψομαι, ἀλλὰ ἀπαιτήσω δίκας καὶ εὐθύνας τῶν πεπλημμελημένων.

10. ***Καὶ νῦν εἰσέλθετε εἰς τὰς πέτρας καὶ κρύπτεσθε εἰς
85 τὴν γῆν ἀπὸ προσώπου τοῦ φόβου Κυρίου.*** Κωμῳδήσας ἱκανῶς τὴν ἄνοιαν τῶν τὰ εἴδωλα προσκυνούντων καὶ ἀπὸ τοῦ τρόπου τῆς δημιουργίας δείξας κἀκείνων τὴν παραπληξίαν καὶ τῶν εἰδώλων τὴν ἀσθένειαν, ἐπαγωνίζεται τῷ λόγῳ πάλιν, τῇ πείρᾳ τῶν πραγμάτων ἐπιτρέπων τῶν εἰρη-
90 μένων τὴν ἐξέτασιν καί φησιν· ἤρκει μὲν καὶ αὐτὸ τοῦτο τὸ παρὰ ἀνθρώπων αὐτὰ γενέσθαι δεῖξαι τὴν ἄνοιαν τῶν ἀπατωμένων· ἐπειδὴ δὲ ὥσπερ τινὶ μέθῃ τῇ ἀσεβείᾳ κεκαρωμένοι πρὸς τὰ φανερὰ καὶ σαφῆ τῶν πραγμάτων πεπήρωνται, τοιαῦτα καταλήψονται τὴν πόλιν κακά, ὡς
95 καὶ τοὺς σφόδρα ἀναισθήτους διδάξαι, πόση ἡ ἐκείνων
8 ἀσθένεια καὶ πόση ἡ τοῦ Θεοῦ δύναμις. Διὰ δὴ τοῦτο πρὶν ἢ τὸν πόλεμον εἰπεῖν, τὰ ἐξ αὐτοῦ συμβησόμενα λέγει, κελεύων εἰς πέτρας εἰσιέναι καὶ ὑπ' αὐτὴν καταδῦναι τὴν γῆν, οὐχ ἵνα τοῦτο ποιήσωσιν, ἀλλ' ἵνα ἐκ
5 τούτων μάθωσιν, ὡς ἀφόρητός ἐστιν ἡ παρὰ τοῦ Θεοῦ τότε φερομένη ὀργή.

Κρύπτεσθε γάρ, φησίν, εἰς τὴν γῆν ἀπὸ προσώπου τοῦ

76 καὶ ἔκυψεν ἄνθρωπος καὶ C A : > *cett.* || 81 αὐτοῖς : αὐτοὺς N || 85 κωμῳδήσας + οὖν C || 90 μὲν : μοι *Montf. ex* P || 91 τὸ > V || 92 τινὶ :

à une telle dignité qu'il nous a créés plus grands que les cieux, mais le diable s'est appliqué à réduire à un tel avilissement ceux qui lui obéissent qu'il les a rendus plus insensibles que les êtres insensibles. C'est bien pourquoi le prophète déclare : « L'homme s'est courbé, l'homme s'est abaissé. » Il devait suffire de l'accusation elle-même pour détourner de ce mal un être intelligent. Mais comme beaucoup d'hommes redoutent moins les péchés que les châtiments, le prophète a mentionné aussi la sanction : *Je ne leur ferai pas de remise.* Je ne céderai pas, dit-il, je ne pardonnerai pas, je ne détournerai pas les yeux, mais je réclamerai le compte et la réparation de leurs manquements.

10 Et maintenant, entrez au creux des rochers, cachez-vous dans la terre, loin de la face effrayante du Seigneur. Après avoir bien tourné en ridicule la folie de ceux qui adorent les idoles, et montré par la manière dont elles sont fabriquées la démence de ces gens et l'impuissance des idoles, il reprend son argumentation et s'en remet aux événements du soin de justifier ses paroles. Le fait même que ces objets sont l'œuvre des hommes suffirait à montrer la folie des égarés ; mais puisque, comme hébétés par l'ivresse de l'impiété, ils restent aveugles devant la claire évidence de la réalité, de telles calamités fondront sur la ville qu'elles apprendront même aux plus insensibles combien grande est la faiblesse des idoles et combien 8 grande la puissance de Dieu. C'est bien pourquoi, avant de parler de la guerre, il annonce ses conséquences, les invitant à entrer au creux des rochers et à se cacher dans les profondeurs de la terre elle-même, non pour qu'ils le fassent, mais pour que ces paroles leur apprennent combien sera alors terrible le déchaînement de la colère divine.

« Cachez-vous dans la terre, dit-il, loin de la face effrayante

τι *(sic)* V τῇ *Montf.* || τῇ > V *Montf.* || 94 κακὰ V A : δεινὰ *cett.* || 95 σφόδρα > C

8, 5 ἀφόρητός ἐστιν *post* ὀργή (6) *transp.* N

φόβου Κυρίου ***καὶ ἀπὸ τῆς δόξης τῆς ἰσχύος αὐτοῦ, ὅταν ἀναστῇ θραῦσαι τὴν γῆν.*** Οὐκ εἶπεν ἁπλῶς ἀπὸ τῆς ἰσχύος,
10 ἀλλά· Ἀπὸ τῆς δόξης τῆς ἰσχύος αὐτοῦ. Τοιαῦτα γὰρ αὐτοῦ τὰ κατορθώματα, τοιαῦτα τὰ τρόπαια, πολλὴν ἔχοντα τὴν περιφάνειαν καὶ τὴν λαμπρότητα. Ἐνταῦθά μοι δοκεῖ τὴν νίκην τὴν ἐπὶ τοῦ Ἐζεχίου σημαίνειν, γῆν τὸ πλῆθος τῶν ἀνθρώπων καλῶν καὶ θραῦσιν τὴν κατά-
15 πτωσιν, ἀνάστασιν δὲ αὐτοῦ τὴν ἐπὶ τὴν ἀντίληψιν ἔξοδον. Ἐπεὶ καὶ ὁ Δαυῒδ οὕτω φησίν· Ἀναστήτω ὁ Θεός, καὶ διασκορπισθήτωσαν οἱ ἐχθροὶ αὐτοῦ[a]· καὶ πάλιν· Ἀνάστα, ὁ Θεός, κρῖνον τὴν γῆν[b]· ἀπὸ τῶν ἀνθρωπίνων σχημάτων τοῦ Θεοῦ τὰς ἐνεργείας χαρακτη-
20 ρίζων.

11. ***Οἱ γὰρ ὀφθαλμοὶ Κυρίου ὑψηλοί, ὁ δὲ ἄνθρωπος ταπεινός.*** Εἶτα ἵνα μηδεὶς τῶν ἀκουόντων τότε ἀπιστῇ τοῖς λεγομένοις (πολὺ γὰρ παρ' ἐλπίδας τὸ συμβησόμενον καὶ προσδοκίας ἁπάσης ἀνώτερον), κατέφυγεν ἐπὶ τὴν δύναμιν
25 τοῦ ποιοῦντος καὶ τὴν εὐτέλειαν τῶν πασχόντων. Οὔτε γὰρ Θεοῦ, φησίν, ὑψηλότερόν τί ἐστιν, οὔτε ἀνθρώπων εὐτελέστερον. Μὴ τοίνυν ἀπόρει, εἰ ὁ μέγας οὗτος καὶ ἰσχυρὸς τοὺς εὐτελεῖς ἀθρόον οὕτω ταπεινῶσαι δυνήσεται. Καὶ καλῶς εἶπεν· Οἱ ὀφθαλμοὶ Κυρίου ὑψηλοί. Οὐκ
30 εἶπεν· Ἡ δύναμις, ἀλλ'· Οἱ ὀφθαλμοὶ Κυρίου, ὡς ἀρκούσης καὶ τῆς ὄψεως μόνης ἅπαντα τὰ ἐναντιούμενα καθελεῖν· ὅπερ καὶ ὁ Δαυῒδ ἑτέρωθι ἔλεγεν· Ὁ ἐπιβλέπων ἐπὶ τὴν γῆν καὶ ποιῶν αὐτὴν τρέμειν[c]· καὶ ἕτερος πάλιν προφήτης· Ἐπιβλέψομαι πρὸς αὐτὸν καὶ δυνήσομαι
35 αὐτῷ[d]. ***Καὶ ταπεινωθήσεται τὸ ὕψος τῶν ἀνθρώπων καὶ ὑψωθήσεται Κύριος μόνος ἐν τῇ ἡμέρᾳ ἐκείνῃ.*** Τῆς γὰρ παραδόξου γενομένης νίκης καὶ τῶν λαμπρῶν καὶ θαυμαστῶν τροπαίων ἐκείνων, καὶ δαίμονες ἠλέγχθησαν καὶ εἴδωλα ἠτιμώθη καὶ ψευδοπροφῆται ἐπεστομίσθησαν

10 αὐτοῦ *ante* ἀλλὰ *transp.* V ‖ αὐτου > N ‖ 19 ἀνθρωπίνων + πραγμάτων καὶ V ‖ 23 πολὺ : πολλοὶ V πολλοῖς C ‖ 29-30 οὐκ – Κυρίου >

du Seigneur », *loin de la gloire de sa force, quand il se lèvera pour broyer la terre.* Il n'a pas dit simplement : « loin de la force », mais : « loin de la gloire de sa force ». Tels sont en effet ses exploits, tels sont ses trophées ; ils sont environnés de lustre et d'éclat. Il me semble qu'ici il veut annoncer la victoire remportée sous Ézéchias : il appelle terre la multitude des hommes ; broyer signifie ruiner ; se lever, c'est aller au secours. David dit en effet de même : « Que Dieu se lève et que ses ennemis soient dispersés[a] », et encore : « Lève-toi, Dieu, juge la terre[b]. » C'est à partir des gestes humains qu'il décrit les œuvres de Dieu.

11 Car les yeux du Seigneur sont élevés, et l'homme est bas. Ensuite, pour qu'aucun des auditeurs ne mette en doute ses paroles – ce qui devait arriver était tout à fait inespéré et dépassait toute attente –, le prophète recourt à la puissance de celui qui agit et à la débilité de ceux qui subissent. Rien n'est plus élevé que Dieu, dit-il, ni plus débile que les hommes. Ne doute donc pas que cet Être grand et fort soit capable d'abaisser ainsi tous à la fois les êtres débiles. Il dit avec raison : « Les yeux du Seigneur sont élevés. » Il n'a pas dit : « la puissance », mais : « les yeux du Seigneur », pour indiquer que son seul regard est capable de détruire tout ce qui s'oppose à lui. David exprimait ailleurs la même pensée : « Celui qui regarde la terre et la fait trembler[c] ». Et de même un autre prophète : « Je le regarderai et je triompherai de lui[d]. » *La hauteur des hommes sera abaissée, et le Seigneur seul sera élevé en ce jour-là.* A la suite de cette victoire inattendue, de ces éclatants et merveilleux trophées, les démons ont été confondus, les idoles déshonorées, les faux prophètes réduits au silence, la

C ‖ 35 αὐτῷ C A : αὐτὸν *cett.* ‖ 36 ἐκείνῃ + ἣ τάχα περὶ τῶν περὶ Ἐζεκίου γεγενημένων, ὁ παρὼν ἐστι λόγος C ‖ 37 γενομένης : γεγενημένης C ‖ νίκης + ἐκείνης C ‖ 39 καὶ² > *Montf.*

8. a. Ps. 67, 2. b. Ps. 81, 8. c. Ps. 103, 32. d. Os. 11, 4.

40 καὶ τῶν βαρβάρων ἡ τυραννὶς κατελύθη, καὶ πᾶν τῷ Θεῷ στόμα ἐναντιούμενον ἐνεφράγη. Διὰ τοῦτό φησιν· Ὑψωθήσεται Κυρίος μόνος. Οὐδεὶς ἔσται λοιπὸν ὁ ἀντερῶν, οὐδὲ ἀμφιβάλλων περὶ τῆς τοῦ Θεοῦ δυνάμεως, τῆς τῶν πραγμάτων ἀποδείξεως οὕτω σαφεστάτης γεγενημένης. Τὸ
45 μὲν γὰρ τῆς φύσεως ὕψος ἔχει διηνεκές, οὐδέποτε ἀρξάμενον, ἀλλὰ ἀεὶ ὄν· ὑψοῦσθαι δὲ λέγεται ἐν τῇ διανοίᾳ τῶν ἀνθρώπων, ὅταν οἱ ἀντιλέγοντες καὶ ἐναντιούμενοι, ἀπ' αὐτῆς τῶν πραγμάτων πεισθέντες τῆς ἀποδείξεως, ὑποκύψωσι, καὶ τὴν προσήκουσαν ἀνενέγκωσιν
50 εὐφημίαν.

12. ***Ἡμέρα γὰρ Κυρίου Σαβαὼθ παραγίνεται ἐπὶ πάντα ὑβριστὴν καὶ ὑπερήφανον καὶ ἐπὶ πάντα ὑψηλὸν καὶ μετέωρον καὶ ταπεινωθήσονται.*** 13. ***Καὶ ἐπὶ πᾶσαν κέδρον τοῦ Λιβάνου τῶν ὑψηλῶν καὶ μετεώρων καὶ ἐπὶ πᾶν***
55 ***δένδρον βαλάνου Βασᾶν.*** 14. ***Καὶ ἐπὶ πᾶν ὄρος ὑψηλὸν καὶ ἐπὶ πᾶν τεῖχος ὑψηλόν.*** 15. ***Καὶ ἐπὶ πάντα πύργον ὑψηλόν.*** 16. ***Καὶ ἐπὶ πᾶν πλοῖον θαλάσσης, καὶ ἐπὶ πᾶσαν θέαν κάλλους πλοίων.*** 17. ***Καὶ ταπεινωθήσεται τὸ ὕψος τῶν ἀνθρώπων καὶ ὑψωθήσεται Κύριος μόνος ἐν τῇ ἡμέρᾳ***
60 ***ἐκείνῃ.*** Τεῖχος ἐνταῦθα καὶ κέδρον καὶ βουνὸν καὶ δρῦν τοὺς δυνάστας ἀνθρώπους φησί, τῷ ὕψει τῶν δένδρων τούτων μεταφορικῶς τὴν δυναστείαν αὐτῶν ἐνδεικνύμενος· καὶ πλοῖον καὶ θέαν κάλλους πλοίων λέγων, τοὺς
9 εὐπορωτέρους αὐτῶν αἰνίττεται. Ὃ δὲ βούλεται εἰπεῖν, τοῦτό ἐστιν· ὅτι πᾶς ἰσχυρός, πᾶς δυνάστης, πᾶς στρατηγός, πᾶς περιβεβλημένος πλοῦτον, πᾶσα, ὡς εἰπεῖν, τῶν ἀνθρώπων ἡ εὐπρέπεια καὶ ἰσχὺς τότε οἰχήσεται καὶ
5 διαλυθήσεται· καὶ οὐδὲν αὕτως προστήσεται πρὸς τὸ διαφυγεῖν τοῦ Θεοῦ τὴν ὀργήν, οὐκ ἰσχὺς σώματος, οὐκ ἐμπειρία πολέμου, οὐ χρημάτων περιουσία, οὐ δυναστείας

46 λέγεται δὲ ~ MG[1] || 55 βαλάνου : λιβάνου V || ὑψηλὸν + καὶ ἐπὶ πάντα βουνὸν ὑψηλὸν LMG || 60 τεῖχος + δὴ οὖν C
9, 5 αὕτως *ex* A *scripsi* : αὐτῶν C αὐτου *cett.*

tyrannie des Barbares a été brisée, et toute bouche ennemie de Dieu a été bâillonnée. C'est ce qui lui fait dire : « Le Seigneur seul sera élevé. » Il ne restera plus de contradicteur, ni personne pour douter de la puissance de Dieu, lorsqu'une démonstration si évidente sera fournie par les événements. L'élévation de sa nature est en effet permanente ; elle ne commence jamais, mais elle est toujours ; on dit cependant que Dieu s'élève dans la pensée des hommes, lorsque les contradicteurs et les adversaires, persuadés par la démonstration donnée par les faits, s'inclinent et rendent l'hommage qui convient.

12 Le jour du Seigneur Sabaoth[1] *survient contre tout homme insolent et orgueilleux, contre tout homme hautain et superbe, et ils seront abaissés. 13 Et contre tout cèdre du Liban hautain et élevé, et contre tout arbre à glands de Basan. 14 Et contre toute haute montagne, et contre toute haute muraille. 15 Et contre toute haute tour. 16 Et contre tout vaisseau de la mer et contre tout spectacle de beauté*[2] *qu'offrent les navires. 17 Et la hauteur des hommes sera abaissée, et le Seigneur seul sera élevé en ce jour-là.* Ce qu'il appelle ici muraille, cèdre, colline et chêne, ce sont les hommes puissants, en désignant métaphoriquement leur puissance par la hauteur de ces arbres ; et en mentionnant les navires et la beauté du spectacle offert par leur vue, il évoque ceux des hommes qui sont particulièrement riches. Voici ce qu'il veut dire. Tout homme fort, puissant, chef d'armée, environné de richesse, toute la noble apparence, pour ainsi dire, et toute la vigueur des hommes disparaîtront alors et s'évanouiront. Rien ne pourra de la sorte s'opposer à la colère de Dieu : ni la vigueur corporelle, ni l'expérience de la guerre, ni l'abondance

1. Le jour de Yahvé, c'est celui où se manifeste la puissance divine. Cf. *Amos* 5, 18-20 ; *Is.* 13, 9 ; *Joël* 1, 15 ; 2, 1 ; 3, 4 ; *Soph.* 1, 14-18 ; *Mich.* 5, 9-14 ; *Éz.* 7, 10 ; et aussi *I Cor.* 1, 8 ; 5, 5 ; *II Cor.* 1, 14 ; *Phil.* 1, 6.

2. Le texte hébreu parle des vaisseaux de Tarsis et de navires somptueux.

περιβολή, οὐ στρατοπέδου πλῆθος, οὐκ ἄλλο τῶν τοιούτων οὐδέν. Κέδρους δὲ Λιβάνου διὰ τοῦτό φησι, διὰ
10 τὸ αὐτόθι τοῦτο μάλιστα φύεσθαι τὸ δένδρον ἢ διὰ τὸ πλησίον τὰ πράγματα γίνεσθαι· θέαν δὲ κάλλους πλοίων, τὴν εὐπρέπειαν τῶν στρατηγῶν τῶν ἀπὸ πλούτου καὶ ὅπλων καὶ δορυφόρων κεκαλλωπισμένων. Δοκεῖ δέ μοι καὶ τὴν διὰ μακροῦ γενομένην ἀποδημίαν τῶν βαρβάρων
15 αἰνίττεσθαι.

18. ***Καὶ τὰ χειροποίητα πάντα κατακρύψουσιν,*** 19. ***εἰσενέγκαντες εἰς τὰ σπήλαια καὶ εἰς τὰς σχισμὰς τῶν πετρῶν καὶ εἰς τὰς τρώγλας τῆς γῆς, ἀπὸ προσώπου τοῦ φόβου Κυρίου καὶ ἀπὸ τῆς δόξης τῆς ἰσχύος αὐτοῦ, ὅταν ἀναστῇ***
20 ***θραῦσαι τὴν γῆν.*** Τοσοῦτον γὰρ ἀφέξουσιν αὐτῶν, φησίν, οἱ θεοὶ παρασχεῖν τινα συμμαχίαν, ὅτι καὶ τῆς παρὰ τῶν ἀνθρώπων δεήσονται βοηθείας καὶ τόπων ἀσφαλείας, ὥστε μὴ ἁλῶναι· Ἀπὸ προσώπου τοῦ φόβου Κυρίου καὶ ἀπὸ τῆς δόξης τῆς ἰσχύος αὐτοῦ, ὅταν ἀναστῇ θραῦσαι τὴν
25 γῆν. Ἵνα γὰρ μή τις τῇ τῶν βαρβάρων ἐφόδῳ ταῦτα λογίζηται, μηδὲ τῆς ἰσχύος τῆς ἐκείνων εἶναι νομίζῃ τὸν φόβον, ἀνάγει τὸν λόγον ἐπὶ τὸν τῶν ὅλων Θεόν, λέγων ὅτι αὐτὸς τοῦ πολέμου στρατηγεῖ τούτου, καὶ παρ' ἐκείνου δύναμις † ἐν τοσούτῳ κινδύνῳ τῶν ἤδη πεπλημμελη-
30 μένων †.

20. ***Τῇ γὰρ ἡμέρᾳ ἐκείνῃ ἐκβαλεῖ ἄνθρωπος τὰ βδελύγματα αὐτοῦ, τὰ ἀργυρᾶ καὶ τὰ χρυσᾶ, ἃ ἐποίησαν ἑαυτοῖς εἰς τὸ προσκυνεῖν τοῖς ματαίοις αὐτῶν καὶ ταῖς νυκτερίσι,*** 21. ***τοῦ εἰσελθεῖν εἰς τὰς στερεὰς πέτρας καὶ εἰς τὰς***
35 ***σχισμὰς τῶν πετρῶν ἀπὸ προσώπου τοῦ φόβου Κυρίου καὶ ἀπὸ τῆς δόξης τῆς ἰσχύος αὐτοῦ, ὅταν ἀναστῇ θραῦσαι τὴν γῆν.*** Ἱκανῶς αὐτοὺς ἐκωμῴδησε, δεικνὺς μετὰ τῶν θεῶν

9 κέδρους : κέδρος LMG κέδρον C ‖ 11 τὰ πράγματα : τὴν ὀργήν A ‖ 22 βοηθείας : συμμαχίας C ‖ 26 λογίζηται : -σηται C ‖ νομίζῃ : -σῃ C ‖ 29-30 ἐν — πεπλημμελημένων *locus corruptus* ‖ 34-35 τὰς σχισμὰς : τὰ σχίσματα N

des richesses, ni l'appareil de la puissance, ni le nombre des soldats, ni rien de semblable. Il parle des cèdres du Liban, soit parce que cet arbre est particulièrement abondant dans ce pays, soit parce que les événements sont proches[1]. Le beau spectacle qu'offrent les navires est l'air imposant des généraux, tout glorieux de leur richesse, de leurs armes, de leurs gardes du corps. Il me semble d'ailleurs qu'il évoque aussi la lointaine migration des Barbares.

18 Ils cacheront toutes ces œuvres de leurs mains, 19 les portant dans les cavernes, dans les fentes des rochers, dans les terriers souterrains, loin de la face effrayante du Seigneur, et de la gloire de sa force, quand il se lèvera pour broyer la terre. Bien loin, dit-il, que leurs dieux puissent alors leur porter quelque secours, ils auront besoin de l'aide des hommes et de la sûreté des emplacements pour ne pas être pris. « Loin de la face effrayante du Seigneur, et de la gloire de sa force, quand il se lèvera pour broyer la terre ». Pour qu'on n'attribue pas ces effets à l'invasion des Barbares et qu'on ne pense pas que c'est leur force qui inspire la frayeur, il élève son discours jusqu'au Dieu de l'univers, en disant que c'est lui qui dirige cette guerre, que c'est à lui qu'appartient la puissance (de punir) par de tels dangers les fautes déjà commises[2].

20 Car en ce jour-là l'homme rejettera ses abominations d'argent et d'or, ce qu'ils s'étaient fabriqué afin de se prosterner devant leurs inutilités et les chauves-souris[3], *21 pour entrer dans les durs rochers et dans leurs fentes, loin de la face effrayante du Seigneur et de la gloire de sa force, quand il se lèvera pour broyer la terre.* Il les a bien tournés en

1. Quand les cèdres du Liban seront abattus, la catastrophe sera proche de Jérusalem.

2. Le texte grec est corrompu. Nous trouvons dans l'arménien : « C'est à lui qu'appartient la puissance, parce que, par de telles menaces, il conduit à s'amender ceux qui auparavant étaient pécheurs. »

3. La Septante traduit par « inutilités » un *hapax* hébraïque, qui désigne un animal fouisseur, sans doute une taupe.

κρυπτομένους καὶ εἰς τὴν γῆν καταδυομένους καὶ οὐδὲ τὴν πολυτέλειαν τῆς ὕλης ἀρκέσαι τι δυναμένην πρὸς τὴν
40 ἐπικειμένην συμφοράν. Νυκτερίδας δὲ ἐκάλεσε τὰ εἴδωλα, ἢ διὰ τὴν ἀσθένειαν ἢ διὰ τὸ τῆς πλάνης ἐσκοτισμένον, καὶ τὸ πάντα λάθρα παρὰ τῶν δαιμόνων πράττεσθαι. Ὥσπερ γὰρ ταῖς νυκτερίσιν ὁ μὲν ἥλιος πολέμιον καὶ τὸ φῶς, ἡ δὲ νὺξ καὶ τὸ σκότος φίλον· οὕτω καὶ τοῖς
45 δαίμοσι καί τοῖς ὑπ' ἐκείνων πλανωμένοις ἡ πονηρία μὲν καὶ τὰ παράνομα ἅπαντα συνήθη καὶ φίλα, ἐχθρὰ δὲ ἡ ἀρετὴ καὶ τὰ τοῦ φωτὸς ἔργα, καὶ λαμψάντων αὐτῶν, εὐθέως σκοτίζονται, οὐ δεομένου τοῦ ἐν ἀρετῇ ζῶντος πόνου τινὸς καὶ καμάτου. Ἀρκεῖ γὰρ φανῆναι μόνον καὶ
50 πάντα καταλύει ἐκεῖνα.

21 bis. ***Παύσασθε ὑμῖν ἀπὸ τοῦ ἀνθρώπου, οὗ ἐστιν ἀναπνοὴ ἐν μυκτῆρι αὐτοῦ· ὅτι ἐν τίνι ἐλογίσθη αὐτοῖς οὗτος;*** Ἐνταῦθά μοι δοκεῖ τὸν Ἐζεχίαν αἰνίττεσθαι, ἐκ τοῦ δέους καὶ τῆς πολλῆς ἀγωνίας πρὸς ἐσχάτας ὄντα ἀνα-
55 πνοάς. Ἐπεὶ οὖν ὥσπερ ἐν δικτύοις αὐτὸν λαβόντες οἱ βάρβαροι, ἕτοιμον ἐνόμιζον θήραν ἔχειν, καὶ οὐδὲ πόνου δεῖσθαι εἰς τὴν τῆς πόλεως ἅλωσιν καὶ τὴν αἰχμαλωσίαν τὴν ἐκείνου, συνέβη τοὐναντίον τοῖς βαρβάροις. Διὰ τοῦτό φησι· Παύσασθε ἀπὸ τοῦ ἀνθρώπου, οὗ ἐστιν ἀναπνοὴ ἐν
60 μυκτῆρι αὐτοῦ· ὅτι ἐν τίνι ἐλογίσθη αὐτοῖς οὗτος; Τουτέστιν, ὅτι ἐν οὐδενὶ ἐλογίσθη. Καὶ γὰρ ὡς ἐξ ἐπιδρομῆς πάντα ἤλπισαν ἀναιρήσεσθαι· ἐξέβη δὲ τοὐναντίον ἅπαν· καὶ ὁ μηδὲν εἶναι νομιζόμενος παρ' ὑμῖν, ἀλλ' εὐκαταφρόνητος καὶ εὐκαταγώνιστος, οὗτος λαμπρότερος
65 πάντων φανεῖται, τῆς παρὰ τοῦ Θεοῦ ἀπολαύων ῥοπῆς.

38 οὐδὲ : οὔτε *Montf.* ‖ 39 τι > LMGC ‖ 41 ἢ[1] > C ‖ ἢ[2] : καὶ C ‖ 48 σκοτίζονται : -ζεται LMG ‖ 50 καταλύει *scripsi ex* A : καταλῦσαι *cod.* καταλύσει *Montf.* ‖ 51 παύσασθε : παύσασθαι V ‖ 56 ἔχειν θήραν ~ N ‖ 59 παύσασθε : παύσασθαι V ‖ ἐν + τῷ C ‖ 61 ὅτι > V ‖ 63 ὑμῖν : ὑμῶν C ‖ 64 εὐκαταφρόνητος καὶ > V ‖ οὗτος > C.

dérision en les montrant qui se cachent avec leurs dieux, qui s'enfoncent dans la terre, et en indiquant que la richesse de la matière ne saurait même être d'aucune utilité devant la catastrophe imminente. Il a appelé les idoles chauves-souris, soit à cause de leur faiblesse, soit à cause des ténèbres de l'égarement, et parce que tout est l'œuvre cachée des démons. De même en effet que les chauves-souris ont pour ennemis le soleil et la lumière, tandis que la nuit et les ténèbres leur sont chères, de même la méchanceté et toutes les iniquités sont familières et chères aux démons et à ceux qu'ils égarent, tandis que la vertu et les œuvres de lumière leur sont odieuses ; lorsqu'elles resplendissent, ils se voilent aussitôt d'obscurité, sans que celui qui vit dans la vertu ait à se donner de peine et de fatigue. Il lui suffit de paraître pour dissiper ces ténèbres.

21 bis Cessez de compter sur l'homme, qui n'a qu'un souffle dans les narines ; car à combien l'ont-ils estimé[1] *?* Il me semble faire allusion ici à Ézéchias[2] que la terreur et une angoisse extrême avaient réduit au dernier souffle. Quand les Barbares, l'ayant pris pour ainsi dire dans leurs filets, croyaient avoir un butin tout préparé et pouvoir, sans se donner de peine, s'emparer de la ville et l'emmener captif, il leur arriva tout le contraire. Aussi dit-il : « Cessez de compter sur l'homme, qui n'a qu'un souffle dans les narines ; car à combien l'ont-ils estimé ? » C'est-à-dire : ils l'ont estimé pour rien. Ils avaient espéré tout emporter comme à l'improviste ; or, tout le contraire s'est produit, et celui que vous réputiez un néant, un homme méprisable et facile à vaincre, se montrera plus glorieux que tous, car il jouit de la grâce de Dieu.

1. Ce verset 21 bis est ignoré de la plupart des témoins de la LXX.
2. Ézéchias, roi de Juda (715-696), était contemporain du prophète Isaïe.

ΚΕΦΑΛ. Γ'

1 1. ***Ἰδοὺ δὴ ὁ Δεσπότης Κύριος Σαβαὼθ ἀφελεῖ ἀπὸ τῆς Ἰουδαίας καὶ ἀπὸ Ἱερουσαλὴμ ἰσχύοντα καὶ ἰσχύουσαν.***

Καθάπερ ἰατρὸς ἄριστος νῦν μὲν καίων, νῦν δὲ τέμνων, νῦν δὲ πικρὰ διδοὺς φάρμακα, μεθοδεύει τῶν ἀρρω-
5 στούντων τὴν ὑγίειαν· οὕτω δὴ καὶ ὁ φιλάνθρωπος Θεός, ποικίλαις καὶ διαφόροις τιμωρίαις τὸ διαρρέον καὶ ἀναπεπτωκὸς τῶν Ἰουδαίων ἐπισφίγγων νῦν μὲν τῇ τῶν βαρβάρων ἐφόδῳ φοβεῖ τοὺς ἀγνώμονας, νῦν δὲ καὶ πρὸ τῆς ἐκείνων ἐπιθέσεως ἑτέραις αὐτοὺς ἀπειλαῖς
10 καταστέλλει, τῇ ποικιλίᾳ τῶν ἀπειλῶν ἀκμάζοντα διατηρῶν ἐν αὐτοῖς τὸν φόβον. Νῦν γοῦν ἀσθένειαν αὐτοὺς ἀπειλεῖ καὶ λιμὸν καὶ αὐχμόν, οὐχὶ τῶν ἀναγκαίων, ἀλλὰ καὶ ἐκείνων τῶν οὐδὲν ἔλαττον τῶν ἐπιτηδείων τὴν ἡμετέραν συνεχόντων ζωήν. Οὐ γὰρ δὴ λιμὸς χαλεπὸν μόνον, ἀλλὰ
15 καὶ τὸ ἐν ἐρημίᾳ καθεστάναι τῶν κυβερνώντων τὰ πράγματα· ὃ καὶ τὴν εὐθηνίαν λιμοῦ χαλεπωτέραν ἀποφαίνειν εἴωθε. Τί γὰρ ὄφελος ἐκ πηγῶν ἅπαντα ἐπιρρεῖν, ὅταν ἐμφύλιοι τίκτωνται πόλεμοι καὶ ἡ θάλασσα διεγείρηται καὶ τῶν κυμάτων μαινομένων μήτε κυβερνήτης μήτε
20 πρωρεὺς μήτε ἄλλος τις ᾖ δυνάμενος διαθεῖναι τὸν τῶν πραγμάτων χειμῶνα καὶ καταστῆσαι γαλήνην; Ὅταν δὲ μετὰ τούτων καὶ λιμὸς ᾖ, ἐννόησον τῶν κακῶν τὴν

Testes V LMGCN A

1, 1 δὴ > V ‖ 2 ἰσχύουσαν + διδάσκει τὰ ἐπαγόμενα τέως οὖν C ‖ 4 διδοὺς πικρὰ ~ C ‖ 11 αὐτοὺς : αὐτοῖς CN ‖ 17 πηγῶν : πηγῆς C ‖ 18 τίκτωνται : ἀπο- C

CHAPITRE III

1 Mais voici que le Maître, le Seigneur Sabaoth, enlèvera de la Judée et de Jérusalem l'homme valide et la femme valide.

Tel un excellent médecin qui, tour à tour cautérisant, tranchant et donnant des potions amères, n'a en vue que la santé des malades, le Dieu ami des hommes use de châtiments variés et divers, comme pour panser les plaies et remédier aux faiblesses des Juifs[1] ; tantôt il effraie les ingrats par l'invasion des Barbares, tantôt, avant même l'attaque de ces derniers, il les retient au moyen d'autres menaces, par la diversité desquelles il entretient en eux une crainte vivace. Maintenant donc il les menace d'infirmité, de famine, d'indigence, par rapport non aux choses de première nécessité, mais à celles qui n'ont pas moins d'importance pour le soutien de notre vie. En effet, la famine n'est pas le seul mal à redouter ; c'en est un aussi que le manque d'hommes capables de gouverner l'État, et ce mal fait d'habitude paraître l'abondance plus pénible que la famine. A quoi sert-il que tous les biens coulent de source, lorsque naissent des guerres intestines, que la mer se soulève et que sur les flots en fureur il n'y a ni pilote, ni homme de proue[2], ni aucun autre qui soit capable d'apaiser la tempête des événements et de rétablir le calme ? Mais lorsque vient s'ajouter la famine, songe à l'immensité du malheur. Or, Dieu

1. Jean songe à un bandage qui serre et contraint le membre ou la partie malade.
2. Cf. ESCHYLE, *Sept contre Thèbes*, 1-3.

ὑπερβολήν. Ταῦτα οὖν ἅπαντα ἀπειλεῖ ὁ Θεὸς καὶ πρῶτον τὸ πάντων χαλεπώτερον. Ἰδοὺ γάρ, φησίν, ὁ Δεσπότης
25 Κύριος Σαβαώθ. Τῇ λέξει ταύτῃ · Ἰδού, συνεχῶς οἱ προφῆται κέχρηνται, ὅταν πληροφορῆσαι τὸν ἀκροατὴν βούλωνται περὶ τῶν λεγομένων. Οὐκ ἐνταῦθα δὲ μόνον, ἀλλὰ καὶ ἄνωθεν καὶ ἐξ ἀρχῆς ἔστιν ἰδεῖν, ὅτι τῆς σωματικῆς ἀσθενείας αἱ ἁμαρτίαι προηγήσαντο πολλάκις,
30 ὡς ἐπὶ τοῦ Κάϊν · ἐπειδὴ γὰρ οὐ καλῶς ἐχρήσατο τῇ ἰσχύϊ, παρελύθη καλῶς. Οὕτω καὶ ὁ ἐπὶ τῆς κολυμβήθρας · ὅτι γὰρ ἡ πηγὴ τῆς παρέσεως τὰ ἁμαρτήματα ἦν, φησὶν ὁ Χριστός · Ἴδε, ὑγιὴς γέγονας, μηκέτι ἁμάρτανε[a]. Καὶ ὁ Παῦλος δέ φησι · Διὰ τοῦτο ἐν ὑμῖν πολλοὶ
35 ἀσθενεῖς[b] · ἐπειδὴ ἥμαρτανον, οὐ καθαρῷ συνειδότι τῶν μυστηρίων μεταλαμβάνοντες. Καὶ τὸν πεπορνευκότα δὲ ἀσθενείᾳ σώματος παραδίδωσι, ταύτην ὑπὲρ ἁμαρτημάτων ἀπαιτῶν δίκην. Οὐ μὴν πανταχοῦ ἁμαρτημάτων ἐπιτίμιον τοῦτο, ἀλλ' ἔστιν ὅπου καὶ στεφάνων ὑπόθεσις τὸ πρᾶγμα
40 γίνεται, ὡς ἐπὶ τοῦ Λαζάρου[c] καὶ τοῦ Ἰώβ[d]. Οὐκ ἀσθένειαι δὲ μόνον, ἀλλὰ καὶ λῶβαι ἕτεραι σώματος ἐξ ἁμαρτημάτων ἐγίνοντο, ὡς ἡ λέπρα τοῦ Ὀζία διὰ τὴν ἀναισχυντίαν τῆς γνώμης[e], ὡς ἡ χεὶρ τοῦ βασιλέως Ἱεροβοὰμ τὴν ξηρότητα ὑπομείνασα διὰ τὴν ἀπόνοιαν[f]
45 αὐτοῦ καὶ τὴν ἀλαζονείαν. Καὶ τοῦ Ζαχαρίου[g] δὲ ἡ γλῶττα οὐχ ἑτέρωθεν ἐπαιδεύθη, ἀλλ' ἢ διὰ τὴν τῆς ψυχῆς ἁμαρτίαν. Ἐπεὶ οὖν καὶ τοῖς Ἰουδαίοις τὸ εὐσωματεῖν καὶ σφριγᾷν καὶ τούτοις κομᾷν τοῖς πλεονεκτήμασιν ἀπονοίας ὑπόθεσις ἐγίνετο, ὑπέσυρε τῆς ἀλαζονείας τὴν ῥίζαν,
50 νουθετῶν αὐτοὺς καὶ βελτίους ποιῶν καὶ μείζονα διδούς, ἢ ἀφαιρούμενος ἐξ αὐτῶν. Ποῖον γὰρ βλάβος τὸ σῶμα

25 Σαβαώθ + ἀφελεῖ ἀπὸ τῆς Ἰουδαίας καὶ ἀπὸ Ἱερουσαλὴμ ἰσχύοντα καὶ ἰσχύουσαν M[mg]GC || 32 ἡ πηγὴ — ἦν : ἡ πηγὴ τῆς παρέσεως οὐκ ἦν αἰτία, ἀλλὰ τὰ ἁμαρτήματα LMG οὐκ ἄλλο τῆς παρέσεως ἦν αἴτιον ἀλλὰ τὰ ἁμαρτήματα C || 35 οὐ : μὴ C || 45 τὴν > V *Montf.* || δὲ > V || 46 ἐπαιδεύθη V N A : ἐπεδήθη *cett.* || 47 τὸ > *Montf.*

profère toutes ces menaces, et d'abord la plus terrible de toutes. « Voici, dit-il, le Maître, le Seigneur Sabaoth. » Cette expression « voici » est constamment employée par les prophètes, quand ils veulent que l'auditeur soit bien assuré de ce qu'ils disent. On peut voir, non seulement ici, mais précédemment et dès le commencement, que les péchés ont souvent précédé l'infirmité corporelle ; ainsi pour Caïn, quand il eut fait de sa force un usage qui n'était pas bon, c'est à bon droit qu'il fut paralysé[1]. Il en fut de même pour l'homme de la piscine ; que ses péchés aient été la source de sa langueur, le Christ le déclare : « Te voilà guéri, ne pèche plus[a]. » Paul dit aussi : « Voilà pourquoi il y a parmi vous beaucoup d'infirmes[b] » ; car ils péchaient en participant aux mystères avec une conscience qui n'était pas pure. Paul livre aussi le fornicateur à l'infirmité corporelle ; il la réclame comme punition des péchés. Elle n'est pourtant pas toujours la rétribution des péchés, elle est parfois aussi l'occasion de couronnes, comme pour Lazare[c] et pour Job[d]. D'ailleurs, non seulement les infirmités, mais d'autres déchéances physiques étaient la conséquence des péchés, comme la lèpre d'Ozias provoquée par l'impudence de son dessein[e], comme la main du roi Jéroboam qui se dessécha par suite de sa présomption et de sa forfanterie[f]. De même la langue de Zacharie[g] ne fut pas châtiée pour une autre raison que pour le péché de son âme[2]. Puisque la santé, la vigueur et la vanité que leur inspiraient ces avantages étaient pour les Juifs une occasion de présomption, Dieu extirpait la racine de la forfanterie en les reprenant, en les rendant meilleurs, en leur donnant plus qu'il ne leur enlevait. Quel dommage y a-t-il

1. a. Jn 5, 14. b. I Cor. 11, 30. c. cf. Lc 16, 19-31. d. cf. Jac. 5, 11, Job 1, 21-22. e. cf. II Chr. 26, 16-21. f. cf. III Rois 13, 4. g. cf. Lc 1, 20.

1. Cf. *Homélies sur Ozias,* IV, 6 (*SC* 277, p. 170).
2. Cf. *Homélies sur Ozias,* IV, 6 (*SC* 277, p. 172).

ἀσθενεῖν, ὅταν ἐντεῦθεν παιδεύηται ἡ ψυχή; Εἶτα ἵνα μὴ νομίσωσι φύσεως ἀσθενείας εἶναι τὸ γενόμενον πάθος, προανεφώνησεν αὐτὰ ὁ προφήτης καὶ οὐ μέχρι τῶν
55 ἀνδρῶν ἔστησε τὴν ἀπειλήν, ἀλλὰ καὶ ἐπὶ τὸ γυναικεῖον γένος διεβίβασε τὴν τιμωρίαν, ἐπειδὴ καὶ ἑκατέρα ἡ φύσις διέφθαρτο, καὶ προϊὼν διὰ τὴν ὑπερβολὴν τῆς ἀτοπίας καὶ πρὸς αὐτὰς ἀποτείνεται τὰς γυναῖκας, ἐγκαλῶν αὐταῖς ἐγκλήματα, ἃ τὴν πόλιν αὐτὴν ἐκ βάθρων ἀνέτρεπεν. Διὰ
60 δὴ τοῦτο καὶ αὐτὰς τῷ λοιμῷ περιβάλλει· ἢ γὰρ λοιμὸν αἰνίττεσθαί μοι δοκεῖ λέγων· Ἀφελῶ ἰσχύοντα καὶ ἰσχύουσαν· ἢ ἄλλην τινὰ σωματικὴν ἀσθένειαν, οὐδὲ ἰατρῶν εἴκουσαν τέχναις. Τοιαῦται γὰρ αἱ τοῦ Θεοῦ πληγαί.

Ἰσχὺν ἄρτου καὶ ἰσχὺν ὕδατος. Χαλεπωτάτη ἡ τιμωρία,
65 ὅταν μὴ αὐτὴν ἀναιρῇ τὴν οὐσίαν, ἀλλὰ τὴν ἐξ αὐτῆς ἐγγινομένην δύναμιν, ὥστε καὶ τῇ ὄψει κολάζεσθαι μηδέποτε ἐμπιπλαμένους καὶ αὐτόθεν συνορᾶν, ὅτι θεήλατος ἦν ἡ ὀργή.

2. ***Γίγαντα καὶ ἰσχύοντα.*** Γίγαντα ἀεὶ ἡ Γραφὴ τὸν
70 ἰσχυρὸν λέγειν εἴωθεν, ἢ τὸν ὑπερέχοντα τῶν πολλῶν τῇ τῶν μελῶν ἀναλογίᾳ. Καὶ γὰρ ἐν τῇ κτίσει ὅταν λέγῃ· Οὗτοι ἦσαν οἱ γίγαντες, οἱ ἄνθρωποι οἱ ὀνομαστοί[h], οὐκ ἄλλο τι γένος γεγενῆσθαι διηγουμένη ταῦτά φησιν, ἀλλὰ τοὺς ἰσχυροὺς καὶ εὐρώστους καὶ σφριγῶντας ἡμῖν αἰνίτ-
75 τεται.

Καὶ ἄνθρωπον πολεμιστὴν καὶ δικαστήν. Ἀφόρητος ἡ τιμωρία καὶ ἐσχάτης ἀπωλείας ἀπόδειξις τὰ εἰρημένα, καί, τῶν τειχῶν ἑστώτων καὶ τῶν πύργων, αὔτανδρον τοῖς πολεμίοις τὴν πόλιν παραδιδόναι δύναιτ' ἄν. Ἀσφάλεια

53 νομίσωσι : νομίσῃς C ‖ ἀσθενείας *ex* A *scripsi* : ἀσθενείαν *cod.* ‖ γενόμενον : γινό- C ‖ πάθος *ex* A *addidi* ‖ 59 ἀνέτρεπεν : ἀνέτρεπον C ‖ 60 λοιμῷ : λιμῷ N ‖ περιβάλλει : παραβάλλει N ‖ ἢ : εἰ V καὶ *Montf.* ‖ λοιμὸν : λιμὸν N ‖ 64 τιμωρία + αἰσθητῶς νοουμένη C ‖ 68 ἡ > V ‖ 72 οἱ ἄνθρωποι, οἱ γίγαντες ~ LMG ‖ 73 ἀλλὰ + καὶ V C

quand le corps est infirme, si l'âme en retire un enseignement ? Puis, pour qu'ils ne pensent pas que les maux survenus sont dus à une infirmité de la nature, le prophète les leur a annoncés, et il n'a pas borné sa menace aux hommes, mais il a étendu le châtiment au sexe féminin, car la nature de l'un et de l'autre sexe avait été corrompue ; et il poursuit en s'en prenant aux femmes elles-mêmes pour l'excès de leur extravagance, leur reprochant des crimes qui ont ruiné la cité de fond en comble. C'est pourquoi il les menace de la peste, car c'est à la peste qu'il me semble faire allusion par ces mots : « J'enlèverai l'homme valide et la femme valide », ou à une autre infirmité corporelle qui déjoue l'art des médecins. Tels sont les fléaux envoyés par Dieu.

La force du pain et la force de l'eau. C'est un châtiment bien terrible qui ne détruit pas la substance elle-même, mais supprime l'énergie qu'elle procure, si bien qu'on est tourmenté du fait qu'on les voit sans jamais pouvoir se rassasier, et qu'on reconnaît par là l'effet de la colère divine[1].

2 Géant et homme vigoureux. L'Écriture a coutume d'appeler géant l'homme fort ou celui qui l'emporte sur la plupart par les proportions de ses membres. Quand elle dit dans le récit de la création : « C'étaient des géants, ces hommes fameux[h] », elle ne veut pas dire qu'il a existé une autre race, elle veut seulement nous montrer des hommes forts, robustes, pleins de sève.

Homme de guerre et juge. Le châtiment est accablant, et les termes employés indiquent une destruction totale ; alors que les murs et les tours sont encore debout, cela pourrait livrer aux ennemis la ville avec ses habitants[2]. La sécurité des villes

h. Gen. 6, 4.

1. La phrase est sibylline. Le pain a perdu ses vertus nutritives et la vue de cet aliment inutile tourmente l'affamé.

2. Un thème qu'on retrouve chez Alcée : cf. Denys PAGE, *Sappho and Alcaeus*, Oxford 1965, p. 234.

80 γὰρ πόλεων οὐκ ἐν λίθοις καὶ ξύλοις καὶ περιβόλοις, ἀλλ' ἐν τῇ συνέσει τῶν τὴν πόλιν οἰκούντων, οἳ ἡνίκα μὲν ἂν ὦσι, καὶ πολεμίων ὄντων, ἀσφαλέστερον ἁπάντων αὐτὴν τειχίζουσιν· ἡνίκα δὲ ἂν ἀπῶσι, καὶ μηδενὸς ἐνοχλοῦντος, τῆς πολιορκουμένης ἀθλιωτέραν αὐτὴν ἀποφαίνουσιν.

2 Ὥστε κἀκείνους καὶ τοὺς ἀκούοντας ἅπαντας οὐ μικρὸν φιλοσοφίας δόγμα διὰ τούτων ὁ προφήτης ἐπαίδευσε, πείθων μηδέποτε μεγέθει πόλεως θαρρεῖν, μηδὲ τάφροις καὶ μηχανήμασιν, ἀλλ' ἀνδρῶν ἐπιεικῶν ἀρετῇ. Φοβῶν τοίνυν 5 αὐτούς φησιν, ὅτι ἐρημώσει τῆς ἀσφαλείας αὐτήν, οὐ τοὺς πολεμεῖν εἰδότας ἀναρπάζων μόνον, ἀλλὰ καὶ τοὺς δικάζειν ἐπισταμένους, οἳ τῶν πολεμούντων οὐκ ἔλαττον συντελοῦσι ταῖς πόλεσιν, εἰρήνην τε εὖ διατιθέντες καὶ πολέμους πολλάκις ἐπιόντας ἀποκρουόμενοι. Ἐπειδὴ γὰρ 10 καὶ οὗτοι συνεχῶς ἀπὸ τῆς τῶν ἁμαρτημάτων φύονται ῥίζης, δυνατὸν τοὺς τῶν νόμων φύλακας καὶ τοῦ δικαίου μετὰ ἀκριβείας προϊσταμένους, τὰ πλείονα τῶν ἁμαρτημάτων ἀναστέλλοντας ἀναιρεῖν καὶ τοῦ πολέμου τὴν ὑπόθεσιν. Τίνος οὖν ἕνεκεν ὁ Θεὸς αὐτοὺς ἀνασπᾷ; Ἐπειδὴ 15 παροῦσιν αὐτοῖς οὐκ εἰς δέον ἐκέχρηντο. Ὥσπερ γὰρ τὰ σωτήρια αὐτοῦ διδάγματα πολλὴν ἔφερον τοῖς ἀκροωμένοις τὴν ὠφέλειαν, ἐπὶ δὲ τῶν Ἰουδαίων δημηγορῶν, ἀσαφείᾳ τὰ λεγόμενα ἔκρυπτεν, ἐπειδὴ μὴ προσεῖχον τοῖς λεγομένοις· οὕτω δὴ καὶ τὰ δῶρα αὐτοῦ τὰ μεγάλα ταῦτα 20 καὶ σωτηρίαν ἡμῖν πολλὴν κομίζοντα ἐκ μέσου πολλάκις ἀναιρεῖ, ὅταν οἱ λαμβάνοντες μηδὲν ἀπ' αὐτῶν βουληθῶσι καρπώσασθαι.

Καὶ προφήτην καὶ στοχαστήν. Οὐ μικρὸν δὲ ὀργῆς εἶδος καὶ τὸ τὰς προφητείας ἐπιλιπεῖν. Ὅτε γοῦν τὸν τῶν 25 Ἰουδαίων δῆμον διὰ τὰ ἁμαρτήματα τῶν τοῦ Ἠλὶ παίδων ὁ Θεὸς ἀπεστράφη καὶ τὴν πολλὴν τοῦ πλήθους κακίαν, ἐπέλιπεν ἡ προφητεία· Ῥῆμα γὰρ τίμιον, φησίν, ἦν, καὶ

2, 2 ἐπαίδευσεν ὁ προφήτης ~ C ‖ 5 αὐτούς : αὐτοῖς V N ‖ 10 καὶ > V ‖

ne réside pas en effet dans les pierres, le bois, les enceintes, mais dans l'intelligence de leurs habitants dont la présence, même si les ennemis sont là, constitue pour la ville le rempart le plus sûr ; mais dont l'absence, même si personne n'attaque la ville, la rend plus malheureuse qu'une ville assiégée.

Le prophète a ainsi donné par ces paroles aux Juifs et à tous ses auditeurs une grande leçon de philosophie, en leur conseillant de ne pas mettre leur espoir dans la grandeur d'une ville, ni dans des tranchées et des machines de guerre, mais dans la valeur des hommes de bien. Pour les effrayer, il leur déclare donc qu'il ôtera à la ville sa sécurité en enlevant non seulement les hommes capables de combattre, mais aussi ceux qui savent juger et dont le rôle n'est pas moins important que celui des guerriers pour les cités, puisqu'ils consolident la paix et écartent souvent des guerres menaçantes. Comme ces dernières, en effet, naissent toujours de la racine des péchés, les gardiens des lois, qui président avec rigueur à l'exercice de la justice, ont aussi le pouvoir, en réprimant la plupart des péchés, de supprimer aussi la cause de la guerre. Pourquoi donc Dieu leur retire-t-il les juges ? Parce qu'ils ne profitaient pas comme il eût fallu de leur présence. Ses enseignements salutaires apportaient certes beaucoup d'avantages à ceux qui les entendaient, mais en parlant aux Juifs il voilait d'obscurité ses paroles, car ils n'y prêtaient pas attention; il en est de même pour ces grands bienfaits qui nous procurent largement le salut : souvent il les retire, quand ceux qui les reçoivent ne veulent en retirer aucun fruit.

Prophète et devin. Ce n'est pas un faible signe de colère que la cessation des prophéties. Quand Dieu se fut détourné du peuple juif à cause des péchés des enfants d'Héli et de la perversité de la multitude, la prophétie cessa. « La parole était

13 ὑπόθεσιν : πρόφασιν C || 14 αὐτοὺς ὁ Θεὸς ~ LMGCN || 25 τοῦ > LMGCN

οὐκ ἦν ὅρασις διαστέλλουσα[a]. Τίμιον, τουτέστι, σπάνιον. Καὶ ἐπὶ τοῦ Ὀζίου τὸ αὐτὸ τοῦτο γέγονεν · οὐ γὰρ μικρὰ
30 καὶ ἐντεῦθεν ἐκαρποῦντο, εἴ γε ἐβούλοντο. Τὸ γὰρ μανθάνειν τὰ παρὰ τοῦ Θεοῦ καὶ πρὸς τὰ μέλλοντα παρασκευάζεσθαι δεινὰ καὶ ὑπὲρ τῶν ἀδήλων πυνθάνεσθαι καὶ πότε μὲν ἐπιθέσθαι δεῖ πολεμίοις πότε δὲ ἡσυχάζειν, καὶ πῶς ἅπαντα τὰ λυπηρὰ διακρούεσθαι δέοι, πολλὴν ἔφερεν
35 αὐτοῖς σωτηρίας εὐκολίαν. Ἀλλ' ἐπειδὴ μανθάνοντες οὐκ ἐποίουν, διὰ τοῦτο καὶ τὸ μανθάνειν αὐτῶν ἀφεῖλεν · ὃ πολλῆς τοῦ Θεοῦ φιλανθρωπίας δεῖγμα ἦν, τὸ καὶ προειδότα τὰ μέλλοντα καὶ ὡς οὐ χρήσονται εἰς δέον τοῖς παρ' αὐτοῦ δώροις, τὰ γοῦν παρ' αὐτοῦ ἅπαντα παρασχεῖν.
40 Μετὰ δὲ τοῦ προφήτου καὶ στοχαστήν φησιν ἀναιρεῖν. Ἐνταῦθά μοι δοκεῖ λέγειν στοχαστὴν τὸν ἀπὸ συνέσεως πολλῆς τῶν μελλόντων στοχαζόμενον καὶ ἀπ' αὐτῆς τῶν πραγμάτων τῆς πείρας. Ἕτερον μὲν γὰρ στοχασμὸς καὶ προφητεία ἄλλο · ὁ μὲν γὰρ Πνεύματι θείῳ φθέγγεται,
45 οὐδὲν οἴκοθεν εἰσφέρων · ὁ δὲ τὰς ἀφορμὰς ἀπὸ τῶν ἤδη γεγενημένων λαμβάνων καὶ τὴν οἰκείαν σύνεσιν διεγείρων, πολλὰ τῶν μελλόντων προορᾷ, ὡς εἰκὸς ἄνθρωπον ὄντα συνετὸν προϊδεῖν. Ἀλλὰ πολὺ τὸ μέσον τούτου κἀκείνου καὶ τοσοῦτον, ὅσον συνέσεως ἀνθρωπίνης καὶ
50 θείας χάριτος τὸ διάφορον. Ἵνα δὲ καὶ ἐπὶ ὑποδείγματος τὸν λόγον ποιήσω φανερόν, ἐννοήσωμεν τὸν Σολομῶντα καὶ τὸν Ἐλισσαῖον · ἀμφότεροι γὰρ κεκρυμμένα πράγματα εἰς μέσον ἤγαγον καὶ κεκρυμμένα ἀνεκάλυψαν · ἀμφότεροι δὲ οὐ τῇ αὐτῇ δυνάμει · ἀλλ' ὁ μὲν ἀπὸ συνέσεως ἀνθρω-
55 πίνης παρὰ τῆς φύσεως λαβὼν ἀφορμὰς ἐπὶ τῶν πόρνων γυναικῶν ἐκείνων[b] · ὁ δὲ λογισμῷ μὲν οὐδενὶ χρησάμενος (ποῖος γὰρ λογισμὸς ἀνακαλῦψαι δυνατὸς ἦν τοῦ Γιεζῆ

29 Ὀζίου : Ὀζία V M[1]N ‖ 31 παρὰ > C ‖ 35 αὐτοῖς : ἑαυτοῖς LMG ‖ 36 ἀφεῖλεν αὐτων ~ N ‖ 41 στοχαστὴν <οὖν> ἐνταῦθά μοι δοκεῖ λέγειν ~ C ‖ 42 στοχαζόμενον C A : στοχάζεσθαι *cett.* ‖ 43 μὲν > LMGCN ‖ 44 ἄλλο προφητεία ~ LMGCN

précieuse, est-il dit, et la vision n'était pas fréquente[a]. » « Précieuse », c'est-à-dire rare. La même chose arriva du temps d'Ozias ; ils auraient pu alors aussi tirer de grands avantages, si du moins ils l'avaient voulu. En effet, s'instruire auprès de Dieu, se préparer aux dangers futurs, consulter sur les événements incertains, savoir quand il faut attaquer l'ennemi et quand se tenir en repos, comment aussi on devra écarter toutes les calamités, tout cela leur apportait une grande facilité de salut. Mais comme ils n'agissaient pas suivant ce qu'ils apprenaient, il leur ôta ces instructions mêmes ; c'était une preuve de la grande bonté de Dieu que, connaissant l'avenir et sachant qu'ils ne feraient pas un bon usage de ses dons, il leur procura néanmoins tout ce qui était en son pouvoir.

Il dit qu'avec le prophète il enlèvera aussi le devin. Il me semble appeler ici devin celui qui est capable de conjecturer l'avenir grâce à une profonde intelligence et à l'expérience des faits. La divination et la prophétie sont en effet deux choses différentes : le prophète parle sous l'inspiration divine, sans rien apporter de lui-même ; le devin, de son côté, part de ce qui s'est déjà passé, met en œuvre sa propre intelligence et prévoit beaucoup d'événements futurs, comme le fait normalement un homme intelligent. Mais la différence est grande entre l'un et l'autre : c'est toute la distance qui sépare l'intelligence humaine de la grâce divine. Pour illustrer mon discours par un exemple, pensons à Salomon et à Élisée : tous deux ont fait connaître des choses cachées, dévoilé des choses cachées ; mais ils n'agissaient pas tous deux par la même puissance : l'un se servit de l'intelligence humaine et partit de la nature dans le jugement des prostituées que l'on sait[b], l'autre, sans recourir à aucun raisonnement – quel aurait-il pu être ? –, fut

2. a. I Sam. 3, 1. b. cf. III Rois 3, 16-28.

τῆν κλοπήν;), θείᾳ δὲ χάριτι τὰ πόρρωθεν γεγενημένα[c] προιδών.

60 ***Καὶ πρεσβύτερον*** 3. ***καὶ πεντηκόνταρχον.*** Μετὰ δὴ τούτων καὶ πρεσβύτερον καὶ πεντηκόνταρχόν φησιν ἀναιρήσειν· πρεσβύτερον οὐχ ἁπλῶς γεγηρακότα λέγων, ἀλλὰ τὸν μετὰ τῆς πολιᾶς τὴν προσήκουσαν τῇ πολιᾷ διατηροῦντα σύνεσιν. Καὶ πεντηκόνταρχον δὲ ὅταν λέγῃ, οὐχ ἕνα τινὰ 65 πεντηκόνταρχόν φησιν, ἀλλὰ τῷ ὀνόματι τούτῳ τοὺς ἄρχοντας πάντας αἰνίττεται. Οὐδὲν γάρ, οὐδὲν ἀναρχίας χαλεπώτερον, ὥσπερ οὖν οὐδὲ πλοίου τι σφαλερώτερον γένοιτ' ἂν κυβερνήτην οὐκ ἔχοντος. Καὶ οὐδὲ ἐνταῦθα ἵσταται, ἀλλὰ καὶ ἑτέραν μεγάλην ἀσφάλειαν ἀναιρήσειν 70 ἀπειλεῖ, τοὺς τὰ ἄριστα βουλεύειν εἰδότας, οἳ τῶν ὅπλων οὐκ ἐλάττονα εἰσφέρουσιν εὐεργεσίαν ταῖς πόλεσιν.

Ἀφελῶ γάρ, φησί, ***καὶ θαυμαστὸν σύμβουλον καὶ σοφὸν ἀρχιτέκτονα.*** Οὐχὶ τὸν οἰκοδόμον λέγων, ἀλλὰ τὸν τῶν πραγμάτων ἔμπειρον καὶ πολλὰ ἐπιστάμενον καὶ μετὰ 75 συνέσεως ἅπαντα τὰ τῆς πόλεως διατιθέναι πράγματα εἰδότα.

3 Καὶ μετὰ τούτων· ***Καὶ συνετὸν ἀκροατήν.*** Ἂν γὰρ τοῦτο ἀπῇ, κἂν τἄλλα ἅπαντα παρῇ, πλέον οὐδὲν ἔσται ταῖς πόλεσι, κἂν προφῆται ὦσι, κἂν σύμβουλοι, κἂν δυνάσται, ὁ δὲ ἀκουσόμενος μηδεὶς ᾖ, πάντα εἰκῇ καὶ 5 μάτην. Ἐμοὶ δὲ δοκεῖ ἐνταῦθα τὸ Ἀφελῶ λέγειν, τὸ ἐάσω καὶ ἀφήσω, ὥσπερ ὁ Παῦλός φησι· Παρέδωκεν αὐτοὺς ὁ Θεὸς εἰς ἀδόκιμον νοῦν[a]· οὐ τοῦτο δεικνύς, ὅτι ἐνέβαλεν εἰς ἄνοιαν, ἀλλ' ὅτι ἀφῆκε καὶ εἴασεν ἀνοήτους ὄντας.

4. ***Καὶ ἐπιστήσω νεανίσκους ἄρχοντας αὐτῶν.*** Τοῦτο 10 ἀναρχίας χεῖρον καὶ πολλῷ χαλεπώτερον. Ὁ μὲν γὰρ οὐκ ἔχων ἄρχοντα, ἀπεστέρηται τοῦ χειραγωγοῦντος· ὁ δὲ

59 προιδών : προειδώς *Montf.* || 61 ἀναιρήσειν *scripsi ex* A : ἀφελεῖν C ἀναιρεῖν *cett.* || 64 καὶ... δὲ > C || 66 ἀναρχίας : ἀπαρχίας || 67 οὖν > V || 69 ἀναιρήσειν : ἀφαιρήσειν C || 70 βουλεύειν : συμβουλεύειν LMGN || 71 ἐλάττονα... εὐεργεσίαν : ἐλάττονας... εὐεργεσίας C || 73 τὸν[2] > *Montf.*

capable de découvrir le vol de Giézi, éclairé par une grâce divine sur ce qui s'était passé au loin[c].

Vieillard 3 et chef de cinquante. Il annonce donc qu'il enlèvera outre ceux-ci le vieillard et le chef de cinquante. Par vieillard il n'entend pas un homme qui a simplement vieilli, mais celui qui joint aux cheveux blancs la sagesse qui doit les accompagner. Et quand il parle du chef de cinquante, il ne limite pas sa pensée à un chef de cinquante quelconque, mais il suggère par ce nom tous les chefs. Rien en effet, rien n'est plus terrible que l'anarchie, comme en fait rien ne serait plus dangereux qu'un navire sans pilote. Et il ne s'en tient pas là, mais il menace de leur ôter une autre grande protection, ceux qui savent donner les meilleurs avis et qui procurent aux cités un secours non moins utile que celui des armes.

J'enlèverai, dit-il, *conseiller admirable et sage architecte.* Il ne parle pas du constructeur de maisons, mais de celui qui possède l'expérience des affaires et de vastes connaissances et qui sait administrer avec intelligence tous les intérêts de la cité.

Il ajoute : *auditeur intelligent.* Quand cela fait défaut, même si tout le reste s'y trouve, les cités ne gagneront rien à posséder des prophètes, des conseillers, des princes ; s'il n'y a personne pour les écouter, tout sera vain et inutile. Il me semble qu'en disant ici : « j'enlèverai », il veut dire : je laisserai, j'abandonnerai, comme Paul qui déclare : « Il les a livrés à leur sens réprouvé[a]. » Il ne veut pas dire qu'il les a précipités dans la démence, mais qu'il les a laissés et abandonnés dans leur état de démence.

4 Et je leur donnerai comme chefs des adolescents. Voilà une chose pire et beaucoup plus grave que l'anarchie. Celui qui n'a pas de chef est privé de guide, mais celui qui en a un

3, 1 τούτων V : τούτου C τοῦτον *cett.* || 2 ἔσται : ἐστι V || 5 δὲ > V CN || 6-7 ὁ θεὸς > V N || 11 ἀπεστέρηται : ἐστέρηται C

c. cf. IV Rois 5, 19-27. **3.** a. Rom. 1, 28.

πονηρὸν ἔχων τὸν ἐμβάλλοντα εἰς κρημνοὺς ἔχει. Νεανίσκους δὲ ἐνταῦθα οὐχὶ ἁπλῶς τὴν ἡλικίαν διαβάλλων
ἔφησεν, ἀλλ' ἀπὸ τοῦ πλεονάζοντος τὴν ἄνοιαν αὐτῶν ἐπι-
15 δείκνυται. Ἔστι γὰρ καὶ νέους εἶναι συνετοὺς καὶ γεγηρακότας ἀνοίᾳ συζῆν· ἀλλ' ἐπειδὴ τοῦτο μὲν σπανιάκις
συμβαίνειν εἴωθε, τὸ δὲ πλεονάζον τοὐναντίον ἐστίν, ἐξ
ἐκείνου ἀνοήτους ὠνόμασεν. Ἐπεὶ καὶ Τιμόθεος νέος ἦν[b],
καὶ μυρίων γεγηρακότων σοφώτερον τὰς Ἐκκλησίας
20 διώρθωσε· καὶ Σολομῶν ἡνίκα μὲν δωδεκαέτης ἦν[c], τῷ
Θεῷ διελέγετο καὶ πολλῆς ἀπήλαυε παρρησίας, καὶ ἀνεκη-
ρύττετο καὶ ἐστεφανοῦτο καὶ θέατρον ἀπὸ τῶν βαρβάρων
τῆς ἑαυτοῦ σοφίας ἐκάθιζε καὶ οὐκ ἄνδρες μόνον, ἀλλὰ
ἤδη καὶ γυναῖκες πόρρωθεν ἐπιοῦσαι ταύτην μόνην τῆς
25 ἀποδημίας τὴν ὑπόθεσιν εἶχον, τὸ μαθεῖν τι καὶ ἀκοῦσαι
παρὰ τῆς ἐκείνου φωνῆς[d]· ἐπειδὴ δὲ εἰς γῆρας ἦλθε,
πολλῷ τῆς ἀρετῆς καθυφῆκε[e]. Καὶ ὁ τούτου δὲ πατὴρ ὁ
μακάριος Δαυῒδ τὴν χαλεπὴν ἁμαρτίαν ἐκείνην οὐχ ἡνίκα
παῖς καὶ μειράκιον ἦν, ἀλλ' ἡνίκα τὴν ἡλικίαν ὑπερέβη
30 ταύτην, τότε ἥμαρτεν. Ὅτε δὲ παιδίον μικρὸν ἐτύγχανεν
ὄν, καὶ τρόπαιον ἀνέστησε θαυμαστὸν καὶ τὸν βάρβαρον
κατήνεγκε καὶ πᾶσαν ἐπεδείξατο φιλοσοφίαν καὶ οὐδὲν ἡ
νεότης αὐτῷ πρὸς τὰ κατορθώματα ταῦτα κώλυμα γέγονε[f].
Καὶ τὸν Ἱερεμίαν δὲ τὴν ἀπὸ τῆς ἡλικίας προβαλλόμενον
35 παραίτησιν οὐκ ἀπεδέξατο ὁ Θεός, ἀλλ' ἐξήγαγεν ἐπὶ τὸν
τῶν Ἰουδαίων δῆμον, οὐδὲν ἐντεῦθεν αὐτὸν κωλύεσθαι
λέγων, εἰ τὰ τῆς διανοίας ἐρρωμένα εἴη[g]. Ταύτην ἄγων
τὴν ἡλικίαν, μᾶλλον δὲ καὶ ταύτης ἐλάττονα πολλῷ, τοὺς
πρεσβυτέρους ἔκρινεν ὁ Δανιήλ[h]. Καὶ Ἰωσίας δὲ οὐδὲ δέκα
40 ἔτη γεγονὼς ὅλα, ἐπὶ τὸν τῆς βασιλείας ἀνέβη θρόνον·
καὶ τότε μὲν εὐδοκίμει, μετὰ δὲ ταῦτα κατολιγωρήσας,
μικρόν, ἐλυμήνατο τὴν τῆς ψυχῆς ἀρετήν[i]. Τί δὲ ὁ

13 ἐνταῦθα + οὖν ἔφησεν C ‖ 14 ἔφησεν > C ‖ ἐπιδείκνυται : ἐπιδεικνυς C ‖ 18 ἐκείνου + τοὺς C ‖ 23 ἑαυτοῦ : αὐτοῦ V N ‖ 27 καθύφηκε : καθυφήκει C ‖ 31 ὄν : ὢν C ‖ 41 εὐδοκίμει : ηὐδοκίμει C ‖ 42 τὴν τῆς ψυχῆς

mauvais a un homme qui le fera tomber dans les précipices. En parlant d'adolescents, il ne fait pas précisément la critique de leur âge, mais il vise leur sottise d'après le cas le plus fréquent. Il y a aussi des jeunes gens intelligents et des vieillards qui vivent sottement; mais comme cela d'ordinaire est rare, tandis que le contraire se voit le plus souvent, il a désigné par ce nom des insensés. Timothée était jeune [b], et il gouverna les Églises avec plus de sagesse qu'une multitude de vieillards; Salomon âgé de douze ans [c] s'entretenait avec Dieu et jouissait d'une grande assurance; proclamé roi et couronné, il siégeait, ayant les Barbares pour spectateurs de sa sagesse, et non seulement des hommes, mais des femmes venant de loin n'avaient d'autre motif de leur voyage que d'apprendre et d'entendre une parole de sa bouche [d]; cependant, quand il arriva à la vieillesse, il s'écarta loin de la vertu [e]. Son propre père, le bienheureux David, ne commit pas le grave péché que l'on sait dans l'enfance ou dans l'adolescence, mais c'est après être sorti de cet âge qu'il pécha. Alors qu'il n'était qu'un jeune enfant, il dressa un trophée admirable, terrassa le barbare, et manifesta une parfaite philosophie, sans que la jeunesse ait été un obstacle pour ces hauts faits [f]. Quand Jérémie invoqua l'excuse de son âge, Dieu n'agréa pas son refus; il l'amena devant le peuple juif, en lui disant que sa jeunesse ne serait pas un empêchement, pourvu que son esprit fût résolu [g]. A cet âge-là ou plutôt étant encore beaucoup plus jeune, Daniel jugea les vieillards [h]. Quant à Josias, il n'avait pas encore dix ans accomplis quand il accéda au trône royal; il jouissait alors d'une bonne réputation, mais par la suite il se relâcha un peu et corrompit la vertu de son âme [i]. Et Joseph? Jeune, bien

ἐλυμήνατο ~ LMGC

b. cf. I Tim. 4, 12. c. cf. III Rois 3, 7. d. cf. III Rois 10, 1-13; II Chr. 9, 1-12. e. cf. III Rois 11, 4. f. cf. II Sam. 11, 2-27; I Sam. 17, 41-51. g. cf. Jér. 1, 4-10. h. cf. Dan. 13, 45-62. i. cf. IV Rois 22, 1-2.

Ἰωσήφ; Οὐχὶ νέος ὢν καὶ σφόδρα νέος τὸν χαλεπὸν ἐκεῖνον ἀνείλετο πόλεμον, οὐχὶ πρὸς ἄνδρας, ἀλλὰ πρὸς
45 αὐτὴν τῆς φύσεως τὴν τυραννίδα μαχόμενος[j], καὶ ἐκ μέσου καμίνου καὶ φλογὸς πολὺ τῆς Περσικῆς χαλεπωτέρας ἐξεπήδησεν ἀσινής, τῶν τριῶν παίδων οὐκ ἔλαττον ἀβλαβὴς διαμείνας[k]; Ὥσπερ γὰρ ἐκεῖνοι τὰ σώματα μετ' αὐτῶν τῶν τριχῶν ἀκέραια τότε ἐξαγαγόντες ἔδειξαν, ὡς
50 ἀπὸ πηγῆς μᾶλλον ἢ καμίνου ἐξιόντες· οὕτω δὴ καὶ οὗτος τῶν ἐναγῶν τῆς Αἰγυπτίας χειρῶν ἀπαλλαγείς, ἐξῄει, μήτε ἀπὸ τῆς ἀφῆς, μήτε ἀπὸ τῶν ῥημάτων, μήτε ἀπὸ τῆς ὄψεως, μήτε ἀπὸ τῶν ἱματίων, μήτε ἀπὸ τῶν μύρων, ἃ κληματίδος καὶ πίσσης χαλεπωτέραν ἀνῆπτε τῆς
55 ἐπιθυμίας τὴν φλόγα, μήτε ἀπ' αὐτῆς τῆς ἡλικίας παθών τι τοιοῦτον, οἷον εἰκὸς ἄνθρωπον ὄντα παθεῖν. Καὶ αὐτοὶ δὲ οἱ παῖδες οἱ τρεῖς οὗτοι ἐν αὐτῷ τῆς ἡλικίας ὄντες τῷ ἄνθει, καὶ γαστρὸς ἐκράτησαν[l] καὶ θανάτου φόβον ἐπάτησαν καὶ στρατοπέδου τοσούτου καὶ βασιλέως αὐτῆς τῆς
60 καμίνου σφοδρότερον ἀφιέντος θυμὸν περιεγένοντο καὶ οὐδὲν αὐτοὺς κατέπληξεν, ἀλλ' ἔμειναν διηνεκῶς ἀδούλωτον τὸ φρόνημα ἔχοντες. Οὐ τοίνυν τὴν ἡλικίαν διαβάλλων ταῦτά φησιν· ἐπεὶ καὶ ὁ Παῦλος, ὅταν λέγῃ· Μὴ νεόφυτον, ἵνα μὴ τυφωθεὶς εἰς κρίμα ἐμπέσῃ τοῦ δια-
65 βόλου[m], οὐ τὸν νέον τὴν ἡλικίαν φησίν, ἀλλὰ τὸν νεωστὶ φυτευθέντα, τουτέστι, κατηχηθέντα· φυτεῦσαι γὰρ τὸ κατηχῆσαί φησι καὶ διδάξαι, ὥσπερ ὅταν λέγῃ· Ἐγὼ ἐφύτευσα, Ἀπολλὼς ἐπότισε[n]. Καὶ ὁ Χριστὸς φυτείαν τὸ τοιοῦτο καλεῖ λέγων· Πᾶσα φυτεία, ἣν οὐκ ἐφύτευσεν ὁ
70 Πατήρ μου ὁ οὐράνιος, ἐκριζωθήσεται[o]. Ἐπεὶ εἰ νεόφυτον τὸν νέον ἔλεγεν, οὐκ ἂν Τιμόθεον σφόδρα νέον ὄντα, καὶ

44 ἄνδρας *scripsi ex* A : ἀνθρώπους *cod.* ‖ 47 ἀσινὴς : ἀβλαβὴς C ‖ 50 ἐξιόντες : διεξιόντες LMG ‖ 51 ἐναγῶν : ἐν ἀγῶνι C ‖ 62 τὸ > LMGN ‖ 63 ταῦτά : ταύτην V ‖ 68 ὁ > V C ‖ 68-69 τὸ τοιοῦτο : τῷ τοιούτῳ V ‖ 70 εἰ + τὸν LMG²N ‖ 71 ὄντα > C *Montf.*

j. cf. Gen. 39, 7-12. k. cf. Dan. 3, 27. l. cf. Dan. 1, 5-15.

jeune encore, n'a-t-il pas soutenu cette terrible guerre, en luttant non contre des hommes, mais contre la tyrannie même de la nature[j] ? D'un brasier et de sa flamme beaucoup plus terribles que ceux des Perses[1], il sortit indemne, n'ayant pas subi plus de dommage que les trois enfants[k]. Ceux-ci montrèrent alors en sortant un corps intact, y compris même les cheveux, comme s'ils sortaient d'une source plutôt que d'un brasier; de même Joseph, échappant aux mains maudites de l'Égyptienne, sortait sans que le contact, les paroles, la vue, les vêtements, les parfums, propres à allumer le feu de la convoitise, plus violent que celui des sarments ou de la poix, ou que sa jeunesse même lui eussent fait éprouver ce qui est naturel à l'être humain. Mais ces trois enfants eux-mêmes, à la fleur de l'âge, surent réprimer leur appétit[l], fouler aux pieds la crainte de la mort et l'emporter sur une armée si nombreuse et sur un roi qui donnait cours à une colère plus ardente que le brasier lui-même; rien ne les effraya, mais ils gardèrent toujours leur indomptable fierté. Ce n'est donc pas pour accuser le jeune âge qu'il parle ainsi; de la même manière en effet, lorsque Paul dit : « Non un néophyte, de peur qu'enflé d'orgueil, il n'encoure la condamnation du diable[m] », il ne désigne pas celui qui est jeune par l'âge[2], mais celui qui vient d'être planté, c'est-à-dire catéchisé; planter, c'est pour lui catéchiser et enseigner, comme lorsqu'il dit : « J'ai planté, Apollos a arrosé[n]. » Le Christ aussi donne à une telle action le nom de plantation : « Toute plantation que n'a pas faite mon Père céleste, sera déracinée[o]. » Si par néophyte Paul voulait parler d'un jeune homme, il n'aurait pas élevé à une charge si importante Timo-

m. I Tim. 3, 6. n. I Cor. 3, 6. o. Matth. 15, 13.

1. Jean semble confondre Perse et Babylonie, mais, de son temps, Babylone appartenait aux Perses.

2. Il s'agit du candidat à l'épiscopat. Jean joue sur le mot νεόφυτος, nouvellement planté et nouveau converti.

οὕτω νέον, ὡς λέγειν· Μηδείς σου τῆς νεότητος καταφρονείτω[p], πρὸς τοσοῦτον ὄγκον ἀρχῆς ἀνήγαγεν ἂν καὶ τοσαύτας φέρειν ἐπέτρεψεν Ἐκκλησίας.

75 ***Καί ἐμπαῖκται κυριεύσουσιν αὐτῶν.*** Ὁρᾷς, ὡς οὐ τὴν ἡλικίαν διαβάλλει ἁπλῶς, ἀλλὰ τὴν διεφθαρμένην γνώμην; Τῇ γὰρ ἐπαγωγῇ τοῦτο σαφέστερον ἐποίησεν. Ἐμπαίκτας δὲ ἐνταῦθά φησι τοὺς ἀπατεῶνας, τοὺς εἴρωνας, τοὺς κόλακας, τοὺς διὰ τῆς τῶν ῥημάτων χάριτος προπίνοντας 80 αὐτοὺς τῷ διαβόλῳ.

5. ***Καὶ συμπεσεῖται ὁ λαός, ἄνθρωπος πρὸς ἄνθρωπον καὶ ἄνθρωπος πρὸς τὸν πλησίον αὐτοῦ.*** Ὥσπερ γὰρ τῶν τὰς οἰκοδομὰς συνεχόντων ξύλων διαφθαρέντων ἢ καὶ ἀναιρεθέντων, τοὺς τοίχους ἀνάγκη συρρήγνυσθαι, οὐδενὸς 85 ὄντος τοῦ κατέχοντος· οὕτω καὶ τούτων τῶν ἔμπροσθεν εἰρημένων ἀναιρεθέντων, ἀρχόντων, συμβούλων, δικαστῶν, προφητῶν, οὐδὲν τὸ κωλῦον ἦν τὸν δῆμον ἑαυτῷ συρραγῆναι καὶ πολλὴν γενέσθαι τὴν σύγχυσιν.

4 ***Προσκόψει τὸ παιδάριον πρὸς τὸν πρεσβύτην καὶ ὁ ἄτιμος πρὸς τὸν ἔντιμον.*** Ἐναντιώσεται δέ, φησίν, ὁ νέος τῷ γεγηρακότι, ὑπερόψεται, καταφρονήσει. Ταῦτα καὶ πρὸ τῆς τῶν πολεμίων ἐφόδου πολέμου παντὸς ἦν χαλεπώ- 5 τερα. Ὅταν γὰρ ἀτιμάζηται μὲν γῆρας παρὰ νεότητος, οἱ δὲ εὐτελεῖς καὶ ἀπερριμμένοι τοὺς πρότερον αἰδεσίμους καταπατῶσιν, οὐδενὸς ἔλαττον κλυδωνιζομένης <νεὼς> ἡ τοιαύτη διακείσεται πόλις.

6. ***Ὅτι ἐπιλήψεται ἄνθρωπος τοῦ ἀδελφοῦ αὐτοῦ, ἢ τοῦ 10 οἰκείου τοῦ πατρὸς αὐτοῦ, λέγων· ἱμάτιον ἔχεις, ἀρχηγὸς ἡμῶν γενοῦ, καὶ τὸ βρῶμα τὸ ἐμὸν ὑπὸ σὲ ἔστω.*** 7. ***Καὶ ἀποκριθεὶς ἐν τῇ ἡμέρᾳ ἐκείνῃ ἐρεῖ· οὐκ ἔσομαι ἀρχηγός· οὐ γάρ ἐστιν ἐν τῷ οἴκῳ μου ἄρτος, οὐδὲ ἱμάτιον. Οὐκ***

78 τοὺς εἴρωνας > N ‖ 82 γὰρ : οὖν C

4, 1 παιδάριον : παιδίον N ‖ 2 δέ C A > *cett.* ‖ 5 μὲν + τὸ LMGC ‖ 7 κλυδωνιζομένης : κληδονιζομένης V ‖ *post* κλυδ- *addidi ex* A νεὼς

thée qui était très jeune, si jeune qu'il disait : « Que personne ne méprise ta jeunesse[p] », et il ne lui aurait pas confié le soin de tant d'Églises.

Et des moqueurs les domineront. Tu vois que ce qu'il blâme n'est pas l'âge pour lui-même, mais la corruption de l'esprit. Par cette adjonction il a rendu cela plus clair. Il appelle ici moqueurs les imposteurs, les railleurs, les flatteurs, ceux qui par des paroles gracieuses les livrent en cadeau au diable[1].

5 Et le peuple s'écroulera, un homme sur un autre, chacun sur son voisin. Quand les bois qui constituent l'armature des édifices sont vermoulus ou ont été enlevés, il faut que les murs s'effondrent, car il n'y a plus rien pour les retenir ; ainsi quand eurent disparu ceux dont il a précédemment été fait mention, magistrats, conseillers, juges, prophètes, il n'y eut plus rien pour empêcher le peuple de s'effondrer et une grande confusion de se produire.

Le jeune garçon se précipitera sur le vieillard, l'homme sans honneur sur l'homme honoré. Le jeune homme, veut-il dire, s'opposera à l'homme d'âge, le regardera de haut, le méprisera. Dès avant l'invasion des ennemis, c'étaient là des maux plus fâcheux que tout acte de guerre. En effet, quand la vieillesse n'est pas respectée par la jeunesse, que des êtres vils et abjects foulent aux pieds ceux qu'auparavant l'on vénérait, la ville où cela se passe n'est pas dans une situation meilleure qu'un navire secoué par la tempête.

6 Un homme saisira son frère ou le parent de son père, en disant : Tu as un manteau, sois notre chef, et que ma subsistance dépende de toi. 7 Et en réponse l'autre dira ce jour-là : Je ne serai pas votre chef, car je n'ai dans ma maison ni pain ni

p. I Tim. 4, 12.

1. Cette expression est empruntée à DÉMOSTHÈNE, *Sur la couronne* 296. Littéralement parlant, προπίνειν c'est boire à la santé de quelqu'un et lui tendre ensuite la coupe. Cf. PLUTARQUE, *Vie d'Alexandre* 39.

ἔσομαι ἀρχηγὸς τοῦ λαοῦ τούτου. Ἐνταῦθά μοι δοκεῖ ἢ
15 πολιορκίαν τινὰ χαλεπωτάτην αἰνίττεσθαι, εἰς τὴν ἐσχάτην
στενοχωρίαν αὐτοὺς κατενεγκοῦσαν, ἢ χωρὶς πολιορκίας
λιμόν τινα ἀφόρητον καὶ πολλὴν τῶν ἀναγκαίων σπάνιν.
Κέχρηται δὲ κοινῇ συνηθείᾳ · καὶ ὥσπερ πολλοί φασιν, εἰ
συνέβη τὴν πόλιν ἅπασαν ὀβολοῦ πωλεῖσθαι, οὐκ ἂν
20 σχοίην αὐτὴν πρίασθαι, τὴν ἐσχάτην πενίαν ἐνδεικνύμενοι · οὕτω καὶ ὁ προφήτης φησίν, ὅτι εἰ ἱματίου ἑνὸς
καὶ ἄρτου μόνου γένοιντ' ἂν αἱ ἀρχαὶ ὠνηταί, οὐδεὶς ἔσται
ὁ ὠνούμενος · τοσαύτη σπάνις ἔσται τῶν ἀναγκαίων.

8. ***Ὅτι ἀνεῖται Ἱερουσαλὴμ*** · τουτέστιν ἐγκαταλέλειπται,
25 ἠρήμωται, τῆς τοῦ Θεοῦ προνοίας γεγύμνωται.

Καὶ ἡ Ἰουδαία συμπέπτωκε · ταραχῆς, φησίν, ἐμπέ-
πλησται καὶ θορύβου, συγχύσεως καὶ ἀταξίας.

***Καὶ αἱ γλῶσσαι αὐτῶν μετὰ ἀνομίας τὰ πρὸς τὸν Κύριον
ἀπειθοῦσιν.*** Εἶτα καὶ ἡ αἰτία τῶν κακῶν, τῆς γλώττης ἡ
30 ἀκρασία. Ὃ καὶ Ὠσηὲ ἐγκαλεῖ λέγων · Ἐφραῒμ εἰς
ἀφανισμὸν ἐγένοντο ἐν ἡμέραις ἐλέγχου · ἐν ταῖς φυλαῖς
τοῦ Ἰσραὴλ ἔδειξα πιστά[a] · καὶ ὁ Μαλαχίας τὰ αὐτὰ
πάλιν λέγων · Οἱ παροξύνοντες τὸν Θεὸν ἐν τοῖς λόγοις
ὑμῶν · καὶ εἴπατε · ἐν τίνι παρωξύναμεν αὐτόν; Ἐν τῷ
35 λέγειν ὑμᾶς · πᾶς ποιῶν πονηρὸν καλὸν ἐνώπιον Κυρίου
καὶ ἐν αὐτοῖς αὐτὸς εὐδόκησε. Καὶ ποῦ ἔστιν ὁ Θεὸς τῆς
δικαιοσύνης[b]; Τοῦτο δὴ καὶ αὐτὸς αἰτιᾶται, διπλοῦν
προφέρων ἔγκλημα, ὅτι οὐ μόνον ἀπειθοῦσιν, οὐδὲ οὐ
μόνον παραβαίνουσι τὸν νόμον, ἀλλ' ὅτι ὀφείλοντες γοῦν
40 αἰσχύνεσθαι ἐπὶ τούτῳ καὶ ἐρυθριᾶν, ἐγκαλύπτεσθαι καὶ
κάτω κύπτειν, οἱ δὲ καὶ ἐπαγωνίζονται τοῖς προτέροις,
μετὰ τοῦ μὴ ποιεῖν τὰ ἐπιτεταγμένα καὶ φορτικὰ φθεγ-
γόμενοι ῥήματα · Ὡσανεὶ οἰκέτης τις ἀγνώμων ἐγκατα-

14 δοκεῖ μοι ~ C ‖ 16 αὐτοὺς στενοχωρίαν ~ C ‖ 18 εἰ : ἢ V ‖ 29 εἶτα — αἰτία : αἰτία τοίγαρ C ‖ 31 ἐγένοντο : ἐγένετο C ‖ 33 οἱ παροξύνοντες : οἱ προφῆται ὀνειδίζοντες τοὺς παροξύνοντας V ‖ 33 τοῖς > V ‖ 34 ὑμῶν > V ‖ 36 εὐδόκησε : ηὐδόκησεν C ‖ 39 ἀλλ' ὅτι > V ‖ γοῦν V > *cett.* ‖ 40 τούτῳ :

manteau. Je ne serai pas le chef de ce peuple. Il me semble qu'est ici évoqué un siège particulièrement horrible, qui les a réduits à la pire détresse ou, sans qu'il y ait de siège, une famine intolérable, une grande pénurie du nécessaire. Il emploie ici une expression courante. De même que beaucoup de gens disent : S'il arrivait que la ville fût mise en vente pour une obole, je ne pourrais pas l'acheter, montrant ainsi leur extrême indigence, le prophète dit aussi que si l'on vendait les magistratures seulement pour un manteau et une bouchée de pain, il n'y aurait pas d'acheteur ; tant sera grande la pénurie du nécessaire.

8 Jérusalem est languissante, c'est-à-dire : elle est dans l'abandon, la solitude ; elle est dépouillée de la Providence de Dieu.

La Judée s'est effondrée : elle est pleine, dit-il, de désordre et de trouble, de confusion et d'insubordination.

Et leurs langues, d'une manière inique, refusent les ordres du Seigneur. Voilà la cause des maux, l'intempérance du langage. Osée en fait aussi le reproche : « Éphraïm a été anéanti, aux jours de récrimination. J'ai montré dans les tribus d'Israël ma fidélité[a]. » Et Malachie tient le même langage : « Vous qui exaspérez Dieu par vos paroles, et avez dit : Comment l'avons-nous exaspéré ? – Quand vous disiez : Quiconque fait le mal est agréable aux yeux du Seigneur, et c'est en eux qu'il met sa complaisance. Où donc est le Dieu de la justice[b] ? » C'est aussi l'accusation d'Isaïe, qui énonce un double grief : non seulement ils désobéissent, non seulement ils transgressent la loi, mais quand ils devraient en avoir honte et rougir, se voiler le visage et baisser la tête, ils renchérissent sur leurs fautes premières et, non contents de ne pas exécuter les ordres, ils lancent des paroles impudentes. Ils agissent comme un

τοῦτο V || καί[2] > N

4. a. Os. 5, 9. b. Mal. 2, 17.

λιμπάνων τὰ ἐπιτάγματα τοῦ δεσπότου, ἔτι καὶ θρασύ-
45 νοιτο.

Διὸ νῦν ἐταπεινώθη ἡ δόξα αὐτῶν, καὶ ἡ αἰσχύνη τοῦ προσώπου αὐτῶν ἀντέστη αὐτοῖς. Πάλιν τὰ μέλλοντα ὡς παρεληλυθότα λέγει, τῷ συνήθει κεχρημένος νόμῳ τῆς προφητείας. Ταπείνωσιν δὲ δόξης τὴν αἰχμαλωσίαν καλεῖ.
50 Οὐ γὰρ τῆς τυχούσης αἰσχύνης ἦν, τοὺς ἐν τάξει τῶν βασιλευόντων τῆς οἰκουμένης ὄντας, τούτους ἀνθρώποις βεβήλοις καὶ βαρβάροις ὑποτετάχθαι. Αἰσχύνην δὲ προσώπου ἐνταῦθα τὴν ἀπὸ τῆς ἁμαρτίας ἐγγινομένην φησί. Τοιοῦτος γὰρ ἦν αὐτῶν ὁ βίος. Ἐπεὶ οὖν προλαβόντες
55 ἑαυτοὺς κατῄσχυναν, δι' ὧν ἔπραττον, διὰ δὴ τοῦτο ὁ Θεὸς τῆς δόξης αὐτοὺς ἐξέβαλεν, ἐλάττονι παραδιδοὺς τιμωρίᾳ τῆς ὑπ' αὐτῶν ἐπενεχθείσης αὐτοῖς. Οὐ γὰρ οὕτως ἦσαν ἐπονείδιστοι τὴν ἀλλοτρίαν οἰκοῦντες, ὡς ὅτε τὴν μητρόπολιν ἔχοντες παρηνόμουν. Τότε μὲν γὰρ καὶ ἐνε-
60 κόπτετο αὐτοῖς τὰ τῆς κακίας· ἐπὶ δὲ τῆς πατρίδος καὶ πρὸς τὸ μεῖζον ᾔρετο. Μέγα τοίνυν αὐτοὺς ὁ προφήτης ἐπαίδευε δόγμα, πανταχοῦ πείθων πρὸ τῆς κολάσεως τὴν πονηρίαν φεύγειν καὶ ἐγκαλύπτεσθαι καὶ αἰσχύνεσθαι· οὐχ ὅταν βάρβαροι λαβόντες δούλους ἀπαγάγωσιν, ἀλλ' ὅταν ἡ
65 τῆς ἁμαρτίας τυραννὶς αἰχμαλώτους ἔχῃ.

Τὴν δὲ ἁμαρτίαν αὐτῶν, ὡς Σοδόμων, ἀνήγγειλαν καὶ ἐνεφάνισαν. Ὃ πολλάκις εἶπον, λέγω καὶ νῦν· ὅτι δεικνὺς τοῦ Θεοῦ τὴν φιλανθρωπίαν ὁ προφήτης, οὐχ ἃ μέλλουσι πάσχειν προλέγει, ἀλλὰ καὶ ἃ παθεῖν ἦσαν ἄξιοι. Τὰ μὲν
70 γὰρ ἡμαρτημένα αὐτοῖς ἴσα Σοδόμοις ἦν, τὰ δὲ τῆς τιμωρίας καταδεέστερα. Οὐ γὰρ προρρίζους αὐτοὺς ἀνήρπασεν, οὐδὲ ἐκ βάθρων τὴν πόλιν ἀνέσπασεν, οὐδὲ τὰ λείψανα τοῦ γένους ἠφανίσεν. Τὸ δὲ Ἀννήγγειλαν καὶ ἐνεφάνισαν, ἀνθρωπινώτερον εἴρηται. Οὐ γὰρ τότε μανθάνει ὁ

46-47 αὐτῶν... αὐτῶν : αὐτοῦ... αὐτοῦ V || 48 νόμῳ κεχρημένος ~ LMGN || 56 αὐτοὺς > N || 58 ὡς ὅτε : ὥστε V || 59 ἔχοντες : οἰκοῦντες N || 62 ἐπαίδευε : ἐπαίδευσε G || 64 ἀπαγάγωσιν : ἀπάγωσιν V N || 66 τὴν δὲ : καὶ

serviteur dépourvu de bon sens qui, négligeant les ordres de son maître, se montrerait de surcroît insolent.

C'est pourquoi leur gloire a été humiliée, 9 et la honte de leur visage a déposé contre eux. De nouveau il parle de l'avenir comme d'un passé, suivant l'usage courant de la prophétie. L'humiliation de la gloire est pour lui la captivité. Ce n'était pas une honte ordinaire pour des hommes comptés parmi les maîtres du monde que d'être soumis à des hommes souillés et barbares. La honte du visage est ici d'après lui celle qui résulte du péché. Telle était en effet leur vie. Ils avaient donc commencé par se déshonorer eux-mêmes par leur conduite ; aussi Dieu les avait-il déchus de leur gloire, les livrant à un châtiment pourtant moindre que celui qu'ils s'étaient eux-mêmes infligé. En effet, ils n'étaient pas autant sujets aux reproches quand ils habitaient la terre étrangère que lorsque, étant en possession de leur métropole, ils transgressaient la loi. Là, leurs actes coupables étaient réprimés, tandis que dans leur patrie ils devenaient de plus en plus graves. Le prophète leur donnait une grande leçon en leur conseillant d'éviter à tout prix le crime sans attendre le châtiment, de se voiler la tête et d'avoir honte, non lorsque les Barbares viendraient les emmener en esclavage, mais lorsque la tyrannie du péché les tenait captifs.

Ils ont publié et manifesté leur péché comme à Sodome. Ce que j'ai dit souvent, je le répète maintenant. Pour montrer la bonté de Dieu, le prophète annonce non ce qu'ils vont souffrir, mais ce qu'ils méritaient de souffrir. Leurs péchés, en effet, égalaient ceux de Sodome, mais leur châtiment fut moins sévère. Dieu ne les extermina pas complètement, il ne détruisit pas leur ville de fond en comble, il ne fit pas disparaître les vestiges de leur race. La formule « ils ont publié et manifesté » est une manière humaine de s'exprimer : Dieu n'apprend pas les

οὗτοι τὴν C || αὐτῶν + φησιν C || 67-73 ἐνεφάνισαν... ἐνεφάνισαν : ἐνεφάνησαν... ἐνεφάνησαν V N || 67 καὶ νῦν λέγω ~ C || 72 οὐδὲ — ἀνέσπασεν > V || τὰ > V LMG

75 Θεὸς τὰ γεγενημένα ὅταν γένηται (πῶς γάρ, ὁ πάντα εἰδὼς πρὶν γενέσεως αὐτῶν;), ἀλλ' ἵνα δείξῃ τὸ μέγεθος τῆς σφοδρότητος οὕτως εἶπεν.

5 Ὥσπερ γὰρ ἀλλαχοῦ φησιν· Ἀνέβη ἡ κραυγὴ τῆς κακίας αὐτῶν πρός με, οὐχὶ τὸν Θεὸν ἀποικίζων που πόρρω καὶ εἰς τὸν οὐρανὸν περικλείων, ταῦτά φησιν, ἀλλὰ τὸ μέγεθος τῆς ἁμαρτίας δηλῶν· οὕτω δὴ καὶ ἐνταῦθα, τὸ 5 Ἀνήγγειλαν, τὴν ὑπερβολὴν τῆς πονηρίας ἐνδεικνύμενος λέγει. Ἐπειδὴ γὰρ τὰ μὲν καταδεέστερα τῶν ἁμαρτημάτων καὶ λαθεῖν δύναιτ' ἄν· τὰ δὲ ὑπερβάλλοντα καὶ μεγάλα πᾶσίν ἐστι γνώριμα καὶ καταφανῆ, κἂν μηδεὶς ὁ κατηγορῶν ᾖ, μηδὲ ἐλέγχων. Αὐτὰ γὰρ ἑαυτὰ καταγγέλλει καὶ 10 δῆλα ποιεῖ. Βουλόμενος ὁ προφήτης ἐνταῦθα δείξασθαι τὸ μέγετος τῶν κακῶν, φησίν, Ἀνήγγειλαν καὶ ἐνεφάνισαν, τουτέστι, μετὰ πολλῆς τῆς ὑπερβολῆς, μετὰ πολλῆς τῆς παρρησίας τὰ κακὰ ἔπραττον, οὐδὲ αἰσχυνόμενοι, οὐδὲ ἐγκαλυπτόμενοι, ἀλλὰ μελέτην τὴν πονηρίαν ποιούμενοι.

15 ***Οὐαὶ τῇ ψυχῇ αὐτῶν, διότι βεβούλευνται βουλὴν πονηρὰν καθ' ἑαυτῶν,*** 10. ***εἰπόντες· δήσωμεν τὸν δίκαιον, ὅτι δύσχρηστος ἡμῖν ἐστιν.*** Ἐπίτασις πονηρίας, ὅταν μὴ μόνον ἁμαρτάνωσι, μηδὲ μόνον μετὰ παρρησίας ἁμαρτάνωσιν, ἀλλ' ὅταν καὶ τοὺς δυναμένους τὰ τοιαῦτα διορθοῦν 20 ἀπελαύνωσιν. Ὥσπερ γὰρ οἱ φρενίτιδι κατεχόμενοι τὸν ἰατρὸν πολλάκις συνέκοψαν, οὕτω δὴ καὶ οὗτοι τοῦ νοσεῖν ἀνίατα μέγιστον δεῖγμα τοῦτο ἐξέφερον τὸ τοὺς δικαίους ἐκβάλλειν. Τοιοῦτον γὰρ ἡ ἀρετή· καὶ φαινομένη μόνον, ἀρκεῖ λυπῆσαι τὸν ἐν κακίᾳ ζῶντα. Τοιοῦτον ἡ κακία· 25 οὐδὲ ἐλεγχομένη, πολλάκις καὶ τὴν παρουσίαν αὐτὴν βαρύνεται τῶν ἐν ἐπιεικείᾳ ζῆν προαιρουμένων. Διπλῆ δὲ

77 σφοδρότητος *ex* A *scripsi* : συμφορᾶς *cod.*

5, 4 τὸ[2] > V ‖ 5 ἐνδεικνύμενος : δεικνύμενος V ‖ 6 ἐπειδὴ γὰρ > V ‖ 10 δείξασθαι : δεῖξαι LMGCN ‖ 11 ἐνεφάνισαν : ἐνεφάνησαν V G[1]N ‖ 13 παρρησίας *scripsi ex* A : περιφανείας LMGN ὑπερηφανίας V C ‖ 18 μηδὲ +

événements quand ils se produisent – comment cela serait-il, puisqu'il connaît toutes choses avant qu'elles ne se fassent ? –, mais c'est pour montrer la grandeur de leur violence que le prophète a parlé ainsi.

5 De même l'Écriture dit ailleurs : « Le cri de leur iniquité s'est élevé jusqu'à moi[1] » ; elle ne dit pas cela pour reléguer Dieu en quelque endroit éloigné et l'enfermer au ciel, mais pour montrer la grandeur du péché. Il en est de même ici : ils ont publié, dit-il, voulant faire apparaître l'excès de leur malice. Alors que les péchés moins graves pourraient rester cachés, ceux qui dépassent les bornes, les grands péchés, sont connus de tous et bien visibles, même s'il n'y a personne pour les dénoncer et les blâmer. Ils se proclament, ils se révèlent en effet eux-mêmes. Afin de montrer l'étendue des maux, le prophète dit ici : « ils ont publié et manifesté », ce qui signifie : ils commettaient le mal avec excès et pleine assurance, sans rougir, sans se voiler la face, mais ils faisaient de la perversité leur métier.

Malheur à leur âme, car ils ont formé un dessein pervers contre eux-mêmes, 10 en disant : Enchaînons le juste, car il nous incommode ! C'est le comble de la méchanceté, non pas seulement de pécher, non pas seulement de le faire avec assurance, mais aussi de repousser ceux qui pourraient redresser une pareille situation. On voit souvent les fous furieux rosser de coups le médecin ; de même ceux-là donnaient la preuve la plus grande que leur mal était incurable en chassant les justes. Telle est la vertu : sa seule vue suffit à tourmenter celui qui vit dans le vice. Tel est le vice : même si on ne lui adresse pas de reproches, il trouve souvent pesante la simple présence de ceux qui choisissent de vivre dans l'équité. Ici l'accusation est

μὴ V LMGN || 19 τὰ τοιαῦτα : ταῦτα N || 26 ζῆν > V || προαιρουμένων : -μένη V

1. Texte composite : *Gen.* 18, 20 ; 19, 13 ; *I Sam.* 5, 12.

ἐνταῦθα ἡ κατηγορία, καὶ τὸ δεσμεῖν τὸν δίκαιον καὶ τὸ ὡς ἄχρηστον δεσμεῖν. Ὅταν οὖν τις τὰ ὠφελοῦντα μὴ μόνον μὴ προσιῆται, ἀλλὰ καὶ βλαβερὰ αὐτὰ νομίζῃ εἶναι, 30 ποία λείπεται λοιπὸν διορθώσεως πρόφασις; Διὸ καὶ ὁ προφήτης ἰδὼν εἰς ἔσχατον ἐξοκείλαντας, ἀπὸ θρήνων ἄρχεται πάλιν, οὐκ ἀπὸ κατηγορίας καὶ ἐγκλημάτων, λέγων· Οὐαὶ τῇ ψυχῇ αὐτῶν· καὶ τὸ ἑξῆς μετὰ πολλῆς συνέσεως· Ὅτι βεβούλευνται βουλὴν πονηρὰν καθ' 35 ἑαυτῶν. Καίτοι τὰ γενόμενα δοκεῖ κατὰ τοῦ δικαίου τολμᾶσθαι· ἀλλ' εἴ τις ἀκριβῶς ἐξετάσειεν, οὐ κατὰ τοῦ πάσχοντος, ἀλλὰ κατὰ τῶν ποιούντων ἡ βουλὴ τρέπεται. Ἐνταῦθα μανθάνομεν ὅτι ὁ μὲν καλός, κἂν μυρία πάσχῃ δεινά, οὐδὲν βεβλάψεται παρὰ τῶν ποιούντων· οἱ δὲ 40 ἐπιβουλεύοντες, οὗτοι μᾶλλόν εἰσιν οἱ καθ' ἑαυτῶν τὸ ξίφος ὠθοῦντες, καθάπερ καὶ οὗτοι. Τὸν μὲν γὰρ δίκαιον οὐδὲν ἔβλαπτον δεσμοῦντες, ἑαυτοὺς δὲ ἐν πλείονι ζόφῳ καὶ ἐρημίᾳ καθίστων, τὸν λύχνον ἐκποδὼν ἀπάγοντες.

Τοίνυν τὰ γεννήματα τῶν ἔργων αὐτῶν φάγονται. 45 Τοιοῦτον γὰρ ἡ κακία· αὐτὴ ἐν ἑαυτῇ τὴν τιμωρίαν ἔχει. Ὃ καὶ ἐνταῦθά φησι, τοῦτ' ἔστιν· ἀπολαύσονται τῶν καρπῶν αὐτῶν, ἐν πλείονι καθιστῶντες ἑαυτοὺς ἐρημίᾳ καὶ πολλοὺς κατασκευάζοντες τοὺς κρημνούς.

11. ***Οὐαὶ τῷ ἀνόμῳ· πονηρὰ γὰρ συμβήσεται αὐτῷ κατὰ*** 50 ***τὰ ἔργα τῶν χειρῶν αὐτοῦ.*** Ὁρᾷς παρ' ἡμῶν τὰ μέτρα τῆς τιμωρίας ἀεὶ καὶ τὰς ἀρχὰς γινομένας; Διὰ δὴ τοῦτο πάλιν ὁ προφήτης θρηνεῖ καὶ ὀδύρεται καὶ διακόπτεται, ὅτι αὐτοὶ ἑαυτοὺς ἐπεβούλευον οἱ Ἰουδαῖοι καὶ πολεμίου παντὸς χαλεπώτερον τὴν ἑαυτῶν ἐλυμήναντο σωτηρίαν· οὗ τί 55 γένοιτ' ἂν ἀθλιώτερον;

29 μὴ C : οὐ V > *cett.* || προσιῆται *scripsi* : προσίεται *cod.* || 31 ἰδὼν : εἰδὼς V LMG || 37 κατὰ > *Montf.* || 38 μὲν > G || 43 ἀπάγοντες : ἁρπάζοντες V || 46 καὶ ὃ ~ C || 47 ἑαυτοὺς : αὐτοὺς C || 53 ἑαυτοὺς : ἑαυτοῖς C || 52-53 ἑαυ- αὐτοὶ ~ C

double : enchaîner le juste et l'enchaîner comme un être inutile. Quand non seulement on ne recourt pas à ce qui est utile, mais qu'on l'estime nuisible, quelle occasion de redressement y a-t-il encore ? Aussi le prophète, voyant qu'ils sont allés complètement à la dérive, reprend-il son discours avec des plaintes, non une accusation ni des reproches, en disant : « malheur à leur âme ! », et il continue avec une grande perspicacité : « car ils ont formé un dessein pervers contre eux-mêmes ». Pourtant, ce qui s'est passé paraît perpétré contre le juste, mais un examen attentif montre que le projet se tourne non contre la victime, mais contre les auteurs. Nous apprenons ici que même si l'homme de bien souffre mille maux, il ne subira aucun dommage de la part de leurs auteurs ; mais c'est plutôt ceux qui conspirent contre lui qui tirent l'épée contre eux-mêmes[1], comme le faisaient ces gens. Ils ne causaient aucun mal au juste en l'enchaînant, mais ils se plongeaient eux-mêmes dans une obscurité et une solitude plus profondes, en se débarrassant de la lampe.

Ils mangeront donc les fruits de leurs œuvres. Tel est le vice : il porte en lui-même son châtiment. Le sens de cette parole est celui-ci : en profitant de leur récolte, ils s'enfonceront dans une solitude plus profonde et se prépareront de nombreux précipices.

11 Malheur au transgresseur de la loi : les maux lui surviendront selon les œuvres de ses mains. Vois-tu, c'est de nous que dépendent toujours la mesure de notre châtiment et ses causes. C'est bien pour cela qu'encore une fois le prophète gémit, se lamente et se frappe la poitrine, en voyant que les Juifs dressaient des embûches contre eux-mêmes et ruinaient leur propre salut plus cruellement que ne l'aurait fait n'importe quel ennemi. Pourrait-il y avoir plus grand malheur ?

1. Chrysostome reprend un thème cher au livre des Psaumes : cf. *Ps.* 7, 14 ; 9, 6, etc.

12. ***Λαός μου, οἱ πράκτορες ὑμῶν καλαμῶνται ὑμᾶς.*** Τοῦτο ἀρίστου διδασκάλου, ποικίλλειν τὸν λόγον καὶ μήτε τραχύνειν μόνον, μήτε προσηνῆ ποιεῖν μόνον, ἀλλὰ νῦν μὲν τοῦτο, νῦν δὲ ἐκεῖνο μεταχειρίζειν τὸ εἶδος, ὥστε
60 πολλὴν ἐκ τῆς μίξεως γενέσθαι τὴν ὠφέλειαν. Διὰ δὴ τοῦτο καὶ ὁ προφήτης οὐκ ἐγκαλεῖ μόνον, ἀλλὰ καὶ θρηνεῖ, ὃ βαρύτερον μὲν ἔστι τῶν ἐγκλημάτων, ἐλάττονα δὲ παρέχει τὴν ὀδύνην· καὶ τὸ θαυμαστὸν τοῦτο, ὅτι ἐν βαθυτέρᾳ τῇ τομῇ προσηνεστέρα ἡ ἀλγηδών. Καὶ οὐ
65 θρηνεῖ μόνον, ἀλλὰ καὶ θεραπεύει, καὶ ἕτερον πάλιν θαυμαστὸν διδασκαλίας ἀνακινεῖ τρόπον. Ποῖον δὴ τοῦτον; Τὸ μὴ πᾶσιν ὑφ' ἓν ἐπιτιμᾶν, ἀλλὰ ἀποσχίσαι τὸν δῆμον τῶν ἀρχόντων καὶ εἰς τὴν ἐκείνων περιτρέψαι κεφαλὴν τὰ ἐγκλήματα. Τοσοῦτον γάρ ἐστι τούτου τοῦ
70 εἴδους τὸ κέρδος, ὡς τὸν Μωϋσέα καὶ μετὰ πλείονος αὐτὸ ποιῆσαι τῆς ὑπερβολῆς. Οὗτος μὲν γάρ, πάντων ὄντων ὑπευθύνων τοῖς ἐγκλήμασιν, ἐπὶ τοὺς ἄρχοντας τρέπει τὸν λόγον· ὁ δὲ Μωϋσῆς εὑρὼν τὸν δῆμον τότε μάλιστα ὄντα τὸν τὴν παρανομίαν ἐργασάμενον ἐκείνην, τὸν δὲ Ἀαρὼν
75 οὐ τοσαύτης ὄντα κατηγορίας ἄξιον, ἀφεὶς τοὺς σφόδρα ὑπευθύνους, ἐπὶ τὸν οὐχ οὕτως ὑπεύθυνον τρέπει τὴν κατηγορίαν, τοῖς ἐγκλήμασι τοῖς κατ' ἐκείνου διδοὺς τῷ συνειδότι τούτων μείζονα ἑαυτῶν καταψηφίσασθαι τιμωρίαν· ὃ δὴ καὶ ἐγένετο. Οὐ γὰρ ἐδεήθη λοιπὸν λόγων
80 πρὸς τὸν δῆμον ἑτέρων, ἀλλ' ἤρκεσε τὰ ψιλὰ ἐκεῖνα ῥήματα τὰ πρὸς τὸν Ἀαρὼν εἰρημένα χιλιάδας τοσαύτας, ὡς ἕνα ἄνθρωπον, καταστεῖλαι καὶ ἀπὸ τοσαύτης θρασύτητος εἰς δειλίαν καὶ ἀγωνίαν κατενεγκεῖν τὴν ἐσχάτην. Ἃ δὴ προορῶν ὁ Μωϋσῆς, καταβὰς εὐθέως, τάς τε πλάκας
85 συνέτριψε, καὶ πρὸς τὸν Ἀαρὼν ἔλεγε· Τί ἐποίησέ σοι ὁ

58 μόνον² > V || 66 διδασκαλίας θαυμαστὸν ~ C || 68 περιτρέψαι *codd.* : ἐπιτρέψαι *Montf.* || 70 αὐτὸ : αὐτῷ V || 76-77 τρέπει τὴν κατηγορίαν V N : τὴν κατ- ἄγει L²C αὔξει L¹MG ἦγεν A || 81 τοσαύτας χιλιάδας ~ LMGC || 85 συνέτριψε C A : ἔρριψε *cett.*

12 Mon peuple, vos exacteurs glanent vos épis[1]. C'est le fait d'un maître excellent de varier son discours, de ne pas parler toujours avec rigueur, ni de se montrer toujours indulgent, mais d'employer tantôt l'une de ces manières, tantôt l'autre, pour que de leur union résulte une grande utilité. C'est pour cette raison que le prophète ne se contente pas d'accuser, mais qu'aussi il se lamente, ce qui a plus de poids que les accusations, mais cause moins de souffrance. C'est une chose remarquable que plus la coupure est profonde, plus la douleur est légère. Et il ne gémit pas seulement, mais il soigne et il recourt à un autre mode admirable d'enseignement. Quel est-il ? C'est de ne pas les blâmer tous indistinctement, mais de séparer le peuple de ses chefs en faisant retomber les accusations sur leur tête. Ce procédé offre un tel avantage que Moïse y recourait avec prédilection. Bien qu'ils eussent tous mérité d'être accusés, il dirige son discours contre les chefs. Moïse avait bien reconnu que le peuple était alors l'auteur principal de cette transgression[2] et qu'Aaron ne méritait pas une accusation aussi grave ; néanmoins, laissant de côté les grands responsables, il tourne son attaque contre celui qui l'est moins gravement ; par les griefs formulés contre lui, il permet à leur conscience de s'infliger à eux-mêmes une condamnation plus sévère ; c'est en effet ce qui se produisit. Il n'eut pas besoin d'adresser d'autres discours au peuple ; il lui suffit de ces simples paroles dites à Aaron pour calmer tant de milliers d'hommes comme il aurait fait d'un seul, pour les ramener d'une pareille audace à une frayeur et une angoisse extrêmes. Moïse l'avait prévu quand, aussitôt descendu de la montagne, il brisait les tables et disait à Aaron : « Que t'a fait ce

1. Le grec dit « glanent » ; l'hébreu, « grappillent ». Isaïe se rappelle que le peuple juif est la vigne de Yahvé. Le grappillage doit être laissé au pauvre, rappelle le *Lévitique* (19, 10).
2. Cette transgression est l'érection du veau d'or ; cf. *Ex.* 32, 1-19.

λαὸς οὗτος, ὅτι ἐποίησας αὐτὸν ἐπίχαρμα τοῖς ἐχθροῖς[a]·

6 Τοῦτο καὶ ὁ προφήτης οὗτος ποιεῖ, τὸν ἅγιον ἐκεῖνον μιμούμενος διπλῷ τῷ τρόπῳ. Οὐ γὰρ δὴ μόνον ἐνεκάλεσε τότε ὁ Μωϋσῆς, ἀλλὰ καὶ συναλγοῦντος προσωπεῖον λαβών, οὕτως ἐποιεῖτο τὴν κατηγορίαν ἐκείνην. Οὕτω καὶ 5 οὗτος ἀμφότερα ἐμιμήσατο λέγων· Λαός μου, οἱ πράκτορες ὑμῶν καλαμῶνται ὑμᾶς. Καὶ γὰρ κατηγόρησεν ἐκείνων, καὶ ὡς συναλγῶν τῷ δήμῳ ταῦτα ἔλεγε. Πράκτορας δὲ ἐνταῦθα δοκεῖ μὲν τοὺς ἀπαιτοῦντας λέγειν· ἐγὼ δὲ οἶμαι τοὺς ἅρπαγας, τοὺς πλεονέκτας αὐτῶν αἰνίτ-10 τεσθαι· εἰ δὲ μὴ τοῦτο, ἀλλὰ τοὺς φορολογοῦντας. Ὅρα αὐτοῦ κἀνταῦθα τὴν σύνεσιν. Οὐ γὰρ τὸ πρᾶγμα ἐκβάλλει, ἀλλὰ τὴν ἀμετρίαν. Οὐ γὰρ εἶπεν· ἀπαιτοῦσιν, ἀλλά· Καλαμῶνται, τουτέστι, γυμνοῦσι τῶν ὄντων, ἀποστε-ροῦσιν ἁπάντων προσχήματι τῆς ἀπαιτήσεως. Ταύτην δὲ 15 εἴρηκε τὴν λέξιν ἀπὸ μεταφορᾶς τῶν καλαμώντων. Καλα-μᾶσθαι γὰρ λέγεται τὸ μετὰ τὸν ἀμητὸν τοὺς ἐκπεσόντας ἐκ τῶν θεριζόντων ἀστάχυας ἀναλέγεσθαι καὶ μηδὲν ὅλως ἐπὶ τῆς ἀρούρας ἀφιέναι· ὃ δὴ καὶ οὗτοι τότε ἐποίουν, ὁλόκληρα τὰ ὄντα ἁρπάζοντες καὶ γυμνοὺς ἀφιέντες 20 αὐτούς.

Καὶ οἱ ἀπαιτοῦντες κυριεύουσιν ὑμῶν. Καὶ τὸ δὴ χαλεπώτερον, ὅτι οὐδὲ ἐνταῦθα τῆς πλεονεξίας ἵσταντο, ἀλλὰ καὶ περαιτέρω προῆγον τὴν τυραννίδα, δούλους τοὺς ἐλευθέρους ποιοῦντες. ***Λαός μου, οἱ μακαρίζοντες ὑμᾶς,*** 25 ***πλανῶσιν ὑμᾶς.*** Ἐνταῦθά μοι τοὺς ψευδοπροφήτας αἰνίτ-τεσθαι δοκεῖ ἢ τοὺς πρὸς χάριν αὐτοῖς διαλεγομένους, ὃ τῆς ἐσχάτης διαφθορᾶς αἴτιον γίνεται πανταχοῦ. Τὴν γοῦν ἐκ τούτου βλάβην δηλῶν ἐπήγαγε· ***Καὶ τὴν τρίβον τῶν ποδῶν ὑμῶν ταράσσουσιν***· τουτέστιν, οὐκ ἐῶσιν ὀρθὰ βαδί-30 ζειν, διαστρέφοντες, ἐκλύοντες, ῥαθυμοτέρους ποιοῦντες.

13. ***Ἀλλὰ νῦν καταστήσεται εἰς κρίσιν Κύριος καὶ στήσει***

6, 9 αὐτῶν : αὐτὸν LMG ‖ 10 φορολογοῦντας + καὶ C ‖ 15 καλαμώντων : ἀμώντων C N ‖ 17 θεριζόντων : θεριστῶν C ‖ ὅλως : οὕτως

peuple, pour que tu en aies fait la risée de ses ennemis[a]? »

5 Notre prophète fait de même ; il imite ce saint de deux manières. Moïse ne s'était pas alors borné à accuser, mais c'est en prenant le visage d'un homme compatissant qu'il portait cette accusation. Isaïe l'a imité en ces deux points lorsqu'il dit : « Mon peuple, vos exacteurs glanent vos épis. » Il les a en effet accusés, mais en prononçant ces paroles il compatissait avec le peuple. « Exacteurs » semble ici signifier ceux qui réclament ; mais à mon avis il fait allusion ici aux hommes rapaces, à ceux qui s'enrichissent à leurs dépens ; ou sinon, aux collecteurs d'impôts. Ici encore, remarque son intelligence. Il ne rejette pas la chose même, mais l'excès. Il n'a pas dit : ils réclament, mais : ils glanent vos épis, c'est-à-dire ils dépouillent de ce que l'on a, ils privent de tout, sous prétexte de réclamer. Il s'est ici exprimé au moyen d'une métaphore qui s'applique aux glaneurs. On appelle glaner le fait de ramasser après la récolte les épis qui ont échappé aux moissonneurs et de ne laisser absolument rien sur le champ ; c'est ce que faisaient alors ces gens, en ravissant la totalité de leurs biens et en les laissant complètement dépouillés.

Et ceux qui réclament vous dominent. Ceci est plus grave : ils ne s'en tenaient pas à la cupidité, mais ils poussaient plus loin encore leur tyrannie, en réduisant en esclavage les hommes libres. *Mon peuple, ceux qui vous félicitent vous égarent.* Il me paraît évoquer ici les faux prophètes, ou ceux qui parlaient pour leur plaire, ce qui est partout la cause d'une corruption extrême. Et pour montrer le dommage qui en résulte, il a ajouté : *Ils brouillent le sentier de vos pas,* c'est-à-dire qu'ils ne vous laissent pas marcher droit, en vous faisant dévier, en vous décourageant, en vous rendant nonchalants.

13 Mais maintenant le Seigneur se tiendra pour juger, il

V ‖ 18 τότε οὗτοι ~ V ‖ 21 καί[1] – ὑμῶν > C ‖ 25 μοι : μὲν C ‖ 28 τούτου : τούτων C ‖ 29 ταράσσουσιν : ἐκταράσσουσιν C

5. a. Ex. 32, 21.

εἰς κρίσιν τὸν λαὸν αὐτοῦ · 14. ***αὐτὸς Κύριος εἰς κρίσιν ἥξει μετὰ τῶν πρεσβυτέρων τοῦ λαοῦ καὶ μετὰ τῶν ἀρχόντων αὐτῶν.*** Ἔτι τῷ αὐτῷ εἴδει ἐπιμένει τῆς διορθώσεως, ἀπὸ
35 τοῦ δήμου πρὸς τοὺς γεγηρακότας καὶ τοὺς ἄρχοντας τρέπων τὴν ἐπιτίμησιν, καὶ φοβερώτερον μεταχειρίζων τὸν λόγον · αὐτὸν δὲ εἰσάγει τὸν Θεὸν δικαζόμενον καὶ καταδικάζοντα καὶ τὰ τῶν δήμων ἁμαρτήματα ἐγκαλοῦντα τοῖς ἄρχουσιν. Διὸ καὶ λέγει · Ἀλλὰ νῦν καταστήσεται εἰς
40 κρίσιν Κύριος. Ἐπειδὴ γὰρ εἰς ἐγκλήματα τὸν λόγον ἀνήλωσε, τοῖς δὲ ἀναισθήτως διακειμένοις τὸ μὲν ἐγκαλεῖσθαι οὐ σφόδρα βαρύ, τὸ δὲ κολάζεσθαι φοβερόν, φησίν, ὅτι οὐ μέχρι κατηγορίας τὰ πράγματα στήσεται, ἀλλὰ καὶ δίκη τοῖς ἁμαρτήμασιν ἕψεται, αὐτοῦ τοῦ
45 μέλλοντος καταδικάζειν εὐθύνας λοιπὸν ἀπαιτοῦντος καὶ κρινομένου πρὸς τοὺς πεπλημμεληκότας. Ὃ καὶ τὴν συγκατάβασιν τοῦ Θεοῦ πολλὴν δείκνυσιν, ἀνεχομένου δικάζεσθαι μετ' ἐκείνων καὶ ἐντρεπτικὸν ποιεῖ τὸν λόγον, ὃ καὶ τοὺς νοῦν ἔχοντας εἰς μεγάλην ἀγωνίαν ἐμβαλεῖν
50 εἴωθεν. Οὐκ ἐκείνης δὲ μόνον ἕνεκεν τῆς αἰτίας, ἧς ἔμπροσθεν εἶπον, πρὸς τοὺς ἄρχοντας καὶ τοὺς γεγηρακότας τρέπει τὸν λόγον, ἀλλὰ καὶ διδάσκων ἅπαντας, ὅτι βαρύτεραι τῶν ἀρχομένων τοῖς ἄρχουσιν αἱ εὐθῦναι. Ὁ μὲν γὰρ ὑπὲρ ἑαυτοῦ μόνον, ὁ δὲ ὑπὲρ ἑαυτοῦ καὶ τοῦ
55 δήμου, οὗ τὴν ἀρχὴν ἐγκεχειρισμένος τυγχάνει, παρέχει τὸν λόγον · καὶ οἱ πρεσβύτεροι δὲ οὐκ ἀπεικότως τοιαύτην ἀπαιτοῦνται τὴν ἀκρίβειαν. Ὅπερ γὰρ ἐκείνοις ἡ ἀρχή, τοῦτο τούτοις ἡ ἡλικία. Ἄξιος μὲν γὰρ καὶ ὁ νέος ἐπιτιμήσεως δεινὰ ἁμαρτάνων · ὁ δὲ τὴν ἀπὸ τῆς ἡλικίας
60 ἀτέλειαν ἔχων καὶ μὴ τοσούτοις παθῶν πολιορκούμενος κύμασιν, ἀλλὰ καὶ σωφρονεῖν εὐκολώτερον καὶ τῶν ἄλλων ἀνέχεσθαι τῶν βιωτικῶν ῥᾷον δυνάμενος καὶ πλείονα

38-39 τὰ τῶν δήμων ἁμαρτήματα ἐγκαλοῦντα τοῖς ἄρχουσιν *scripsi ex* A : ὑπὲρ τῶν εἰς τὸν δῆμον ἁμαρτημάτων ἐγκαλοῦντα τοῖς τὸν δῆμον [ἀδικοῦσι C] ἀλγοῦσιν *cod.* || 39 λέγει C A : ἔλεγε *cett.* || 42 κολάζεσθαι +

mettra son peuple en jugement. 14 Le Seigneur lui-même viendra en jugement avec les anciens du peuple et avec leurs chefs. Il s'en tient au même mode de correction, détournant du peuple le blâme pour le porter sur les hommes âgés et sur les chefs et rendant son langage plus effrayant. Il met en scène Dieu lui-même jugeant et prononçant l'arrêt, reprochant les péchés du peuple à ceux qui le gouvernent. C'est pourquoi il dit aussi : « Mais maintenant le Seigneur se tiendra pour juger. » Puisqu'il a consacré son discours aux reproches, mais qu'il importe peu à des gens insensibles d'être blâmés, alors qu'ils redoutent le châtiment, il leur dit qu'on n'en restera pas à l'accusation, mais que la condamnation suivra les péchés, lorsque celui-là même qui viendra juger réclamera des comptes et prononcera l'arrêt contre les coupables. Ici encore se manifeste la grande condescendance de Dieu qui daigne entrer en jugement avec eux et leur adresse une exhortation au repentir, ce qui d'ordinaire touche profondément les gens de bon sens. Mais ce n'est pas seulement pour la raison que j'ai indiquée plus haut qu'il adresse son discours aux chefs et aux gens âgés, mais pour enseigner à tous qu'on demande des comptes plus sévères à ceux qui gouvernent qu'à ceux qui sont gouvernés. Un subordonné ne doit répondre que de lui-même, tandis qu'un chef répond de lui-même et du peuple placé sous son autorité. Ce n'est pas sans raison non plus que les anciens sont traités avec une pareille rigueur, car ce que le pouvoir est pour les uns, l'âge l'est pour les autres. Le jeune homme qui commet des fautes graves mérite assurément d'être puni, mais celui que l'âge met à l'abri, que n'assaillent pas de la sorte les flots des passions, mais pour qui il est plus facile d'être tempérant et plus aisé de supporter les autres difficultés de la vie, celui qui a

σφόδρα C ‖ 45 καὶ > V ‖ 49 ἐμβαλεῖν : ἐμβάλλειν LMGC ‖ 50 μόνον > *Montf.* ‖ 52 καὶ > LMG ‖ 56 τοιαύτην C A : τοσαύτην *cett.* ‖ 59 ἁμαρτάνων : ἁμαρτάνειν C ‖ 60 μὴ > V ‖ παθῶν + οὐ V ‖ πολιορκούμενος : -μένοις V ‖ 61 κύμασιν : πάθεσιν V[1]

κεκτημένος σύνεσιν ἀπὸ τῆς τῶν πραγμάτων ἐμπειρίας, δικαίως ἂν μᾶλλον ἁπάντων καταδικάζοιτο, τὰ τῶν ἀκο-
65 λάστων νέων ἐν γήρᾳ ἐπιδεικνύμενος.

Ὑμεῖς δὲ τί ἐνεπυρίσατε τὸν ἀμπελῶνά μου καὶ ἡ ἁρπαγὴ τοῦ πτωχοῦ ἐν τοῖς οἴκοις ὑμῶν; Πανταχοῦ τῷ Θεῷ πολλὴ τῶν ἀδικουμένων ἡ πρόνοια · † καὶ τῶν εἰς αὐτὸν ἁμαρτημάτων οὐκ ἔλαττον, ἀλλ' ἔστιν ὅπου καὶ πλέον παρο-
70 ξύνεται ὑπὲρ τῶν εἰς τοὺς ὁμοδούλους πλημμελημάτων. Καὶ γὰρ τὸν μὲν πόρνην ἔχοντα γυναῖκα ἐκβάλλειν ἐπέτρεψε[a], τὸν δὲ Ἑλληνίδα οὐκέτι[b] · καίτοι τὸ μὲν εἰς αὐτόν, τὸ δὲ εἰς ἄνθρωπον τὸ ἁμάρτημα. Καὶ τῆς θυσίας προκειμένης, καταλιμπάνειν τὸ δῶρον ἐκέλευσε[c] καὶ μὴ
75 πρότερον αὐτὸ προσάγειν, ἕως ἂν τὰ πρὸς τὸν ἀδελφὸν εὖ διαθῆται ὁ τὸν πλησίον λελυπηκώς. Καὶ ἡνίκα τὸν τὰ μύρια τάλαντα κατεδηδοκότα ἔκρινεν, ὑπὲρ μὲν τῶν εἰς αὐτὸν ἐγκαλῶν ἁμαρτημάτων, οὔτε πονηρὸν ἐκάλεσεν καὶ κατηλλάγη ταχέως καὶ τὸ δάνειον ἅπαν ἀφῆκεν · ὑπὲρ δὲ
80 τῶν ἑκατὸν δηναρίων, καὶ πονηρὸν δοῦλον καλεῖ καὶ τοῖς βασανισταῖς παραδίδωσι καὶ οὐ πρότερον ἔφησεν ἀνήσειν, ἕως ἅπαν ἀποδῷ τὸ χρέος[d].

7 Καὶ ἡνίκα μὲν αὐτὸς ἐρραπίζετο ὁ Χριστός, οὐδὲν τὸν δοῦλον εἰργάσατο τὸν τὴν πληγὴν ἐπαγαγόντα, ἀλλὰ καὶ πράως ἀπεκρίνατο λέγων · Εἰ μὲν κακῶς ἐλάλησα, μαρτύρησον περὶ τοῦ κακοῦ · εἰ δὲ καλῶς, τί με δέρεις[a]; Ὅτε
5 δὲ ὁ Ἱεροβοὰμ τὴν χεῖρα ἐκτείνας ἐπιλαβέσθαι τοῦ προφήτου τοῦ τότε ἐλέγξαντος αὐτὸν ἐπεχείρησε, ξηρὰν τὴν χεῖρα εἰργάσατο[b], παιδεύων καὶ σὲ τὰ μὲν ἑαυτοῦ πράως φέρειν, τὰ δὲ εἰς τὸν Δεσπότην μετὰ πολλῆς

68 *post* πρόνοια *lacunam suspicor ex* A ‖ 71 ἐκβάλλειν + ταύτην C ‖ 78 ἐκάλεσεν + ἀλλὰ V
7, 1 τὸν > C

6. a. cf. Matth. 5, 32. b. cf. I Cor. 7, 12. c. cf. Matth. 5, 23-24. d. cf. Matth. 18, 23-24. **7.** a. Jn 18, 23. b. cf. III Rois 13, 4.

1. Compagnon de service ou d'esclavage. Paul se déclare δοῦλος du

acquis plus d'intelligence au moyen de l'expérience, celui-là mériterait plus que tous d'être condamné, s'il montrait dans la vieillesse les vices des jeunes débauchés.

Mais vous, pourquoi avez-vous incendié ma vigne ? Pourquoi la dépouille du pauvre est-elle dans vos maisons ? Partout la Providence de Dieu est grande pour les victimes de l'injustice, et il ne s'irrite pas moins, mais quelquefois plus, des fautes commises à l'égard des compagnons de service [1] que des péchés dirigés contre lui. Il a en effet permis à celui qui avait une épouse adultère [a] de la renvoyer, mais non à celui qui avait une femme païenne [b] ; dans ce cas pourtant, le péché était contre lui-même, et dans le premier cas contre l'homme. Quand le sacrifice est placé devant l'autel, il a ordonné de laisser là l'offrande [c] et de ne pas la présenter, aussi longtemps que celui qui a offensé son prochain n'aura pas réglé son différend avec ce frère [2]. Et quand il jugeait celui qui avait dissipé dix mille talents, alors qu'il reprochait les fautes commises contre lui-même il ne l'appela pas méchant, et vite il se réconcilia et lui remit toute la dette ; mais au sujet des cent deniers, il l'appelle mauvais serviteur, le livre aux bourreaux et dit qu'il ne le relâchera pas avant qu'il n'ait acquitté toute sa dette [d].

Quand le Christ lui-même était souffleté, il ne fit rien à l'esclave qui lui avait porté le coup, mais il lui répondit avec douceur : « Si j'ai mal parlé, témoigne de ce qui est mal ; mais si j'ai bien parlé, pourquoi me frappes-tu [a] ? » Mais quand Jéroboam, étendant la main, voulut saisir le prophète qui lui adressait à ce moment des reproches, il dessécha cette main [b], pour t'apprendre à toi aussi à supporter avec douceur les injures qui

Christ : *Rom.* 1, 1 ; *Phil.* 1, 1 ; *Tite* 1, 1. Les Pères de l'Église emploient volontiers le terme ὁμόδουλος pour désigner le chrétien. Ainsi GRÉG. NAZ., *Or.* 25, 17, 11 (*SC* 284, p. 198) ; NIL, *Ep.* 1, 102 (*PG* 79, 128).

2. Selon la doctrine chrétienne, tous les hommes sont frères dans le Christ.

ἐκδικεῖν τῆς σφοδρότητος. Διὰ δὴ τοῦτο καὶ νομοθετῶν, εἰ
10 καὶ δευτέραν ἔφησεν τὴν εἰς τὸν πλησίον ἀγάπην εἶναι,
ἀλλ' ὁμοίαν τῇ προτέρᾳ· καὶ ὥσπερ ἐκείνην μετὰ πάσης
ἀπαιτεῖ τῆς ὑπερβολῆς, οὕτω καὶ ταύτην. Ἐπ' ἐκείνου μὲν
γάρ φησιν· Ἐξ ὅλης τῆς καρδίας σου καὶ ἐξ ὅλης τῆς
ψυχῆς σου· ἐπὶ δὲ ταύτης· Ὡς ἑαυτόν[c]. Καὶ ἑτέρωθεν
15 μὲν πολλαχόθεν ἴδοι τις ἄν, ὅσην ἀκρίβειαν ὑπὲρ τῶν
πρὸς ἀλλήλους ἡμᾶς ἀπαιτεῖ δικαίων ὁ Θεός. Ὅρα γοῦν
αὐτὸν καὶ ἐνταῦθα σφοδρῶς ἐπικείμενον καὶ αὔξοντα τὴν
κατηγορίαν βαρυτάτοις ῥήμασιν· Ὑμεῖς δέ, φησί, τί
ἐνεπυρίσατε τὸν ἀμπελῶνά μου; Ὅπερ ἂν εἰργάσαντο
20 πολέμιοι καὶ βάρβαροί τινες ἀπηνεῖς, ταῦτα ὑμεῖς τοὺς
οἰκείους διεθήκατε. Ἀμπελῶνα δὲ καλεῖ τὸν λαὸν διὰ τὴν
πολλὴν περὶ αὐτῶν σπουδὴν καὶ τὴν ἄνωθεν ἐπιμέλειαν.
Καὶ αὔξων τὸ ἔγκλημα, οὐκ εἶπε· Τί τοὺς ὁμοδούλους,
τοὺς πλησίον, τοὺς ἀδελφούς, ἀλλά· Τὰ ἐμά, φησίν, ἀπω-
25 λέσατε, τὰ ἐμὰ διεφθείρατε; Εἶτα δηλῶν τοῦ ἐμπρησμοῦ τὸ
εἶδος, φησίν· Ἡ ἁρπαγὴ τοῦ πτωχοῦ ἐν τοῖς οἴκοις ὑμῶν.
Οὐ γὰρ οὕτω λυμαίνεσθαι τὰς ἀμπέλους εἴωθε χάλαζα, ὡς
ἡ ἀδικία τοῦ πτωχοῦ καὶ πένητος ἐμπιπρᾶν πέφυκε τὴν
ψυχήν, θανάτου παντὸς χαλεπωτέρᾳ κατατείνουσα αὐτὴν
30 ἀθυμίᾳ. Πανταχοῦ μὲν οὖν τὸ ἁρπάζειν κακόν· μάλιστα δὲ
ὅταν ὁ ἐπηρεαζόμενος ἐν ἐσχάτῃ πτωχείᾳ ᾖ. Οὐκ ἐπιτιμᾷ
δὲ μόνον τοῦτο λέγων, ἀλλὰ καὶ διορθοῦται, πρὸς τὴν
θεωρίαν αὐτοὺς παραπέμπων τῆς ἁρπαγῆς. Ἱκανὴ μὲν γὰρ
μετὰ τὴν ῥῆσιν αὐτὴν ἡ ὄψις πρὸ τῶν ὀφθαλμῶν κειμένη
35 κατανύξαι τὸν μὴ σφόδρα ἀναισθήτως διακείμενον.

15. ***Τί ὑμεῖς ἀδικεῖτε τὸν λαόν μου;*** Τῷ αὐτῷ πάλιν

9-14 διὰ – ἑαυτόν > C ‖ 9 δὴ > V ‖ 14 ψυχῆς : ἰσχύος L ‖ 15 μὲν : δὲ C ‖ 19 ὅπερ *codd.* : ὥσπερ *Montf.* ‖ 20 καὶ > *Montf.* ‖ ταῦτα : τοῦτο C ‖ 22 αὐτων V G[1] : αὐτὸν *cett.* ‖ 23 τί V : ὅτι *cett.* ‖ 24-25 τὰ – διεφθείρατε > N ‖ 27 χάλαζα > M[1]N ‖ 29 χαλεπωτέρᾳ : χαλεπώτερον C ‖ αὐτὴν + τῇ C ‖ 32 τοῦτο μόνον ~ V ‖ τὴν > C ‖ 34 αὐτὴν : αὐτὴ LMG > C ‖ 36-37 τί – καὶ > C

te sont faites, mais à réprimer avec la plus grande véhémence celles qui atteignent le Maître. Aussi, lorsqu'il légifère, bien qu'il dise que l'amour du prochain est le second, il le dit semblable au premier ; et comme il exige le premier de la manière la plus instante, il fait de même pour le second. Pour le premier il dit en effet : « de tout ton cœur et de toute ton âme » ; et pour le second : « comme toi-même[c] ». Et l'on peut voir en beaucoup d'autres passages quel soin Dieu réclame de nous dans l'accomplissement de nos devoirs mutuels. Vois donc ici à quel point il insiste et comment il aggrave l'accusation par les paroles les plus sévères : « Mais vous, dit-il, pourquoi avez-vous incendié ma vigne ? » Ce qu'auraient fait des ennemis, des Barbares cruels, vous l'avez fait aux gens de votre maison. C'est le peuple qu'il appelle la vigne à cause du grand soin qu'il en a pris et de la protection d'en-haut. Et pour aggraver l'accusation il dit, non pas : Pourquoi avez-vous causé la perte de vos compagnons de service, de vos voisins, de vos frères, mais : pourquoi avez-vous causé la perte de ce qui est à moi, pourquoi avez-vous détruit ce qui est à moi ? Puis, pour montrer la nature de l'incendie, il ajoute : « La dépouille du malheureux est dans vos maisons. » Les ravages que fait la grêle dans les vignes ne sont pas comparables à l'incendie qu'allume l'injustice dans l'âme du pauvre et de l'indigent, car elle la torture par un découragement plus pénible que n'importe quelle mort. En toute occurence la rapine est un mal, mais elle l'est surtout quand la victime est dans le plus extrême dénuement. En parlant de la sorte il ne veut pas seulement réprimander, mais aussi corriger, en évoquant pour eux le spectacle du pillage. Le tableau placé devant les yeux après l'énoncé lui-même suffit en effet pour émouvoir celui dont l'âme n'est pas complètement insensible.

15 Pourquoi faites-vous tort à mon peuple ? Il s'en est tenu

c. Matth. 22, 37-39 ; Deut. 6, 5.

ἐπέμεινε τρόπῳ, ὥσπερ ἐκεῖ · Τὸν ἀμπελῶνά μου, οὕτω καὶ ἐνταῦθα · Τὸν λαόν μου, λέγων.

Καὶ τὰ πρόσωπα τῶν ταπεινῶν καταισχύνετε; Οὓς
40 ὀρθοῦν ἔδει, τούτους ὠθοῦντες, οὓς ἀνιστᾶν, τούτους καταρρηγνύντες. Μετὰ γὰρ τῆς ἁρπαγῆς καὶ διέπτυον τοὺς εὐτελεστέρους καὶ ἀνδραπόδων χαλεπώτερον αὐτοῖς ἐκέχρηντο, πρὸς τῇ πλεονεξίᾳ καὶ τὴν ἀλαζονείαν ἐπιτείνοντες καὶ ἀπὸ τῆς ἀδικίας τοῦ πλούτου τούτου πολλὴν
45 τὴν ἀπόνοιαν κτώμενοι. Συνέζευκται γὰρ τῇ πλεονεξίᾳ τὸ τῆς ὑπερηφανίας νόσημα · καὶ ὅσον ἄν τις ἐπιτείνῃ τὸν πλοῦτον, τοσοῦτον καὶ τὸ νόσημα τοῦτο ἐπιτρίβει.

15 bis. Τοῦτό ***φησι Κύριος, Κύριος στρατιῶν.*** Τί δέ ἐστι · Στρατιῶν; Τῶν ἀγγέλων λέγει, τῶν ἀρχαγγέλων, τῶν ἄνω
50 δυνάμεων, ἀπὸ τῆς γῆς ἐπὶ τὸν οὐρανὸν τὸν ἀκροατὴν ἀνάγων, εἰς ἔννοιαν τῆς μεγάλης αὐτοῦ βασιλείας αὐτὸν ἐμβάλλων, ἵνα τούτῳ γοῦν καταπλήξας, σωφρονέστερον ἐργάσηται καὶ δείξῃ τὴν τοσαύτην ἀνοχὴν οὐκ ἀσθενείας, ἀλλὰ μακροθυμίας οὖσαν.

55 16. ***Τάδε λέγει Κύριος. Ἀνθ' ὧν ὑψώθησαν αἱ θυγατέρες Σιὼν καὶ ἐξεπορεύθησαν ὑψηλῷ τραχήλῳ καὶ νεύμασιν ὀφθαλμῶν καὶ τῇ πορείᾳ τῶν ποδῶν σύρουσαι ἅμα τοὺς χιτῶνας, καὶ τοῖς ποσὶν ἅμα παίζουσαι.*** 17. ***Καὶ ταπεινώσει ὁ Θεὸς ἀρχούσας θυγατέρας Σιὼν καὶ Κύριος ἀνακαλύψει***
60 ***τὸ σχῆμα αὐτῶν*** 18. ***ἐν τῇ ἡμέρᾳ ἐκείνῃ. Καὶ ἀφελεῖ Κύριος τὴν δόξαν τοῦ ἱματισμοῦ αὐτῶν καὶ τὸν κόσμον αὐτῶν καὶ τὰ ἐμπλόκια καὶ τοὺς κορύμβους καὶ τοὺς μηνίσκους*** 19. ***καὶ τὸ κάθεμα καὶ τὸν κόσμον τοῦ προσώπου αὐτῶν*** 20. ***καὶ τὴν σύνθεσιν τοῦ κόσμου τῆς δόξης καὶ τοὺς χλιδῶνας καὶ τὰ***
65 ***ψέλλια καὶ τὸ ἐμπλόκιον καὶ τοὺς δακτυλίους καὶ τὰ περι-***

39 ταπεινῶν : πτωχῶν C ‖ 43 τὴν > LMG ‖ 46 ὅσον : ὅσῳ V N ‖ 47 τοσοῦτον : τοσούτῳ LMGN ‖ 48 Κύριος *bis* V LMGN : Κύριος *semel* A, *ter* C ‖ ἐστι + Κύριος LMGC ‖ 50 τῆς > C ‖ 54 οὖσαν > C ‖ 57 ἅμα συροῦσαι ~ C ‖ 65 τοὺς : τὰς LMG

1. La Septante traduit par « Seigneur des armées » l'expression « Iahvé-Sabaoth ».

à la même tournure : comme il disait là : « ma vigne », il dit ici : « mon peuple ».

... *Et couvrez-vous de confusion la face des humbles ?* En ébranlant ceux qu'il fallait redresser, en brisant ceux qu'il fallait relever. Car, tout en les dépouillant, ils outrageaient les petites gens et les traitaient plus mal que des esclaves, joignant ainsi l'arrogance à la cupidité et concevant une grande présomption de cette richesse acquise par l'injustice. La maladie de l'orgueil forme en effet un couple avec la cupidité et, plus on accroît sa richesse, plus cette maladie vous épuise.

15 bis « Voici ce que *dit le Seigneur, le Seigneur des armées.* » Pourquoi « des armées[1] » ? Il veut dire des anges, des archanges, des puissances d'en haut, élevant ainsi l'auditeur de la terre au ciel, lui inspirant la pensée du grand royaume de Dieu, afin que, le frappant de stupeur, il le rende plus sage et lui montre qu'une si grande patience n'est pas une preuve de faiblesse, mais de longanimité.

16 Voici ce que dit le Seigneur : Parce que les filles de Sion ont pris de grands airs, qu'elles se sont promenées en se rengorgeant, en lançant des œillades, en traînant sur leurs pieds leurs tuniques, en cadençant leur pas[2], *17 Dieu humiliera les princesses de Sion et le Seigneur dénudera leurs formes*[3] *18 en ce jour-là. Le Seigneur ôtera la splendeur de leurs vêtements et leur parure, les tresses et les corymbes, les croissants 19 et le pendentif*[4], *les ornements de leur visage 20 et l'arrangement de leur glorieuse parure, les bracelets, les anneaux, le bandeau, les bagues, les cercles portés au bras*

2. Le texte hébreu peut se traduire : « et à leurs pieds font sonner leurs anneaux ».

3. Sur la nudité comme châtiment, cf. *Is.* 47, 3 ; *Jér.* 13, 26 ; *Éz.* 16, 27.

4. Nous avons traduit τὸ κάθεμα par « pendentif ». Pour Chrysostome, il s'agirait d'un voile (cf. *infra,* III, 8, 72), BASILE y voit des chaînettes (χαλαστά) : *Comm. sur Is.*, 126 (*PG* 30, 321) ; JÉRÔME pense à un collier *(monilia)* : *In Es.* 2, 19 (*CCL* 73, p. 56).

δέξια καὶ τὰ ἐνώτια 21. ***καὶ τὰ περιπόρφυρα καὶ τὰ μεσοπόρφυρα*** 22. ***καὶ τὰ ἐπιβλήματα τὰ κατὰ τὴν οἰκίαν καὶ τὰ διαφανῆ Λακωνικὰ*** 23. ***καὶ τὰ βύσσινα καὶ τὰ ὑακίνθινα καὶ τὰ κόκκινα καὶ τὴν βύσσον σὺν χρυσῷ καὶ ὑακίνθῳ συγκα-***
70 ***θυφασμένην καὶ θέριστρα κατάκλειστα τοῦ χρυσίου.*** 24. ***Καὶ ἔσται ἀντὶ ὀσμῆς ἡδείας κονιορτὸς καὶ ἀντι ζώνης σχοινίῳ ζώσῃ καὶ ἀντὶ τοῦ κόσμου τῆς κεφαλῆς σου φαλάκρωμα ἕξεις διὰ τὰ ἔργα σου καὶ ἀντὶ τοῦ χιτῶνος τοῦ μεσοπορφύρου περιζώσῃ σάκκον. Ταῦτά σοι ἀντὶ καλλωπισμοῦ.***
75 25. ***Καὶ ὁ υἱός σου ὁ κάλλιστος, ὃν ἀγαπᾷς, μαχαίρᾳ πεσεῖται καὶ οἱ ἰσχύοντες ὑμῶν μαχαίρᾳ πεσοῦνται*** 26. ***καὶ ταπεινωθήσονται. Καὶ πενθήσουσιν αἱ θῆκαι τοῦ κόσμου ὑμῶν καὶ καταλειφθήσῃ μόνη καὶ εἰς τὴν γῆν ἐδαφισθήσῃ.***
Ξένον τοῦτο ὁ προφήτης αὐτὸς πεποίηκε, μακρὸν πρὸς
80 τὰς γυναῖκας ἀποτείνας λόγον, ὅπερ οὐδαμοῦ τῶν Γραφῶν ὁρῶμεν γεγενημένον οὕτω. Τί οὖν τὸ αἴτιον τοῦ ξένου;

8 Ἐμοὶ δοκεῖ πολλὴν τότε τὴν βλακείαν τῶν γυναικῶν γεγενῆσθαι καὶ τὸ πλέον εἰς τὴν τῶν ἀνδρῶν κακίαν εἰσφέρειν μέρος αὐτάς. Διὸ δὴ καὶ ἰδιαζόντως πρὸς αὐτὰς ἀποτείνεται, τὰ χαλεπώτατα αὐταῖς ἐγκαλῶν ἐγκλήματα καὶ
5 εἰς ἀρχὴν ἀνάγει τὸν λόγον, ἐκ προσώπου τοῦ Θεοῦ πάλιν φθεγγόμενος. Τάδε λέγει Κύριος· Ἀνθ' ὧν ὑψώθησαν αἱ θυγατέρες Σιὼν καὶ ἐπορεύθησαν ὑψηλῷ τραχήλῳ. Τὸ κεφάλαιον τῶν κακῶν αὐταῖς ἐγκαλεῖ, ἀπόνοιαν καὶ ἀλαζονείαν. Τοῦτο γὰρ πανταχοῦ μὲν χαλεπόν, μάλιστα δὲ ἐπὶ
10 τῆς γυναικείας τικτόμενον φύσεως. Φρονήματος γὰρ ἐμπλησθεῖσα γυνή, ἅτε κουφοτέρα καὶ ἀλογωτέρα οὖσα, εὐκόλως περιτρέπεται καὶ βαπτίζεται καὶ ναυάγιον

66 καὶ τὰ περιπόρφυρα > LMG || καὶ τὰ μεσοπόρφυρα > V C || 70 κατάκλειστα LMGC : -κλητα V -κλιτα N -ληπτα *Montf.* || 78 καὶ ἐπιλήψονται — ὑετοῦ, *id est Is.* 4, 1-6, *post* ἐδαφισθήσῃ *in* V LMGN A *legitur, sed non in Montf. editione, quam secuti sumus.*

8, 4 χαλεπώτατα *codd.* : χαλεπώτερα *Montf.* || 6 τάδε + γάρ φησι LMGCN || 7 ἐπορεύθησαν + ἐν MG || τραχήλῳ + καὶ νεύμασιν ὀφθαλμῶν καὶ τὰ ἑξῆς C || 9 χαλεπόν : κακόν C

droit, les pendants d'oreilles, 21 les robes bordées de pourpre, ou avec une bande de pourpre, 22 les tapis dans la maison, les tissus diaphanes de Laconie, 23 les habits de lin, de couleur de jacinthe, d'écarlate, le lin broché d'or et d'hyacinthe et les toilettes d'été de lamé or. 24 Au lieu d'un agréable parfum il y aura un tourbillon de poussière, au lieu d'une ceinture tu te ceindras d'une corde, au lieu de la parure de ta tête tu auras une calvitie, à cause de tes œuvres, et au lieu d'une tunique à bande de pourpre tu te revêtiras d'un sac. Voilà pour ta toilette. 25 Le plus beau de tes fils, celui que tu préfères, tombera par l'épée, et ceux d'entre vous qui sont forts tomberont par l'épée 26 et seront humiliés. Les coffrets qui contiennent votre parure gémiront et tu seras laissée seule, prostrée au ras du sol[1]. Le prophète a agi ici de manière insolite, en adressant un si long discours aux femmes, ce qu'on ne voit nulle part ailleurs dans les Écritures. Quelle est donc la raison de cette particularité ?

La mollesse des femmes devait, à mon avis, être bien grande en ce temps-là et elles contribuaient pour une large part à la perversité des hommes. C'est pour cela qu'il s'en prend spécialement à elles, pour leur adresser les reproches les plus sévères, et il fait remonter son discours à son origine, en assumant encore pour leur parler le rôle de Dieu[2]. « Voici ce que dit le Seigneur : Parce que les filles de Sion ont pris de grands airs, qu'elles se sont promenées en se rengorgeant. » Le vice capital qu'il leur reproche, c'est l'outrecuidance, l'arrogance. Ce vice est certes grave en toutes circonstances, mais il l'est surtout quand il germe dans la nature féminine. Une femme pleine de fierté, créature plus légère et plus irréfléchie, chavire facilement, elle s'enfonce, elle fait naufrage, submergée par tout

1. Ici, la plupart des mss recopient les versets d'*Is*. 4, 1-6, qu'à la suite de Montfaucon nous avons repoussés plus bas.
2. Le prophète n'est que le porte-parole de Dieu.

ὑπομένει παντὸς πονηροῦ πνεύματος, τοῦ τύφου καὶ τῆς ἀλαζονείας αὐτὴν βαπτιζούσης. Δοκεῖ δὲ πρὸς τὰς ἐν
15 Ἱεροσολύμοις ἀποτείνεσθαι· διὸ καὶ θυγατέρας Σιὼν ἐκάλεσε.

Καὶ ἐπορεύθησαν ὑψηλῷ τραχήλῳ. Ἐνταῦθα αὐτὰς καὶ κωμῳδεῖ καὶ τὸ γυναικεῖον δείκνυσι φρόνημα, οὐδὲ ἐν διανοίᾳ στέγεσθαι δυνάμενον, ἀλλ' ἐκρηγνύμενον καὶ διὰ
20 τῶν τοῦ σώματος ἐπιδεικνύμενον κινήσεων. Οὐκ εἰς ἀπόνοιαν δὲ μόνον, ἀλλὰ καὶ εἰς ἀσέλγειαν αὐτὰς διαβάλλει, τοῦτο λέγων καὶ δηλῶν ἐκ τῶν ἑξῆς. Ἐπήγαγε γοῦν· Καὶ νεύμασιν ὀφθαλμῶν, ὃ τῶν ἑταιριζομένων ἐστὶ γυναικῶν, διαστρέφειν τὰς κόρας καὶ τὴν πολλὴν βλακείαν καὶ τὸν
25 μαλακισμὸν ἐντεῦθεν ἐμφαίνειν· τοῦ δὲ θρύπτεσθαι καὶ μαλακίζεσθαι οὐδὲν οὕτω σημεῖόν ἐστιν, ὡς τοῦτο.

Καὶ τῇ πορείᾳ τῶν ποδῶν σύρουσαι ἅμα τοὺς χιτῶνας. Οὐ μικρὸν τοῦτο ἔγκλημα, εἰ καὶ μικρὸν εἶναι δοκεῖ, ἀλλ' ἐξωλείας τῆς ἐσχάτης ἔλεγχος καὶ τοῦ μαλακίζεσθαι καὶ
30 κατακλᾶσθαι καὶ διαλύεσθαι, τὸ τοὺς χιτῶνας σύρειν. Τοῦτο γοῦν τις καὶ τῶν ἔξωθεν κωμῳδῶν τὸν ἀντίδικον τὸν αὐτοῦ τέθεικε λέγων· θοἰμάτιον καθεὶς ἄχρι τῶν σφυρῶν.

Καὶ τοῖς ποσὶν ἅμα παίζουσαι. Καὶ τοῦτο τῆς αὐτῆς
35 πάλιν ἀσχημοσύνης ἀπόδειξις. Διὰ γὰρ πάντων, δι' ὀφθαλμῶν, δι' ἱματίων, διὰ ποδῶν, διὰ βαδίσεως, ἥ τε σωφροσύνη καὶ ἡ ἀσέλγεια φαίνεται. Τῆς γὰρ ἔνδον καθημένης ψυχῆς ὥσπερ κήρυκές τινές εἰσι τῶν αἰσθητηρίων αἱ κινήσεις. Καὶ καθάπερ οἱ ζωγράφοι τὰ χρώματα κεραν-
40 νύντες τὰς εἰκόνας ἃς βούλονται χαρακτηρίζουσιν· οὕτω δὴ καὶ τὰ κινήματα τῶν μελῶν τοῦ σώματος τοὺς χαρακτῆρας ἔξω τῆς ψυχῆς ἄγει καὶ πρὸ τῶν ὀφθαλμῶν τίθησι τῶν ἡμετέρων. Διὸ καὶ ἕτερός τις σοφὸς ἔλεγε·

13 πνεύματος : πράγματος C ‖ 18-19 ἐν διανοίᾳ : ἔνδον C ‖ 19 στέγεσθαι N A : τε γενέσθαι V στέργεσθαι *cett.* ‖ 20 κινήσεων ἐπιδεικνύμενον ~ LMGCN ‖ 22 γοῦν > N ‖ 24 βλακείαν : βασκανείαν N ‖ 26 ἐστιν > C ‖ 27

souffle mauvais, par la superbe et l'arrogance. Il semble avoir en vue les femmes de Jérusalem ; c'est pourquoi il les a appelées filles de Sion.

« Et elles se sont promenées en se rengorgeant. » Ici il les raille et montre que la jactance féminine ne sait pas se tenir cachée dans ses pensées, mais éclate au dehors et se manifeste par les mouvements du corps. Et il ne les accuse pas seulement d'outrecuidance, mais aussi de mœurs dissolues ; il le dit et le prouve par ce qui suit. Il a donc ajouté : « en lançant des œillades ». C'est l'habitude des prostituées de rouler les yeux et de prendre ainsi un air fascinant et lascif ; il n'y a pas de signe plus net de volupté et de lascivité que celui-là.

« En traînant sur leurs pieds leurs tuniques. » Ce reproche n'est pas futile, encore qu'il le paraisse : c'est l'indice de la corruption la plus complète, d'une vie lascive, relâchée et dissolue, que de laisser traîner sa tunique. Un païen même, tournant en dérision son adversaire, le reconnaissait quand il disait « laissant tomber son manteau jusqu'aux chevilles [1] ».

« En cadençant leur pas. » C'est encore une preuve de la même dégradation. Tout en effet, les yeux, les vêtements, les pieds, la démarche, révèle la chasteté ou la débauche. L'âme qui siège à l'intérieur a en quelque sorte pour hérauts de ses sentiments les mouvements. En mélangeant les couleurs, les peintres donnent à leurs tableaux l'aspect qu'ils désirent ; ainsi les mouvements des membres du corps font apparaître au-dehors les traits caractéristiques de l'âme et les placent sous nos yeux. Cela faisait dire à un autre sage : « Le drapé du vête-

καὶ – χιτῶνας : καὶ τὸ τοὺς χιτῶνας δὲ σύρειν C ‖ 28 τοῦτο > C ‖ εἰ καὶ... δοκεῖ : καὶ... δοκεῖ V κἂν... δοκῇ *Montf.* ‖ 30 τὸ – σύρειν > C ‖ 32 αὐτοῦ : αὐτὸν V N ‖ 34 παίζουσαι : παίζειν V N ‖ καὶ τοῦτο > C ‖ 35-36 δι' ἱματίων, δι' ὀφθαλμων ~ C ‖ 42 ἄγει τῆς ψυχῆς ~ C

1. On ne peut identifier ni l'auteur du brocard, ni la victime. Mais pour les Athéniens du ve siècle, laisser traîner son manteau témoignait d'une mollesse digne des Perses. Cf. PLATON, *1er Alcibiade* 122 b c.

Στολισμὸς ἀνδρὸς καὶ γέλως ὀδόντων καὶ βῆμα ποδὸς
45 ἀναγγελεῖ τὰ περὶ αὐτοῦ[a].

Καὶ ταπεινώσει ὁ Θεὸς ἀρχούσας θυγατέρας Σιὼν καὶ Κύριος ἀνακαλύψει τὸ σχῆμα αὐτῶν ἐν τῇ ἡμέρᾳ ἐκείνῃ καὶ ἀφελεῖ Κύριος τὴν δόξαν τοῦ ἱματισμοῦ αὐτῶν. Δυὸ θεὶς ἐγκλήματα, ἀπόνοιαν καὶ ἀσέλγειαν, ἑκάστῳ τὸ κατάλ-
50 ληλον ἐπάγει φάρμακον, καὶ τῷ προτέρῳ τὸ πρότερον καὶ τῷ δευτέρῳ τὸ ἐχόμενον· τῇ μὲν ἀπονοίᾳ, τὴν ταπείνωσιν, τῷ δὲ καλλωπισμῷ τοῦ σχήματος τὴν ἀναίρεσιν ἐκείνου. Πολέμου γὰρ καταλαβόντος τότε, τὰ πάντα οἰχήσεται, φησίν. Αἵ τε γὰρ φλεγμαίνουσαι καὶ ἀπονενοημέναι, τῷ
55 φόβῳ κατασταλεῖσαι, τοῦ νοσήματος ἀπαλλαγήσονται· αἵ τε μαλακιζόμεναι καὶ διὰ πάντων θρυπτόμεναι, εἰς τὸν τῆς αἰχμαλωσίας ἐμπεσοῦσαι ζυγόν, πάσης ἐκείνης ἐλευθερωθήσονται τῆς βλακείας. Ὥστε δὲ ποιῆσαι τὸν λόγον αὐτοῖς φορτικώτερον καὶ καθάψασθαι τῆς τῶν ἀκροωμένων
60 διανοίας, καὶ κατ' εἶδος διηγεῖται τὸν καλλωπισμὸν τῶν ἱματίων, τῶν χρυσίων, τὸν ἐπὶ τῆς ὄψεως, τὸν ἐπὶ τοῦ λοιποῦ σώματος, πρόεισι δὲ καὶ ἐπὶ τὸν τῆς οἰκίας κόσμον. Οὐ γὰρ δὴ μόνον τὰ σώματα ἐκαλλώπιζον, ἀλλὰ τὴν ὕβριν ταύτην καὶ μέχρι τῶν τοίχων ἐξῆγον, εἰς οὐδὲν
65 δέον δαπανώμεναι· καὶ τὰς τρίχας δὲ στρεβλοῦσαι, τὰ πτερὰ τῆς τοιαύτης ἀπάτης πάντοθεν ἀνεπετάννυον.

Καὶ τοῦτο γοῦν ἐγκαλεῖ λέγων ὅτι Ἀφελεῖ τὴν δόξαν τοῦ ἱματισμοῦ αὐτῶν καὶ τὸν κόσμον αὐτῶν καὶ τὰ ἐμπλόκια αὐτῶν καὶ τοὺς κορύμβους. Κορύμβους δὲ λέγει,
70 ἢ κόσμον τινὰ περὶ τὴν κεφαλὴν ἢ αὐτοῦ τοῦ κεφαλοδέσμου τὸ σχῆμα. Καὶ τοὺς μηνίσκους· κόσμον περὶ τὸν τράχηλον σεληνοειδῆ. Καὶ τὸ κάθεμα. Τὸ θέριστρον λέγει.

44 καὶ[2] > V ‖ 49 τὸ > V N ‖ 50 καὶ[1] > C ‖ τῷ >V LMGN ‖ καὶ[2] >V LMGN ‖ 52 τὴν > V ‖ 58 βλακείας + ἐνταῦθα οὖν ὁ προφήτης C ‖ δὲ > C ‖ 60 καὶ > C ‖ 61 ἱματίων + τῶν γυναικῶν ἐκείνων C ‖ 62 πρόεισι δὲ : καὶ πρόεισι V N ‖ 65 δαπανώμεναι : δαπανῶσαι C ‖ 66 ἀνεπετάννυον : ἀνετάνυον V ‖ 67 ὅτι > C ‖ ἀφελεὶ + ὁ Κύριος C ‖ 68 καὶ[1] – αὐτῶν > C ‖

ment de l'homme, le rire de ses dents, le rythme de ses pas annonceront ce qu'il est[a]. »

« Dieu humiliera les princesses de Sion et le Seigneur dénudera leurs formes en ce jour-là. Le Seigneur ôtera la splendeur de leurs vêtements. » Après avoir formulé deux griefs, l'outrecuidance et la débauche, il applique à chaque vice le remède correspondant, le premier remède pour le premier vice, le suivant pour le second ; pour l'outrecuidance, l'humiliation, pour l'embellissement de leurs formes, le dépouillement. La guerre survenant alors, tout, dit-il, disparaîtra. Les femmes gonflées d'orgueil, et outrecuidantes, seront étreintes par la peur et ainsi débarrassées de leur maladie ; celles dont la vie était lascive et toute voluptueuse, tombant sous le joug de la captivité, seront délivrées de toute cette mollesse. Afin que sa parole leur soit plus pesante et pour frapper l'esprit des auditeurs, il détaille pièce par pièce l'artificielle beauté des vêtements, des bijoux d'or, celle du visage, celle du reste du corps, puis il passe à la décoration de la maison. Elles ne se contentaient pas en effet d'embellir leurs corps, mais elles étendaient cette jactance jusqu'à leurs murs par des dépenses inutiles ; mais torturant aussi leur chevelure, elles déployaient partout les ailes de cette même tromperie.

C'est ce qu'il leur reproche lorsqu'il dit : « Il ôtera la splendeur de leurs vêtements et leurs parures, les tresses et les corymbes. » Il appelle corymbes[1] soit un ornement autour de la tête, soit la forme de la résille elle-même. « Les croissants » : un ornement en forme de lune autour du cou. « Le pendentif[2] » : il parle du vêtement d'été. « Les ornements de

72 κάθεμα + τάχα C

8. a. Sir. 19, 30.

1. Le mot κόρυμβος désigne le sommet d'une montagne, et par dérivation un chignon, un toupet. Il est alors l'équivalent de κρωβύλος.

2. Associé à μηνίσκους, κάθεμα semble bien désigner un pendentif, plutôt que la draperie tombante d'un vêtement ou un vêtement d'été.

Καὶ τὸν κόσμον τοῦ προσώπου αὐτῶν. Ἐνταῦθά μοι δοκεῖ ἐπιτρίμματα καὶ ὑπογραφὰς αἰνίττεσθαι. Καὶ τὴν σύνθεσιν
75 τοῦ κόσμου τῆς δόξης. Τοῦτο περιχρύσιόν φησι. Καὶ τοὺς χλιδῶνας· τὰ περὶ τοὺς βραχίονας χρυσία. Καὶ τὰ ψέλλια· τὰ περὶ τοὺς καρπούς. Καὶ τὸ ἐμπλόκιον· κόσμον χρυσοῦν περὶ τὴν κεφαλήν. Καὶ τοὺς δακτυλίους καὶ τὰ περιδέξια· ἃ λέγουσι δεξιάρια. Καὶ τὰ ἐνώτια καὶ
80 τὰ περιπόρφυρα καὶ τὰ μεσοπόρφυρα καὶ τὰ ἐπιβλήματα τὰ κατὰ τὴν οἰκίαν καὶ τὰ διαφανῆ Λακωνικά. Τοσαύτη γὰρ ἦν αὐτῶν ἡ περὶ τὴν ἀσέλγειαν σπουδή, ὡς μὴ μόνον τοῖς ἐγχωρίοις κεχρῆσθαι, ἀλλὰ καὶ πόρρωθεν καὶ ἐκ τῆς ἀλλοτρίας αὐτὰς συλλέγειν καὶ διαποντίους ἀποδημίας
85 ὑπὲρ αὐτῶν στέλλεσθαι. Πολὺ γὰρ τὸ μέσον τῆς Παλαιστίνης καὶ τῆς Λακεδαίμονος καὶ πέλαγος ἄπειρον.

9 Οὐχ ἁπλῶς τοίνυν τὴν πατρίδα τέθεικεν, ἀφεὶς τὰ ἐσθήματα, ἀλλ' ὥστε τὴν ὑπερβάλλουσαν αὐτῶν ἀκολασίαν ἐμφῆναι. Καὶ τὰ βύσσινα καὶ τὰ ὑακίνθινα καὶ τὰ κόκκινα καὶ τὴν βύσσον σὺν χρυσῷ καὶ ὑακίνθῳ συγκαθυ-
5 φασμένην καὶ θέριστρα κατάκλειστα τοῦ χρυσίου. Οὐδὲν γὰρ εἶδος οὐκ ἐν ἱματίοις, οὐκ ἐν τῷ λοιπῷ κόσμῳ κατέλιπον, ἀλλὰ πᾶσαν ἐπῆλθον πολυτελείας ὁδόν, τῇ τῆς ἀσελγείας ἐκβακχευθεῖσαι τυραννίδι. Ταῦτα δὲ εἰ τότε ἐγκλήματα ἦν πρὸ τῆς χάριτος καὶ τῆς τοσαύτης φιλοσο-
10 φίας, ποίας ἂν τύχοιεν συγγνώμης αἱ πρὸς τὸν οὐρανὸν κληθεῖσαι νῦν καὶ εἰς μακρότερα σκάμματα καὶ πρὸς τὸν τῶν ἀγγέλων ἑλκόμεναι ζῆλον καὶ μετὰ πλείονος τῆς ὑπερβολῆς ταύτην νικῶσαι τὴν ἀσέλγειαν καὶ τὰς ἐπὶ τῆς σκηνῆς ἀποκρύπτουσαι; Καὶ τὸ δὴ χαλεπώτερον, ὅτι οὐδὲ

78 δακτυλίους LMG : δακτύλους *cett.* ‖ 83 καί^2 > V
9, 3 ἐμφῆναι : ἐφεῖναι V ‖ 5 κατάκλειστα : -κλιστα V -κλιτα C ‖ 7 κατέλιπον : κατέλειπον V

1. Les bandeaux, ou plutôt les épingles ornementales, analogues aux cigales d'or que les vieillards d'Athènes plantaient dans leurs chignons (THUCYDIDE I, 5, 3). Cf. aussi ARISTOPHANE, *Cavaliers* 1331-1332; *Nuées* 984.

leur visage» : il me semble avoir ici en vue les fards et le maquillage. «Et l'arrangement de leur parure glorieuse» : il désigne les bordures d'or. «Les bracelets», les cercles d'or autour des bras. «Les anneaux», placés autour des poignets. «Les bandeaux[1]», une parure d'or cernant la tête. «Les bagues, et les cercles portés au bras droit», qu'on appelle *dexiaria*. «Les pendants d'oreilles, les robes bordées de pourpre ou avec une bande de pourpre, les tapis dans la maison, les tissus diaphanes de Laconie[2].» Telle était leur ardeur pour la débauche qu'elles n'employaient pas seulement les objets du pays mais qu'elles en faisaient venir de loin, de l'étranger, et qu'on organisait pour elles des expéditions outre-mer. Considérable est en effet la distance entre la Palestine et Lacédémone : c'est une mer immense.

Ce n'est donc pas sans raison qu'il a mentionné le pays d'origine, sans spécifier les vêtements, mais pour mettre en évidence la débauche effrénée. «Les habits de lin, de couleur de jacinthe, d'écarlate, le lin broché d'or et d'hyacinthe et les toilettes d'été de lamé or.» Il n'y a pas en effet une forme de vêtements ou d'une autre espèce de parure qu'elles aient omise, mais elles ont suivi toutes les voies du gaspillage, en bacchantes tyrannisées par la luxure. Or, si l'on faisait alors de tels reproches, avant le temps de la grâce et de la parfaite philosophie[3], quelle indulgence pourraient mériter aujourd'hui des femmes appelées au ciel et à de plus longues épreuves, provoquées à l'imitation des anges, quand elles surpassent de beaucoup cette luxure et éclipsent les femmes qu'on voit sur les tréteaux[4] ? Et le plus grave est qu'elles ne croient

2. Plus perspicace, JÉRÔME remarque que «de Laconie» ne se trouve pas dans le texte hébreu et est une interprétation de la Septante (*In Es.* 3, 22).

3. Cette philosophie est la doctrine chrétienne.

4. Les vierges chrétiennes sont comparées ici aux femmes de théâtre. Cf. JEAN CHRYS., *Les cohabitations suspectes. Comment observer la virginité*, éd. J. Dumortier, Paris 1955, p. 129.

15 ἁμαρτάνειν ἡγοῦνται. Διὸ καὶ πρὸς αὐτὰς ἀνάγκη τὴν τοῦ προφήτου φωνὴν ὁπλίσαι. Οὐ γὰρ δὴ μόνον πρὸς ἐκείνας, ἀλλὰ καὶ πρὸς ταύτας εἰρήσεται τὸ ἐπαγόμενον ὅτι Ἔσται ἀντὶ ὀσμῆς ἡδείας κονιορτός. Ὁρᾷς πῶς καὶ τὴν τῶν μύρων ἀλοιφὴν ἐκβάλλει καὶ μεγάλην αὐτῇ τίθησι τιμω-
20 ρίαν; Κονιορτὸν γὰρ ἐνταῦθά φησι τὸν αἰρόμενον μετὰ τὴν τῆς πόλεως κατασκαφὴν καὶ τὴν τῶν βαρβάρων ἔφοδον. Καὶ γὰρ καὶ πυρὶ καὶ σιδήρῳ τότε αὐτὴν διενείμαντο τὸ μὲν αὐτῆς κατασκάψαντες, τὸ δὲ ἐμπρησμῷ παραδόντες. Ταῦτα οὖν προλέγων ἔλεγεν ὅτι Ἀντὶ ὀσμῆς
25 ἡδείας ἔσται σοὶ κονιορτὸς καὶ ἀντὶ ζώνης σχοινίῳ ζώσῃ· ὑπ' ὄψιν ἄγων τῆς αἰχμαλωσίας τὸ σχῆμα καὶ τὴν ἐπὶ τὴν βάρβαρον χώραν ἀπαγωγήν. Καὶ ἀντὶ τοῦ κόσμου τῆς κεφαλῆς σου φαλάκρωμα ἕξεις· ἢ τῶν τριχῶν ἀπὸ τῆς ταλαιπωρίας ἀπορρυεισῶν ἢ τῶν πολεμίων τοῦτο ἐργαζο-
30 μένων ἢ αὐτῶν ἑαυτάς. Ἔθος γὰρ ἦν τὸ παλαιὸν ἐν πένθει καὶ συμφορᾷ ἀποκείρεσθαι καὶ ξύρεσθαι. Καὶ γὰρ ὁ Ἰὼβ ἀπεκείρατο τὴν κεφαλήν, ἀκούσας τῶν παίδων τὴν συμφοράν[a]. Καὶ προϊὼν ὁ προφήτης, μετὰ σάκκου καὶ κοπετοῦ καὶ ξύρησιν ἔφησε γενέσθαι[b]. Καὶ ἄλλος πάλιν
35 φησί· Καὶ ξυρῆσαι καὶ κεῖραι ἐπὶ τὰ τέκνα σου τὰ τρυφερά[c]. Καὶ ἀντὶ τοῦ χιτῶνος τοῦ μεσοπορφύρου περιζώσῃ σάκκον. Ἆρα οὐ δοκεῖ φοβερὰ εἶναι ταῦτα καὶ ἀφόρητα; Ἀλλ' ἐφ' ἡμῶν οὐ μέχρι τούτων στήσεται τὰ τῆς τιμωρίας, ἀλλὰ σκώληξ ἰοβόλος καὶ σκότος ἀτελεύ-
40 τητον διαδέξεται. Εἰ γὰρ ἐκείνους αἰχμαλωσία καὶ δουλεία καὶ τὰ ἔσχατα ἀνέμενε κακὰ ἀντὶ τοῦ καλλωπισμοῦ· ὅτι γὰρ τοῦτο ἀπῄτει δίκην καὶ ἰδικῶς τὴν ἁμαρτίαν ταύτην ἐκόλαζεν, ἄκουσον πῶς καταλέξας ἐκεῖνα, ἐπήγαγε καὶ τὴν αἰτίαν· Ταῦτά σοι ἀντὶ καλλωπισμοῦ· εἰ τοίνυν Ἰουδαῖαι

25 ἡδείας : ἰδίας V ‖ σοὶ > V C ‖ 32 παίδων : παιδίων LMGC ‖ 33 προϊὼν : ἰὼν L ‖ 35 καὶ[1] V : > *cett.* ‖ ξυρῆσαι : ξύρισαι LMG ‖ 37 ταῦτα εἶναι ~ LMG ‖ 41 ἀνέμενε : ἀνέμεινε LMGN ‖ 42 τοῦτο : τούτου *Montf.*

même pas pécher. Il est donc nécessaire de s'armer contre elles de la voix du prophète. Ce n'est pas seulement pour celles-là, mais pour celles d'aujourd'hui, que sera prononcée cette parole : « Au lieu d'un agréable parfum, il y aura un tourbillon de poussière. » Tu vois comment il réprouve qu'on s'enduise de parfums et de quelle peine il le châtie ? Le tourbillon dont il parle est celui qui s'élève après la destruction de la ville et l'invasion des Barbares. Alors en effet ils ont partagé la ville entre le fer et le feu, en en abattant une partie et en livrant l'autre aux flammes. C'est ce qu'il prophétisait en ces termes : « Au lieu d'un agréable parfum il y aura un tourbillon de poussière, au lieu d'une ceinture tu te ceindras d'une corde », plaçant ainsi sous leurs yeux le spectacle de la captivité et de la déportation en pays barbare. « Au lieu de la parure de ta tête tu auras une calvitie », soit que les cheveux leur soient tombés à cause de leur misère, ou bien que ce soit l'œuvre des ennemis ou la leur. C'était en effet jadis la coutume de se couper les cheveux et de se raser dans le deuil et l'infortune [1]. Job se rasa la tête quand il apprit le malheur de ses enfants [a]. Plus loin, le prophète dit qu'avec le sac et les lamentations, on s'est aussi tondu [b]. Un autre dit encore : « Tonds tes cheveux et rase-les à cause de tes enfants chéris [c] ! » « Au lieu d'une tunique à bande de pourpre tu te revêtiras d'un sac. » Cela ne paraît-il pas effrayant et insupportable ? Cependant, pour nous, la punition ne se bornera point à cela, mais le ver venimeux et les ténèbres sans fin viendront à leur tour. Si la captivité, l'esclavage et les maux les plus graves leur furent réservés pour leur parure exagérée — pour te prouver que c'est cela qui exigeait un châtiment et qu'il punissait spécialement ce péché, écoute comment, après avoir énuméré ces peines, il en a indiqué la raison : « Voilà pour la toilette » —, si donc les femmes juives pour avoir fait toilette

9. a. cf. Job 1, 20. b. cf. Is. 22, 12. c. Mich. 1, 16.

1. Voir, par exemple : *Jér.* 7, 29 ; 16, 6 ; *Lév.* 19, 27-28 ; 21, 5 ; *Deut.* 14, 1.

45 γυναῖκες κεκαλλωπισμέναι τοσαύτην ὑπέμειναν τιμωρίαν, τῆς πατρίδος ἐκ βάθρων ἀνασπασθείσης, καὶ μετὰ τὴν πολλὴν τρυφὴν δοῦλαι καὶ αἰχμάλωτοι καὶ ἀπόλιδες εἰς τὴν ἀλλοτρίαν ἀπενεχθεῖσαι χώραν καὶ λιμῷ καὶ λοιμῷ καὶ θανάτοις παραδοθεῖσαι μυρίοις· πῶς οὐκ εὔδηλον ὅτι 50 χαλεπώτερα ἡμεῖς πεισόμεθα τοῖς αὐτοῖς περιπίπτοντες; Ὥσπερ γὰρ αἱ τιμαὶ μείζους, οὕτω καὶ αἱ τιμωρίαι βαρύτεραι. Εἰ δὲ μή τις μηδέπω τὸ τοιοῦτον ἔπαθε γυνὴ καλλωπισαμένη, μὴ θαρρείτω. Ἔθος γὰρ τῷ Θεῷ τοῦτο, τὰς τιμωρίας ὁριζειν ἐφ' ἑνὸς καὶ δευτέρου καὶ δι' 55 ἐκείνων νομοθετεῖν τοῖς λοιποῖς ἅπασι τὰ καταληψόμενα αὐτοὺς δεινά. Ἵνα δὲ καὶ σαφέστερον ὃ λέγω ποιήσω, ἥμαρτον ἁμαρτίαν χαλεπὴν οἱ τά Σόδομα οἰκοῦντές ποτε, ἔδοσαν δίκην τὴν ἐσχάτην, τῶν σκηπτῶν ἐκείνων κατενεχθέντων καὶ τῶν πόλεων καὶ τῶν δήμων καὶ τῆς γῆς 60 αὐτοῖς σώμασιν ἐμπρησθέντων ἁπάντων[a]. Τί οὖν; οὐδεὶς μετ' ἐκείνους τὰ ἐκείνων ἐτόλμησε; Πολλοὶ μὲν οὖν καὶ πολλαχοῦ τῆς οἰκουμένης. Πῶς οὖν οὐδὲν τοιοῦτον ἔπαθον; Ὅτι ἑτέρᾳ χαλεπωτέρᾳ τηροῦνται τιμωρίᾳ. Διὰ γὰρ τοῦτο ἅπαξ αὐτὸ ποιήσας ὁ Θεὸς ἀπέστη, ἵνα οἱ τὰ 65 αὐτὰ τολμῶντες, κἂν μὴ δῶσιν ἐνταῦθα δίκην, εἰδότες ὦσι σαφῶς ὅτι οὐδέποτε διαφεύξονται. Πῶς γὰρ ἂν ἔχοι λόγον, πρὸ μὲν τῆς χάριτος καὶ τοῦ νόμου καὶ μήτε προφητῶν μήτε ἄλλου τινὸς ἀκηκοότας, ἁμαρτόντας τοιαῦτα παθεῖν, τοὺς δὲ μετ' ἐκείνους τοσαύτης ἀπολαύ-70 σαντας προνοίας καὶ μηδὲ τῷ παραδείγματι γενομένους σωφρονεστέρους, ὃ πολλῷ χαλεπωτάτην ποιεῖ τὴν ἁμαρτίαν, διαφυγεῖν τὴν ἐπὶ τοῦτο κειμένην δίκην; Πῶς οὖν οὐκ ἔδοσαν οὐδέπω καὶ σήμερον; Ἵνα μάθῃς ὅτι πολὺ χαλεπωτέρᾳ τηροῦνται τιμωηρίᾳ.

10 Ὅτι γὰρ ἔστι χαλεπώτερα Σοδόμων παθεῖν, ἄκουσον

45 κεκαλλωπισμέναι : καλλωποζόμεναι LMG ‖ ὑπέμειναν : ὑπέστησαν LMGN ‖ 52 μηδέπω : οὐδέπω C ‖ 56 αὐτοὺς : αὐτοῖς V ‖ 64 αὐτὸ : αὐτῷ MG

subirent le rude châtiment que voici : leur patrie fut détruite de fond en comble et après avoir vécu dans ce grand luxe elles furent emmenées comme esclaves, prisonnières et exilées en terre étrangère, livrées à la famine, à la peste, à mille formes de morts, comment ne serait-il pas évident que nous éprouverons de pires malheurs, si nous tombons dans les mêmes fautes ? De même en effet que les honneurs sont plus grands, les châtiments sont plus rigoureux. Si aucune femme après avoir fait toilette ne les a encore subis, qu'elle ne se croie pas en sécurité ! Dieu a coutume de limiter les punitions à une ou deux personnes et par leur exemple d'instruire toutes les autres des malheurs qui les menacent. Voici qui rendra plus clair ce que je dis : les habitants de Sodome commirent jadis un péché grave, ils subirent le châtiment le plus sévère : les fléaux que l'on connaît s'abattirent sur eux et les villes, les peuples, la terre avec ses habitants, tout fut consumé [d]. Eh quoi ! personne après eux n'a-t-il eu de pareilles audaces ? Il y en eut assurément beaucoup, et en bien des endroits de la terre. Pourquoi donc n'ont-ils pas été punis de la même manière ? Parce qu'ils sont réservés pour un châtiment plus terrible. Après avoir sévi une fois, Dieu s'en est abstenu, afin que ceux qui auront la même audace sachent clairement que, même s'ils ne sont pas punis ici-bas, ils ne pourront jamais échapper. Comment serait-il raisonnable que ceux qui ont vécu avant le temps de la grâce et de la Loi, qui n'ont entendu ni les prophètes ni aucun autre, subissent de tels châtiments pour leurs péchés, et que ceux qui, venus après eux, ont bénéficié d'une telle Providence et n'ont pas été rendus plus vertueux par cet exemple – ce qui aggrave considérablement leur péché –, échappent au châtiment prévu pour ces fautes ? Comment se fait-il qu'ils ne l'ont pas encore subi aujourd'hui ? C'est pour t'apprendre qu'ils sont réservés pour un châtiment beaucoup plus rigoureux.

Qu'il soit possible de subir un traitement plus rigoureux que

d. cf. Gen. 19, 24-25.

τοῦ Χριστοῦ λέγοντος· Ἀνεκτότερον ἔσται γῇ Σοδόμων καὶ Γομόρρας ἐν ἡμέρᾳ κρίσεως ἢ τῇ πόλει ταύτῃ[a]. Ὥστε κἂν καλλωπιζόμεναι νῦν γυναῖκες μὴ πάθωσιν, ἅπερ
5 ἔπαθον αἱ τότε καλλωπισάμεναι, μὴ θαρρείτωσαν. Ἡ γὰρ ἀνοχὴ αὐτὴ καὶ ἡ μακροθυμία χαλεπωτέραν σωρεύει τοῦ πυρὸς τὴν κάμινον καὶ μείζονα τὴν φλόγα ἐργάζεται. Τοῦτο καὶ ἐπὶ Ἀνανίου καὶ Σαπφείρας γέγονε. Καὶ γὰρ ἐκεῖνοι ἐν ἀρχῇ καὶ προοιμίῳ τοῦ κηρύγματος ὑφελόμενοι
10 τῶν χρημάτων ἐκείνων, ἀθρόον ἀνηρπάσθησαν, μετὰ δὲ ἐκείνους πολλοὶ τοιαῦτα τολμήσαντες, οὐδὲν ἔπαθον. Πῶς οὖν ἂν ἔχοι λόγον τὸν δίκαιον κριτὴν καὶ πᾶσι τὰ ἴσα νέμοντα τοὺς μὲν ἧττον ἡμαρτηκότας κολάσαι, τοὺς δὲ χαλεπώτερα ποιήσαντας ἀφεῖναι; Οὐκ εὔδηλον ὅτι ἐπειδὴ
15 ἔστησεν ἡμέραν, ἐν ᾗ μέλλει κρίνειν τὴν οἰκουμένην, διὰ τοῦτο ἀνεβάλλετο τὴν τιμωρίαν, ἵνα ἢ τῇ μακροθυμίᾳ γένωνται βελτίους ἢ τοῖς αὐτοῖς ἐπιμένοντες χαλεπώτερα πάθωσιν; Ὅταν τοίνυν ἁμαρτόντες τὰ αὐτὰ τοῖς ἤδη πεπλημμεληκόσι καὶ κολασθεῖσι, μὴ τὰ αὐτὰ πάθωμεν, μὴ
20 θαρρῶμεν, ἀλλὰ μᾶλλον φοβώμεθα. Ὥσπερ γὰρ νόμον τὴν ἐπ' ἐκείνων τιμωρίαν ἐξήνεγκεν ὁ Θεός, πᾶσι παραινῶν καὶ λέγων ὅτι διὰ τοῦτο τὸν ἐξ ἀρχῆς ἁμαρτόντα ἐκόλασα, ἵνα καὶ σὺ ὁ μετ' ἐκείνους τοῦτο πλημμελῶν, τὰ αὐτὰ ἀναμένῃς, ἵνα μεταβάλῃ καὶ γένῃ βελτίων. Τοῖς γὰρ
25 τοιούτοις ἁμαρτήμασι τοιαῦται κεῖνται τιμωρίαι, κἂν μὴ παραχρῆμα ἔρχωνται.

Τούτοις δὲ οὐχ ἁπλῶς ἐνδιέτριψα, ἀλλ' ἐπειδὴ πονηρὸν νόσημα εἰς τὰς τῶν ἀνθρώπων εἰσῆλθεν οἰκίας διὰ τῆς τῶν γυναικῶν βλακείας, ὁ τῆς φιλοκοσμίας ἔρως, ὃς καὶ
30 τὴν τῶν χρημάτων ἐπέτεινε τυραννίδα, εἰς ἀκαίρους δαπάνας τοὺς ἄνδρας ἐμβαλών, καὶ πολέμου καὶ στάσεως

10, 5 καλλωπισάμεναι : -πιζόμεναι C ‖ 6 αὐτὴ : αὕτη LMG ‖ 23 τοῦτο > V ‖ 24 μεταβάλῃ : -βάλλῃ V C ‖ 30 τυραννίδα : ῥανίδα V C ‖ 31 ἐμβαλὼν : -βάλλων LMG

10. a. Matth. 10, 15.

Sodome, écoute le Christ qui le déclare : « Au jour du jugement il y aura moins de rigueur pour le pays de Sodome et de Gomorrhe que pour cette ville-ci[a]. » Si donc les femmes qui se parent luxueusement aujourd'hui ne subissent pas le traitement de celles qui le faisaient alors, qu'elles ne se rassurent donc pas. Cette patience, cette longanimité amoncellent la matière d'un brasier plus terrible et accroissent la hauteur de la flamme. C'est ce qui se passa pour Ananie et pour Sapphire. Dans les premiers débuts de la prédication, ces personnages, qui avaient soustrait une partie de leur argent, furent ensemble frappés de mort, alors qu'à beaucoup de gens qui eurent après eux la même audace il n'arriva rien. Comment donc serait-il raisonnable que le juste juge, impartial à l'égard de tous, châtie ceux qui ont moins péché et laisse impunis ceux qui ont commis des fautes plus graves ? N'est-il pas évident qu'en fixant un jour où il doit juger le monde, il remettait le châtiment à plus tard, afin que sa longanimité rendît les hommes meilleurs ou que, s'ils persévéraient dans les mêmes désordres, ils fussent punis avec plus de rigueur ? Quand donc nous nous rendons coupables des mêmes fautes que ceux qui autrefois péchèrent et furent punis, et que nous n'éprouvons pas le même sort, n'allons pas nous rassurer, mais plutôt nous effrayer. Le châtiment qui leur a été infligé est comme une loi portée par Dieu, qui avertit tous les hommes en disant : j'ai puni celui qui a péché au commencement pour que toi aussi qui commets ces fautes après eux tu t'attendes au même sort, pour que tu te convertisses et deviennes meilleur. A des fautes semblables sont réservés des châtiments semblables, même s'ils ne surviennent pas sur-le-champ.

Ce n'est pas sans raison que je me suis attardé sur ce sujet, mais parce qu'une funeste maladie a été introduite dans les maisons des hommes par la lascivité des femmes, l'amour de la parure, qui a renforcé la tyrannie de l'argent, poussant les maris à des dépenses inconsidérées, devenant une source

καὶ φιλονεικίας ὑπόθεσις γινόμενος καθημερινῆς καὶ τὰς
τῶν πενήτων κατατείνων γαστέρας. Ὅταν γὰρ ἅπασαν τὴν
οὐσίαν γυνὴ ἢ καὶ τὸ πλέον τῶν ὄντων εἰς τὴν τοῦ
35 σώματος ὕβριν ἀναγκάζῃ τὸν ἄνδρα δαπανᾶν (ὕβρις γὰρ
σώματος, τὸ περικείμενον χρυσίον), ἀνάγκη τὴν χεῖρα
συστέλλεσθαι πρὸς τὴν τῆς ἐλεημοσύνης φιλοτιμίαν. Καὶ
πολλὰ δὲ ἕτερα ἐκ τούτου τικτόμενα ἔστιν ἰδεῖν ἁμαρτημάτων εἴδη. Ἀλλὰ ταῦτα ἀφέντες τῇ πείρᾳ τῶν
40 πασχόντων εἰδέναι σαφῶς, τῶν ἐχομένων ἁπτώμεθα.

Μετὰ γὰρ τὸ παραστῆσαι τῆς αἰχμαλωσίας τὸ σχῆμα
καὶ εἰπεῖν ὅτι ἀντὶ τοῦ καλλωπισμοῦ ταύτην ἐπάγω, ἐπιτείνει τὴν συμφοράν, λέγων· Καὶ ὁ υἱός σου ὁ κάλλιστος,
ὃν ἀγαπᾷς, μαχαίρᾳ πεσεῖται καὶ οἱ ἰσχύοντες ὑμῶν
45 μαχαίρᾳ πεσοῦνται. Τοῦτο γὰρ αἰχμαλωσίας χαλεπώτερον.
Καὶ γάρ ἐστι ζωὴ θανάτου πικροτέρα. Ὅταν γὰρ μετὰ τῆς
δουλείας καὶ ἄωρα <τὰ> πένθη θρηνεῖν ἀναγκάζωνται,
ἐννόησον ὅσον τῆς συμφορᾶς τὸ μέγεθος, τῶν καὶ καθ'
ἑαυτὰ πικρῶν ὄντων συναπτομένων ἀλλήλοις. Καὶ γὰρ εἰ
50 αἰχμαλωσία μόνη ἦν, ἀφόρητον ἦν τὸ δεινόν· καὶ εἰ ἐν
ἐλευθερίᾳ ζώντων τοιαῦτα συνέβαινε πένθη, θανάτου
πικροτέρα ἦν ἡ ζωή. Ἀλλὰ νῦν ἀμφότερα ἔσται, φησί,
συνημμένα ἀλλήλοις. Μᾶλλον δὲ διπλῆν δεῖ ταύτην καλεῖν
συμφορὰν καὶ τριπλῆν καὶ τετραπλῆν, ὅταν καὶ υἱὸς καὶ
55 κάλλιστος καὶ ποθούμενος καὶ ὑπὸ βαρβάρων, ἀλλὰ μὴ τῷ
κοινῷ τῆς φύσεως καταλύῃ νόμῳ τὸν βίον· καὶ μετὰ
τούτου καὶ οἱ ἐν ἡλικίᾳ πάντες, ὥστε μηδὲ ἐλπίδα αὐτοῖς
εἶναι χρηστήν, ὅσον εἰς ἀνθρωπίνην ἧκε βοήθειαν καὶ
συμμαχίαν.

60 Καὶ ταπεινωθήσονται καὶ πενθήσουσιν αἱ θῆκαι τοῦ
κόσμου ὑμῶν καὶ καταλειφθήσῃ μόνη καὶ εἰς τὴν γῆν
ἐδαφισθήσῃ. Διὰ πάντων αὔξει τὸν θρῆνον, ἐπιτείνει τὸν

41 τὸ σχῆμα τῆς αἰχμαλωσίας ~ LMG ‖ 47 *post* ἄωρα *addidi* τὰ *ex* A ‖ πένθη : βρέφη C ‖ 48 καὶ > V ‖ 49 ἑαυτὰ : ἑαυτῶν V ‖ 53 συνημμένα :

quotidienne de guerre, de discorde, de jalousie, et forçant les pauvres à se serrer la ceinture. En effet, lorsqu'une femme contraint son mari à dépenser tout son avoir ou même plus que ce qu'il possède pour outrager son corps – c'est un outrage fait au corps que de l'envelopper d'or –, il est inévitable que la main restreigne la générosité de l'aumône. Et l'on peut constater que beaucoup d'autres formes de péchés ont la même origine. Mais laissons à ceux qui subissent ce sort de le connaître clairement par expérience, et passons à la suite du texte.

Après avoir évoqué l'image de la captivité et avoir dit : je l'apporte comme prix de la toilette luxueuse, il annonce un malheur plus grave en disant : « Le plus beau de tes fils, celui que tu préfères, tombera par l'épée, et ceux d'entre vous qui sont forts tomberont par l'épée. » Voilà qui est pire que la captivité. C'est une vie plus amère que la mort. Lorsqu'on est contraint de déplorer, outre l'esclavage, des deuils prématurés, songe à l'étendue du malheur, puisque des événements dont chacun est cruel se succèdent en série. Si en effet il n'y avait que la captivité, ce serait déjà un mal insupportable ; et si des deuils pareils frappaient ceux qui vivent en liberté, la vie serait plus amère que la mort. Eh bien ! ici, dit-il, les deux maux seront liés. Il faut plutôt parler d'une double calamité, d'une triple, d'une quadruple, lorsqu'un fils, le plus beau, le plus cher, termine sa vie sous les coups des Barbares et non par la loi commune de la nature, et qu'avec lui tombent tous les jeunes gens, si bien qu'il ne leur reste aucun bon espoir de trouver un secours, une alliance du côté des hommes.

« Ils seront humiliés les coffrets qui contiennent votre parure, ils gémiront et tu seras laissée seule, prostrée au ras du sol. » Par toutes ces images il augmente l'affliction, accroît la

-ηγμένα V C || καλεῖν + τὴν LC || 56 καταλύῃ N : -λύει V -λύειν *cett.* || 57 πάντες : ἅπαντες C

φόβον, ἀκμάζουσαν τὴν ἀγωνίαν ἐργάζεται, ὑπ' ὄψιν ἄγει τὰ δεινά, εὐρύνει τῆς συμφορᾶς τὴν διήγησιν, πανταχοῦ
65 περιτρέχων, πάντοθεν συνάγων τὰ λυπηρὰ διὰ τὴν τῶν ἀκουόντων ἀναισθησίαν. Ἀγαπητὸν γὰρ ἦν τοσαύταις κατασειομένας αὐτὰς ἀπειλαῖς ἀνενεγκεῖν καὶ λαβεῖν αἴσθησιν τῶν μελλόντων συμβήσεσθαι λυπηρῶν. Διὰ δὴ τοῦτο καὶ τοῦτο ἐπήγαγεν, ὃ σφόδρα ἐλεεινὸν εἶναι δοκεῖ,
70 τὸ χρυσίου θήκην ὁρᾶν κεκενωμένην, ὑπόμνημα τῆς παλαιᾶς εὐπραγίας, διὰ τῆς ὄψεως ἀκμάζουσαν διατηροῦν τὴν ἀλγηδόνα. Καὶ γὰρ τότε μάλιστα δάκνειν ἡμᾶς εἰώθασιν αἱ συμφοραί, ὅταν αὐτὰς ταῖς προτέραις παραβάλλωμεν εὐημερίαις· καὶ ἡ σύγκρισις χαλεπώτερον
75 τὸ ἕλκος ἐργάζεται. Τοῦτο γοῦν ποτε καὶ ὁ Ἰὼβ θρηνῶν ἔλεγε· Τίς ἄν με θείη μῆνας μετὰ μῆνας ἡμερῶν τῶν ἔμπροσθεν[b]; καὶ διηγεῖται τὸν πλοῦτον ἅπαντα καὶ τὰ ὥσπερ ἐκ πηγῶν ἐπιρρέοντα ἀγαθά, τὰς τιμάς, τὰς προσόδους, τὴν περιφάνειαν ἅπασαν, ὥστε τῇ συγκρίσει
80 τούτων πολλῷ χαλεπώτερα δεῖξαι τὰ παρόντα καὶ κατειληφότα αὐτὸν δεινά. Ὃ δὴ καὶ ὁ προφήτης νῦν ἐποίησε, τῶν θηκῶν ἀναμνήσας, καὶ οὐδὲ τούτοις ἀρκεσθείς, ἀλλὰ καὶ εἰσαγαγὼν αὐτὰς πενθούσας. Ἐμφαντικώτερον γὰρ τοῦτο τοῦ λόγου τὸ εἶδος, ὅταν τοιαύτας ἐργάζηται
85 προσωποποιίας. Ἤδη γοῦν καὶ ἀμπέλους εἰσάγει[c] θρηνούσας, καὶ οἶνον[d], ὥστε μᾶλλον καθικέσθαι τῶν ἀκροωμένων καὶ τῆς παχύτητος αὐτῶν καθάψασθαι. Τί δέ ἐστι, Καταλειφθήσῃ μόνη; Καὶ συμμάχων, φησί, καὶ τῆς τοῦ Θεοῦ προνοίας ἐρημωθεῖσα καὶ τῆς ἄλλης περι-
90 φανείας γυμνωθεῖσα πάσης καὶ πανταχόθεν ὑπὸ τῶν πολεμίων κυκλουμένη καὶ ἐν μέσοις ἀπειλημμένη βαρβάροις. Εἶτα τὴν ὑπερβολὴν τῆς ταπεινώσεως παραστῆσαι θέλων, φησί· Καὶ εἰς τὴν γῆν ἐδαφισθήσῃ. Οὐδὲ πέσῃ εἶπεν, οὐδέ· Κατενεχθήσῃ, ἀλλ' ἑτέρᾳ λέξει σαφέστερον
95 ἐνδεικνυμένη τὴν εὐτέλειαν αὐτῆς ἅπασαν ἀπεχρήσατο.

67 κατασειομένας V N : -φερομένας *cett.* || 68 λυπηρῶν : πονηρῶν C || 69

terreur, porte l'angoisse à son comble, place les malheurs sous les yeux, développe le récit de la calamité ; il court de tous côtés, rassemblant de partout les causes de chagrin en raison de l'insensibilité des auditeurs. On eût aimé que, bouleversées par de telles menaces, elles se fussent ressaisies et eussent pris conscience des malheurs qui allaient se produire. Aussi a-t-il ajouté une image qui paraît bien pitoyable, celle d'un coffret vidé de son or, souvenir de l'ancienne opulence, entretenant par la vue le paroxysme de la douleur. La morsure des malheurs se fait surtout sentir quand nous les comparons aux jours passés, et le rapprochement rend la plaie plus douloureuse. Job le disait autrefois en se lamentant : « Qui me fera revivre les mois d'antan[b] ? » Et il énumère toutes ses richesses, les biens qui affluaient vers lui comme de source, ses honneurs, ses revenus, tout l'éclat qui l'entourait, pour faire ressortir davantage la tristesse de la situation présente et des maux qui l'ont accablé. Le prophète a fait de même ici, en évoquant les coffrets ; mais il ne s'arrête pas là, il les met en scène en train de gémir. Rien ne donne autant de force au discours que de faire de telles prosopopées. Il fait donc voir aussi les vignes gémissant[c], ainsi que le vin[d], pour mieux piquer les auditeurs et frapper leur esprit grossier. Que signifient les mots : « tu seras laissée seule » ? Privée d'alliés, veut-il dire, et de la Providence de Dieu, dépouillée de toute ta splendeur, entourée de tous côtés par les ennemis, enfermée au milieu des Barbares. Puis, voulant montrer jusqu'où ira l'humiliation, il ajoute : « Tu seras prostrée au ras du sol. » Il n'a pas dit : tu tomberas, ni : tu seras renversée ; il s'est servi d'une autre expression qui montre de façon plus claire tout son avilissement.

τοῦτο² > V || 72 ἡμᾶς : ὑμᾶς *Montf.* || 73 αὐτὰς : αὐταῖς V || 76 μῆνας μετὰ μῆνας *conieci ex* A : μετὰ μῆνα V κατὰ μῆνα C μῆνα κατὰ μῆνα *cett.* || 80 χαλεπώτερα : χαλεπώτερον LMG || 81 αὐτὸν : αὐτῶν V || 85-86 θρηνούσας εἰσάγει ∼ V.

b. Job 29, 2. c. cf. Is. 16, 8 ; 24, 7. d. cf. Is. 24, 7.

ΚΕΦΑΛ. Δ'

1. ***Καὶ ἐπιλήψονται ἑπτὰ γυναῖκες ἐν τῇ ἡμέρᾳ ἐκείνῃ ἀνθρώπου ἑνὸς λέγουσαι· τὸν ἄρτον ἡμῶν φαγόμεθα καὶ τὰ ἱμάτια ἡμῶν περιβαλούμεθα· πλὴν τὸ ὄνομά σου κεκλήσθω ἐφ' ἡμᾶς, ἄφελε τὸν ὀνειδισμὸν ἡμῶν.***

5 Τὴν ἐκ τοῦ πολέμου συμβᾶσαν ὀλιγανθρωπίαν ἐμφῆναι βούλεται καὶ πῶς εἰς ἐλάχιστον περιέστη ὁ δῆμος τῶν Ἰουδαίων. Οὐδὲ γὰρ προστασίας ἔφησαν δεῖσθαι τῆς ταῖς γυναιξὶ προσηκούσης ὑπὸ ἀνδρῶν παρέχεσθαι, ἀλλὰ ἀτελῆ τῆς λειτουργίας αὐτὸν ἀφεῖναι ταύτης καὶ στέργειν καὶ 10 ἀγαπᾶν, εἰ ἁπλῶς γοῦν καὶ ὡς ἔτυχε τοῦ τῆς χηρείας ἀπαλλάγειεν ὀνόματος. Τοῦτο γάρ ἐστιν· Ἄφελε τὸν ὀνειδισμὸν ἡμῶν· ἐπειδὴ τὸ παλαιὸν ὄνειδος εἶναι τοῦτο ἐδόκει.

2. ***Τῇ δὲ ἡμέρᾳ ἐκείνῃ ἐπιλάμψει ὁ Θεὸς ἐν βουλῇ μετὰ*** 15 ***δόξης ἐπὶ τῆς γῆς, τοῦ ὑψῶσαι καὶ τοῦ δοξάσαι τὸ καταλειφθὲν τοῦ Ἰσραήλ.*** Ἐπειδὴ σφόδρα κατέσεισε τὴν διάνοιαν αὐτῶν τῇ τῶν λυπηρῶν ἀπειλῇ, καὶ τὴν συμφορὰν ἐναργῶς ἐτραγῴδησε καὶ μακρὸν ἀπέτεινε λόγον τὰ φοβερὰ διηγούμενος, μεταβάλλει λοιπὸν ἐπὶ τὰ χρηστό-20 τερα. Τοῦτο γὰρ ἰατρείας ἀρίστης τρόπος, μὴ τέμνειν μηδὲ καίειν μόνον, ἀλλὰ καὶ τὰς ἐκεῖθεν γινομένας ὀδύνας προσηνέσι παραμυθεῖσθαι φαρμάκοις· τοῦτο δὴ καὶ αὐτὸς ποιεῖ. Οὐ γὰρ δὴ εἰς τὰ σκυθρωπὰ καταλύσειν ἔφησε τὸ πᾶν, ἀλλὰ τῶν πονηρῶν ἐκ μέσου ληφθέντων διαδέχεσθαι

Testes V LMGCN A

2 φαγόμεθα LMG A : φαγώμεθα *cett.* || 3 περιβαλούμεθα : -βαλώμεθα C || 5 πολέμου + τοίνυν C || 5-6 ἐμφῆναι βούλεται : ἐνέφηνε C || 6 περιέστη : -εστιν V || 7 τῆς > V || 12 τοῦτο > V || 18 ἐναργῶς : ἱκανῶς V N || 19 μεταβάλλει : -λαμβάνει V || 24 ληφθέντων : λειφθέντων V

CHAPITRE IV

1 Sept femmes saisiront un seul homme en ce jour-là, en disant : Nous mangerons notre pain, nous mettrons nos vêtements ; que seulement ton nom soit prononcé sur nous ; enlève notre déshonneur[1]*.»* Le prophète veut décrire le manque d'hommes qui fut la conséquence de la guerre et montrer l'extrême faiblesse à laquelle fut réduit le peuple juif. Elles n'avaient pas besoin, disaient-elles, de la protection que les femmes sont en droit d'attendre de leur mari, mais elles le tenaient exempt de ce service ; elles demandaient seulement pour être contentes et satisfaites qu'on les affranchît d'une manière ou d'une autre du nom de veuves. Voilà ce que signifie : « enlève notre déshonneur ». Dans l'antiquité en effet ce nom était regardé comme un déshonneur.

2 Mais ce jour-là Dieu resplendira glorieusement sur la terre, dans son dessein d'exalter et de glorifier le reste d'Israël. Après avoir profondément bouleversé leur esprit par la menace de calamités, après avoir clairement dramatisé leur malheur et avoir longuement exposé les sujets de frayeur, il évoque des perspectives plus agréables. La meilleure méthode en médecine est de ne pas seulement couper et cautériser, mais d'adoucir la douleur de ces opérations par des remèdes apaisants ; le prophète agit aussi de cette façon. Tout, déclare-t-il, ne se résoudra pas en tristesses, mais les malheurs disparaî-

1. La division en chapitres est ici défectueuse, car ce verset devrait être rattaché au chapitre précédent. Dans la ville décimée, les femmes sont à la recherche d'un époux pour échapper à leur triste condition. Quant au nombre sept, il est ici symbolique et désigne la multitude.

25 τὰ χρηστότερα· καὶ οὐκ ἀπαλλαγὴν ἔσεσθαι μόνον τῶν ἀηδῶν, ἀλλὰ καὶ πολλὴν τὴν περιφάνειαν καὶ μεγάλην τὴν λαμπρότητα. Τοῦτο γὰρ ἐπίλαμψιν Θεοῦ καλεῖ, τὸ σκότος τῆς ἀθυμίας λύουσαν καὶ φαιδρὰν ποιοῦσαν ἡμέραν καὶ περιφανεῖς καθιστῶσαν. Τὸ δέ· Ἐν βουλῇ, ὅτι συνετῶς, 30 φησί, πάντα ἐργάσεται καὶ μετὰ τῆς προσηκούσης αὐτῷ σοφίας.

3. ***Καὶ ἔσται τὸ καταλειφθὲν τοῦ Ἰσραὴλ ἐν Σιὼν καὶ τὸ καταλειφθὲν ἐν Ἰερουσαλήμ, ἅγιοι κληθήσονται πάντες οἱ γραφέντες εἰς ζωὴν ἐν Ἰερουσαλήμ.*** Ἵνα μάθῃς ὅτι οὐ 35 συντυχίας τινὸς ἡ σωτηρία γέγονε τῶν διαφυγόντων τὸν κίνδυνον, ἀλλ' ἐκ τῆς ἄνωθεν ψήφου τειχισθέντες καὶ ἐν μέσοις τοῖς δεινοῖς ὄντες οὐχ ἑάλωσαν, διὰ τοῦτό φησιν· Ἅγιοι κληθήσονται πάντες οἱ γραφέντες εἰς ζωὴν ἐν Ἰερουσαλήμ. Οἱ ἀφορισθέντες, φησίν, οἱ δοκιμασθέντες, οἱ 40 τυπωθέντες, μηδὲν παθεῖν δεινόν. Εἰκότως δὲ αὐτοὺς ἁγίους καλεῖ δεικνὺς ὅτι οὐχ ἁπλῶς ὁ ἀφορισμὸς αὐτοὺς ἀπήλλαξεν, οὐδὲ ἁπλῶς ἡ τοῦ Θεοῦ ψῆφος· ἀλλά τι καὶ ἡ τῶν τρόπων εἰσήνεγκεν ἀρετή, ἥ τε προτέρα, ἥ τε μετὰ ταῦτα. Εἰ γὰρ καὶ χρηστοί τινες ἦσαν καὶ ἐπιεικεῖς, ἀλλ' 45 ὅμως ὑπὸ τῶν συμβάντων βελτίους ἐγένοντο καὶ ἀκριβέστεροι. Καθάπερ γὰρ τὸ χρυσίον τῷ πυρὶ παραδιδόμενον πᾶσαν ἀποτίθεται κηλῖδα, οὕτω καὶ οἱ σπουδαῖοι σπουδαιότεροι καθίστανται ἐν τοῖς πειρασμοῖς, πᾶσαν ἀπονιπτόμενοι ῥᾳθυμίαν.

50 4. ***Ὅτι ἐκπλυνεῖ Κύριος τὸν ῥύπον τῶν υἱῶν καὶ τῶν θυγατέρων Σιὼν καὶ τὸ αἷμα Ἰερουσαλὴμ ἐκκαθαριεῖ ἐκ μέσου αὐτῶν πνεύματι κρίσεως καὶ πνεύματι καύσεως.*** Διπλοῦν ἐνταῦθά μοι δοκεῖ λέγειν καθαρμὸν καὶ τὸ δοῦναι δίκην ὧν ἥμαρτον καὶ τὸ σπουδαιοτέρους γενέσθαι πρὸς 55 τὸ μέλλον ἐντεῦθεν. Αἷμα δὲ Ἰερουσαλὴμ τοὺς φόνους

30 αὐτῷ : αὐτῶν V || 32-34 καὶ[1] — Ἰερουσαλὴμ > C || 34 ἵνα + δὲ C || 39-40 οἱ τυπωθέντες > V || 40-41 ἁγίους αὐτοὺς ~ N || 43 ἥ τε... ἥ τε : εἴτε... εἴτε V || 51 Ἰερουσαλὴμ > V C

tront pour faire place à un avenir meilleur ; on verra non seulement la fin des souffrances, mais un grand éclat et une vive lumière. C'est ce qu'il appelle le resplendissement de Dieu, qui dissipe les ténèbres du découragement, rend le jour brillant et met les hommes dans la lumière. L'expression « dans son dessein » indique que Dieu fera tout avec intelligence et avec la sagesse qui lui est propre.

3 Et il adviendra que ce qui est resté d'Israël en Sion et ce qui est resté à Jérusalem, tous ceux qui ont été inscrits pour la vie[1] *à Jérusalem seront appelés saints.* Afin que tu saches que ce n'est pas quelque hasard qui a procuré le salut à ceux qui ont échappé au péril, mais qu'un décret céleste fut leur rempart et que, placés au milieu des dangers, ils n'ont pas été pris, le prophète dit : « Tous ceux qui ont été inscrits pour la vie à Jérusalem seront appelés saints » : ceux qui ont été séparés, dit-il, éprouvés, marqués d'un sceau pour qu'ils ne subissent aucun mal. C'est à bon droit qu'il les appelle saints, montrant que ce n'est pas la simple séparation qui les a sauvés, ni simplement le décret de Dieu, mais que l'excellence de leurs mœurs, soit avant, soit après ces événements, y a contribué. Même s'ils étaient bons et vertueux, ils sont néanmoins devenus meilleurs et plus scrupuleux sous l'effet des circonstances. De même en effet que l'or livré au feu dépose toute scorie, les hommes zélés le deviennent davantage dans les épreuves, s'épurant de toute indolence.

4 Car le Seigneur lavera la souillure des fils et des filles de Sion, et il effacera le sang de Jérusalem du milieu d'eux, par le souffle du jugement et par le souffle de l'incendie. Il me semble indiquer ici une double purification, l'expiation des fautes commises et, en conséquence, un zèle plus grand dans la suite. Par le sang de Jérusalem, il désigne les meurtres, les carnages

1. Inscrits pour la vie, c'est-à-dire sur le livre de vie. Cf. *Ex.* 32, 32 ; *Mal.* 3, 16 ; *Ps.* 69, 29 ; *Dan.* 12, 1 ; *Apoc.* 13, 8 ; 21, 27.

λέγει τὰς σφαγὰς τὰς ἀδίκους. Εἶτα αὔξων τὸ ἔγκλημά φησιν, Ἐκ μέσου αὐτῶν. Οὐδὲ γὰρ λανθάνοντες καὶ κρυπτόμενοι τὰς ἀνδροφονίας ἐτόλμων, ἀλλὰ τῶν ληστῶν καὶ τῶν τὰς λεωφόρους ἐφεδρευόντων χεῖρον. Ἐκεῖνοι μὲν
60 γὰρ καὶ τῷ σκότῳ κρυπτόμενοι καὶ ταῖς ἐρημίαις τολμῶσι τὰ εἰωθότα· οὗτοι δὲ ἐν μέσαις ταῖς ἀγοραῖς, ἐν μέσῃ τῇ πόλει, ἐν αὐτοῖς τοῖς δικαστηρίοις τὰ ἐκείνων παρηνόμουν. Ἀλλὰ καὶ τὴν ἐκεῖθεν, φησί, γενομένην κηλῖδα ἐπελθὼν ὁ πόλεμος ἀναλώσει. Καὶ γὰρ καὶ ἐν τῷ καιρῷ τῶν χρηστῶν
65 ὑπὲρ τῶν προτέρων ἀπολογεῖται λυπηρῶν, ὅτι καὶ αὐτὰ ἐκεῖνα τὰ συμβάντα διὰ τοῦτο συνέβη, ἵνα ἐκπλυθῶσιν, ἵνα καθαρθῶσιν, ἵνα πυρωθῶσιν, ἵνα πᾶσαν ἀποθῶνται κηλῖδα, ἵνα τὸ ἐκ τῶν ἁμαρτημάτων καὶ τῶν σφαγῶν ἀπονίψωνται ὄνειδος. Τί δέ ἐστιν ὅ φησι· Πνεύματι κρίσεως καὶ
70 πνεύματι καύσεως; Τῇ μεταφορᾷ τῶν χωνευομένων ὑλῶν ἐπέμεινεν. Ὥσπερ γὰρ ἐκεῖ τὸ πνεῦμα εἰς τὸ χωνευτήριον ἐμπῖπτον καὶ τὴν φλόγα ἀναρριπίζον καὶ θερμοτέρους ποιοῦν τοὺς ἄνθρακας ἅπαντα δαπανᾷ τὸν ῥύπον· οὕτω καὶ ἐνταῦθα ἡ θεήλατος ὀργὴ καὶ ἡ τῶν πολεμίων ἔφοδος
75 ἐμπεσοῦσα, ἀντὶ πυρὸς τῇ πόλει γέγονε, πυρὸς οὐκ ἀπολλύντος, ἀλλὰ καίοντος καὶ καθαίροντος, κολάζοντος καὶ διορθουμένου. Τὸ γάρ· Πνεύματι κρίσεως, τουτέστι, κολάσεως, τιμωρίας, ἐκδικήσεως.

5. ***Καὶ ἥξει,*** φησί, Κύριος. Παρουσίαν αὐτοῦ τὴν
80 ἐνέργειαν καλεῖ. ***Καὶ ἔσται πᾶς τόπος τοῦ ὄρους Σιὼν καὶ πάντα τὰ περικύκλῳ αὐτῆς σκιάσει νεφέλη ἡμέρας καὶ ὡς καπνοῦ καὶ ὡς φωτὸς πυρὸς καιομένου νυκτός, πάσῃ τῇ δόξῃ σκεπασθήσεται.*** 6. ***Καὶ ἔσται εἰς σκιὰν ἡμέρας ἀπὸ καύματος, καὶ ἐν σκέπῃ καὶ ἐν ἀποκρύφῳ ἀπὸ σκληρό-***
85 ***τητος καὶ ὑετοῦ.*** Νεφέλην ἐνταῦθα τὴν ἐκ τῶν κακῶν ἐγγινομένην παραψυχήν φησι· πυρὰν δὲ τὴν μετὰ τῆς παραμυθίας περιφάνειαν προσγινομένην. Ὅπερ γάρ ἐστιν

59 μὲν > *Montf.* ‖ 61 ταῖς > LMGCN ‖ 64 καὶ[2] > V ‖ 67 ἵνα πυρωθῶσιν > V ‖ 71 ἐπέμεινεν : ἐπέμενεν V ‖ 73 τὸν > V N ‖ 76 καθαίροντος + καὶ C ‖

iniques. Puis, pour aggraver le reproche, il dit : « du milieu d'eux ». Ce n'est pas en secret, en se cachant, qu'ils osaient commettre ces massacres, mais de façon pire que les brigands et les voleurs de grand chemin. Ces derniers se cachent dans les endroits ténébreux et solitaires pour perpétrer leurs forfaits ; mais eux commettaient leurs transgressions sur les places publiques, en pleine ville, dans les tribunaux mêmes. Or, la guerre qui surviendra, dit-il, emportera la souillure qui en résulte. Au temps de la prospérité, Dieu se justifie des tribulations antérieures, en montrant qu'elles se sont seulement produites pour qu'ils se lavent, se purifient, s'épurent par le feu, pour qu'ils déposent toute souillure, pour qu'ils effacent la honte de leurs péchés et de leurs meurtres. Et que veut-il dire par ces mots : « par le souffle du jugement et par le souffle de l'incendie » ? Il a continué la métaphore de la fonte des métaux. Là en effet le souffle s'engouffrant dans la fonderie ranime la flamme, rend les charbons plus brûlants et consume toute souillure ; de même ici la colère divine et l'invasion des ennemis s'abattant sur la ville ont été pour elle comme un feu, non un feu qui détruit, mais un feu qui brûle, purifie, châtie et corrige. Les mots : « souffle du jugement » désignent le souffle de la punition, du châtiment, de la vengeance.

5 Le Seigneur *sera là,* dit-il ; c'est l'action de Dieu qu'il appelle sa présence. *Et voici : tout l'emplacement de la montagne de Sion et tous ses alentours, une nuée les couvrira pendant le jour, et une sorte de fumée et comme la lumière d'un feu brûlant pendant la nuit, toute la gloire les environnera. 6 Ce sera une ombre contre la chaleur pendant le jour, un abri et une retraite contre la rigueur du froid et contre la pluie.* La nuée est ici pour lui la consolation dans les maux, et le brasier est le rayonnement qui accompagne la consolation. Ce qu'est

79 καὶ ἥξει : ἥξει δὲ C || φησί C A : > *cett.* || 80 καλεῖ : καλῶν C || 81 αὐτῆς + καὶ G || 83 ἡμέρας > C || 85 κακῶν : κακώσεων C || 86 ἐγγινομένην : γινομένην C

ἐν καύματι νεφέλη, τοῦτο ἐν σκότῳ καὶ νυκτὶ βαθυτάτῃ πυρὰ λαμπρῶς ἀναπτομένη. Ἡ μὲν γὰρ τὸν αὐχμὸν
90 ἀποκρούεται, ἡ δὲ διαλύει τὸν ζόφον. Τὴν μὲν οὖν περιφάνειαν τῇ λαμπρότητι τῆς πυρᾶς, τὴν δὲ ἄνεσιν τῇ σκιᾷ τῆς νεφέλης παρέβαλεν. Εἶτα δεικνὺς ὡς οὐ κατὰ μικρὸν τῶν δεινῶν λυομένων ταῦτα ἔσται, ἀλλὰ ἀθρόον ἐν αὐτῇ τῇ τῶν λυπηρῶν ἀκμῇ ἡ μεταβολὴ γενήσεται, ἵνα καὶ
95 ἐντεῦθεν μάθωσιν, ὅτι οὐχὶ ἐκ περιφορᾶς τινος καὶ συντυχίας ἡ πρὸς τὸ βέλτιον γέγονε μετάστασις, ἀλλ' ἐκ τῆς ἄνωθεν δυνάμεως τὸ πᾶν κατώρθωται· Ὡς πυρὸς καιομένου νυκτός, φησίν, οὕτως ἡ μεταβολὴ γενήσεται· Καὶ ἔσται εἰς σκιὰν ἡμέρας. Τίς ἔσται; Ἡ τοῦ Θεοῦ
100 βοήθεια, φησί, καὶ ἡ συμμαχία, ὥσπερ σκιὰ ἐν καύματι καὶ ὥσπερ ὄροφος ἢ κατάδυσίς τις σπηλαίου, ὄμβρου καταρρηγνυμένου σφοδροῦ, ἐν ἀσφαλείᾳ τὸν ἐκεῖ καταφυγόντα διατηροῦσα· οὕτω δὴ καὶ ἡ τοῦ Θεοῦ συμμαχία οὐκ ἀφήσει δεινὸν οὐδὲν παθεῖν, καὶ τοσούτου καταρρηγνυ-
105 μένου πολέμου, οὓς ἂν ἕληται ἐξ ἀρχῆς διασῶσαι.

89 πυρὰ : παρὰ C ‖ λαμπρῶς *ex* A *scripsi* : λαμπροῦ *cod.* ‖ 94 τῇ > V ‖ γενήσεται : γένηται V ‖ 103 διατηροῦσα : διατηροῦσιν LMG.

la nuée dans la forte chaleur, le brasier qui s'allume avec éclat l'est dans les ténèbres et dans la profondeur de la nuit. L'une empêche le dessèchement, l'autre dissipe l'obscurité. Le prophète a donc comparé le rayonnement à l'éclat du brasier et le soulagement à l'ombre de la nuée. Ensuite, montrant que cela n'arrivera pas parce que les maux se dissiperont peu à peu, mais que le changement se produira d'un seul coup au plus fort des douleurs, afin qu'ils comprennent de la sorte que l'amélioration n'est pas le fruit d'un concours de circonstances ni d'un hasard, mais que c'est à la puissance d'en haut qu'est dû tout le redressement, le prophète dit que le changement sera pareil à un feu qui brûle dans la nuit et qu'il servira d'ombre pendant le jour. De quoi s'agit-il ? Du secours de Dieu, dit-il, de son alliance semblables à l'ombre dans la chaleur et à la voûte ou à l'anfractuosité d'une caverne : lorsqu'un violent orage se déchaîne, elles gardent en sécurité celui qui s'y est réfugié ; de même l'alliance de Dieu mettra à l'abri de tout mal, même si une telle guerre éclate, ceux qu'il aura dès l'origine choisi de sauver.

ΚΕΦΑΛ. Ε'

1 1. ***Ἄσω δὴ τῷ ἠγαπημένῳ ᾆσμα τοῦ ἀγαπητοῦ μου τῷ ἀμπελῶνί μου.***

Φοβήσας τοῖς λυπηροῖς, εὐφράνας τοῖς χρηστοῖς, ποικίλην τὴν θεραπείαν ἐργασάμενος, εἰς ἀρχὴν πάλιν ἑτέραν
5 ἀνάγει τὸν λόγον, ἀρχὴν ἐοικυῖαν τῷ προοιμίῳ τῆς προφητείας. Καθάπερ γὰρ ἀρχόμενος τὰς εὐεργεσίας ἀπήγγειλε τοῦ Θεοῦ τὰς εἰς αὐτοὺς γεγενημένας, λέγων · Υἱοὺς ἐγέννησα καὶ ὕψωσα, καὶ τὰς παρανομίας τὰς ὑπ' αὐτῶν τολμηθείσας ἐπάγων καὶ προστιθείς, ὅτι · Αὐτοὶ δή με
10 ἠθέτησαν καὶ ὅτι · Ἰσραὴλ δέ με οὐκ ἔγνω καὶ ὁ λαός μου ἐμὲ οὐ συνῆκεν[a] · οὕτω δὴ καὶ ἐνταῦθα λέξεσιν μὲν ἑτέραις, νοήμασι δὲ τοῖς αὐτοῖς τὰ αὐτὰ τοῖς προτέροις ἐνδείκνυται. Ἀλλὰ τίνος ἕνεκεν κατηγορεῖν μέλλων, ᾆσμα τὴν κατηγορίαν καλεῖ; Μωϋσῆς μὲν γὰρ εἰκότως τοῦτο
15 ἐποίησε μετὰ τῆς Μαρίας, ἅτε τὴν ἐπινίκιον μέλλων ᾄδειν ᾠδὴν καὶ εἰκότως οὕτως ἀρχόμενος ἔλεγεν · Ἄσωμεν τῷ Κυρίῳ · ἐνδόξως γὰρ δεδόξασται, ἵππον καὶ ἀναβάτην ἔρριψεν εἰς θάλασσαν[b]. Καὶ ἡ Δεβόρα δὲ μετὰ τὸ θαυμαστὸν ἐκεῖνο τρόπαιον καὶ τὴν παράδοξον νίκην, εἰκό-
20 τως ᾠδὴν ὑφαίνει τὴν ἐπινίκιον ἐκείνην, εὐφημίαν ἀναφέρουσα τῷ Θεῷ[c]. Οὗτος δὲ κατηγορεῖν μέλλων καὶ συντόνου λόγου δεόμενος καὶ ψυχῆς οὐκ ἀνειμένης, ἀλλὰ συντεταμένης, ᾄσειν ἡμῖν ἐπαγγέλλεται καὶ ᾆσμα τὰ

Testes V LMGCN A

1, 3 φοβήσας + γὰρ C ‖ 7 γεγενημένας V : γενομένας *cett.* ‖ 9 προστιθείς : προτιθεὶς *Montf.* ‖ δὴ *scripsi ex* A : δὲ C > *cett.* ‖ 11 μου > C ‖ 14 γὰρ > C

CHAPITRE V

1 *1 Je chanterai pour mon bien-aimé le chant de mon ami pour ma vigne.* Après les avoir effrayés par les malheurs, réjouis par les bonheurs qu'il annonce, traités ainsi par des remèdes variés, il reprend son discours par un autre exorde, un exorde qui ressemble au préambule de la prophétie. Il avait en effet commencé par leur rappeler les bienfaits que Dieu leur avait accordés, en disant : « J'ai engendré des enfants et je les ai élevés » ; il avait cité ensuite les transgressions dont ils s'étaient rendus coupables, et il ajoutait : « Ils m'ont rejeté » et « Israël m'a méconnu, mon peuple ne m'a pas compris[a] » ; de même ici, en des termes différents, mais avec les mêmes arguments, il reproduit la démonstration précédente. Mais pourquoi, quand il va accuser, appelle-t-il cette accusation un chant ? Moïse avait raison de le faire avec Marie, puisqu'il allait chanter son ode triomphale ; il avait raison de commencer en ces termes : « Chantons au Seigneur ; il s'est couvert de gloire, il a précipité dans la mer cheval et cavalier[b]. » Débora a également raison, après son merveilleux trophée et son étonnante victoire, de composer[1] son ode triomphale, où elle fait remonter à Dieu la gloire[c]. Mais Isaïe qui s'apprête à accuser, qui a besoin d'un langage véhément et d'une âme qui ne se relâche pas, mais qui se tend, nous annonce qu'il va chanter et il donne à ses reproches le nom de

1. a. Is. 1, 2-3. b. Ex. 15, 1. c. cf. Jug. 5.

1. « Composer » ; littéralement, « tisser ». La métaphore dénote le style littéraire. On peut en rapprocher PINDARE, *Pyth.* 4, 251 ; PLATON, *Critias* 116 B ; CALLIMAQUE, *H. Apollon* 56.

ἐγκλήματα καλεῖ. Οὐκ αὐτὸς δὲ μόνος, ἀλλὰ καὶ ὁ μέγας
25 ἐκεῖνος Μωϋσῆς ὁ τὴν ἐπινίκιον τότε ᾄσας ᾠδήν, κατηγορῶν τῶν Ἰουδαίων, μακρὰν ᾠδὴν τὰ ἐγκλήματα πεποίηκε λέγων· Ταῦτα τῷ Κυρίῳ ἀνταποδίδοτε; Οὗτος ὁ λαὸς μωρὸς καὶ οὐχὶ σοφός[d]· καὶ πολλὰς συνθεὶς κατηγορίας, ᾄδοντας αὐτοὺς ταῦτα λέγειν ἐνομοθέτει· καὶ ἔτι
30 καὶ νῦν ᾄδοντες ταῦτα λέγομεν καὶ ἡμεῖς. Τίνος οὖν ἕνεκεν τὰς κατηγορίας ᾠδὴν ποιοῦσι; Σοφίᾳ κεχρημένοι πνευματικῇ καὶ πολὺ τὸ κέρδος ἐνθεῖναι ταῖς τῶν ἀκουόντων βουλόμενοι ψυχαῖς. Ἐπειδὴ γὰρ οὐδὲν οὕτω χρήσιμον, ὡς τὸ πλημμελημάτων μεμνῆσθαι διηνεκῶς,
35 μνήμην δὲ οὐδὲν οὕτω μόνιμον ὡς μελῳδία ποιεῖ, ἵνα μὴ διὰ τὴν ὑπερβολὴν τῶν κατηγοριῶν ὀκνοῦντες καὶ ἀναδυόμενοι φεύγωσι τὸ συνεχῶς μεμνῆσθαι τῶν οἰκείων ἁμαρτημάτων, τῷ μέλει τῆς ᾠδῆς ὑποκλέπτων τὴν ἀπὸ τῆς μνήμης αἰσχύνην καὶ τὴν ἀφόρητον ἀθυμίαν
40 παραμυθούμενος, ᾄσματα αὐτὰ πεποίηκεν, ἵνα τῷ πόθῳ τῆς μελῳδίας ἀναγκαζόμενοι συνεχῶς αὐτὰ φθέγγεσθαι, συνεχῶς αὐτῶν ὦσι μεμνημένοι, καὶ μεμνημένοι διηνεκῶς ἔχωσί τινα διδάσκαλον ἀρετῆς τὴν διηνεκῆ τῶν ἁμαρτημάτων μνήμην. Ἴστε γοῦν ὅτι καὶ νῦν τὰ μὲν ἄλλα οὐδ'
45 ἐξ ὀνόματος τοῖς πολλοῖς ἐστι Βιβλία γνώριμα· τὴν δέ γε τῶν ψαλμῶν πραγματείαν ἐπὶ στόματος ἅπαντες φέρουσι καὶ αὐτὰς ταύτας τὰς ᾠδάς· οὕτως ὡς δι' αὐτῶν τῶν πραγμάτων δείκνυται, πόσον ἀπὸ τῆς μελῳδίας τὸ κέρδος ἐστί. Διὰ δὴ τοῦτο καὶ αὐτός φησιν· Ἄσω δὲ τῷ ἠγαπη-
50 μένῳ ᾆσμα τοῦ ἀγαπητοῦ μου τῷ ἀμπελῶνί μου. Ἆσμα τῷ ἠγαπημένῳ, φησίν, ἀμπελῶνι· ᾄσω περὶ αὐτοῦ τοῦ ἠγαπημένου. Καὶ αὐτῷ γὰρ ᾄδω, φησί, καὶ ἡ ὑπόθεσις τῆς ᾠδῆς περὶ αὐτοῦ καὶ τῶν αὐτοῦ πραγμάτων ἐστίν. Εἰ δὲ μέλλων κατηγορεῖν ἀγαπητὸν καλεῖ καὶ ἠγαπημένον, μὴ
55 θαυμάσῃς.

25 τότε > C ‖ 27 πεποίηκε > V ‖ λέγων + γενεὰ σκολία C ‖ τῷ > C ‖ 36 καὶ > *Montf.* ‖ 37 τῶν οἰκείων μεμνῆσθαι ~ N ‖ 41 τῆς > *Montf.* ‖ 42

chant. Cependant, il n'est pas seul à le faire : lorsque le grand Moïse, qui avait alors chanté cette ode triomphale, accusa les Juifs, il fit de ses reproches un long cantique où il dit : « Est-ce là ce que vous rendez au Seigneur ? Ce peuple est fou et n'a pas de sagesse[d] » ; et, après avoir assemblé de nombreux griefs, il leur prescrivait de les réciter en un chant ; et aujourd'hui encore c'est en chantant que nous les répétons, nous aussi. Pourquoi donc font-ils des accusations un chant ? Ils font preuve par là d'une sagesse inspirée et ils veulent produire un grand bien dans l'âme de leurs auditeurs. Comme rien n'est plus utile que le souvenir continuel de ses péchés et que rien ne rend durable le souvenir comme la mélodie, le prophète, craignant que la gravité des reproches ne les fasse hésiter, reculer et fuir devant le rappel constant de leurs propres fautes, dissimule sous le rythme du chant la honte engendrée par le souvenir et, pour combattre un découragement intolérable, il a composé les chants mêmes que la séduction de la mélodie leur ferait répéter sans cesse, dont ils se souviendraient sans cesse, trouvant ainsi constamment un maître de vertu dans le souvenir constant de leurs péchés. Vous savez bien qu'aujourd'hui encore la plupart des gens ne connaissent même pas de nom le reste des livres de la Bible, mais que tous ont sur les lèvres les formules des Psaumes ainsi que les chants mêmes dont nous parlons ; l'expérience même montre donc quelle est l'utilité de la mélodie. C'est ce qui fait dire au prophète : « Je chanterai pour mon bien-aimé un chant de mon ami pour ma vigne. » Un chant pour mon bien-aimé, dit-il, pour ma vigne, je chanterai mon bien-aimé lui-même. Je chante pour lui, dit-il, et le sujet du chant sera sa personne et ce qui le concerne. Si au moment de l'accuser il l'appelle ami et bien-aimé, n'en sois pas étonné.

μεμνημένοι[2] > *Montf.* || 43 διδάσκαλον : διδασκαλίαν V || 45 γε > V || 47 ὡς > V

d. Deut. 32, 6.

Καὶ τοῦτο γὰρ μέγιστον κατηγορίας ἐφόδιον, ὅτι δὴ ἀγαπηθέντες καὶ τοσαύτης ἀπολαύσαντες παρὰ τοῦ Θεοῦ τῆς εὐνοίας, οὐδὲ οὕτω βελτίους ἐγένοντο. Τοῦτο γοῦν καὶ ἕτερος προφήτης αἰνιττόμενος ἔλεγεν· Ὡς σταφυλὴν
60 ἐν ἐρήμῳ εὗρον τὸν Ἰσραήλ, ὡς σκοπὸν ἐν συκῇ πρώϊμον εἶδον πατέρας αὐτῶν[e]· τὸ ποθεινὸν αὐτῶν καὶ ἐπέραστον διὰ τῶν καρπῶν τούτων ἐνδεικνύμενος· ποθεινὸν δὲ αὐτὸν καὶ ἐπέραστον οὐ παρὰ τὴν οἰκείαν ἀρετήν, ἀλλὰ παρὰ τὴν τοῦ Θεοῦ ἀγαθότητα. Ὃ δὲ λέγει, τοιοῦτόν ἐστιν, ὅτι
65 ἐγὼ μὲν οὕτως ἠγάπησα, ὡς ἄν τις σταφυλὴν εὑρὼν ἐν ἐρήμῳ ἢ ὡς ἄν τις σκοπὸν ἐν συκῇ. Εἰ γὰρ καὶ ἀνάξια τοῦ Θεοῦ τὰ παραδείγματα, ἀλλὰ κατάλληλα τῆς ἐκείνων γαστριμαργίας. Αὐτοὶ δέ, φησί, τοσαύτης ἀπολαύσαντες τῆς ἀγάπης, ἀπηλλοτριώθησαν καὶ εἰσῆλθον πρὸς τὸν Βεελ-
70 φεγώρ[i]. Οὕτω δὴ καὶ ἐνταῦθα ἠγαπημένον αὐτὸν καλεῖ καὶ ἀγαπητὸν δεικνὺς ὅτι ὁ μὲν Θεὸς τὰ παρ' ἑαυτοῦ πάντα ἐπεδείξατο, οὐκ αὐτῶν ἀρξαμένων, ἀλλὰ τοῦ Θεοῦ ἡγησαμένου. Ἐκεῖνοι δὲ οὐδὲ μετὰ ταῦτα ἀξίους ἑαυτοὺς τῆς εὐεργεσίας ἔδειξαν, ἀλλὰ τἀναντία ἐπεδείξαντο ἅπαντα.
75 ***Ἀμπελὼν ἐγενήθη τῷ ἠγαπημένῳ ἐν κέρατι, ἐν τόπῳ πίονι.*** Τῷ ὀνόματι τοῦ ἀμπελῶνος πᾶσαν ἐνέφηνε τὴν
2 πρόνοιαν καὶ τὴν περὶ αὐτοὺς ἐπιμέλειαν. Οὐ μὴν ἵσταται μέχρι τούτου, ἀλλὰ καὶ τὰ ἕτερα ἀπαριθμεῖται εὐεργετήματα· καὶ πρότερον ἀπὸ τῆς θέσεως τοῦ τόπου τοῦτο ποιεῖ· τὸ γάρ· ἐν κέρατι, ἐν τόπῳ πίονι, τὸ μὲν τὴν
5 φύσιν τῆς γῆς ἐπαινῶν ἔλεγε, τὸ δὲ τὴν θέσιν· ὅπερ καὶ ὁ Δαυῒδ ψάλλων ἔφησεν, ὅτι Ἱερουσαλήμ, ὄρη κύκλῳ αὐτῆς, καὶ Κύριος κύκλῳ τοῦ λαοῦ αὐτοῦ[a]. Ἐτείχισε μὲν γὰρ αὐτήν, φησί, καὶ τῇ θέσει τοῦ τόπου· πλὴν οὐκ ἠρκέσθη τούτῳ, ἀλλὰ τὸ μέγιστον τεῖχος αὐτὸς αὐτῇ
10 γέγονεν· ὃ δὴ καὶ οὗτος αἰνίττεται λέγων· Ἐν κέρατι, τό

56 γὰρ > V ‖ 57 τοῦ > V C ‖ 60 Ἰσραὴλ + καὶ LMG ‖ 62 τούτων : αὐτῶν L ‖ ἐνδεικνύμενος : αἰνιττόμενος N ‖ 69 τὸν : τὸ V ‖ 76 ὀνόματι + δὲ C ‖ 77 αὐτοὺς : αὐτῶν L

Il n'y a pas en effet de chef plus grave d'accusation que celui-ci : après avoir été aimés, après avoir joui à un tel point de la bienveillance de Dieu, ils ne sont pas pour autant devenus meilleurs. Un autre prophète le suggérait aussi en ces termes : « J'ai trouvé Israël comme des raisins dans le désert, j'ai vu leurs pères comme un fruit précoce sur le figuier[e]. » Il se sert de ces fruits pour montrer le désir et l'amour dont ils sont l'objet pour lui, désir et amour que lui inspire non leur propre vertu, mais la bonté de Dieu. Ce qu'il dit revient à ceci : je l'ai aimé comme on aime des raisins trouvés dans le désert ou comme un fruit précoce sur le figuier. Ces exemples ont beau être indignes de Dieu, ils sont bien adaptés à leur gloutonnerie. « Mais eux », dit-il, qui ont bénéficié d'un si grand amour, « ils se sont détournés et sont allés à Béelphégor[f] ». Ici encore il appelle donc ce peuple bien-aimé et ami, montrant que Dieu a manifesté tout ce qui dépendait de lui, sans qu'ils aient pris les devants, mais que c'est Dieu qui a commencé. Mais eux, même après cela, ne se montrèrent pas dignes de cette bonté, mais ils eurent une conduite tout opposée.

Mon bien-aimé eut une vigne sur une corne, en un lieu fertile. Par ce nom de vigne il a montré toute sa prévoyance, toute sa sollicitude à leur égard. Il ne s'en tient pas là, mais il énumère ses autres bienfaits ; il mentionne d'abord la position du lieu : « sur une corne, en un lieu fertile ». Le second terme louait la nature du terrain, le premier sa position ; David disait de même dans un psaume : « Jérusalem, des montagnes sont autour d'elle, et le Seigneur est autour de son peuple[a]. » Il l'a fortifiée, dit-il, par la position du lieu ; mais il ne s'est pas borné à cela, il a été lui-même pour elle le plus puissant rempart ; c'est ce qu'il laisse entendre par les mots « sur une

2, 3 τοῦτο : τούτου C ‖ 6 ἔφησεν : ἔλεγεν CN ‖ ὄρη > LMGC ‖ 7 καὶ + ὁ LMGC ‖ 9 τούτῳ : τοῦτο M

e. Os. 9, 10. f. Os. 9, 10. **2.** a. Ps. 124, 2.

τε ἀχείρωτον καὶ τὸ ἀκαταγώνιστον τοῦ τόπου καὶ πρὸ τούτου τὴν παρὰ τοῦ Θεοῦ βοήθειαν δηλῶν ἀπὸ μεταφορᾶς τοῦ κέρως τοῦ βοός. Καὶ γὰρ καὶ παροιμία τοιαύτη δημώδης ἐξενήνεκται περὶ τῶν εἰς ἀσφαλές τι χωρίον
15 καταφευγόντων. Ἐπειδὴ γὰρ ἰσχυρότατον πάντων ὁ ταῦρος, αὐτοῦ δὲ τοῦ ζώου τὸ ἰσχυρότερον τὸ κέρας· ὅπλῳ γὰρ αὐτῷ κέχρηται· διὰ τὸ δυσχείρωτον, τοῦτο εἰώθασι λέγειν οἱ πολλοί· καὶ ἡ Γραφὴ δὲ πολλάκις κέρας μονοκέρωτος καλεῖ τοὺς ἐν ἀσφαλείᾳ ὄντας. Ἐν κέρατι
20 οὖν ἐνταῦθά φησιν, ἐν ἀσφαλείᾳ, ἐν ὕψει, ὅπερ ἀρχόμενος ἔλεγεν· Υἱοὺς ἐγέννησα καὶ ὕψωσα[b]. Ἐν τόπῳ πίονι· ὅπερ ὁ Μωϋσῆς εἶπεν· Γῆν ῥέουσαν γάλα καὶ μέλι[c].

2. ***Καὶ φραγμὸν περιέθηκα, καὶ ἐχαράκωσα.*** Φραγμὸν ἢ τὸ τεῖχός φησιν ἢ τὸν νόμον, ἢ τὴν αὐτοῦ πρόνοιαν. Καὶ
25 γὰρ ὁ νόμος τείχους ἀσφαλέστερον αὐτοῖς περιέκειτο. Καὶ ἐχαράκωσα, τουτέστιν, ἰσχυρὰν τὴν ἀσφάλειαν ἐποιησάμην. Ἐπειδὴ γὰρ πολλάκις φραγμὸς εὐεπιχείρητον καὶ ἑτέραν, φησί, περιέβαλον αὐτοῖς συμμαχίαν.

Καὶ ἐφύτευσα ἄμπελον Σωρήχ. Ἐπιμένει τῇ μεταφορᾷ,
30 ἣν οὐ δεῖ κατὰ λέξιν ἑρμηνεύειν, ἀλλὰ τὸν σκοπὸν εἰδότας ἀρκεῖσθαι τούτῳ. Σωρὴχ δὲ ἐνταῦθα ἀληθινήν φησιν, εὐγενῆ, οὐχὶ τῶν φαύλων φυτῶν, οὐδὲ τῶν καταδεεστέρων, ἀλλὰ τῶν δοκίμων καὶ πρώτων. Πολλὰ γὰρ ἀμπέλων γένη.

35 ***Καὶ ᾠκοδόμησα πύργον καὶ προλήνιον ἐν μέσῳ αὐτοῦ.*** Τινὲς <πύργον> τὸν ναόν φασι καὶ προλήνιον τὸ

15 ἰσχυρότατον : -τερον *Montf.* ‖ 17 τοῦτο > V ‖ 22 εἶπεν : φησί C ‖ 27 πολλάκις + ὁ CN ‖ 28 αὐτοῖς περιέβαλον ~ N ‖ 31 τούτῳ : τοῦτο V ‖ δὲ : τοίνυν C ‖ 33-34 πολλὰ – γένη > N ‖ 35 καὶ προλήνιον > MLGN ‖ αὐτοῦ : αὐτῆς N ‖ 36 <πύργον> *addidi ex* A

b. Is. 1, 2. c. Ex. 3, 8.

1. Jean joue sur le mot κέρας, corne d'un animal et pic d'une montagne.

corne », montrant le caractère imprenable et inexpugnable du lieu, et d'abord le secours venant de Dieu, par la métaphore de la corne du bœuf[1]. Une locution proverbiale de ce genre s'emploie en effet communément pour parler de ceux qui se réfugient en un lieu sûr. Le taureau est le plus fort de tous les animaux, et la partie la plus forte de cet animal lui-même est la corne ; il s'en sert en effet comme d'une arme ; et comme il est difficile de la saisir, on emploie couramment cette comparaison, et l'Écriture appelle souvent corne de licorne[2] ceux qui sont en sécurité. « Sur une corne[3] », dit-il donc ici, en sécurité, sur une hauteur, comme il le disait en commençant : « j'ai engendré des fils et je les ai élevés[b]. » « En un lieu fertile », comme avait dit Moïse, « une terre ruisselant de lait et de miel[c] ».

2 Je l'ai entourée d'une clôture, j'y ai mis une palissade. Il appelle clôture le rempart ou la Loi ou sa Providence. En effet, la Loi les entourait plus sûrement qu'un rempart. J'y ai mis une palissade, c'est-à-dire : j'ai rendu sa défense plus puissante. Comme une clôture est souvent exposée à un coup de main, je les ai entourés, dit-il, d'une autre assistance.

J'ai planté une vigne de Sorech. Il conserve la métaphore, qu'il ne faut pas interpréter à la lettre, mais dont il faut se contenter de savoir le but. Sorech désigne ici une vigne authentique, de bonne souche, qui ne compte pas parmi les plants médiocres ou inférieurs, mais parmi les plants éprouvés et de premier choix. Car il y a de nombreuses espèces de vignes.

J'ai édifié une tour et en son milieu un pressoir. Certains disent que la tour est le Temple et que le pressoir est l'autel,

2. C'est ainsi que la Septante a traduit le mot hébreu *re'em*, probablement le buffle. Les traducteurs ne le connaissaient sans doute que par des représentations sculptées où l'animal, vu de profil, semblait n'avoir qu'une corne. Le mot apparaît souvent dans l'Écriture : *Nombr.* 23, 22 ; *Deut.* 33, 17 ; *Job* 39, 9 ; *Ps.* 21, 22 ; 28, 6 ; 77, 69 ; 91, 10.

3. Sur un pic.

θυσιαστήριον, ἅτε τῶν καρπῶν ἐκεῖ συναγομένων τῆς ἀρετῆς τῆς ἑκάστου καὶ τῶν προσφορῶν καὶ τῶν θυσιῶν ἁπασῶν· ἐγὼ μέντοι τοῦτο, ὅπερ ἔφθην εἰπὼν καὶ νῦν 40 ἐρῶ, ὅτι τῷ σκοπῷ δεῖ προσέχειν τῆς μεταφορᾶς. Διὰ γὰρ πάντων τοῦτο βούλεται εἰπεῖν, ὅτι τὰ παρ' ἐμαυτοῦ πάντα ἐπλήρωσα, πᾶσαν ἐπιμέλειαν ἐπεδειξάμην. Οὐ κατέτεινα καμάτοις, οὐ συνέτριψα πόνοις, οὐκ αὐτοὺς οἰκοδομῆσαι ἐκέλευσα, οὐκ αὐτοὺς σκάψαι, οὐκ αὐτοὺς φυτεῦσαι, ἀλλ' 45 ἀπηρτισμένον τὸ ἔργον παρέδωκα. Καὶ οὐδὲ μέχρι τούτου τὰ τῆς φιλανθρωπίας ἔστησα μόνον, ἀλλά· ***Καὶ ἔμεινα τοῦ ποιῆσαι σταφυλήν,*** καὶ ἀνέμεινα τὸν προσήκοντα καιρὸν τῆς καρποφορίας, μακροθυμίᾳ πολλῇ χρησάμενος. Τὸ γάρ· Ἔμεινα, τοῦτο δηλοῖ. ***Ἐποίησε δὲ ἀκάνθας.*** Τὸν 50 ἄκαρπον αὐτῶν βίον ἐνδείκνυται, τὸν τραχύν, τὸν σκληρόν. Τίνος οὖν ἂν εἶεν συγγνώμης ἄξιοι μετὰ τοσαύτην ἐπιμέλειαν τούτους ἀποδόντες τῷ γεωργῷ τοὺς καρπούς;

3. ***Καὶ νῦν, ἄνθρωπος τοῦ Ἰούδα καὶ οἱ κατοικοῦντες ἐν*** 55 ***Ἰερουσαλὴμ κρίνατε ἐν ἐμοὶ καὶ ἀνάμεσον τοῦ ἀμπελῶνός μου.*** Πολλὴ ἄρα τῶν δικαιωμάτων ἡ περιουσία, ὅταν αὐτοὺς τοὺς ὑπευθύνους δικαστὰς καθίζῃ τοῖς ὑπ' αὐτοῦ γεγενημένοις, καὶ τοῖς ὑπ' ἐκείνων. Καὶ νῦν. Οὐ λέγω τὰ παλαιά, φησίν, ἀλλὰ καὶ σήμερον ἕτοιμός εἰμι δικάζεσθαι. 60 Οὕτως οὐδέποτε διαλείπω τὰ ἐμαυτοῦ πληρῶν, ὡς οὐδὲ ὑμεῖς τὰ ἑαυτῶν πληροῦτε.

4. ***Τί ποιήσω ἔτι τῷ ἀμπελῶνί μου, καὶ οὐκ ἐποίησα αὐτῷ;*** Ἃ μὲν ἐποίησα, ταῦτά ἐστι, φησί, πλὴν οὐκ ἀρκοῦμαι τοῖς γεγενημένοις, οὐδὲ λέγω ὅτι πολλὰ 65 εὐηργέτησα, ἀλλ' εἰ μὴ πάντα εὐηργέτησα, εἰ μὴ πάντα ἐποίησα, μεθ' ἃ ποιῆσαι λοιπὸν οὐδὲν ἦν, τοῦτο ὑμᾶς εἰπεῖν ἀπαιτῶ, ὑμᾶς τοὺς ἀπολελαυκότας καὶ μάρτυρας τῶν γεγενημένων ὄντας καὶ τῇ πείρᾳ ταῦτα μαθόντας, οὐκ

40 ὅτι — μεταφορᾶς : οὐ δεῖ κατὰ λέξιν τὴν μεταφορὰν ἑρμηνεύειν, ἀλλὰ

car on y apporte les fruits de la vertu de chacun, les offrandes et tous les sacrifices. Pour ma part, cependant, je répéterai ce que j'ai dit précédemment : il faut considérer le but de la métaphore. Toutes ces images signifient : j'ai fait tout ce qui dépendait de moi, j'ai montré toute ma sollicitude. Je ne les ai pas accablés de fatigue, ni écrasés de travaux, je ne leur ai pas ordonné de bâtir, ni de creuser, ni de planter, mais je leur ai remis l'ouvrage achevé. Et je n'ai pas arrêté là les effets de ma bonté, mais *j'ai attendu qu'elle donnât du raisin,* j'ai attendu la saison des fruits, avec beaucoup de patience. L'expression « j'ai attendu » le montre bien. *Mais elle a produit des épines.* Il désigne leur vie stérile, grossière et aride. Quelle indulgence méritaient-ils donc après tant de sollicitude, eux qui ont payé le cultivateur par de tels fruits ?

3 Et maintenant, homme de Juda, et vous qui habitez Jérusalem, soyez juges entre moi et ma vigne. Il faut être bien sûr de son bon droit pour établir ceux-là mêmes qui ont à rendre des comptes comme juges de ce qu'on a fait soi-même et de ce qu'ils ont fait. « Et maintenant ». Je ne parle pas du passé, veut-il dire, mais je suis prêt à être jugé aujourd'hui aussi. Tant il est vrai que je ne cesse jamais de remplir mes obligations et que vous ne remplissez pas les vôtres.

4 Que ferai-je encore pour ma vigne que je n'aie pas fait pour elle ? Ce que j'ai fait, le voici, dit-il. Cependant, je ne me contente pas de présenter les faits, je ne dis pas : j'ai accordé de nombreux bienfaits, mais si je n'ai pas accordé tous les bienfaits, si je n'ai pas tout fait, au point qu'il ne restât plus rien à faire, je vous demande de le dire, vous qui avez joui de ces bienfaits, qui en êtes les témoins, qui les avez connus par

τὸν σκοπὸν εἰδότας ἀρκεῖσθαι τούτῳ C || 45 τούτου : τῆν εἰρημένων φησί C || 46-47 ἔμεινα – καὶ > C || 49 δηλοῖ + διὰ δὲ τούτου C || δὲ > C || 50 αὐτῶν : αὐτὴν V || 52 τούτους : τοιούτους LMG || 54 ἐν > C || 56 ἄρα C : > *cett.* || 60 ὡς > V N || 61 πληροῦτε *ex* A *scripsi* : πληροῦντες *cett.* || 62-69 τί ποιήσω – ξένους > N, *post* ἐπλημμέλησαν (74) *transp. Montf.* || 65 ἀλλ' > V || εἰ μὴ πάντα εὐηργέτησα > *Montf.*

ἀλλοτρίους τινὰς καὶ ξένους· ***διότι ἔμεινα ἵνα ποιήσῃ***
70 ***σταφυλήν, ἐποίησε δὲ ἀκάνθας.*** Ἡ συνθήκη δοκεῖ ἀσαφεστέρα εἶναι, διόπερ αὐτὴν σαφεστέραν ἀνάγκη ποιῆσαι. Ὃ γὰρ λέγει, τοῦτό ἐστι· Τί ἔδει με ποιῆσαι καὶ οὐκ ἐποίησα; ὅτι τοιαῦτα ἥμαρτον, τί ἔχοντες αἰτιᾶσθαι ἢ ὡς τινων παραλελειμμένων τοιαῦτα ἐπλημμέλησαν;

75 5. ***Νῦν οὖν ἀναγγελῶ ὑμῖν, τί ἐγὼ ποιήσω τῷ ἀμπελῶνί μου.*** Ἐπειδὴ τὴν νίκην ἤρατο καὶ τὴν ἀγνωμοσύνην ἔδειξε τὴν ἐκείνων, τότε λοιπὸν ἐπάγει καὶ τὴν ψῆφον καὶ λέγει ταῦτα ἃ μέλλει ποιεῖν οὐχ ἵνα καταδικάσῃ, ἀλλ' ἵνα τῷ φόβῳ τῆς ἀπειλῆς ἐπιεικεστέρους ποιήσῃ. ***Ἀφελῶ τὸν***
80 ***φραγμὸν αὐτοῦ καὶ ἔσται εἰς διαρπαγήν· καὶ καθελῶ τὸν τοῖχον αὐτοῦ καὶ ἔσται εἰς καταπάτημα.***

3 Ἀποστήσω, φησί, τὴν ἐμὴν συμμαχίαν, γυμνώσω μου τῆς βοηθείας, ἐρήμους καταστήσω τῆς τοσαύτης προνοίας καὶ εἴσονται διὰ τῶν ἐναντίων ὧν ἀπήλαυον ἔμπροσθεν, ὅταν ὦσι πᾶσιν εἰς ἁρπαγὴν προκείμενοι.

5 6. ***Καὶ ἀνήσω τὸν ἀμπελῶνά μου καὶ οὐ μὴ τμηθῇ, οὐδὲ μὴ σκαφῇ.*** Πάλιν λέγω ὅτι τῇ μεταφορᾷ κέχρηται. Εἰ δέ τις καὶ θερμότερον ἐξετάζειν βούλοιτο, τὴν ἀπὸ τῆς διδασκαλίας, τὴν ἀπὸ τῶν ἐντολῶν ἐπιμέλειάν φησιν. Οὐ γὰρ ἀπολαύσονται τῶν αὐτῶν, ὧν καὶ ἔμπροσθεν, οὐ
10 διδασκάλους ἕξουσιν, οὐκ ἄρχοντας, οὐ προφήτας ὁμοίως τοὺς διορθουμένους αὐτούς, τοὺς ἐπιμελουμένους αὐτῶν. Ὥσπερ γὰρ οἱ τὴν ἄμπελον θεραπεύοντες σκάπτουσιν, τέμνουσιν, οὕτως οἱ ψυχὰς διορθούμενοι ἀπειλοῦσιν, φοβοῦσιν, διδάσκουσιν, ἐγκαλοῦσιν· ἀλλ' ἐν ἐρημίᾳ
15 τούτων ἔσονται, φησίν, εἰς τὴν ἀλλοτρίαν ἀπενεχθέντες. ***Καὶ ἀναβήσεται εἰς αὐτὸν ὡς εἰς χέρσον ἄκανθα· καὶ ταῖς νεφέλαις ἐντελοῦμαι, τοῦ μὴ βρέξαι εἰς αὐτὸν ὑετόν.*** Ἢ

72 με > *Montf.* || 75 ἐγὼ > C *Montf.* || 77 ἐπάγει : ἐνάγει V
3, 1 μου > V || 6 σκαφῇ + ἐγὼ δὲ C || 8 φησιν : αἰνίττεται C || 9 αὐτῶν + φησιν C || 10 ὁμοίως > C || 11 αὐτούς : αὐτῶν C || 14 ἐγκαλοῦσιν > V || 15

expérience et qui n'êtes pas des gens du dehors, des étrangers. *Car j'ai attendu qu'elle produisît du raisin, et elle a produit des épines.* La structure du discours paraît assez peu claire, il est donc nécessaire de la rendre plus claire. Ce qu'il veut dire est ceci : Que fallait-il faire que je n'aie pas fait ? Pour avoir commis de tels péchés, qu'avaient-ils à me reprocher ? Est-ce pour certains manquements de ma part qu'ils se sont rendus coupables des leurs ?

5 Maintenant donc, je vais vous annoncer ce que je ferai à ma vigne. Après avoir gagné son procès et démontré leur ingratitude, il lui reste à porter sa sentence, et il dit ce qu'il se propose de faire, non pour les condamner, mais pour les rendre plus raisonnables par la crainte qu'inspirent les menaces. *J'enlèverai sa clôture et elle sera livrée au pillage, je détruirai son mur et on pourra la piétiner.*

Je leur retirerai mon alliance, dit-il, je leur ôterai mon secours, je les priverai de ma si grande bienveillance, et ils sauront par une expérience contraire de quelles faveurs ils jouissaient auparavant, quand ils se verront exposés au pillage de tous.

6 Et j'abandonnerai ma vigne, elle ne sera ni taillée ni sarclée. Je le répète, il s'exprime par métaphore. A examiner le texte plus attentivement, on voit qu'il parle de la sollicitude dont témoignent ses enseignements et ses préceptes. Ils ne jouiront plus des mêmes avantages qu'auparavant, ils n'auront plus ni maîtres, ni chefs, ni prophètes pour les redresser et s'occuper d'eux. De même en effet que ceux qui soignent la vigne sarclent et taillent, ainsi ceux qui corrigent les âmes menacent, effraient, enseignent, réprimandent ; mais, dit-il, ils seront privés de tout cela, étant déportés sur une terre étrangère.

Les épines l'envahiront comme une terre inculte, et j'interdirai aux nuages de déverser sur elle leur pluie. Il parle soit de la

φησίν + οἱ Ἰσραηλῖται C || 16 εἰς αὐτὸν : εἰπὼν C || 16-17 καὶ – ὑετόν > C

τὴν ἐρημίαν τῆς πόλεώς φησιν, ἢ τὴν ἐρημίαν τὴν αὐτῶν καὶ τῆς ἑκάστου ψυχῆς· νεφέλας δὲ ἐνταῦθα τοὺς
20 προφήτας τινὲς λέγουσιν, ἅτε ἄνωθεν τὸν ὑετὸν δεχομένους καὶ παραπέμποντας τῷ δήμῳ τὰ λεγόμενα. Ἀλλ' οὐδὲ οὗτοι, φησί, τὰ συνήθη ποιήσουσιν. Εἰ γὰρ καὶ εἷς που καὶ δεύτερος συναπῆλθεν, ἀλλ' ὁ δῆμος τῶν προφητῶν τότε ἐσίγα.
25 7. ***Ὁ γὰρ ἀμπελὼν Κυρίου Σαβαὼθ οἶκος τοῦ Ἰσραὴλ ἐστι καὶ ἄνθρωπος τοῦ Ἰούδα νεόφυτον ἠγαπημένον. Ἔμεινα, ἵνα ποιήσῃ κρίσιν, ἐποίησε δὲ ἀνομίαν καὶ οὐ δικαιοσύνην, ἀλλὰ κραυγήν.*** Ἐπειδὴ πολλῇ τῇ μεταφορᾷ διὰ τῶν ὀνομάτων ἐχρήσατο, ἀμπελῶνα καὶ πύργον καὶ
30 προλήνιον καὶ φραγμὸν καὶ σκαφητὸν καὶ τμῆσιν ἀμπέλου λέγων, ἵνα μὴ περὶ ἀμπελῶνός τις τῶν τότε ἀνοήτως νομίσῃ εἶναι τὰ λεγόμενα, ταχέως πρὸς τῷ τέλει τὸ πᾶν ἡρμήνευσεν. Ὁ γὰρ ἀμπελὼν Κυρίου Σαβαὼθ οἶκος τοῦ Ἰσραὴλ ἐστιν. Οὐ γὰρ περὶ φυτῶν ὁ λόγος μοι, φησίν,
35 οὐδὲ περὶ γῆς ἀψύχου, οὐδὲ περὶ λίθων καὶ τοίχων, ἀλλὰ περὶ δήμου τοῦ ὑμετέρου. Διὸ καὶ ἐπήγαγε· Καὶ ἄνθρωπος τοῦ Ἰούδα νεόφυτον ἠγαπημένον· ἐπειδὴ πλέον τι εἶχε τῶν δέκα φυλῶν καὶ ὁ ναὸς αὐτόθι πλησίον ἦν καὶ ἡ λοιπὴ θεραπεία καὶ τῶν ἄλλων μᾶλλον ἤνθει καὶ βασιλι-
40 κωτέρα ἦν ἡ φυλὴ καὶ δυνατωτέρα. Ἠγαπημένον δὲ εἶπε, πάλιν αὐτῶν καθαπτόμενος, ὅτι περὶ τὸν σφοδρὸν ἐραστὴν τοιοῦτοι γεγόνασι. Τοιοῦτος γὰρ τῶν φιλούντων ὁ νόμος, μηδὲ ἐν αὐτοῖς τοῖς ἐγκλήμασι κρύπτειν τῆς οἰκείας ἀγάπης τὴν ὑπερβολήν.
45 Ἐντεῦθεν οὐ μικρὸν καὶ ἕτερον μανθάνομεν. Ποῖον δὴ τοῦτο; Τὸ πότε καὶ τίνα ἀλληγορεῖν χρὴ τῶν Γραφῶν· καὶ ὡς οὐκ ἐσμεν κύριοι τῶν νόμων τούτων αὐτοί, ἀλλὰ δεῖ αὐτῇ τῇ διανοίᾳ τῆς Γραφῆς ἑπομένους, οὕτω τῷ τῆς

18 φησιν : λέγει C ‖ αὐτῶν : ἑαυτῶν V C ‖ 20 ἅτε : καὶ ὡς ‖ 22 οὗτοι : οἱ προφῆται τοίνυν C ‖ 31 ἀνοήτως : ἀνοήτων V ‖ 32 νομίσῃ : νοήσῃ C ‖ τὰ λεγόμενα εἶναι ~ MGC ‖ 33 ἀμπελὼν + φησι LM ‖ 35 γῆς : ψυχῆς V N ‖

désolation de la ville, soit de la leur et de celle de l'âme de chacun. Les nuages désignent ici pour certains les prophètes, puisqu'ils reçoivent d'en haut la pluie et transmettent au peuple ce qui leur est dit. Eh bien ! eux non plus, dit-il, n'exerceront pas leur fonction habituelle. Si en effet un ou deux peut-être sont partis avec eux, l'ensemble des prophètes gardait alors le silence.

7 *Car la vigne du Seigneur Sabaoth est la maison d'Israël, et l'homme de Juda est le jeune plant bien-aimé. J'ai attendu de lui du discernement et il a commis l'iniquité ; au lieu de la justice, voilà les cris.* Ayant employé beaucoup d'expressions métaphoriques telles que vigne, tour, pressoir, clôture, sarclage, taille de la vigne, il craint que l'un de ses contemporains n'imagine sottement qu'il est question d'une vigne et il prend soin à la fin de tout expliquer. « La vigne du Seigneur Sabaoth, dit-il, est la maison d'Israël. » Mon propos, veut-il dire, n'est pas de parler des plantes, ni de la terre inerte, ni des pierres et des murs, mais de votre peuple. Aussi a-t-il ajouté : « l'homme de Juda est le jeune plant bien-aimé » ; c'est qu'il avait quelque chose de plus que les dix tribus ; le Temple était là, tout proche, avec tous les objets du culte ; et cette tribu florissait plus que les autres, étant plus royale et plus puissante. En disant « bien-aimé », il s'en prend encore à eux, qui s'étaient conduits de la sorte envers un amant passionné. Telle est en effet la loi de ceux qui aiment : même dans leurs reproches ils ne dissimulent pas l'excès de leur amour.

Ici, nous trouvons encore un autre enseignement qui n'est pas sans importance. Quel est-il donc ? C'est de nous apprendre quand et pour quels passages des Écritures il faut recourir à l'allégorie, de nous apprendre aussi que nous ne sommes pas maîtres de ces règles, mais que c'est dans la fidélité à la pensée de l'Écriture qu'il nous faut user de l'explica-

τοίχων καὶ λίθων ~ LMGC || 36 ὑμετέρου : ἡμετέρου *Montf.* || 46 χρὴ : δεῖ C || 47 αὐτοὶ τούτων ~ LMGC

ἀλληγορίας κεχρῆσθαι τρόπῳ. Ὃ δὲ λέγω, τοιοῦτόν ἐστιν.
50 Εἶπεν ἀμπελῶνα νῦν ἡ Γραφή, φραγμόν, προλήνιον· οὐκ ἀφῆκε κύριον γενέσθαι τὸν ἀκροατὴν ἁρμόσαι τὰ εἰρημένα οἷς ἐβούλετο πράγμασιν ἢ προσώποις, ἀλλὰ προϊοῦσα ἑαυτὴν ἡρμήνευσεν, εἰποῦσα· Ὁ γὰρ ἀμπελὼν Κυρίου Σαβαὼθ οἶκος τοῦ Ἰσραήλ ἐστι. Καὶ ὁ Ἰεζεκιὴλ δὲ πάλιν
55 ἀετὸν καλῶν μέγαν καὶ μεγαλοπτέρυγον εἰσιόντα εἰς τὸν Λίβανον καὶ ἀποκνίζοντα τὸ ἄκρον τῆς κέδρου, οὐδὲ ἐκεῖνος ἀφίησιν ἐπὶ τῇ γνώμῃ τῶν ἀκροατῶν κεῖσθαι τῆς ἀλληγορίας τὴν ἑρμηνείαν, ἀλλὰ καὶ αὐτὸς λέγει, τίνα μὲν τὸν ἀετόν φησι, τίνα δὲ τὴν κέδρον[a]. Καὶ οὗτος δὲ πάλιν
60 προϊών, ποταμόν τινα σφοδρὸν ἀνάγει, λέγων, ἐπὶ τὴν Ἰουδαίαν, ἵνα μὴ ἐξῇ τῷ ἀκούοντι κατὰ τὴν οἰκείαν γνώμην ἁρμόζειν τὸ εἰρημένον προσώπῳ ᾧ βούλεται, εἶπε καὶ τὸν βασιλέα τοῦτον, ὃν ποταμὸν ἐκάλεσε[b]. Καὶ πανταχοῦ τῆς Γραφῆς οὗτος ὁ νόμος, ἐπειδὰν ἀλληγορῇ,
65 λέγειν καὶ τῆς ἀλληγορίας τὴν ἑρμηνείαν, ὥστε μὴ ἁπλῶς, μηδὲ ὡς ἔτυχε τὴν ἀκόλαστον ἐπιθυμίαν τῶν ἀλληγορεῖν βουλομένων πλανᾶσθαι καὶ πανταχοῦ φέρεσθαι. Καὶ τί θαυμάζεις, εἰ οἱ προφῆται; Καὶ ὁ Παροιμιαστὴς δὲ οὕτω ποιεῖ. Εἰπὼν γάρ· Ἔλαφος φιλίας, καὶ πῶλος χαρίτων
70 ὁμιλείτω σοι· καὶ ἡ πηγὴ τοῦ ὕδατος ἔστω σοι μόνῳ[c]. ἡρμήνευσε τίνος ἕνεκεν ταῦτα ἔλεγεν ὅτι περὶ γυναικὸς ἐννόμου καὶ ἐλευθέρας, ἀποτρέπων πόρνης καὶ ἀλλοτρίας ἅπτεσθαι. Οὕτω δὴ καὶ οὗτος ἐνταῦθα εἶπε τίνα ἔφησε τὸν ἀμπελῶνα εἶναι· Εἶτα ἐπειδὴ εἶπεν αὐτῶν τὰ ἐγκλήματα,
75 εἶπε τὰς τιμωρίας· πάλιν πρὸς τῷ τέλει τὴν ἀπολογίαν τίθησι λέγων· Ἔμεινα, ἵνα ποιήσῃ κρίσιν, ἐποίησε δὲ ἀνομίαν καὶ οὐ δικαιοσύνην, ἀλλὰ κραυγήν. Ὅτι δικαίως, φησίν, ἀπαιτῶ δίκην. Ἀνέμεινα γάρ, Ἵνα ποιήσῃ κρίσιν, τουτέστι, δικαιοσύνην· αὐτοὶ δὲ τὰ ἐναντία ἐπεδείξαντο

55 καλῶν : καλὸν LMG ‖ 57 ἐκεῖνος *cod.* : ἐκεῖ *Montf.* ‖ 59 οὗτος : οὕτω LMGC ‖ 69 χαρίτων *scripsi ex* A : σῶν χαρ- N χαρ- σῶν *cett.* ‖ 70 ὕδατος C A : ὕδατός σου *cett.* ‖ 72 ἐλευθέρας καὶ ἐννόμου ~ LC ‖ 76 λέγων + ἔμεινα

tion allégorique. Voici ce que je veux dire. L'Écriture a employé ici les mots vigne, clôture, pressoir, elle n'a pas laissé l'auditeur maître d'appliquer à sa guise ces termes à des choses et des personnes, mais elle s'est ensuite interprétée elle-même en disant : « La vigne du Seigneur Sabaoth est la maison d'Israël. » De même, quand Ézéchiel parle d'un grand aigle aux larges ailes qui pénètre au Liban et enlève la cime du cèdre, lui non plus ne laisse pas à l'auditeur la liberté d'interpréter comme il veut cette allégorie, mais il dit lui-même qui est l'aigle et qui est le cèdre[a]. Quant à Isaïe, dans la suite de son discours : « il fait monter, dit-il, contre la Judée un fleuve impétueux », et pour que l'auditeur n'ait pas la possibilité d'appliquer le texte, selon son sentiment personnel, au personnage de son choix, il dit quel était le roi qu'il avait désigné par le mot fleuve[b]. C'est la règle constante de l'Écriture, quand elle use de l'allégorie, d'en donner aussi l'interprétation, de telle sorte que le désir intempérant des amateurs d'allégories ne puisse errer n'importe où et sans but en se portant de tous côtés. Pourquoi t'étonner si les prophètes agissent ainsi ? L'auteur des Proverbes fait de même. Il dit : « Que la biche de l'amitié, le faon des grâces t'accompagne ; que la source de cette eau soit pour toi seul[c] » ; puis il a expliqué de qui il disait cela, c'est-à-dire de la femme légitime et de condition libre, pour interdire de s'attacher à une prostituée et à une étrangère. De même Isaïe a dit ici qui représentait pour lui la vigne. Puis, après leur avoir adressé ses reproches, il a annoncé les châtiments ; et à la fin il apporte encore sa justification en disant : « J'ai attendu de lui du discernement et il a commis l'iniquité ; au lieu de la justice, voilà les cris. » C'est justement, veut-il dire, que je punis ; car j'ai attendu de lui du discernement, donc qu'il pratiquât la justice ; mais eux ont montré tout le contraire, l'iniqui-

ἵνα ποιήσῃ καρπόν, ἐποίησε δὲ ἄκανθαν N

3. a. cf. Éz. 17, 3-21. b. cf. Is. 8, 7. c. Prov. 5, 19.

80 ἀνομίαν <καὶ> ἀδικίαν καὶ κραυγήν. Κραυγὴν ἐνταῦθα τὴν πλεονεξίαν λέγει, τὸν ἄδικον θυμόν, τὴν ὀργὴν τὴν ἀλόγιστον, τὰς μάχας, τὰς φιλονεικίας.

8. ***Οὐαὶ οἱ συνάπτοντες οἰκίαν πρὸς οἰκίαν καὶ ἀγρὸν πρὸς ἀγρὸν ἐγγίζοντες, ἵνα τοῦ πλησίον ἀφέλωνταί τι.*** Εἰπὼν 85 ὅτι κραυγὴν ἐποίησε, τουτέστι πλεονεξίαν, ἁρπαγάς, λέγει καὶ τὸ εἶδος τῆς ἀδικίας πολλῆς ἐμπεπλησμένον τῆς κακουργίας. Καὶ πάλιν ἀπὸ θρήνων ἄρχεται, τὸ μέγεθος τῶν ἁμαρτημάτων ἐνδεικνύμενος καὶ τοὺς τὰ ἀνίατα νοσοῦντας ἐμφαίνων.

4 Ταῦτα δὲ καὶ νῦν τολμώμενα ἴδοι τις ἂν παρὰ τῶν κακῶς τῷ πλούτῳ κεχρημένων, οἳ τὰς γειτνιάσεις ἐπινοοῦσιν οὐκ εἰς ἀσφάλειαν, ἀλλ' εἰς ἐπιβουλὴν τῶν πλησίον, καθάπερ πῦρ ὁδῷ βαδίζον, οὕτω τοὺς ἐκ 5 γειτόνων πάντας ἐπινεμόμενοι.

Μὴ οἰκήσετε μόνοι ἐπὶ τῆς γῆς; 9. ***Ἠκούσθη γὰρ εἰς τὰ ὦτα Κυρίου Σαβαὼθ ταῦτα.*** Δείκνυσιν τοίνυν ἀνόνητα κάμνοντας καὶ εἰκῇ καὶ μάτην. Ἐπειδὴ γὰρ οὐχ οὕτως αἱ κολάσεις καὶ αἱ τιμωρίαι τοὺς τοιούτους ἀπάγειν εἰώθασιν, 10 ὡς τὸ μαθεῖν ἀκριβῶς ὅτι οὐκ ἀπολαύσονται τῆς ἁρπαγῆς, ταύτην αὐτοῖς ἐπάγει τὴν ἀπειλήν, λέγων ὅτι καμοῦνται μὲν καὶ ταλαιπωρήσουσι καὶ τὴν ἁμαρτίαν καρπώσονται, τῆς δὲ ἀπολαύσεως ἐκπεσοῦνται. Οὐκ ἐφησυχάζει γάρ, φησί, τοῖς γινομένοις ὁ ἀκοίμητος ὀφθαλμός. Τὸ δέ 15 Ἠκούσθη νῦν, οὐχ ὡς τότε τῶν πραγμάτων γνωρίμων γενομένων αὐτῷ ταῦτά φησιν, ἀλλ' ὡς τῆς δίκης κατὰ πόδας ἰούσης λοιπὸν καὶ τῆς ἀνταποδόσεως γινομένης.

Ἐὰν γὰρ γένωνται οἰκίαι πολλαί, εἰς ἔρημον ἔσονται μεγάλαι καὶ καλαὶ καὶ οὐκ ἔσονται οἱ κατοικοῦντες ἐν

80 <καὶ> *addidi ex* A ‖ κραυγήν > N ‖ 84 πλησίον : πλησίου CN ‖ εἰπὼν + τοίνυν ὁ προφήτης C ‖ 88 ἐνδεικνύμενος : δεικνύμενος C

4, 1 δὲ + ἃ λέγει C ‖ 6 οἰκήσετε : οἰκήσατε V ‖ γὰρ + νῦν V[2] C ‖ 7 Σαβαὼθ > N ‖ τοίνυν C A : > *cett.* ‖ 9 ἀπάγειν : ἀγαγεῖν *Montf.* ‖ 11 αὐτοῖς : ἐνοικοῦντες αὐταῖς V N ‖ 13 ἐφησυχάζει A *Montf.* : ἐπισυχάσει V

té, l'injustice et les cris. Les cris désignent ici la cupidité, l'emportement injustifié, la colère irréfléchie, les rixes, les querelles.

8 Malheur à ceux qui ajoutent maison à maison, qui joignent champ à champ, pour enlever quelque chose à leur voisin. Après avoir dit qu'il a fait des cris, désignant ainsi la cupidité, les rapines, il indique le caractère de l'injustice, pleine d'une grande perversité. Et il recommence ses lamentations pour faire apparaître la gravité des péchés et manifester ceux qui sont atteints de maux incurables.

4 On retrouverait aujourd'hui ces mêmes audaces chez ceux qui font mauvais usage de la richesse, qui pensent aux rapports de voisinage non pour leur sécurité, mais pour chercher à nuire au prochain : comme un feu qui se propage, ils dévorent tous leurs voisins.

Habiterez-vous seuls sur la terre ? 9 Car cela est venu aujourd'hui aux oreilles du Seigneur Sabaoth. Il montre qu'ils se fatiguent vainement, inutilement, pour des sujets futiles. Comme les hommes de cette espèce sont moins dissuadés par les peines et les châtiments que par la certitude qu'ils ne profiteront pas de leurs rapines, il brandit contre eux cette menace en leur disant qu'ils se fatigueront, se donneront du mal et récolteront le péché, mais que la jouissance leur sera refusée. L'œil qui ne dort pas, dit-il, ne voit pas avec indifférence ce qui se passe[1]. Par les mots « est venu aux oreilles », il ne veut pas dire que c'est alors seulement que les faits lui sont connus, mais bien que désormais la justice les suit comme à la trace et que c'est le moment de la rétribution.

S'il y a beaucoup de maisons grandes et belles, elles deviendront désertes et il n'y aura personne pour les habiter. Telle est

ἐφησυχάσει *cett.* || 16 ταῦτά > C || 19 κατοικοῦντες V : ἐνοικοῦντες *cett.*

1. Voir, par exemple, *Ps.* 93, 9 ; *Prov.* 15, 3, etc.

20 ***αὐταῖς.*** Τοιοῦτον γὰρ ἡ πλεονεξία· ὅταν πλείονα περιβάλῃ τοῖς ἔχουσι, καὶ τῶν προτέρων αὐτοὺς ἐξήγαγεν. Ὃ δὴ καὶ ἐνταῦθα αἰνίττεται λέγων ὅτι ὅταν οἰκοδομήσητε λαμπρῶς καὶ τὰ πάντων ὑμῶν αὐτῶν ποιήσησθε, τότε καὶ τῶν προτέρων ἀποστήσεσθε. Καὶ στήσονται αἱ οἰκίαι
25 οἰκήτορας μὲν οὐκ ἔχουσαι, σάλπιγγος δὲ πάσης λαμπροτέραν ἀφιεῖσαι φωνὴν κατὰ τῶν παρὰ τὴν ἀρχὴν ἡρπακότων αὐτάς, τῆς ἐρημώσεως τῆς ἐπιτεταμένης ἀντὶ τροπαίου τινὸς φαινομένης.

10. ***Οὗ γὰρ ἐργῶνται δέκα ζεύγη βοῶν, ποιήσει κεράμιον***
30 ***ἕν· καὶ ὁ σπείρων ἀρτάβας ἕξ, ποιήσει μέτρα τρία.*** Ἀπὸ τῆς πόλεως ἐπὶ τὴν τῆς χώρας ἐρημίαν ἐξάγει τὸν λόγον, ὥστε πάντοθεν καταπλῆξαι τὸν ἀκροατήν. Οὔτε γὰρ αἱ οἰκίαι, φησί, καθέξουσι τοὺς ἐνοικοῦντας, οὔτε ἡ γῆ τὴν αὐτῆς ἐπιδείξεται δύναμιν. Καὶ γὰρ ἐξ ἀρχῆς διὰ τὴν τοῦ
35 Ἀδὰμ ἁμαρτίαν ἀκάνθας καὶ τριβόλους ἐξήνεγκε· καὶ μετ' ἐκεῖνον διὰ τὴν τοῦ Κάϊν παρανομίαν ἐλάττονα πολλῷ τῶν πόνων τῶν ἐκείνου καὶ τῆς οἰκείας ἰσχύος τὴν φορὰν ἐπεδείκνυτο. Καὶ πολλαχοῦ δὲ ἀλλαχοῦ ἴδοι τις ἂν διὰ τὰς τῶν ἀνθρώπων ἁμαρτίας αὐτὴν κολαζομένην. Καὶ τί
40 θαυμάζεις, εἰ πηροῖ τὰς γονὰς αὐτῆς καὶ τὰς ὠδῖνας τῶν ἀνθρώπων ἡ παρανομία, ὅπου γε καὶ φθαρτὴ δι' ἡμᾶς ἐγένετο, καὶ ἄφθαρτος πάλιν δι' ἡμᾶς γίνεται; Ἐπειδὴ γὰρ ὅλως τὸ εἶναι δι' ἡμᾶς ἔλαβε καὶ τὴν ἡμετέραν διακονίαν, καὶ τὸ οὕτως ἢ ἐκείνως εἶναι πάλιν ἐντεῦθεν λαμβάνει τὴν
45 ἀρχὴν καὶ τὴν ῥίζαν. Οὕτω γοῦν καὶ ἐπὶ τοῦ Νῶε. Ἐπειδὴ πρὸς κακίαν ἐσχάτην ἐξώκειλε τῶν ἀνθρώπων ἡ

20 περιβάλῃ : -βάλλῃ V ‖ 23 ὑμῶν : ἡμῶν V ‖ 27 τῆς[1] + δὲ LMGCN ‖ 31 πόλεως + δὲ C ‖ 33 καθέξουσί φησι ∼ N ‖ 36 πολλῷ : πολλῶν V ‖ 37 τῶν πόνων τῶν : τὸν πόνον τὸν LM ‖ 38 τὰς : τῆς C ‖ 41 ἡ παρανομία : τῇ παρανομίᾳ LMG ‖ 43 τὸ : τοῦ C ‖ 45-61 οὕτω – ἅπαντα > C

1. Le trophée est celui de la justice qui triomphe de l'injustice des accapareurs du sol.

2. Des menaces analogues sont proférées dans *Deut.* 28, 38. Rappelons que dix paires de bœufs labourent en un jour dix arpents, soit 3 ha 1/2.

la cupidité : en apportant de nouveaux biens à ceux qui possèdent, elle leur fait quitter ceux qu'ils avaient auparavant. C'est ce qu'il suggère ici en disant : quand vous aurez élevé des constructions magnifiques et que vous aurez fait vôtres les possessions de tous, vous serez alors privés de ce que vous aviez. Les maisons resteront debout, sans habitants, mais elles élèveront une voix plus éclatante que celle de n'importe quelle trompette contre ceux qui à l'origine les ont volées, et leur solitude prolongée apparaîtra comme un trophée[1].

10 Là où travaillent dix paires de bœufs, elle ne produira qu'un tonnelet, et celui qui jette six artabes de semence ne récoltera que trois mesures[2]. De la ville il passe à la désolation des campagnes pour frapper par tous les moyens l'esprit de l'auditeur. Ni les maisons, dit-il, ne garderont leurs habitants, ni la terre ne montrera plus sa fertilité. Dès l'origine en effet, à cause du péché d'Adam, elle a porté des ronces et des épines ; et après lui, à cause du crime de Caïn, elle a donné une production sans rapport avec le travail de l'homme et avec sa propre fécondité. Et en maints autres domaines aussi, on verrait la terre châtiée à cause des péchés des hommes. Pourquoi t'étonner si l'iniquité des hommes altère sa fertilité et sa fécondité, alors que c'est à cause de nous qu'elle est devenue corruptible et à cause de nous aussi qu'elle redevient incorruptible[3] ? Puisque c'est entièrement pour nous et pour notre service qu'elle a reçu l'existence, le fait que cette existence soit telle ou telle reçoit des mêmes motifs son principe et son origine. On le voit à propos de Noé. Quand la nature humaine fut tombée dans une extrême perversité, tous les éléments furent confon-

Quelle que soit la capacité de l'artabe, qui a varié au cours des temps, le prophète annonce un rendement insignifiant.

3. La croyance à une punition du ciel dans le cas de stérilité et d'infécondité se retrouve dans l'antiquité grecque : *Odyssée* 19, 109-114 ; *Les travaux et les jours* 240-244 ; ESCHYLE, *Suppliantes* 625-709 ; etc. Mais Jean fait plutôt allusion à *Rom.* 8, 19-22.

φύσις, πάντα ἐφύρετο τὰ πράγματα καὶ σπέρματα καὶ φυτὰ καὶ ἀλόγων γένη καὶ γῆ καὶ θάλαττα καὶ ἀὴρ καὶ ὄρη καὶ νάπαι καὶ βουνοὶ καὶ πόλεις καὶ τείχη καὶ οἰκίαι καὶ
50 πύργοι· καὶ πάντα ἁπλῶς ἐκείνῳ τῷ φοβερῷ τότε ἐκρύπτετο πελάγει[a]. Καὶ ἐπειδὴ πάλιν ἐπιδοῦναι τὸ γένος ἔδει, τὴν οἰκείαν εὐταξίαν ἀπελάμβανεν ἡ γῆ καὶ εἰς τὴν προτέραν εὐμορφίαν ἐπανῄει πάλιν. Ἴδοι δ' ἄν τις τοῦτο καὶ ἐπὶ μέρους γινόμενον διὰ τὴν εἰς ἀνθρώπους τιμήν.
55 Καὶ γὰρ πέλαγος ἠφανίσθη καὶ πάλιν ἐφάνη καὶ ἥλιος ἐχαλινώθη μετὰ σελήνης καὶ τὸν οἰκεῖον δρόμον ἐπέλιπε καὶ πῦρ τὰ ὕδατος ἐπεδείξατο καὶ γῆ τὰ πελάγους καὶ πέλαγος τὰ τῆς γῆς[b]· καὶ πάντα, ὡς εἰπεῖν ἁπλῶς, πρὸς τὴν τῶν ἀνθρώπων μετασχηματίζεται λυσιτέλειαν. Καὶ
60 ἐπειδὴ πάντων τιμιώτερος ἄνθρωπος καὶ δι' αὐτὸν τὰ γενόμενα ἅπαντα, διά τοι τοῦτο καὶ νῦν, ἐπειδὴ ἥμαρτεν ὁ τῶν Ἰουδαίων δῆμος, ἐπέχει τῆς γῆς τὰς ὠδῖνας ὁ Θεὸς καὶ μετὰ πολλοὺς πόνους καὶ ἱδρῶτας οὐκ ἀφίησι τὰς ἐκείνης λαγόνας τὴν εἰωθυῖαν φορὰν ἐνεγκεῖν, ἵνα
65 κἀντεῦθεν μάθωσιν ὅτι οὐ γεωργικῶν χειρῶν τέχνη, οὐδὲ βόες καὶ ἄροτρον, οὐδὲ γῆς φύσις, οὐδὲ ἄλλο τῶν τοιούτων οὐδέν, ἀλλ' ὁ τούτων ἁπάντων Δεσπότης οὗτός ἐστιν, ὁ καὶ δαψιλεῖ τῇ χειρὶ πάντα ἐκχέων καὶ πάλιν, ἐπειδὰν βούληται, συστέλλων ἅπαντα.
70 11. ***Οὐαὶ οἱ ἐγειρόμενοι τὸ πρωῒ καὶ τὸ σίκερα διώκοντες, οἱ μένοντες τὸ ὀψέ. Ὁ γὰρ οἶνος αὐτοὺς συγκαύσει.*** 12. ***Μετὰ γὰρ κιθάρας καὶ ψαλτηρίου καὶ τυμπάνων καὶ αὐλῶν τὸν οἶνον πίνουσι· τὰ δὲ ἔργα τοῦ Θεοῦ οὐκ ἐμβλέπουσι καὶ τὰ ἔργα τῶν χειρῶν αὐτοῦ οὐ
75 κατανοοῦσι.*** Κατηγορήσας αὐτῶν πλεονεξίαν πολλήν, καὶ τὴν ῥίζαν τοῦ κακοῦ τίθησιν. Αὕτη δὲ ἦν ἡ μέθη, μυρίων γινομένη κακῶν ὑπόθεσις, καὶ μάλιστα ὅταν μετὰ τοσαύτης τολμᾶται τῆς ὑπερβολῆς.

48 γῆ LMG A : ἡ γῆ *cett.* ‖ 51 ἐπειδὴ καὶ ~ LMGN ‖ 66 οὐδὲ[2] : οὐκ V ‖ 74 αὐτοῦ : αὐτῶν LMG ‖ 75 καταγορήσας + γοῦν C

dus : les semences, les plantes et les espèces animales, la terre, la mer et l'air, les montagnes, les vallons et les collines, les villes, les remparts, les maisons et les tours ; en un mot, tout était recouvert par cette terrible inondation[a]. Mais comme il fallait que notre espèce reprît sa croissance, la terre retrouva son ordonnance accoutumée et revint à sa beauté première. On peut constater que cela se produisait aussi en partie en l'honneur de l'homme. La mer se retira et reparut ensuite, le soleil fut arrêté avec la lune et suspendit sa course habituelle, le feu montra les propriétés de l'eau, la terre celles de la mer, la mer celles de la terre[b] ; pour parler simplement, tout se transforme pour l'utilité des hommes. Et parce que l'homme a plus de prix que tous les êtres et que tout a été fait à cause de lui, aujourd'hui encore, parce que le peuple juif a péché, Dieu suspend les enfantements de la terre, et il ne permet pas à ses flancs de produire, après bien des peines et des sueurs, leur portée accoutumée ; ainsi peut-on apprendre que ce n'est pas l'habileté manuelle des cultivateurs, ni les bœufs et la charrue, ni la nature du sol, ni rien de semblable, mais le Maître de toutes ces choses qui, d'une main libérale, répand tous ces biens et qui, de même, quand il lui plaît, les réduit.

11 Malheur à ceux qui se lèvent tôt pour courir à la boisson, à ceux qui s'attardent le soir, car le vin les embrasera. 12 Au son de la cithare, de la harpe, des tambourins et des flûtes ils boivent le vin, mais ils n'ont pas un regard pour les œuvres de Dieu, ils ne pensent pas aux œuvres de ses mains. Après avoir condamné leur grande cupidité, il désigne la racine du mal. C'était l'ivresse, source de maux innombrables, surtout quand on ose s'y livrer avec tant d'excès.

4. a. cf. Gen. 6, 5 - 7, 23. b. cf. Ex. 14, 15-29 ; Jos. 3, 15-17 ; 10, 12-14.

5 Σκόπει γοῦν, πῶς μετὰ ἀκριβείας αὐτοὺς κωμῳδεῖ. Πᾶσαν γὰρ τὴν ἡμέραν εἰς τοῦτο δαπανᾶσθαί φησιν. Οὐ γὰρ ὅταν ἀριστοποιεῖσθαι δέῃ, τοῦτο πράττουσι, φησίν, ἀλλὰ πάντα τὸν καιρὸν μέθης ποιοῦντες καιρὸν καὶ ἐκ 5 προοιμίων τῆς ἡμέρας, ὅτε μάλιστα αὐτοῖς προσέχειν ἐχρῆν, πολλῷ τῷ ἀκράτῳ διδόντες ἑαυτοὺς καὶ ἄκοντες λοιπὸν καὶ μέχρι τῆς ἑσπέρας ἐναπομένοντες τῷ νοσήματι. Ἐπειδὰν γὰρ ἅπαξ φθάσωσι καταποντισθῆναι εἰς τὸν τῆς ἀκρασίας βυθὸν καὶ τῶν κατὰ φύσιν ἐκπέσωσι φρενῶν καὶ 10 τὴν ψυχὴν αἰχμάλωτον τῇ πονηρᾷ τῆς μέθης παραδῶσι τυραννίδι, καθάπερ πλοῖον ἀνερμάτιστον καὶ κυβερνήτου καὶ ναυτῶν ἀπεστερημένον, ἁπλῶς καὶ εἰκῇ φέρεται, τῇ τῶν ὑδάτων ἀτάκτῳ ῥύμῃ πανταχοῦ περιαγόμενον· τὸν αὐτὸν δὴ τρόπον καὶ οὗτοι ὑπὸ τῆς μέθης ὑποβρύχιοι 15 γενόμενοι. Διό φησιν· Οὐαὶ οἱ ἐγειρόμενοι τὸ πρωῒ καὶ τὸ σίκερα διώκοντες. Οὐ γὰρ τὴν χρείαν ἐπλήρουν, οὐδὲ ἀνέμενον ἐπιθυμίας γενομένης πληρῶσαι τὴν ἔνδειαν, ἀλλ' ἔργον ἐποιοῦντο τοῦτο καὶ μελέτην, τὸ διηνεκῶς μεθύειν. Διό φησιν· Οἱ διώκοντες τὸ σίκερα. Σίκερα δὲ ἐνταῦθά 20 φησι τῶν φοινίκων τὸν ὀπόν, ὃν ἐπετήδευον, συντρίβοντες τὸν καρπὸν καὶ καταθλῶντες, εἰς οἴνου μετασχηματίζειν φύσιν. Καρωτικὸν δέ ἐστι τὸ τοιοῦτον καὶ μέθης ἐργαστικόν. Ἀλλ' οὐδὲν ὑφωρῶντο τούτων ἐκεῖνοι, τὴν ἡδονὴν πανταχοῦ διώκοντες μόνον. Οἱ μένοντες τὸ ὀψέ. 25 Ὁ γὰρ οἶνος αὐτοὺς συγκαύσει. Τοιαύτη γὰρ τῆς μέθης ἡ φύσις· προϊοῦσα αὔξεται, καὶ χαλεπώτερον τὸ δίψος ποιεῖ. Εἶτα καὶ ἕτερον οὐκ ἔλαττον ἔγκλημα τοῦ προτέρου προστίθησι, λέγων· Μετὰ γὰρ κιθάρας καὶ ψαλτηρίου καὶ τυμπάνων καὶ αὐλῶν τὸν οἶνον πίνουσι. Τοῦτο καὶ ἕτερος 30 ἐγκαλεῖ προφήτης λέγων· Οἱ πίνοντες τὸν διυλισμένον οἶνον καὶ τὰ πρῶτα μύρα χριόμενοι, οἱ κροτοῦντες πρὸς

5, 2 δαπανᾶσθαι : δαπανᾶτε LG δαπανῶσι C ‖ 2-3 οὐ γὰρ : καὶ οὐχ C ‖ 3 δέῃ : δέοι N ‖ φησίν > C ‖ 10 παραδῶσι : παραδόσει M παραδώσει V

Vois donc avec quels détails précis il les tourne en dérision. C'est la journée entière, dit-il, qui se gaspille ainsi. Ce n'est pas au moment du déjeuner, explique-t-il, qu'ils font cela, mais toute heure est pour eux l'heure de l'ivresse et, dès le début du jour, un temps où ils devraient être plus attentifs, ils se livrent au vin pur absorbé en quantité et, bien qu'à contre-cœur, ils restent jusqu'au soir en proie à cette infirmité. Une fois en effet qu'ils ont commencé à s'enfoncer dans l'abîme de l'intempérance et se sont écartés du bon sens naturel, qu'ils ont livré leur âme captive à la tyrannie perverse de l'ivrognerie, de même qu'un navire sans lest, privé de pilote et de matelots, est emporté au hasard et tournoie en tous sens sous l'action impétueuse et désordonnée des flots, de la même manière eux aussi font naufrage dans l'ivresse. Voilà pourquoi il dit : « Malheur à ceux qui se lèvent tôt pour courir à la boisson. » Ils ne satisfaisaient pas un besoin, ils n'attendaient pas que le désir se fît sentir pour l'apaiser, mais c'était leur travail et leur occupation que d'être constamment ivres. C'est pourquoi il dit : « Pour courir à la boisson ». La boisson *(sikera)* désignée ici est le suc des fruits de palmier, écrasés et broyés pour fabriquer une sorte de vin. Ce genre de liqueur est narcotique et produit l'ivresse. Mais ceux-ci ne redoutaient aucun de ces effets, car ils ne recherchaient partout que le plaisir. « Ceux qui s'attardent le soir, car le vin les embrasera. » Telle est la nature de l'ivresse : elle s'accroît en se prolongeant et rend la soif plus pénible. Il ajoute ensuite un autre blâme, non moins sévère que le précédent, en disant : « Au son de la cithare, de la harpe, des tambourins et des flûtes, ils boivent le vin. » Un autre prophète fait le même reproche dans les termes suivants : « Ceux qui boivent le vin filtré et s'oignent des parfums de premier choix,

παραδώσωσι *Montf.* || 12 ἀπεστερημένον : -ένων LM || 15 γενόμενοι : γινόμενοι LMG γίνονται C || 19 τὸ > V N *Montf.* || 21 καταθλῶντες : καθελόντες C || 22 τοιοῦτον : τοιοῦτο LMG || 23 τούτων : τοιοῦτον LMGC || 24 μόνον > V || οἱ > V C || 28-29 λέγων – τοῦτο > C

τὴν φωνὴν τῶν ὀργάνων[a]. Ὡς ἑστῶτα ἐλογίσαντο καὶ οὐχ ὡς φεύγοντα. Καὶ γὰρ ἐσχάτης ἀναλγησίας τοῦτο σημεῖον καὶ ψυχῆς ἐκλελυμένης, τὸ θέατρον ποιεῖν τὴν οἰκίαν τὴν
35 ἑαυτοῦ καὶ τοιούτοις ᾄσμασιν ἑαυτοὺς ἐκδιδόναι. Ὅπερ γὰρ ἡ μέθη ποιεῖ σκοτοῦσα, τοῦτο ἡ μουσικὴ μαλάττουσα τὸ εὔτονον τῆς διανοίας καὶ κατακλῶσα τῆς ψυχῆς τὴν ἀνδρείαν καὶ ἐπὶ μείζονας ἐξάγουσα ἀσελγείας. Τὰ δὲ ἔργα τοῦ Θεοῦ οὐκ ἐμϐλέπουσι καὶ τὰ ἔργα τῶν χειρῶν αὐτοῦ
40 οὐ κατανοοῦσιν. Ἢ τὰ θαύματα αὐτοῦ φησιν, ἢ τῆς κτίσεως τὴν θεωρίαν. Πῶς δ' ἂν δύναιντο γενέσθαι θεαταί, τὴν μὲν ἡμέραν νύκτα ἐργαζόμενοι, τὴν δὲ νύκτα τῶν νεκρῶν οὐδὲν ἄμεινον διακείμενοι; πῶς δυνήσονται ἥλιον ἰδεῖν ἀνατέλλοντα καὶ οὐρανοῦ κάλλος λάμπρον καὶ τὸν
45 ποικίλον τῶν ἄστρων ἐν ἑσπέρᾳ χορὸν καὶ τὴν ἄλλην τῆς κτίσεως εὐταξίαν τε καὶ διακονίαν, τῶν ἔξωθεν καὶ τῶν ἔνδοθεν ὀφθαλμῶν ἀπεστερημένοι; Οὐ μικρὸν οὖν τοῦτο ἠδίκηνται, τὸ ἀθέατοι τῶν τοῦ Θεοῦ θαυμάτων ἐκ τοῦ παρόντος ἀπελθεῖν βίου, πάντα τὸν χρόνον ἐν τῷ σκότει
50 τῆς μέθης κατορωρυγμένοι.

13. ***Τοίνυν αἰχμάλωτος ἐγενήθη ὁ λαός μου, διὰ τὸ μὴ εἰδέναι αὐτοὺς τὸν Κύριον.*** Πάλιν τὸ μέλλον ὡς γεγενημένον ἀπαγγέλλει καὶ τιμωρίαν ἐπάγει τῇ πλημμελείᾳ ταύτῃ. Ἱκανὴ μὲν γὰρ καὶ αὐτὴ ἡ μέθη ἀντὶ πάσης
55 γενέσθαι κολάσεως, θορύβους ἐμποιοῦσα τῇ ψυχῇ, ζόφου πληροῦσα τὴν διάνοιαν, αἰχμάλωτον καθιστῶσα αὐτήν, μυρίων αὐτοὺς ἐμπιπλῶσα νοσημάτων τῶν ἔνδοθεν, τῶν ἔξωθεν. Οἶδε τοῦτο καὶ Παῦλος ὅτι κακία ἀντὶ τιμωρίας γίνεται· διό φησι· Καὶ τὴν ἀντιμισθίαν, ἣν ἔδει, τῆς

33 τοῦτο + τὸ V ‖ 36 γὰρ : καὶ V ‖ 37 τὴν τῆς ψυχῆς ~ LMGCN ‖ 38 μείζονας : μεῖζον LMCN ‖ ἀσελγείας + καὶ ἐν τούτοις διημερεύοντες C ‖ τὰ δὲ > C ‖ 39-40 οὐκ – κατανοοῦσιν > C ‖ καὶ – κατανοοῦσιν > N ‖ 40 αὐτοῦ : αὐτῶν LMG ‖ 41 δ' : γὰρ LMGC ‖ δύναιντο + τούτων C ‖ θεαταὶ + οἱ ἐν μέθῃ C ‖ 42-43 οὐδὲν ἄμεινον τῶν νεκρῶν ~ LMGCN ‖ 43-44 ἰδεῖν ἥλιον ~ LMGC ‖ 46 διακονίαν + καὶ LMGN ‖ 48 ἀθέατοι : ἀθέατον V ‖ 52 πάλιν > LC ‖ 53 ἀπαγγέλλει + λέγων αἰχμάλωτος ἐγενήθη C ‖ 53 τῇ + διὰ

ceux qui battent des mains au son des instruments[a]. » Ils ont considéré ces plaisirs comme durables, non comme fugitifs[1]. C'est le signe de la dernière inconscience et d'une âme dissolue que de faire de sa propre maison un théâtre et de s'adonner à de telles chansons. Ce que produit l'ivresse en obscurcissant l'esprit, la musique le fait en amollissant la vigueur de la pensée, en brisant l'énergie de l'âme, en l'entraînant à de plus graves dérèglements. « Ils n'ont pas un regard pour les œuvres de Dieu, ils ne pensent pas aux œuvres de ses mains. » Il parle de ses merveilles ou du spectacle de la création. Comment pourraient-ils en être les spectateurs, puisqu'ils font du jour la nuit et que pendant la nuit leur état n'est pas meilleur que celui des cadavres ? Comment pourraient-ils voir se lever le soleil et étinceler la splendeur du ciel, voir le chœur varié des étoiles le soir, la belle ordonnance aussi de la création, qui se met à notre service, alors qu'ils sont privés des yeux du dehors et de ceux du dedans[2] ? Ce n'est pas un malheur sans importance pour eux que de quitter la vie présente sans avoir contemplé les merveilles de Dieu, pour avoir été ensevelis tout le temps dans les ténèbres de l'ivresse.

13 Mon peuple est donc devenu captif, parce qu'ils n'ont pas connu le Seigneur. De nouveau il annonce l'avenir comme s'il était déjà réalisé, et il assigne à ce délit son châtiment. L'ivresse à elle seule suffit en effet à remplacer n'importe quel châtiment, car elle jette le trouble dans l'âme, emplit l'intelligence de ténèbres, la rend captive et la plonge dans mille maux, ceux du dedans, ceux du dehors. Paul aussi sait que la méchanceté est elle-même un châtiment ; ce qui lui fait dire :

τρυφὴν C || 54 ταύτῃ > C || 55 ψυχῇ + καὶ G

5. a. Amos 6, 5-6.

1. Les deux versets du texte d'Amos sont inversés.
2. Les yeux du corps et les yeux de l'âme. Cf. PLUTARQUE, *Moralia* 477 C-D.

60 πλάνης αὐτῶν ἐν ἑαυτοῖς ἀπολαμβάνοντες[b]. Ἀλλ' ἐπειδὴ καὶ τοῦτο τῆς ἀναισθησίας αὐτῶν, τὸ κολάζεσθαι καὶ μηδὲ αἰσθάνεσθαι, τὸ νοσεῖν καὶ μηδὲ εἰδέναι ὅτι νοσοῦσιν, ἐπάγει καὶ τὴν ἔξωθεν τιμωρίαν λέγων· Τοίνυν αἰχμάλωτος ἐγενήθη ὁ λαός μου, διὰ τὸ μὴ εἰδέναι αὐτοὺς 65 τὸν Κύριον. ***Καὶ πλῆθος ἐγενήθη νεκρῶν διὰ λιμὸν καὶ δίψαν ὕδατος.*** Ὅρα καὶ ἐν τῇ τιμωρίᾳ πολλὴν τὴν νουθεσίαν καὶ οὐκ ἀθρόον τὴν βαθυτάτην ἐπαγομένην τομήν. Οὐ γὰρ εὐθέως τὴν αἰχμαλωσίαν ἐπήγαγεν, ἀλλὰ λιμὸν πρότερον καὶ αὐχμόν, ἵνα οἴκοι μένοντες γένωνται 70 βελτίους, μηδὲ ἀνίατα νοσοῦντες ἐφελκύσωνται τὸ τῶν βαρβάρων στρατόπεδον. Ἐπειδὴ δὲ οὐκ εἶξαν, οὐδὲ ἐκέρδαναν ἐντεῦθεν, ἐπάγει λοιπὸν τὴν ἐσχάτην τιμωρίαν αὐτοῖς. Ἀλλ' ὅμως πρὸ ἐκείνων ταύτην ἐπαίρει καὶ ἐξογκοῖ τῷ λόγῳ τὴν τοῦ λιμοῦ, λέγων·

75 14. ***Ἐπλάτυνεν ὁ ᾅδης τὴν ψυχὴν αὐτοῦ·*** οὐχ ὡς ψυχὴν τοῦ ᾅδου ἔχοντος, ἀλλὰ προσωποποιεῖ τὴν ἀπειλήν, ἐμφατικώτερον τὸν λόγον ποιῆσαι βουλόμενος καὶ τὸν φόβον ἀκμάζοντα ἐναποθέσθαι τῇ διανοίᾳ τῶν ἀκουόντων. Διὸ καὶ ἐπιμένει λέγων· ***Καὶ διήνοιξε τὸ στόμα αὐτοῦ, τοῦ 80 μὴ διαλιπεῖν·*** ὡς περὶ θηρίου τινὸς διηγούμενος καὶ ἐγγὺς αὐτῶν τὴν εἰκόνα τῶν πραγμάτων ἄγων. Καὶ τὸ δὴ χαλεπώτερον, ὅτι οὐκ ἤνοιξε τὸ στόμα μόνον, ἀλλὰ καὶ μένει κεχηνὼς καὶ κόρον οὐ λαμβάνων τῶν ἐν αὐτῷ κατορυττομένων.

85 ***Καὶ καταβήσονται εἰς αὐτὸν οἱ ἔνδοξοι καὶ οἱ μεγάλοι καὶ οἱ πλούσιοι καὶ οἱ λοιμοὶ αὐτῆς.*** Εἶτα, ἵνα μάθῃς, ὅτι οὐ κατὰ φύσεως ἀκολουθίαν τὸ γινόμενον ἦν, ἀλλὰ θεήλατος ἦν ἡ πληγὴ καὶ ψῆφος ἐκ τῶν οὐρανῶν κατενεχθεῖσα, τοὺς ἐν περιφανείᾳ, τοὺς ἐν δυναστείᾳ, τοὺς

60 αὐτῶν > C ‖ 61 μηδὲ : μὴ LMG ‖ 62 μηδὲ *scripsi* : μὴ *cod.* ‖ 63 τὴν : τῶν V N ‖ τοίνυν > C ‖ 66 ὕδατος + ἀλλὰ C ‖ 67 βαθυτάτην *scripsi ex* A : βαρυτάτην *cod.* ‖ ἐπαγομένην : ἐναγομένην V ‖ τομήν *scripsi ex* A *post Savilium* : τόλμην N > C τόλμαν *cett.* ‖ 73 ἐκείνων : ἐκείνης C ‖ 77 τὸν >

« recevant en leur personne le juste prix de leur égarement[b] ». Mais comme leur insensibilité les amène à être châtiés sans même en avoir conscience, à être malades sans même savoir qu'ils le sont, le prophète annonce en ces termes le châtiment qui viendra du dehors : « Mon peuple est donc devenu captif, parce qu'ils n'ont pas connu le Seigneur. » *Et il y eut un grand nombre de morts à cause de la faim et du manque d'eau.* Considère que même dans le châtiment il y a un grand enseignement et qu'il ne pratique pas d'un seul coup la plus profonde incision. Il n'a pas amené tout de suite la captivité, mais d'abord la faim et la sécheresse, pour que restant chez eux ils deviennent meilleurs et qu'atteints de maladies incurables ils n'attirent pas sur eux l'armée des Barbares. Mais comme ils n'ont pas cédé, qu'ils n'ont pas profité de cette leçon, il amène finalement sur eux le châtiment suprême. Auparavant toutefois, il souligne la gravité et l'intensité du châtiment de la famine en disant :

14 L'enfer a dilaté son âme. Ce n'est pas que l'enfer ait une âme, mais il personnifie sa menace, pour rendre son discours plus saisissant et porter la terreur à son paroxysme dans l'esprit des auditeurs. Il insiste donc en disant : *Il a ouvert sa gueule, pour ne plus cesser.* Il parle comme s'il décrivait un fauve, comme s'il leur mettait sous les yeux l'image de la réalité. Et le plus terrible est que ce fauve ne se contente pas d'ouvrir la gueule, mais qu'il la garde béante et ne se rassasie pas de ce qu'il engloutit.

Les gens illustres, les grands, les riches, les pestes de la ville y descendront. Puis, pour t'apprendre que l'événement ne se produisait pas suivant le cours ordinaire de la nature, mais que le coup était porté par Dieu et que la sentence était descendue du ciel, il dit que ce sont les hommes illustres et puissants,

V || 80 διαλιπεῖν : -λείπειν V || διηγούμενος : διαλεγόμενος C || 86 οἱ[2] > CN *Montf.*

b. Rom. 1, 27.

90 πάντα συγχέοντας, καὶ ἄνω καὶ κάτω τὰ τῶν Ἰουδαίων ποιοῦντας πράγματα, τούτους ἐκεῖ καταβήσεσθαι ἔφησε.

6 Λοιμοὺς δὲ εἰκότως αὐτοὺς καλεῖ, ἅτε οὐ μέχρι ἑαυτῶν τὴν κακίαν διατηροῦντας, ἀλλὰ καὶ εἰς ἄλλους τὴν νόσον διαβιβάζοντας. Τοιαύτη γὰρ ἡ τοῦ λοιμοῦ φύσις· ἐπειδὰν ἀφ' ἑνὸς ἄρξηται σώματος, ὁδῷ βαδίζουσα τὸ λοιπὸν 5 ἐπινέμεται πλῆθος. ***Καὶ ὁ ἀγαλλιώμενος ἐν αὐτῇ.*** Ὁ τρυφῶν, ὁ σκιρτῶν, ὁ νομίζων ἀκίνητα ἔχειν τὰ ἀγαθὰ καὶ αὐτὸς ἐμπεσεῖται καὶ ἁλώσεται.

15. ***Καὶ ταπεινωθήσεται ἄνθρωπος καὶ ἀτιμασθήσεται ἀνήρ. Καὶ οἱ ὀφθαλμοὶ οἱ μετέωροι ταπεινωθήσονται.***

10 16. ***Καὶ ὑψωθήσεται Κύριος Σαβαὼθ ἐν κρίματι.*** Ὅρα πάλιν Θεοῦ κηδεμονίαν. Οὐ γὰρ πανωλεθρίαν ἐργάζεται, οὐδὲ ὅλον ἐκ μέσου τὸν δῆμον αὐτῶν ἀνάρπαστον ποιεῖ, ἀλλ' ἀφίησί τινας, ὥστε τῇ τιμωρίᾳ τῶν ἀπελθόντων γενέσθαι βελτίους. Τοῦτο γοῦν αἰνιττόμενος ἔφησεν, ὅτι 15 Ταπεινωθήσονται, τουτέστιν, οἱ μένοντες, οἱ ὑπολιμπανόμενοι.

Καὶ ὑψωθήσεται Κύριος Σαβαὼθ ἐν κρίματι, ***καὶ ὁ Θεὸς ὁ ἅγιος δοξασθήσεται ἐν δικαιοσύνῃ.*** Δύο τίθησιν ἀγαθά, ὅτι κἀκεῖνοι τῆς φλεγμονῆς ἀπαλλαγήσονται καὶ ἔσονται 20 βελτίους καὶ ὁ Θεὸς θαυμασθήσεται παρὰ πᾶσιν· τοῦτο γάρ ἐστιν· Ὑψωθήσεται καὶ δοξασθήσεται· διὰ τῆς κολάσεως αὐτῆς, διὰ τῆς τιμωρίας. Τί δέ ἐστιν· Ἐν κρίματι; Διὰ τῆς ἐκδικήσεως.

17. ***Καὶ βοσκηθήσονται οἱ διεσπαρμένοι ὡς ταῦροι καὶ*** 25 ***τὰς ἐρήμους τῶν ἀπειλημμένων ἄρνες φάγονται.*** Τὴν ὀλιγότητα ἐνταῦθα αἰνίττεται τῶν ὑπολειφθέντων καὶ τὴν ἐπιτεταμένην ἐρημίαν τῆς χώρας.

18. ***Οὐαὶ οἱ ἐπισπώμενοι τὰς ἁμαρτίας αὐτῶν ὡς σχοινίῳ μακρῷ καὶ ὡς ζυγοῦ ἱμάντι δαμάλεως τὰς ἀνομίας αὐτῶν.***

6, 5 ἐπινέμεται *cod.* : ἐκνέμεται *Montf.* ‖ 10 Κύριος + μόνος V ‖ ἐν κρίματι > A ‖ 12 αὐτῶν > C ‖ 15 ὑπολιμπανόμενοι : ἀπο- N

ceux qui bouleversent tout et mettent sens dessus dessous les affaires des Juifs, qui descendront là.

C'est à bon droit qu'il les appelle pestes, puisqu'ils ne gardent pas leur perversité pour eux seuls, mais qu'ils transmettent la maladie aux autres. Telle est en effet la nature de la peste : quand elle s'en est d'abord prise à un corps, elle poursuit son chemin jusqu'à se repaître du reste de la multitude. *Et celui qui se réjouit en elle*[1]. Celui qui vit dans les délices, celui qui danse, celui qui croit immuables les biens qu'il possède, lui aussi tombera et sera pris.

15 L'être humain sera humilié, l'homme sera déshonoré. Les regards hautains seront humiliés. 16 Et le Seigneur Sabaoth sera exalté dans son jugement. Vois encore la sollicitude de Dieu. Il n'opère pas une destruction complète, il ne permet pas que leur peuple soit enlevé tout entier, mais il en laisse certains, de telle sorte que le châtiment de ceux qui partent les rende meilleurs. C'est ce que suggère l'expression : « ils seront humiliés », c'est-à-dire : ceux qui demeurent, ceux qui sont laissés.

« Et le Seigneur Sabaoth sera exalté dans son jugement », *et le Dieu saint sera glorifié dans la justice*. Il énonce deux biens : ceux-là se débarrasseront de leur enflure et seront meilleurs, et Dieu sera admiré chez tous les hommes ; tel est le sens des mots : « il sera exalté, il sera glorifié » ; il le sera par la punition même, par le châtiment. Et que signifie : « dans son jugement » ? Cela veut dire : par sa vengeance.

17 Et ceux qui ont été dispersés paîtront comme des taureaux et les agneaux brouteront les lieux déserts de ceux qui ont été enlevés. Il fait ici allusion au petit nombre de ceux qui furent laissés et à la désolation immense du pays.

18 Malheur à ceux qui traînent leurs péchés comme avec une longue corde, et leurs iniquités comme avec la courroie du

1. Ces mots ne se lisent pas dans les plus anciens mss de la Bible, *Vaticanus* (B), *Sinaïticus* (S), *Alexandrinus* (A), mais seulement dans

30 19. ***Οἱ λέγοντες· Τὸ τάχος ἐγγισάτω, ἃ ποιήσει*** ὁ Θεός, ***ἵνα ἴδωμεν· καὶ ἐλθέτω ἡ βουλὴ τοῦ ἁγίου Ἰσραήλ, ἵνα γνῶμεν.*** Τῶν προφητῶν ἀπειλούντων συνεχῶς καὶ τὰ φοβερὰ προαναφωνούντων, οἱ ψευδοπροφῆται πρὸς χάριν διαλεγόμενοι καὶ τοῦ δήμου τὸν τόνον ἐκλύοντες τὰ μὲν
35 ἐκείνων ἔφασκον εἶναι ψευδῆ, τὰ δὲ αὐτῶν ἀληθῆ. Πολλοὶ τοίνυν ἀπατώμενοι ἠπίστουν καὶ αὐτοῖς τοῖς ῥήμασιν. Εἶτα ἐπειδὴ αἱ προφητεῖαι οὐχ ὁμοῦ τε ἐλέγοντο καὶ ἐξέβαινον· προφητείας γὰρ ἦν φύσις τὸ πρὸ πολλοῦ χρόνου τὰ μέλλοντα ἐκβήσεσθαι προαναφωνεῖν· ἐπεὶ οὖν συνεχῶς
40 μὲν ἔλεγον οἱ προφῆται τοὺς λιμούς, τοὺς λοιμούς, τοὺς πολέμους, ἐπὶ δὲ τῶν ἔργων αὐτὰ οὐκ ἐδείκνυον, τέως τὴν τοῦ χρόνου μέλλησιν ἀφορμὴν εἰς ἀπιστίαν λαμβάνοντες οἱ πολλοὶ τῶν ἠπατημένων ἔλεγον· Ἐλθέτω τὰ λεγόμενα· εἰ ἀληθεύετε, ἐγγισάτω τὰ πράγματα· δείξατε ἡμῖν ἐπὶ τῶν
45 ἔργων τὴν βουλὴν τοῦ Θεοῦ. Ἐπεὶ οὖν τὴν αὐτοῦ μακροθυμίαν ὑπόθεσιν ἀπιστίας ἐποιοῦντο καὶ ἐντεῦθεν προσετίθεσαν αὐτῶν τοῖς ἁμαρτήμασι, τό τε ἀπιστεῖν, τό τε διὰ τὴν ἀπιστίαν ῥᾳθυμότεροι γίνεσθαι, εἰκότως αὐτοὺς ὁ προφήτης θρηνεῖ λέγων ὅτι καθάπερ σχοινίῳ μακρῷ,
50 οὕτως ἕλκετε καθ' ἑαυτῶν τὴν ὀργὴν τοῦ Θεοῦ, καὶ αὔξετε ὑμῖν τὴν πονηρίαν. Ἐπειδὴ γὰρ ἀπιστεῖτε τοῖς λεγομένοις ῥήμασιν, λείπεται λοιπὸν τὴν διὰ τῶν ἔργων ἐπενεχθῆναι πεῖραν ὑμῖν. Ὥστε οἱ τὰ κακὰ ἐπισπώμενοι ὑμεῖς ἐστε, οἱ τοῖς λεγομένοις ἀπιστοῦντες. Διὰ τοῦτό φη-
55 σιν· Οὐαὶ οἱ ἐπισπώμενοι τὰς ἁμαρτίας αὐτῶν· τουτέστι, τὴν ἀντίδοσιν τῶν ἁμαρτημάτων. Ὡς σχοινίῳ μακρῷ πόρρωθεν ἕλκετε, φησί, τὴν ὡρισμένην τοῖς ἁμαρτήμασιν ὑμῶν δίκην καὶ ὡς ζυγοῦ ἱμάντι δαμάλεως τὰς ἀνομίας αὐτῶν, δαμάλεως ὑπὸ ζυγὸν οὔσης, ἵνα εἴπῃ τὸ εὔτονον,

31 ἁγίου > N ‖ 32 γνῶμεν + ἀλλὰ καὶ C ‖ 32-33 οἱ ψευδοπροφῆται *ante* τῶν *transp.* C ‖ 38 ἦν + ἡ V ‖ ἦν > C ‖ 40 τοὺς λοιμοὺς > N ‖ 50 τοῦ θεοῦ τὴν ὀργήν ~ MGN ‖ 52 λεγομένοις > LMGCN ‖ 56 ἁμαρτημάτων : ἁμαρτιῶν C ‖ 58-59 τὰς ἀνομίας αὐτῶν, δαμάλεως > V

joug d'une génisse; 19 à ceux qui disent : Que bien vite arrive ce que Dieu *va faire, afin que nous le voyions; et que se réalise le projet du Saint d'Israël, afin que nous le connaissions.* Quand les prophètes menaçaient continuellement et faisaient de terribles prédictions, les faux prophètes, qui parlaient pour être agréables et qui détendaient l'énergie du peuple, disaient que les paroles de ceux-là étaient mensongères, tandis que les leurs étaient véridiques. Beaucoup de gens, trompés par eux, se défiaient donc des paroles elles-mêmes. Puis, comme les prophéties ne s'accomplissaient pas aussitôt qu'elles étaient prononcées – car la nature de la prophétie était de prédire longtemps à l'avance ce qui devait se produire –, comme les prophéties parlaient donc constamment de famines, de pestes, de guerres, mais ne les montraient pas dans les faits, la foule des gens égarés prenait prétexte de ce retard pour ne pas croire et ils disaient : « Que vienne ce dont vous parlez ! si vous dites vrai, que les événements arrivent ! montrez-nous dans les faits le dessein de Dieu. » Puisqu'ils faisaient de sa longanimité un motif d'incrédulité et ajoutaient ainsi à leurs autres péchés celui de ne pas croire et celui de devenir plus négligents à cause de leur incrédulité, c'est avec raison que le prophète se lamente sur eux en disant : comme avec une longue corde vous attirez sur vous la colère de Dieu et vous accroissez votre perversité. Puisque vous ne croyez pas aux paroles qui sont prononcées, il ne vous reste plus désormais qu'à subir l'expérience des faits, si bien que c'est vous qui attirez les malheurs en ne croyant pas à ce qui vous est dit. C'est pour cela qu'il dit : « Malheur à ceux qui traînent leurs péchés », c'est-à-dire la rétribution des péchés. Vous tirez de loin, comme avec une longue corde, dit-il, la punition fixée pour vos péchés, et comme par la courroie du joug d'une génisse, de la génisse qui est placée sous le joug, vos iniquités : il exprime ainsi la

l'édition dite lucianique (L), celle de la *Catena* des 16 prophètes (C) et celle d'Origène (O).

60 τὸ μετὰ σπουδῆς. Ὡς ἐάν τις ἱμάντι εὐτόνῳ ἐφελκύσαιτό τι, οὕτως ὑμεῖς διὰ τῆς ἀπιστίας ἐφέλκεσθε καθ' ὑμῶν τοῦ Θεοῦ τὴν ὀργήν. Εἶτα λέγει καὶ πῶς ἐφέλκονται· Οἱ λέγοντες· Τὸ τάχος ἐγγισάτω ἃ ποιήσει ὁ Θεός, ἵνα ἴδωμεν. Ὃ καὶ ἕτερος προφήτης ἐγκαλεῖ λέγων· Οὐαὶ οἱ
65 ἐπιθυμοῦντες τὴν ἡμέραν Κυρίου. Καὶ ἵνα τί ὑμῖν ἡ ἡμέρα αὕτη; Καὶ αὕτη ἐστὶ σκότος καὶ οὐ φῶς καὶ γνόφος οὐκ ἔχων φέγγος αὐτῆς[a]. Καὶ γὰρ καὶ ἐκεῖνοι ἀπιστοῦντες ἔλεγον· πότε ἥξει ἡ ἡμέρα τῆς κολάσεως καὶ τῆς τιμωρίας;
70 20. ***Οὐαὶ οἱ λέγοντες τὸ πονηρὸν καὶ τὸ καλὸν πονηρόν· οἱ τιθέντες τὸ φῶς σκότος καὶ τὸ σκότος φῶς· οἱ τιθέντες τὸ γλυκὺ πικρὸν καὶ τὸ πικρὸν γλυκύ.*** Πάλιν περὶ τῶν αὐτῶν διαλέγεται. Ἐπειδὴ τοὺς μὲν προφήτας ὕβριζον καὶ ἀπατεῶνας ἔλεγον, τοὺς δὲ ψευδοπροφήτας ἐτίμων καὶ
75 ἀνέστρεφον τῶν πραγμάτων τὴν τάξιν, ταλανίζει αὐτοὺς ἐπὶ τῇ κρίσει τῇ διεφθαρμένῃ. Οὐαί, φησίν, οἱ λέγοντες τὸ πονηρὸν καλόν, τουτέστι, τὴν ψευδοπροφητείαν καὶ τὸ καλὸν πονηρόν, τὴν προφητείαν· οἱ τιθέντες τὸ φῶς σκότος καὶ τὸ σκότος φῶς· οἱ τιθέντες τὸ γλυκὺ πικρὸν
80 καὶ τὸ πικρὸν γλυκύ. Εἰ γὰρ καὶ φορτικά, φησί, τὰ ῥήματα, ἀλλ' οὐδὲν γλυκύτερον τῶν προφητῶν, τῇ τῶν ῥημάτων ἀπειλῇ τὴν διὰ τῶν πραγμάτων ἀποκρουομένων πεῖραν. Εἰ καὶ γλυκέα τὰ τῶν ψευδοπροφητῶν, ἀλλ' οὐδὲν αὐτῶν πικρότερον, τῇ χάριτι τῶν λόγων τὴν διὰ τῶν
85 ἔργων ἐπαγόντων ἀπειλήν.

7 Εἶδες προφήτου σοφίαν, πῶς ἀνέστρεψεν αὐτῶν τὴν ὑπόνοιαν. Ἐπειδὴ γὰρ τοῖς μὲν ὡς πικρότατα φθεγγομένοις οὐ προσεῖχον, τοῖς δὲ ὡς προσηνεστάτοις καὶ γλυκύτητα πολλὴν ἔχουσιν, ἔφησεν, ὅτι τοὐναντίον μὲν

61 ἐφέλκεσθε : ἐφέλκεσθαι V ἐφέλκετε *Montf. ex* P ‖ 64 ἴδωμεν + ἀπιστοῦντες γὰρ ἔλεγον· πότε ἥξει ἡ ἡμέρα τῆς κολάσεως καὶ τῆς τιμωρίας; C ‖ 73 διαλέγεται + ἀλλὰ καὶ C ‖ 74 δὲ > L ‖ 75 ἀνέστρεφον : ἀντέστρεφον MGC ‖ 83 εἰ + γὰρ N

vigueur et l'ardeur. Tel un homme qui traînerait un objet au moyen d'une forte courroie, vous attirez sur vous par votre incrédulité la colère de Dieu. Il dit ensuite comment ils l'attirent : « ceux qui disent : Que bien vite arrive ce que Dieu va faire, afin que nous le voyions ! » Un autre prophète profère la même accusation : « Malheur à ceux qui désirent le jour du Seigneur ! Et que sera pour vous ce jour ? Il sera ténèbres et non lumière, obscurité sans clarté[a]. » En effet, ceux-là aussi disaient dans leur incrédulité : Quand viendra le jour du châtiment et de la vengeance ?

20 Malheur à ceux qui appellent le mal bien et le bien mal, qui font de la lumière les ténèbres et des ténèbres la lumière, qui font du doux l'amer et de l'amer le doux. Il parle encore des mêmes hommes. Comme ils outrageaient les prophètes et les traitaient d'imposteurs, qu'ils honoraient les faux prophètes et renversaient l'ordre des choses, il les plaint de la perversion de leur jugement. Malheur, dit-il, à ceux qui appellent bien le mal, c'est-à-dire la fausse prophétie, et mal le bien, c'est-à-dire la prophétie ; ceux qui font de la lumière les ténèbres et des ténèbres la lumière ; ceux qui font du doux l'amer et de l'amer le doux. Même si leurs paroles sont dures à entendre, veut-il dire, il n'y a rien de plus doux que les prophètes, car, par leurs paroles menaçantes, ils éloignent l'expérience des réalités. Et si les paroles des faux prophètes sont douces, il n'y a rien de plus amer qu'eux-mêmes, car par la suavité de leurs paroles ils amènent la menace qui s'accomplit dans les faits.

7 Tu as vu la sagesse du prophète, comme il a renversé leur façon de penser. Ils ne prêtaient pas attention à ceux dont les paroles leur paraissaient très amères, mais ils écoutaient ceux qui leur semblaient très complaisants et pleins de douceur ; il

7, 1 εἶδες : ἴδες V ἰδοὺ *Montf. ex* P || ἀνέστρεψεν : ἀντέστρεψεν MGCN || 2 ὑπόνοιαν : διάνοιαν V ἀπόνοιαν C || 3 οὐ *Montf.* : > *cod.*

6. a. Amos 5, 18-20.

5 οὖν ἐστι· πολὺ τῶν προφητῶν τὸ μέλι, πολλὴ δὲ τῶν ψευδοπροφητῶν ἡ πικρία· οὕτω καὶ ἐπὶ τοῦ φωτὸς καὶ τοῦ σκότους τὸν λόγον μεταχειριστέον ἡμῖν. Οἱ μὲν γὰρ πρὸς τὴν πλάνην ἦγον, οἱ δὲ πρὸς τὴν ἀλήθειαν ἐχειραγώγουν· καὶ οἱ μὲν τῷ ζόφῳ τῆς αἰχμαλωσίας μονονουχὶ
10 τὰς χεῖρας δήσαντες παρεδίδοσαν, οἱ δὲ ὅπως ἐν τῷ φωτὶ τῆς ἐλευθερίας ἀγάγωσι, πάντα ἔπραττον. Ἐπεὶ οὖν τὰς ἐναντίας περὶ τούτων δόξας εἶχον καὶ τὰς οὐ προσηκούσας, εἰκότως αὐτοὺς διορθοῦται λέγων· Οἱ τιθέντες τὸ φῶς σκότος καὶ τὸ σκότος φῶς.

15 21. ***Οὐαὶ οἱ συνετοὶ ἐν ἑαυτοῖς καὶ ἐνώπιον αὐτῶν ἐπιστήμονες.*** Οὐ μικρὸν καὶ τοῦτο ἐλάττωμα, τὸ σοφόν τινα νομίζειν ἑαυτὸν καὶ τοῖς ἑαυτοῦ λογισμοῖς τὸ πᾶν ἐπιτρέπειν. Καὶ γὰρ ἐντεῦθεν ἐκεῖνο γίνεται· [λέγω δὴ τὸ φάσκειν τὸ πονηρὸν καλόν, καὶ τὸ καλὸν πονηρόν, καὶ
20 τὰ ἑξῆς]. Τοῦτο καὶ ὁ Παῦλος τοῖς ἔξω φιλοσόφοις ἐγκαλῶν ἔλεγεν ὅτι Φάσκοντες εἶναι σοφοί, ἐμωράνθησαν[a]. Ἐντεῦθεν γὰρ ἐμωράνθησαν, καὶ ὁ παροιμιώδης λόγος πάλιν φησίν· Εἶδον ἄνθρωπον δοκοῦντα εἶναι σοφὸν παρ' ἑαυτῷ· ἐλπίδα δὲ ἔχει μᾶλλον ὁ ἄφρων αὐτοῦ[b]. Τοῦτο καὶ
25 Παῦλος ἐγκαλεῖ πάλιν λέγων· Μὴ γίνεσθε φρόνιμοι παρ' ἑαυτοῖς[c]· καὶ πάλιν· Εἴ τις δοκεῖ σοφὸς εἶναι ἐν ὑμῖν ἐν τῷ αἰῶνι τούτῳ, γενέσθω μωρός, ἵνα γένηται σοφός[d]. Μὴ τῇ οἰκείᾳ σοφίᾳ, φησί, μηδὲ τοῖς ἑαυτοῦ ἐπιτερπέσθω λογισμοῖς, ἀλλ' ἐκείνους κατευνάσας, ἐκδιδότω τὴν ψυχὴν
30 τῇ τοῦ Πνεύματος διδασκαλίᾳ. Ἐπεὶ οὖν καὶ παρὰ Ἰουδαίοις τοιοῦτοί τινες ἦσαν ὑπερορῶντες μὲν τῶν προφητῶν ὡς ποιμένων καὶ αἰπόλων, βουλόμενοι δὲ σοφίζεσθαι οἴκοθεν, ὃ καὶ ἀπονοίας αὐτοῖς ὑπόθεσις ἐγίνετο, καὶ τοῦ καταφρονεῖν τῶν λεγομένων, εἰκότως

8 ἦγον : ἤγαγον V || δὲ + καὶ V || 15 αὐτῶν : ἑαυτῶν LMGN || 16 καὶ > C || 18-20 λέγω — ἑξῆς C : *seclusi* || 22 ἐντεῦθεν γὰρ ἐμωράνθησαν > V C || 24 ὁ > V || 27 σοφός > C || 28 ἑαυτοῦ : οἰκείοις C || ἐπιτερπέσθω : ἐπιτερπέτω N ἐπιτρέπων V ἐπιτρεπέτω *Montf.* || 33 ἀπονοίας : ὑπονοίας C || ὑπόθεσις αὐτοῖς ~ C

leur a donc dit : c'est le contraire : chez les prophètes se trouve en abondance le miel et chez les faux prophètes en abondance l'amertume. Et il faut entendre de la même manière ce qu'il dit de la lumière et des ténèbres. Les uns les conduisaient à l'erreur, les autres les guidaient vers la vérité. Les uns, leur ayant pour ainsi dire lié les mains, les livraient aux ténèbres de la captivité, les autres faisaient tout pour les conduire à la lumière de la liberté. Comme ils avaient donc sur ces sujets des opinions contraires et inexactes, il les redresse avec raison par ces mots : « Ceux qui font de la lumière les ténèbres et des ténèbres la lumière ».

21 Malheur à ceux qui sont intelligents à leurs propres yeux et qui croient posséder la science! Ce n'est pas non plus un petit défaut que de se croire sage et de s'en remettre sur tout à son propre jugement. C'est de là que cela vient [je veux dire affirmer que le mal est bien et le bien mal etc.]. Paul adressait ce même reproche aux philosophes païens : « Prétendant être sages, disait-il, ils sont devenus fous[a] », c'est la raison de leur folie. L'auteur des Proverbes dit de son côté : « J'ai vu un homme qui se croyait sage; il y a plus à espérer d'un insensé que de lui[b]. » C'est encore Paul qui donne cet avertissement : « Ne soyez pas sages à vos propres yeux[c] », et encore : « Si quelqu'un parmi vous croit être sage en ce monde, qu'il devienne fou, pour devenir sage[d]. » Qu'il ne se fie pas à sa propre sagesse, veut-il dire, ni à ses propres calculs, mais qu'il leur impose silence, et qu'il livre son âme à l'enseignement de l'Esprit. Il se trouvait chez les Juifs de telles gens qui méprisaient les prophètes parce que bergers et chevriers, et qui ne voulaient compter que sur leur propre sagesse, ce qui était pour eux une cause d'outrecuidance et les faisait dédaigner ce

7. a. Rom. 1, 22. b. Prov. 26, 12. c. Rom. 12, 16.
d. I Cor. 3, 18.

35 αὐτοὺς θρηνεῖ λέγων· Οὐαὶ οἱ συνετοὶ ἐν ἑαυτοῖς καὶ ἐνώπιον αὐτῶν ἐπιστήμονες.

22. ***Οὐαὶ οἱ ἰσχύοντες ὑμῶν, οἱ τὸν οἶνον πίνοντες καὶ οἱ δυνάσται, οἱ κιρνῶντες τὸ σίκερα.*** Μὴ θαυμάσῃς, εἰ πρὸ μικροῦ τοσαῦτα κατὰ μέθης εἰπών, πάλιν τὸν αὐτὸν
40 ἐπαναλαμβάνει λόγον. Ἐπειδὴ γὰρ χαλεπὸν τὸ ἕλκος καὶ δύσεικτον, διὰ τοῦτο καὶ συνεχῶς ἐπαντλεῖν ἔδει. Χαλεπὸν δὲ καὶ δύσεικτον, τῷ μὴ δοκεῖν παρὰ τοῖς πολλοῖς ἁμάρτημα εἶναι, πάντων ἁμαρτημάτων χαλεπώτερον ὂν καὶ μυρία βλαστάνον νοσήματα. Διό φησιν· Οἱ τὸν οἶνον
45 πίνοντες καὶ οἱ δυνάσται, οἱ κιρνῶντες τὸ σίκερα. Διπλοῦς ὁ κρημνός, τυραννὶς μέθης καὶ δυναστείας ὑπερβολή. Πᾶσι μὲν γὰρ ἀνθρώποις λογισμοῦ χρεία, μάλιστα δὲ τοῖς ἐν ἀξιώμασι καὶ δυναστείαις οὖσιν, ὥστε μή, καθάπερ ἀτάκτων ὑδάτων ῥύμῃ τινί, τῷ τῆς ἀρχῆς ἐκφερομένους
50 ὄγκῳ κατακρημνίζεσθαι.

23. ***Οἱ δικαιοῦντες τὸν ἀσεβῆ ἕνεκεν δώρων καὶ τὸ δίκαιον τοῦ δικαίου αἴροντες*** ἀπ' αὐτοῦ. Διπλοῦν τὸ ἔγκλημα πάλιν, τὸ τὸν ὑπεύθυνον ἀφιέναι καὶ τὸν ἀνεύθυνον καταδικάζειν. Ἑκατέρου ἁμαρτήματος ἡ ῥίζα δωρο-
55 δοκία.

24. ***Διὰ τοῦτο ὃν τρόπον καυθήσεται καλάμη ὑπὸ ἄνθρακος πυρὸς καὶ συγκαυθήσεται ὑπὸ φλογὸς ἀνημμένης.*** Τὸ ταχὺ τῆς τιμωρίας, τὸ εὔκολον τῆς κολάσεως παρίστησι, διὰ τῆς εἰκόνος τὴν πανωλεθρίαν αὐτῶν δηλῶν.
8 Ἅπαντα γὰρ ταῦτα ἡ φλὸξ καὶ οἱ ἄνθρακες καὶ ἡ καλάμη καὶ τὰ ἑξῆς ἡμῖν παρεδήλωσεν.

Ἡ ῥίζα αὐτῶν ὡς χνοῦς ἔσται καὶ τὸ ἄνθος αὐτῶν ὡς κονιορτὸς ἀναβήσεται. Τὰ πεπηγότα καὶ τὰ βέβαια ἀπο-
5 λεῖται καὶ διαχυθήσεται τὰ λαμπρὰ καὶ τὰ φαιδρὰ οἰχήσε-

36 αὐτῶν : ἑαυτῶν LMGN ‖ 38 θαυμάσῃς + δὲ C ‖ 41 δύσεικτον : δυσίατον N ‖ 42 τῷ : τὸ V MN ‖ 52 αὐτοῦ + καὶ C ‖ 53 πάλιν : λέγει C ‖ 57 ἀνημμένης : ἀνειμένης LM ‖ 58 τὸ τῆς τιμωρίας ταχύ ~ V C ‖ εὔκολον + καὶ C

8, 4-6 τὰ πεπηγότα — διαρρυήσεται *ante* εὔκολον (7, 58) *transp.* C

qu'on leur disait ; aussi est-ce avec raison qu'il se lamente sur eux en disant : « Malheur à ceux qui sont intelligents à leurs propres yeux et qui croient posséder la science ! »

22 Malheur à ceux qui sont forts parmi vous, aux buveurs de vin, aux puissants, aux mélangeurs de sikera[1]. Ne t'étonne pas si, après avoir tant parlé de l'ivresse peu auparavant, il revient encore sur le même sujet. Comme la plaie était dangereuse et difficile à traiter, il fallait la drainer souvent. Dangereuse et difficile à traiter, car la plupart des gens ne considèrent pas cela comme un péché, alors que c'est le plus dangereux de tous les péchés et le germe de maux innombrables. C'est pourquoi il dit : « les buveurs de vin, les puissants, les mélangeurs de sikera ». Il y a là un double précipice : la tyrannie de l'ivresse et l'exaltation de la puissance. Tous les hommes ont besoin de réfléchir, mais surtout ceux qui jouissent des honneurs et des pouvoirs, de peur qu'emportés par l'orgueil de leur dignité comme par l'impétuosité d'eaux tumultueuses, ils ne roulent dans l'abîme.

23 Ceux qui justifient l'impie à cause de ses présents et qui dépouillent le juste de son droit. Ici encore deux reproches sont formulés : celui d'absoudre le coupable et celui de condamner l'innocent. La racine de l'une et l'autre de ces fautes est la vénalité.

24 Aussi, de la même manière que la paille sera brûlée par un charbon ardent, il sera consumé par la flamme allumée. Il nous fait voir la rapidité de la vengeance, la facilité de la punition, en montrant au moyen d'une image que leur ruine sera complète.

8 C'est tout cela que nous font voir la flamme, les charbons, la paille et tout le reste.

Leur racine sera comme la bale, et leur fleur montera comme un tourbillon de poussière. Ce qui est ferme et solide sera détruit, et se désagrégera ce qui est éclatant, et ce qui est

1. « On assaisonnait le vin de miel et d'épices » (Dhorme).

ται καὶ διαρρυήσεται. ***Οὐ γὰρ ἠθέλησαν τὸν νόμον Κυρίου Σαβαὼθ ποιεῖν, ἀλλὰ τὸ λόγιον τοῦ ἁγίου παρώξυναν.*** Λόγιον τὸν νόμον λέγει.

25. ***Καὶ ἐθυμώθη Κύριος Σαβαὼθ ὀργῇ ἐπὶ τὸν λαὸν*** 10 ***αὐτοῦ· καὶ ἐπέβαλε τὴν χεῖρα αὐτοῦ ἐπ' αὐτοὺς καὶ ἐπάταξεν αὐτούς. Καὶ παρωξύνθη ἐπὶ τὰ ὄρη καὶ ἐγένετο τὰ θνησιμαῖα αὐτῶν ὡς κοπρία ἐν μέσῳ ὁδοῦ. Καὶ ἐν πᾶσι τούτοις οὐκ ἀπεστράφη ὁ θυμὸς αὐτοῦ, ἀλλ' ἔτι ἡ χεὶρ αὐτοῦ ὑψηλή.*** Πόλεμον ἐνταῦθα αἰνίττεται χαλεπόν, ὃς 15 οὐδὲ ταφῇ τὰ σώματα συγχωρήσει παραδοθῆναι, οὐχ ἵνα ἐκεῖνοι κόλασιν δῶσιν, ἀλλ' ἵνα οἱ ζῶντες ἐν ταῖς ἀλλοτρίαις συμφοραῖς τῆς οἰκείας ἀποτέμνωνταί τι κακίας. Καὶ ὅρα πῶς χαλεπώτερον τὸν λόγον ἐποίησεν. Οὐ γὰρ εἶπεν ὅτι οὐκ ἐτάφησαν, ἀλλ' ὅτι κόπρου πάσης ἀτιμό- 20 τερον ἐρριμμένοι ἦσαν οἱ τετελευτηκότες, ὃ τοῖς ζῶσι φρικωδέστερον ἁπάντων εἶναι δοκεῖ καὶ τῆς τελευτῆς αὐτῆς χαλεπώτερον. Καὶ τὸ δὴ χεῖρον, ὅτι οὐδὲ τούτων γινομένων, φησίν, ἐπιεικέστεροι γεγόνασιν, ἀλλὰ τοῖς αὐτοῖς ἐπιμένουσιν. Ἐπεὶ οὖν οὐδὲν βελτίους ἐγένοντο, 25 ἀπειλεῖ πάλιν αὐτοῖς τὴν χαλεπωτάτην ἐκείνην πληγὴν τὴν τῶν βαρβάρων. Διὸ καὶ ἐπάγει λέγων·

26. ***Τοιγαροῦν ἀρεῖ σύσσημον ἐν τοῖς ἔθνεσι τοῖς μακράν.*** Ἵνα μὴ τῆς ὁδοῦ τὸ μῆκος εἰς ῥᾳθυμίαν αὐτοὺς ἐμβάλλῃ, φησὶν ὅτι οὕτω τῷ Θεῷ ῥᾴδιον ἀγαγεῖν αὐτούς, ὡς τῷ τὸ 30 σύσσημον αἴροντι καὶ τοὺς παρεσκευασμένους καὶ ἑτοίμους ἐξάγοντι πρὸς παράταξιν, ὅπερ καὶ ἐπὶ τῶν ἵππων γίνεται τῶν ἁμιλλατηρίων. Ὁμοῦ τε γὰρ τὸ σύμβολον τῆς ἀφέσεως αἴρεται κἀκεῖνοι τῶν βαλβίδων ἐκπηδῶσιν εὐθέως. Δύο τοίνυν ἐνταῦθα ὁ προφήτης αἰνίττεται, ὅτι καὶ 35 εὔκολον αὐτοὺς ἐλθεῖν, τοῦ Θεοῦ καλοῦντος, καὶ πάλαι ἂν ἦλθον, εἰ μὴ ἡ πολλὴ κατεῖχεν αὐτοὺς μακροθυμία. Εἶτα τῇ ἐπεξηγήσει πλείονα τὴν εὐκολίαν ἐνδείκνυται λέγων·

14 πόλεμον > V ‖ 15 παραδοθῆναι συγχωρήσει ~ LMGCN ‖ 17 ἀποτέμνωνται : ὑποτέμωνται LMCN ‖ 23 γινομένων : γενομένων N ‖ 25

brillant passera et se dissipera. *Car ils n'ont pas voulu observer la loi du Seigneur Sabaoth, mais ils ont outragé l'oracle du Saint*. Il appelle oracle la Loi.

25 Le Seigneur Sabaoth s'est enflammé de colère contre son peuple, il a appesanti sa main sur eux et les a frappés. Il s'est irrité contre les montagnes et leurs cadavres ont été comme du crottin au milieu du chemin. Et tout cela n'a pas détourné sa colère, mais sa main reste levée. Il fait entrevoir ici une guerre cruelle, qui ne permettra même pas de donner aux morts une sépulture, non pour que ces derniers subissent un châtiment, mais pour qu'à la vue du malheur d'autrui les vivants retranchent quelque chose de leur propre perversité. Et vois comme il a durci son langage. Il n'a pas dit que les morts n'ont pas été ensevelis, mais qu'ils avaient été jetés avec moins d'égards que du fumier, ce qui paraît aux vivants le plus horrible de tous les traitements, pire que la mort elle-même. Cependant, ce qu'il y a de plus grave est que, dit-il, ces malheurs ne les ont pas rendus plus dociles, mais qu'ils s'en tiennent aux mêmes pratiques. Puisqu'ils ne sont donc pas devenus meilleurs, il les menace encore du fléau le plus terrible, les Barbares. C'est pourquoi il ajoute :

26 Il élèvera donc le signal parmi les nations lointaines. Pour que cet éloignement ne provoque pas leur indifférence, il dit qu'il est aussi facile à Dieu de les amener qu'à celui qui élève le signal convenu et conduit au combat des hommes armés et équipés. Il en est de même pour les chevaux de course : à peine le signal du départ est-il levé qu'aussitôt ils bondissent hors des barrières. Le prophète suggère donc ici deux idées : il est facile aux Barbares de venir quand Dieu les appelle, et ils seraient venus depuis longtemps si sa grande longanimité ne les avait retenus. Et il continue en expliquant que la facilité est encore plus grande :

τὴν[2] + διὰ C || 28 ἵνα + γοῦν C || μὴ] τῆς *hic des.* G || ἐμβάλλῃ : ἐμβάλῃ LMN || 35 ἐλθεῖν αὐτοὺς ~ N

Καὶ συριεῖ αὐτοὺς ἀπ' ἄκρου τῆς γῆς. Μὴ θαυμάσῃς δέ, εἰ περὶ Θεοῦ διαλεγόμενος, οὕτω παχυτάταις κέχρηται
40 λέξεσι· πρὸς γὰρ τὴν ἄνοιαν τῶν ἀκουόντων σχηματίζει τὰ ῥήματα, ἓν βουλόμενος δεῖξαι διὰ πάντων, ὅτι καὶ τῷ Θεῷ ῥᾴδιον τοῦτο καὶ ὅτι πάντως ἀπαντήσονται· διὸ καὶ ἐπήγαγε λέγων·
Καὶ ἰδοὺ ταχὺ κούφως ἔρχονται. 27. ***Οὐ πεινάσουσιν,***
45 ***οὐδὲ κοπιάσουσιν, οὐδὲ νυστάξουσιν, οὐδὲ κοιμηθήσονται.*** Ταῦτα ὑπερβολικῶς εἴρηται. Πῶς γὰρ ἐνῆν μήτε πεινῆν, μήτε καθεύδειν, ἀνθρώπους ὄντας καὶ τὴν κοινὴν λαχόντας λῆξιν; Ἀλλὰ τὸ τάχος τῆς στρατιᾶς, τὴν εὐκολίαν, τὴν ταχύτητα, ὅπερ ἔφθην εἰπών, διὰ πάντων ἐνδεί-
50 κνυται. ***Οὐδὲ λύσουσι τὰς ζώνας αὐτῶν ἀπὸ τῆς ὀσφύος αὐτῶν, οὐδὲ μὴ ῥαγῶσι οἱ ἱμάντες τῶν ὑποδημάτων αὐτῶν.*** 28. ***Ὧν τὰ βέλη ὀξέα ἐστὶ καὶ τὰ τόξα αὐτῶν ἐντεταμένα. Οἱ πόδες τῶν ἵππων αὐτῶν ὡς στερεὰ πέτρα ἐλογίσθησαν, οἱ τροχοὶ τῶν ἁρμάτων αὐτῶν ὡς καταιγίδες.***
55 29. ***Ὀργιῶσιν ὡς λέοντες καὶ παρεστήκασιν ὡς σκύμνοι λεόντων. Καὶ ἐπιλήψεται καὶ βοήσει ὡς θηρίον καὶ ἐκβαλεῖ· καὶ οὐκ ἔσται ὁ ῥυόμενος αὐτούς.*** 30. ***Καὶ βοήσεται δι' αὐτοὺς τῇ ἡμέρᾳ ἐκείνῃ, ὡς φωνὴ θαλάσσης κυμαινούσης. Καὶ ἐμβλέψονται εἰς τὸν οὐρανὸν ἄνω καὶ εἰς***
60 ***τὴν γῆν κάτω· καὶ ἰδοὺ σκότος σκληρόν, σκότος ἐν τῇ ἀπορίᾳ αὐτῶν.*** Διὰ πάντων τὸν λόγον ἐξώγκωσε καὶ τὸν φόβον ἐπῆρε, κατὰ μικρὸν ἕκαστα διηγούμενος, τὰ περὶ τῆς γνώμης, τὰ περὶ τῆς ἰσχύος, τὰ περὶ τῶν ὅπλων, τὰ περὶ τῶν ἵππων, τὰ περὶ τῶν ἁρμάτων, ὥστε τῷ πλήθει
65 τῶν λεγομένων πολλὴν ποιῆσαι τὴν ἀγωνίαν, καὶ τῇ σαφηνείᾳ τῶν εἰκόνων ἐγγὺς τὰ πράγματα αὐτοῖς ἀγαγεῖν. Διὸ καὶ λέουσιν αὐτοὺς παραβάλλει καὶ οὐδὲ ἐνταῦθα ἔστη τοῦ παραδείγματος, ἀλλὰ καὶ φωνὴν ἀναπλάττει καὶ ὁρμὴν τοῦ θηρίου καὶ ἐπιμένει τῇ μεταφορᾷ καὶ πολλὴν ποιεῖται

38 θαυμάσῃς : θαυμάζῃς LM || 43 λέγων > N || 45 οὐδὲ κοιμηθήσονται > *Montf.* || 46-50 ταῦτα – ἐνδείκνυται > C || 50 οὐδὲ λύσουσι : μὴ λύσωσι C ||

Il les sifflera de l'extrémité de la terre. Ne t'étonne pas si, en parlant de Dieu, il emploie des termes aussi vulgaires. Il adapte ses paroles à la stupidité de ses auditeurs, car il est une chose qu'il veut à tout prix leur montrer : que cela est facile à Dieu et leur arrivera certainement. Aussi a-t-il ajouté :

Et voici, ils viennent sur-le-champ, allégrement. 27 Ils n'éprouveront ni la faim, ni la fatigue, ni l'assoupissement, ni le sommeil. Cela est dit par hyperbole. Comment leur serait-il possible de ne pas sentir la faim, de ne pas dormir, puisqu'ils sont hommes et qu'ils partagent le sort commun ? Mais, comme je l'ai dit précédemment, tous ces traits montrent la rapidité de l'armée, sa marche facile, sa célérité. *Ils ne détacheront pas leur ceinturon de leur taille, et les courroies de leurs chaussures ne se rompront pas. 28 Leurs flèches sont aiguës et leurs arcs tendus. Les sabots de leurs chevaux sont réputés un dur rocher et les roues de leurs chars des ouragans. 29 Ils sont furieux comme des lions et sont arrivés comme des lionceaux. Il les saisira, il rugira comme un fauve et les emportera, sans que personne puisse les délivrer. 30 Il grondera au milieu d'eux en ce jour-là, comme la voix de la mer houleuse. Ils lèveront les yeux vers le ciel et les abaisseront vers la terre. Et voici d'épaisses ténèbres, des ténèbres dans leur situation sans issue.* Par tous les moyens il a amplifié son discours et excité la terreur ; il mentionne successivement tous les détails, ce qui se rapporte à la décision, à la force, aux armes, aux chevaux, aux chars, de manière à inspirer une grande frayeur par l'accumulation des termes et à leur rendre les objets tout proches par la transparence des images. C'est pour cela qu'il compare les Barbares aux lions et n'arrête pas là son exemple, mais il imagine le rugissement et l'impétuosité du fauve, il prolonge la métaphore et développe la figure de style.

50-51 ἀπὸ – αὐτῶν[1] > V || 54 καταιγίδες : καταιγίς C || 56 λεόντων : λέοντος C || 57 ἔσται LM A : ἔστιν *cett.* || 58 αὐτοὺς + ἐν C || 62 ἕκαστα : ἑκάστῳ V || 63-64 τὰ[3] – ἵππων > V || 66 ἀγαγεῖν : ἀγάγῃ V N

70 τὴν τροπήν. Καὶ ἐντεῦθεν ἐπὶ θάλατταν ἐξάγει τὸν λόγον,
λέγων ὅτι τοσοῦτος ἔσται ὁ θόρυβος, τοσαύτη ἡ ταραχή,
ὅση ἂν γένοιτο μαινομένης θαλάσσης καὶ κύματα διεγει-
ρούσης · καὶ πάντα κινεῖ τρόπον, αὔξων τὸν φόβον, ὥστε
μὴ δεηθῆναι αὐτοὺς τῆς διὰ τῶν πραγμάτων πείρας. Καὶ
75 τὸ δὴ χαλεπώτερον, ὅτι οὐδὲ ὁ παραστησόμενος ἔσται,
φησίν, οὐκ ἀπὸ τῆς γῆς, οὐκ ἀπὸ τῶν οὐρανῶν · ἀλλ'
ἔρημοι καὶ τῆς ἄνωθεν συμμαχίας καὶ τῆς κάτωθεν βοηθείας, ἐκδοθήσονται τοῖς πολεμίοις. Σκότος δὲ ἐνταῦθά
φησι τὸ ἀπὸ τῆς συμφορᾶς αὐτοῖς ἐγγινόμενον, οὐχ ὡς
80 τῆς ἀκτῖνος ἀφανιζομένης, ἀλλὰ τῆς διαθέσεως τῶν
πασχόντων ἐν μέσῃ τῇ μεσημβρίᾳ ἀντὶ φωτὸς σκότος
ὁρώντων · ὅπερ τοῖς ὀδυνωμένοις καὶ θλιβομένοις
συμβαίνειν εἴωθε. Καὶ ἵνα μάθῃς ὅτι οὐ τῆς φύσεως τοῦ
ἀέρος τὸ σκότος ἦν, ἀλλὰ τῆς ἐκείνων διαθέσεως,
85 ἐπήγαγε · Σκληρὸν σκότος ἐν τῇ ἀπορίᾳ αὐτῶν.

70 καὶ > C ‖ 74 καὶ > C ‖ 75 δὴ : δὲ C ‖ ὅτι > C.

Puis il passe à la mer en disant que le tumulte et le bouleversement seront semblables à ceux d'une mer en furie qui soulève ses vagues ; et il recourt à tous les moyens pour augmenter la frayeur et faire en sorte qu'ils n'aient pas besoin de l'expérience des faits. Le plus effrayant est encore que personne, dit-il, ne viendra à leur secours, ni de la terre ni du ciel ; mais, privés de l'aide d'en haut et de l'appui d'ici-bas, ils seront livrés à leurs ennemis. Les ténèbres dont il parle ici sont celles qui proviennent de leur propre malheur, non de la disparition des rayons du soleil, mais de l'état d'esprit de ces infortunés qui en plein midi voient les ténèbres au lieu de la lumière ; tels sont les effets ordinaires de l'affliction et de l'angoisse. Et pour t'apprendre que ces ténèbres n'étaient pas dues à la nature de l'air, mais à leur disposition d'esprit il a ajouté : « d'épaisses ténèbres dans leur situation sans issue ».

ΚΕΦΑΛ. ϛ'

1 1. ***Καὶ ἐγένετο τοῦ ἐνιαυτοῦ, οὗ ἀπέθανεν Ὀζίας ὁ βασιλεύς.***

Τί δήποτε τοὺς μὲν ἄλλους χρόνους ἀπὸ τῆς ζωῆς τῶν βασιλέων, τοῦτον δὲ ἀπὸ τῆς τελευτῆς χαρακτηρίζει νῦν ὁ
5 προφήτης ; Οὐ γὰρ εἶπεν · Ἐγένετο ἐν ταῖς ἡμέραις Ὀζίου, οὐδέ, ἐν τῇ βασιλείᾳ Ὀζίου, ἀλλ' Ἐγένετο ἡνίκα ἀπέθανε. Τί δήποτε ἐν τούτῳ ποιεῖ ; Οὐχ ἁπλῶς, οὐδὲ ὡς ἔτυχεν, ἀλλά τι ἀπόρρητον ἡμῖν αἰνίττεται. Τί δὲ τοῦτό ἐστιν ; Ὀζίας οὗτος τῇ τῶν γεγενημένων εὐπραγίᾳ μεθύων
10 καὶ ὑπὸ τῆς εὐημερίας ὀγκούμενος, μεῖζον τῆς ἀξίας ἐφρόνησε. Καὶ ἐπειδὴ βασιλεὺς ἦν, ἐνόμισεν αὐτῷ προσήκειν ἱερᾶσθαι καὶ ἐπεπήδησε τῷ ναῷ καὶ εἰς τὰ ἅγια τῶν ἁγίων εἰσῆλθε καὶ τοῦ ἱερέως κωλύοντος καὶ ἀπαγορεύοντος αὐτῷ τὴν ἐκεῖσε εἴσοδον, οὐκ ἠνέσχετο,
15 ἀλλ' ἐπέμεινε τῇ μανίᾳ, ὀλίγον τοῦ ἱερέως ποιούμενος λόγον. Ταύτης ἕνεκεν τῆς ἀναισχυντίας ἐπαφῆκεν αὐτῷ λέπραν ὁ Θεὸς κατὰ τοῦ μετώπου[a]. Βουληθεὶς γὰρ πλείονα τῆς οὔσης τιμὴν λαβεῖν, καὶ ἧς εἶχεν ἐξέπεσεν. Οὐ γὰρ δὴ μόνον ἱερωσύνην οὐ προσέλαβεν, ἀλλὰ καὶ
20 γενόμενος ἀκάθαρτος, τῶν βασιλείων ἐξεβάλλετο καὶ τὸν ἅπαντα χρόνον ἐν οἴκῳ τινὶ κεκρυμμένος κατῴκει, τὴν αἰσχύνην οὐ φέρων. Καὶ ὁ λαὸς δὲ συναπήλαυσεν ἅπας τῆς τοιαύτης ὀργῆς, ὅτι τοὺς τοῦ Θεοῦ νόμους περιεῖδον καὶ τὴν ἱερωσύνην ὑβριζομένην οὐκ ἐξεδίκησαν. Πῶς οὖν
25 συναπήλαυσε τῆς ὀργῆς ; Τῷ τὴν προφητείαν ἀναστα-

Testes V LMGCN A

1, 4 νῦν > LMC ‖ 7 ἐν τούτῳ : οὖν τοῦτο LMN ‖ 9 ἐστιν + ὁ C ‖ 14 αὐτῷ τὴν ἐκεῖσε : τὴν ἐν τούτῳ C ‖ 15 ἐπέμεινε : ἔμεινε V ‖ 18 τιμὴν : τιμῆς

CHAPITRE VI

Et il arriva, l'année où mourut le roi Ozias. Comment se fait-il donc que le prophète, qui marque les autres époques par la vie des rois, désigne maintenant celle-ci par la mort de l'un d'eux ? Il n'a pas dit en effet : il arriva aux jours d'Ozias, ni : sous le règne d'Ozias, mais : il arriva quand il mourut. Quelle est donc ici son intention ? Il ne s'exprime pas ainsi sans raison ni au hasard, mais il veut nous faire entendre quelque mystère. De quel mystère s'agit-il ? Cet Ozias, enivré par ses succès, enorgueilli par son heureuse fortune, conçut des desseins plus hauts qu'il ne lui convenait. Étant roi, il estima qu'il lui revenait aussi d'être prêtre ; s'étant jeté dans le Temple, il pénétra dans le Saint des saints et, comme le prêtre voulait l'en détourner et lui en interdire l'accès, il ne le toléra pas mais, s'obstinant dans sa folie, il fit peu de cas du prêtre. A cause de cette impudence, Dieu le marqua de la lèpre au front [a]. Il avait voulu s'emparer d'un honneur plus grand que le sien, et il fut déchu de celui-là même qu'il possédait. Non seulement il n'obtint pas le sacerdoce mais, devenu impur, il fut chassé du palais et passa tout le temps caché dans une maison, incapable de supporter sa honte. Et tout le peuple éprouva lui aussi les effets d'une telle colère, parce qu'ils avaient méprisé les lois de Dieu et n'avaient pas vengé le sacerdoce outragé. Comment éprouva-t-il ces effets ? Par l'interruption de la prophétie ; irrité

C || 20 ἐξεβάλλετο : ἐξεβάλετο V || 21 κεκρυμμένος : ἐκκεκρυμμένῳ V || 25 τῷ : τὸ LM

1. a. cf. II Chr. 26, 18 s.

λῆναι· ὀργιζόμενος γὰρ αὐτοῖς ὁ Θεὸς περὶ οὐδενὸς οὐδὲν ἀπεκρίνατο. Ἀλλ' οὐ μέχρι παντὸς τοῦτο ἐποίησεν, ἀλλὰ τῷ μέτρῳ τῆς ζωῆς τοῦ βασιλέως καὶ μέτρον τῆς τιμωρίας ὥρισεν. Ὁμοῦ γοῦν ἐκείνου καταλύσαντος τὴν
30 ζωήν, καὶ ὁ Θεὸς τὴν ὀργὴν κατέλυσε καὶ τὰς θύρας πάλιν τῆς προφητείας ἀνέῳξε. Τοῦτο γοῦν αἰνιττόμενος ὁ προφήτης ἀνέμνησεν ἡμᾶς τοῦ καιροῦ τῆς τελευτῆς τοῦ βασιλέως· διόπερ οὕτως ἄρχεται τῆς προφητείας, λέγων· Ἐγένετο τοῦ ἔτους, οὗ ἀπέθανεν Ὀζίας ὁ βασιλεύς, ***εἶδον***
35 ***τὸν Κύριον καθήμενον.*** Καίτοι γε ὁ Χριστός φησι· Θεὸν οὐδεὶς ἑώρακε πώποτε. Ὁ μονογενὴς Υἱός, ὁ ὢν εἰς τὸν κόλπον τοῦ Πατρός, ἐκεῖνος ἐξηγήσατο[b]. Καὶ πάλιν· Οὐχ ὅτι τὸν Πατέρα τις ἑώρακεν, εἰ μὴ ὁ ὢν παρὰ τοῦ Θεοῦ· οὗτος ἑώρακε τὸν Πατέρα[c]. Καὶ πρὸς τὸν Μωϋσέα δὲ
40 αὐτός φησιν· Οὐδεὶς ὄψεται τὸ πρόσωπόν μου καὶ ζήσεται[d]. Πῶς οὖν οὗτός φησιν ἑωρακέναι τὸν Κύριον; Εἶδον γάρ, φησί, τὸν Κύριον· οὐκ ἐναντία τοῖς τοῦ Χριστοῦ λέγων, ἀλλὰ καὶ σφόδρα συνῳδά. Ὁ μὲν γὰρ Χριστὸς τὴν ἀκριβῆ κατανόησίν φησιν, ἣν οὐδεὶς εἶδε·
45 γυμνὴν γὰρ τὴν θεότητα καὶ ἀκραιφνῆ τὴν οὐσίαν οὐδεὶς ἐθεάσατο, πλὴν τοῦ Μονογενοῦς· ὁ δὲ προφήτης τὴν αὐτῷ δυνατὴν ἰδεῖν ἀπαγγέλλει. Οὐδὲ γὰρ αὐτὸς ὅπερ ἐστὶν ὁ Θεὸς ἰδεῖν ἠδυνήθη, ἀλλὰ σχηματισθέντα αὐτὸν θεωρεῖ, καὶ τοσοῦτον καταβάντα, ὅσον ἀναβῆναι ἡ τοῦ
50 θεωροῦντος ἀσθένεια ἐχώρει. Ὅτι γὰρ οὐ γυμνὴν εἶδε τὴν θεότητα, οὔτε αὐτός, οὔτε ἄλλος οὐδείς, ἀπ' αὐτῶν ὧν ἀπαγγέλλουσιν εὔδηλον. Εἶδον γάρ, φησί, τὸν Κύριον καθήμενον. Θεὸς δὲ οὐ κάθηται· σωμάτων γὰρ ὁ σχηματισμός. Καὶ οὐχ ἁπλῶς· Καθήμενον, ἀλλ' ***Ἐπὶ***
55 ***θρόνου.*** Θεὸς δὲ οὐ περιέχεται, < οὐδὲ ἐμπεριείληπται >· πῶς γάρ, ὁ πανταχοῦ παρὼν καὶ τὰ πάντα πληρῶν, οὗ ἐν τῇ χειρὶ τὰ πέρατα τῆς γῆς[e]; Ὅθεν δῆλον ὅτι

31 τοῦτο γοῦν : καὶ τοῦτο C ‖ 34 ἔτους : ἐνιαυτοῦ LMN ‖ 36 υἱὸς > N ‖ 39 δὲ > *Montf.* ‖ 41 φησιν ἑωρακέναι : ἑώρακε C ‖ 42 τοῖς > LMC ‖ 42-43

contre eux, Dieu ne leur donna plus de réponse sur rien. Il n'agit toutefois pas ainsi de façon définitive, mais fixa la mesure du châtiment d'après la mesure de la vie du roi. A peine en effet celui-ci eut-il quitté la vie que Dieu mit fin à sa colère et ouvrit de nouveau les portes de la prophétie. Le prophète le fait comprendre en nous rappelant le temps de la mort du roi ; c'est pourquoi il commence ainsi sa prophétie : « Il arriva, l'année où mourut le roi Ozias », *que je vis le Seigneur siéger*. Cependant, le Christ déclare : « Personne n'a jamais vu Dieu : le Fils unique, qui est dans le sein du Père, celui-là l'a révélé[b]. » Et encore : « Non que quelqu'un ait vu le Père, sinon celui qui vient d'auprès de Dieu : celui-là a vu le Père[c]. » Et il dit lui-même à Moïse : «Personne ne verra sa face sans mourir[d]. » Comment donc Isaïe peut-il dire qu'il a vu le Seigneur ? Je vis en effet le Seigneur, dit-il. Ses paroles ne contredisent pas celles du Christ ; elles sont en plein accord avec elles. Le Christ parle d'une connaissance précise, que nul n'a acquise par la vision, car personne n'a contemplé à découvert la divinité ni son essence toute pure, si ce n'est le Fils unique, tandis que le prophète parle de ce qu'il lui était possible de voir. Il n'a pas pu voir en effet, lui non plus, ce que Dieu est, mais il le contemple sous une forme qu'il a prise, descendu jusqu'au point où pouvait s'élever la faiblesse du spectateur. Qu'il n'ait pas vu la divinité à découvert, ni lui, ni aucun autre, les termes mêmes qu'ils emploient en sont la preuve : « Je vis le Seigneur siéger » dit-il. Or, Dieu ne siège pas ; ce mot désigne une attitude corporelle. Mais ce n'est pas seulement « siéger », c'est aussi *sur un trône*. Or, Dieu n'est pas limité, ni circonscrit : comment le serait-il, lui qui est présent partout, qui remplit l'univers, « en la main de qui sont les extrémités de la terre[e] » ?

τοῦ Χριστοῦ > C ‖ 53 δὲ : γὰρ N ‖ οὐ : οὐδὲ LM ‖ 55 οὐδὲ ἐμπεριείληπται *post* περιέχεται *addidi ex* A *cf. In Oziam, PG* 56, 136 ‖ 56 τὰ > M

b. Jn 1, 18. c. Jn 6, 46. d. Ex. 33, 20. e. Ps. 94, 4.

συγκατάβασις ἦν τὸ δρώμενον. Οὕτω γοῦν ἕτερος προφήτης αἰνιττόμενος ἔλεγεν ἐκ προσώπου τοῦ Θεοῦ·
60 Ἐγὼ δράσεις ἐπλήθυνα[f], τουτέστι, διαφόρως ὤφθην. Εἰ δὲ αὐτὴ ἡ οὐσία γυμνὴ ἐφαίνετο, οὐκ ἂν διαφόρως ἐφάνη· ἀλλ' ἐπειδὴ συγκαταβαίνων, νῦν μὲν τούτῳ τῷ τρόπῳ, νῦν δὲ ἐκείνῳ τοῖς προφήταις ἑαυτὸν ἐδείκνυ, καταλλήλως τοῖς ὑποκειμένοις καιροῖς σχηματίζων τὰς ὄψεις, διὰ τοῦτό
65 φησιν· Ὁράσεις ἐπλήθυνα καὶ ἐν χερσὶ προφητῶν ὡμοιώθην. Οὐχ ὥσπερ ἤμην, ἐφάνην, φησίν, ἀλλ' ὡμοιώθην πρὸς ὅπερ ἰδεῖν ἠδύναντο οἱ θεωροῦντες. Ὁρᾷς γοῦν αὐτὸν νῦν μὲν καθήμενον[g], νῦν δὲ ὡπλισμένον[h], νῦν δὲ τρίχα πολιὰν ἔχοντα[i], νῦν δὲ ἐν αὔρᾳ[j], νῦν δὲ ἐν
70 πυρί[k], νῦν δὲ ἐκ τῶν ὀπισθίων φαινόμενον[l], νῦν δὲ ἐπὶ τῶν Χερουβὶμ[m], καὶ πρὸς μεταλλικῶν ὑλῶν λαμπρότητα τῶν διαφανεστάτων τὴν ὄψιν ἐξεικονιζόμενον[n]. Τίνος μὲν οὖν ἕνεκεν νῦν μὲν ὡπλισμένος φαίνεται καὶ ᾑμαγμένος, νῦν δὲ ἐν πυρί, νῦν δὲ τὰ ὀπίσθια δεικνύς, νῦν δὲ ἐν
75 οὐρανῷ, νῦν δὲ ἐν θρόνῳ, νῦν δὲ ἐπὶ τῶν Χερουβὶμ οὐ τοῦ παρόντος ἂν εἴη λέγειν καιροῦ, ὥστε μὴ τὸ πάρεργον τοῦ ἔργου γενέσθαι μεῖζον. Τέως δὲ ἀναγκαῖον ὑπὲρ τῆς παρούσης ὄψεως διαλεχθῆναι. Τίνος οὖν ἕνεκεν οὕτω φαίνεται νῦν ἐπὶ θρόνου καθήμενος καὶ μετὰ τῶν Σεραφίμ;
80 Ἀνθρώπινον ἔθος μιμεῖται, ἐπειδὴ καὶ πρὸς ἀνθρώπους ἦν ὁ λόγος αὐτῷ. Ἐπειδὴ γὰρ ἀπόφασιν ἐκφέρειν μέλλει ὑπὲρ μεγίστων πραγμάτων καὶ τῆς οἰκουμένης ἁπάσης, ἔτι μὴν καὶ περὶ τῶν Ἱεροσολύμων καὶ διπλῆν τίθησι ψῆφον, τὴν μὲν κόλασιν τῇ πόλει φέρουσαν καὶ τῷ ἔθνει παντί, τὴν δὲ
85 εὐεργεσίαν τῇ οἰκουμένῃ καὶ μεγάλας ἐπαγγελλομένην ἐλπίδας καὶ τιμὰς ἀθανάτους. Ἔθος δὲ τοῖς δικάζουσι

58 οὕτω : τοῦτο C ‖ 61 ἡ > C ‖ γυμνὴ ἡ οὐσία ~ LMN ‖ 62 συγκαταβαίνων : οὖν καταβαίνων V ‖ 63 ἐδείκνυ : ἐδείκνυε N ‖ 66 ἤμην : ἡμῖν V ‖ ἐφάνην : ἐφάνη V ‖ 67 ἠδύναντο ἰδεῖν ~ LMN ‖ 74 ἐν[1] + τῷ V CN ‖ 78-79 τίνος – καθήμενος : ἐπὶ θρόνου δὲ καθήμενος φαίνεται νῦν C ‖ 80 μιμεῖται : μιμούμενος C ‖ ἐπειδὴ : ὅτι C ‖ 82 μεγίστων *scripsi ex* A : μεγάλων C μὲν ἄλλων *cett.* ‖ 82 μὴν : δὲ C ‖ 83 καὶ[2] > LM ‖ 85

Il est donc clair que la vision était un acte de condescendance. Un autre prophète le suggérait aussi, parlant au nom de Dieu : « J'ai multiplié les visions[f] », c'est-à-dire : on m'a vu sous des formes différentes. Si l'essence se faisait voir elle-même à découvert, elle n'apparaîtrait pas sous des formes différentes ; mais, dans sa condescendance, il se montrait aux prophètes tantôt sous une forme, tantôt sous une autre, adaptant les visions aux diverses circonstances ; c'est pourquoi il dit : « J'ai multiplié les visions, et j'ai pris figure dans les mains des prophètes. » Je ne suis pas apparu, dit-il, tel que j'étais, mais j'ai pris une figure que les spectateurs étaient capables de voir. Tu le vois donc tour à tour siégeant[g], portant des armes[h], ayant des cheveux blancs[i], apparaissant dans une brise[j] ou dans le feu[k], se montrant de dos[l], placé sur les Chérubins[m], empruntant leur éclat aux plus brillants métaux pour faire voir son image[n]. Pourquoi il apparaît ainsi tour à tour en armes et couvert de sang, dans le feu, se montrant de dos, dans le ciel, sur un trône, sur les Chérubins, ce n'est pas le moment de le dire, si l'on ne veut pas donner à ce qui est accessoire une importance exagérée. Il nous faut pour le moment parler de la présente vision. Pourquoi donc apparaît-il ainsi siégeant sur un trône, et avec les Séraphins ? Il se conforme à un usage des hommes, puisque aussi bien son discours s'adressait à des hommes. Il va faire en effet une déclaration sur des questions très importantes, qui concernent tout l'univers, mais aussi Jérusalem, et il porte deux sentences, comportant l'une le châtiment pour la ville et pour toute la nation, et l'autre un bienfait pour le monde, avec l'annonce de grandes espérances et d'honneurs immortels. Or, c'est l'habitude des juges de ne

ἐπαγγελλομένην : ἐπιστελλομένην C

f. Os. 12, 11. g. cf. Is. 6, 1. h. cf. Is. 34, 6 ; 63, 1-6. i. cf. Dan. 7, 9. j. cf. III Rois 19, 12-13. k. cf. Ex. 3, 2. l. cf. Ex. 33, 23. m. cf. I Sam. 4, 4 ; II Sam. 6, 2 ; IV Rois 19, 15 ; I Chr. 13, 6 ; Is. 37, 16 ; Ps. 79, 2 ; 98, 1. n. cf. Éz. 1, 4 ; Apoc. 1, 15 ; 2, 18.

ταῦτα ποιεῖν μὴ λάθρα, ἀλλ' ἐφ' ὑψηλοῦ τοῦ βήματος καθημένοις, παρεστώτων ἁπάντων καὶ τῶν παραπετασμάτων συνελκομένων [τοῦτο ποιεῖν].

2 Τούτους καὶ αὐτὸς μιμούμενος παρέστησεν αὐτῷ τὰ Σεραφὶμ καὶ ἐφ' ὑψηλοῦ κάθηται θρόνου καὶ οὕτω τὴν ἀπόφασιν ταύτην ἐκφέρει. Καὶ ἵνα μάθῃς ὅτι οὐχ ὑποψία τὸ πρᾶγμα, ἀλλὰ τοῦτο ἔθος αὐτῷ, καὶ ἐξ ἑτέρου 5 προφήτου τοῦτο πειράσομαι ποιῆσαι φανερόν. Καὶ γὰρ ἐπὶ τοῦ Δανιήλ, ἐπειδὴ καὶ ἐκεῖ ψῆφόν τινα μεγάλην ἐκφέρειν ἔμελλε περὶ κολάσεων καὶ τιμωριῶν Ἰουδαϊκῶν καὶ τῶν ἀγαθῶν τῶν μελλόντων τῇ οἰκουμένῃ δίδοσθαι, κἀκεῖ θρόνος φαίνεται λαμπρὸς καὶ περιφανὴς καὶ δῆμος 10 ἀγγέλων παρεστηκώς, καὶ ἔθνη ἀρχαγγέλων καὶ ὁ Μονογενὴς συγκαθήμενος καὶ βίβλοι ἀνοίγονται καὶ ποταμοὶ πυρὸς ἕλκονται καὶ πάντοθεν σχῆμα δικαστηρίου συνίσταται[a]. Καὶ ἔστι κἀκεῖνα συγγενῆ τοῖς ἐνταῦθα λεγομένοις ἅπαντα ἢ καὶ σαφέστερον ἐκεῖνος αὐτὰ 15 ἀπαγγέλλει, ἅτε τῶν χρόνων ἐγγύτερον γινομένων καὶ πρὸς αὐτὰς λοιπὸν τὰς θύρας τῆς προφητείας ἀφικνουμένης. Ἀλλὰ ταῦτα τοῖς φιλοπόνοις ἀφέντες συναγαγεῖν καὶ παρατιθέναι καὶ τὴν ἑκατέρας τῆς προφητείας κοινωνίαν καταμανθάνειν, ὅπερ ἔφην, τῆς προκειμένης 20 ἡμεῖς ἁψώμεθα μετὰ ἀκριβείας, ὡς ἂν οἷόν τε ᾖ ῥῆσιν ἑκάστην ἐξηγούμενοι. Οὕτω γὰρ καὶ ἡμῖν καὶ ὑμῖν σαφέστερα ἔσται τὰ εἰρημένα.

Τί οὖν φησιν; Εἶδον τὸν Κύριον καθήμενον. Τὸ καθῆσθαι ἐπὶ θρόνου σύμβολον ἀεὶ κρίσεώς ἐστιν, ὥσπερ 25 ὁ Δαυΐδ φησιν· Ἐκάθισας ἐπὶ θρόνου ὁ κρίνων δικαιοσύνην[b]· καὶ ὁ Δανιήλ· Θρόνοι ἐτέθησαν καὶ κριτήριον

88 καθημένοις *scripsi* : καθημένους C καθήμενοι *cett.* || 89 τοῦτο ποιεῖν *expunxi*

2, 1 αὐτῷ : αὐτὰ C || 8 τῇ οἰκουμένῃ : τὴν οἰκουμένην V || 12 πάντοθεν : πανταχόθεν LM || 14 ἢ : εἰ CN || 17-23 ἀλλὰ – καθήμενον > C || 20 ᾖ > LM || 23 τὸ + μὲν οὖν C || 24 ἐπὶ θρόνου καθῆσθαι ~ C

pas rendre leur verdict dans le secret, mais de le faire, siégeant sur une tribune élevée, en présence de tous et à rideaux ouverts[1].

A l'imitation de ces juges, Dieu a placé à ses côtés les Séraphins, il siège sur un trône élevé, et c'est de cette manière qu'il rend son arrêt. Et pour te montrer que ce n'est pas là une conjecture, mais que Dieu a coutume d'agir ainsi, j'essaierai de te montrer cela aussi chez un autre prophète. Chez Daniel en effet, lorsque Dieu allait prononcer une grave décision sur des peines et des châtiments pour les Juifs et sur des biens qui devaient être donnés à l'univers, on voit aussi un trône éclatant et splendide, un peuple d'anges qui l'entoure, une multitude d'archanges, le Fils unique siégeant avec lui ; on ouvre des livres, des fleuves de feu se déroulent ; de tous côtés se dessine l'image d'un tribunal[a]. Tout cela s'apparente à ce qui est dit ici, ou plutôt cet autre prophète annonce plus clairement les choses, car les temps sont désormais plus proches, et la prophétie se présente au seuil même des événements. Mais laissons aux gens studieux le soin de rassembler ces traits, de les comparer et de reconnaître l'accord des deux prophéties ; attachons-nous pour notre part, comme je l'ai dit, à la prophétie qui nous est proposée, en expliquant chaque terme avec toute l'exactitude possible. Ainsi les paroles seront plus claires pour nous comme pour vous[2].

Que dit-il donc ? « Je vis le Seigneur siéger. » Siéger sur un trône est toujours le symbole du jugement, comme le dit David : « Tu t'es assis sur un trône, toi qui rends la justice[b]. » Et Daniel : « Des trônes furent placés et le tribunal s'assit[c]. »

2. a. cf. Dan. 7, 9-10 et 13-14. b. Ps. 9, 5. c. Dan. 7, 9-10.

1. Après en avoir délibéré secrètement, le juge reparaît pour prononcer sa sentence.

2. Le style de ce passage est celui de l'homélie plutôt que du commentaire, mais Jean, exégète, reste prédicateur.

ἐκάθισε[c]. Τὸ δὲ ἁπλῶς καθῆσθαι ἑτέρου σύμβολον εἶναί
φησιν ὁ προφήτης. Τίνος δὴ τούτου; Τοῦ παγίου, τοῦ
μονίμου, τοῦ βεβηκότος, τοῦ ἀτρέπτου, τοῦ ἀτελευτήτου,
30 τῆς ζωῆς τῆς ἀπεράντου. Διὰ τοῦτό φησι· Σὺ καθήμενος
εἰς τὸν αἰῶνα καὶ ἡμεῖς ἀπολλύμενοι εἰς τὸν αἰῶνα[d]. Σύ,
φησί, μένων, ὤν, ζῶν, ἀεὶ ὡσαύτως ὤν. Ὅτι γὰρ οὐ περὶ
καθέδρας ἔλεγεν, ἡ ἀντιδιαστολὴ δῆλον ἐποίησεν. Οὐ γὰρ
εἶπεν, ἡμεῖς ἑστῶτες <καὶ σὺ καθήμενος,> ἀλλὰ <σὺ
35 καθήμενος καὶ ἡμεῖς> ἀπολλύμενοι. Τὸ δὲ ἐπὶ θρόνου
καθῆσθαι τὸ κρίνειν ἐστί. Διὰ τοῦτο αὐτὸν οὕτως ὁρᾷ
καθήμενον ἐπὶ θρόνου ὑψηλοῦ καὶ ἐπηρμένου ἢ ἕτερον
μὲν τοῦτο, ἕτερον δὲ ἐκεῖνο αἰνίττεται. Καὶ γὰρ ὑψηλὸς ἦν
ὁ θρόνος, τουτέστι, μέγας καὶ ὑπερμήκης· καὶ ἐπηρμένος,
40 τουτέστι, καὶ ἐν ὕψει φαινόμενος ἀφάτῳ καὶ μετέωρος. ***Καὶ
πλήρης ὁ οἶκος τῆς δόξης αὐτοῦ.*** Ποῖος οἶκος; εἰπέ μοι. Ὁ
ναός. Ἐπειδὴ γὰρ ἐκεῖθεν ἔχρα εἰκότως καὶ ἐν τῇ ὄψει τῇ
θαυμασίᾳ ταύτῃ ἐκεῖ καθήμενος φαίνεται. Δόξαν δὲ
ἐνταῦθά φησι λαμπρότητα, φῶς ἀπόρρητον· ὅπερ
45 ἑρμηνεῦσαι τῷ λόγῳ μὴ δυνάμενος, δόξαν ἐκάλεσε καὶ
οὐχ ἁπλῶς δόξαν, ἀλλὰ Θεοῦ δόξαν.

2. ***Καὶ Σεραφὶμ εἱστήκεισαν κύκλῳ αὐτοῦ.*** Τίνα λέγει
ταῦτα τὰ Σεραφίμ; Δυνάμεις ἀσώματοι τῶν ἄνω δήμων,
ὧν τὴν ἀρετὴν καὶ τὴν μακαριότητα καὶ ἀπὸ τῆς
50 προσηγορίας ἔστιν ἰδεῖν. Τῇ γὰρ Ἑβραίων γλώττῃ ἔμπυρα
στόματα ἑρμηνεύεται τὰ Σεραφίμ. Τί οὖν ἐκ τούτου
μανθάνομεν; Τὸ καθαρὸν τῆς οὐσίας, τὸ ἄγρυπνον, τὸ
διεγηγερμένον, τὸ γοργόν, τὸ ἐνεργητικόν, τὸ ἀκηλί-
δωτον. Οὕτω γοῦν καὶ ὁ προφήτης Δαυὶδ τῶν ἄνω
55 δυνάμεων τὴν ἀπαραπόδιστον διακονίαν βουλόμενος ἡμῖν

28 δὴ > C ‖ 31 εἰς[1] C > *cett.* ‖ 34 καὶ σὺ καθήμενος *post* ἑστῶτες *addidi ex* A ‖ 34-35 σὺ καθήμενος καὶ ἡμεῖς *post* ἀλλὰ *addidi ex* A ‖ 40 καὶ[1] > LMC ‖ φαινόμενος : φερόμενος LM θεωρούμενος C ‖ 41 αὐτοῦ + καὶ C ‖ 42 ἔχρα MN A : ἡ ἔχθρα *cett.* ‖ 42-43 ταύτῃ τῇ θαυμασίᾳ ~ C ‖ 44 ἀπόρρητον : ἀπρόσιτον GC ‖ 45 μὴ δυνάμενος τῷ λόγῳ ~ LMC ‖ 47 λέγει > C ‖ 48 ἀσώματοι : ἀσωμάτους N ‖ τῶν ἄνω δήμων > C ‖ δήμων :

Le simple fait de siéger est pour le prophète le symbole d'une autre réalité. Laquelle ? La stabilité, la permanence, l'enracinement, l'immuabilité, l'éternité, la vie illimitée. De là cette parole : « Toi qui sièges à jamais, et nous qui périssons à jamais[d]. » Toi, dit-il, qui demeures, qui es, qui vis, qui es toujours sans changement. Il ne parlait pas d'un siège, l'antithèse le montre bien ; car il ne dit pas : nous qui nous tenons debout, et toi qui sièges, mais : toi qui sièges et nous qui périssons. Siéger sur un trône, c'est juger. C'est pourquoi il le voit siéger sur un trône élevé et sublime ; ou bien chacun de ces termes suggère quelque chose de différent. Le trône en effet était élevé, c'est-à-dire grand et très haut, et sublime, c'est-à-dire placé en l'air, à une hauteur indicible. *Et la maison était pleine de gloire*[1]. Quelle maison, dis-moi ? Le Temple. Puisque c'est de là qu'il rendait ses oracles, il est normal que dans cette vision merveilleuse on l'y voie siéger. Ce qu'il appelle gloire est ici l'éclat, la lumière indicible ; impuissant à la décrire par la parole, il l'a appelée gloire, et non pas seulement gloire, mais gloire de Dieu.

2 Et des Séraphins se tenaient autour de lui. Que sont ces Séraphins dont il parle ? Des puissances incorporelles des peuples célestes dont le nom même fait voir la vertu et la félicité. Dans la langue hébraïque, *Seraphim* signifie en effet bouches enflammées[2]. Qu'est-ce que cela nous apprend ? La pureté de leur essence, la vigilance, la promptitude, l'ardeur, l'énergie, la pureté. C'est ainsi que le prophète David disait pour nous montrer l'obéissance absolue des puissances d'en

δυνάμεων LM

d. Bar. 3, 3.

1. L'hébreu porte : « Et les pans (de son manteau) remplissaient le temple » (trad. Osty).

2. Le mot « séraphin » désignait à l'origine un serpent fabuleux qui hantait les déserts et dont la morsure était brûlante. Cf. *Nombr*. 21, 6. Ici ce sont des serviteurs célestes de Dieu.

ἐνδείξασθαι καὶ τὸ ταχὺ τῆς ὑπηρεσίας καὶ σφόδρα ἐνεργές, ἔλεγεν· Ὁ ποιῶν τοὺς ἀγγέλους αὐτοῦ πνεύματα καὶ τοὺς λειτουργοὺς αὐτοῦ πυρὸς φλόγα[e]· τὸ ταχύ, τὸ κοῦφον, τὸ δραστήριον ἡμῖν διὰ τῶν στοιχείων τούτων
60 ἐνδεικνύμενος. Τοιαῦτα καὶ αἱ δυνάμεις αὗται, καθαροῖς στόμασιν ἀνυμνοῦσαι τὸν Δεσπότην, ἔργον τοῦτο ἔχουσαι διηνεκῶς, εὐφημίας ἀναφέρουσαι, λειτουργίαν ἀδιάλειπτον. Δείκνυσι δὲ αὐτῶν τὸ ἀξίωμα καὶ τὸ πλησίον εἶναι τοῦ θρόνου. Καθάπερ γὰρ ἐπὶ τῶν βασιλέων τῶν ἐπὶ γῆς οἱ ἐν
65 μείζοσιν ἀξιώμασιν ὄντες, παρ' αὐτὸν ἑστήκασι τὸν θρόνον τὸν βασιλικόν· οὕτω δὴ καὶ αὗται αἱ δυνάμεις διὰ τὴν ὑπερβάλλουσαν ἀρετὴν τὸν ἄνω θρόνον κυκλοῦσι, τῆς ἀπορρήτου μακαριότητος ἀπολαύουσαι διηνεκῶς καὶ ἐντρυφῶσαι τῇ μακαρίᾳ λήξει τῆς λειτουργίας ταύτης.
70 ***Ἓξ πτέρυγες τῷ ἑνὶ καὶ ἓξ πτέρυγες τῷ ἑνί. Καὶ ταῖς μὲν δυσὶ κατεκάλυπτον τὰ πρόσωπα ἑαυτῶν, ταῖς δὲ δυσὶ κατεκάλυπτον τοὺς πόδας ἑαυτῶν, καὶ ταῖς δυσὶν ἐπέταντο. Καὶ ἐκέκραγον ἕτερος πρὸς τὸν ἕτερον καὶ ἔλεγον· ἅγιος, ἅγιος, ἅγιος, Κύριος Σαβαώθ. Πλήρης πᾶσα ἡ γῆ τῆς δόξης
75 αὐτοῦ.*** Τί βούλεται ἡμῖν ταῦτα τὰ πτερὰ καὶ τί αἰνίττονται ἡμῖν αἱ πτέρυγες; Οὐ γὰρ δὴ πτερὰ ἐπὶ τὰς ἀσωμάτους δυνάμεις ἐκείνας· ἀλλὰ πάλιν διὰ παχυτέρων σχημάτων ἀπόρρητά τινα ἡμῖν ὁ προφήτης παραδηλοῖ, συγκαταβαίνων μὲν τῇ ἀσθενείᾳ τῶν τότε ἀκροωμένων, ὅμως δὲ
80 καὶ διὰ τῆς συγκαταβάσεως πᾶσαν διάνοιαν ὑπερβαίνοντα νοήματα μετὰ ἀκριβείας ἡμῖν ἐνδεικνύμενος.

3 Τί οὖν αἰνίττονται αἱ πτέρυγες; Τὸ ὑψηλὸν καὶ μετάρσιον τῶν δυνάμεων τούτων. Οὕτω καὶ ὁ Γαβριὴλ πετόμενος καὶ ἐκ τῶν οὐρανῶν καταβαίνων φαίνεται, ἵνα μάθῃς τὸ ταχὺ καὶ κοῦφον. Καὶ τί θαυμάζεις, εἰ ἐπὶ τῶν

57 ἐνεργές : ἐναργές M[1]N ‖ αὐτοῦ > L ‖ 60 τοιαῦτα : τοιαῦται N ‖ αὗται N A : αὐταὶ *cett.* ‖ 63 καὶ > *Montf.* ‖ 66 αἱ δυνάμεις αὐταὶ ~ C ‖ 71-72 τὰ πρόσωπα... τοὺς πόδας LMN A : τοὺς πόδας... τὰ πρόσωπα *cett.* ‖ 73 ἐκέκραγον LMN A : ἐκέκραγεν *cett.* ‖ 75 ταῦτα : ταυτὶ N ‖ καὶ + ἄλλο δὲ C

haut, la rapidité de leur service et son efficacité : « lui qui fait des vents ses anges et de la flamme du feu ses ministres[e] », nous faisant voir au moyen de ces éléments la rapidité, l'agilité, l'activité. Il en est de même de ces puissances ; elles célèbrent le Maître d'une voix pure, s'acquittant continuellement de cet office, ayant pour ministère perpétuel de faire monter des acclamations. Leur proximité du trône est la marque de leur dignité. Chez les rois de la terre, les personnages les plus élevés en dignité se tiennent tout près du trône royal ; de même, en raison de leur éminente vertu, ces puissances entourent le trône céleste, jouissant continuellement d'une béatitude ineffable, faisant leurs délices du sort bienheureux que comporte ce ministère.

Six ailes étaient à l'un et six ailes à l'autre. Avec deux ailes ils se couvraient le visage, avec deux autres ils se couvraient les pieds et avec deux ils volaient. 3 Ils se criaient l'un à l'autre ces paroles : Saint, saint, saint le Seigneur Sabaoth. Toute la terre est pleine de sa gloire. Quel est le sens de ces plumes et que nous suggèrent ces ailes ? Les puissances incorporelles ne portent évidemment pas de plumes ; mais une fois encore le prophète nous montre au moyen d'images grossières des réalités ineffables, condescendant ainsi à la faiblesse de ses auditeurs d'alors et nous révélant à nous-mêmes avec précision, par sa condescendance, des pensées qui surpassent tout entendement.

Que signifient donc les ailes ? La nature élevée et sublime de ces puissances. C'est ainsi qu'on voit Gabriel voler et descendre des cieux, pour nous montrer sa rapidité et son agilité. Et pourquoi t'étonner de voir l'Écriture employer de telles

|| 76-77 τὰς – ἐκείνας : τῶν ἀσωμάτων δυνάμεων ἐκείνων C || 78 ὁ προφήτης ἡμῖν ∼ C || 80 συγκαταβάσεως + τὰ C || ὑπερβαίνοντα διάνοιαν ∼ C

3, 2 μετάρσιον : μετέωρον N || 3 καὶ > C

e. Ps. 103, 4.

5 λειτουργικῶν δυνάμεων ταύταις ταῖς λέξεσι κέχρηται, ὅπου γε καὶ ἐπ' αὐτοῦ τοῦ τῶν ὅλων Θεοῦ οὐ παρῃτήσατο ταύτην μεταχειρίσασθαι τὴν συγκατάβασιν; Βουλόμενος γὰρ αὐτοῦ δεῖξαι ἢ τὸ ἀσώματον ἢ τὸ ταχὺ τῆς πανταχοῦ παρουσίας, φησὶν ὁ Δαυΐδ· Ὁ περιπατῶν ἐπὶ πτερύγων 10 ἀνέμων[a]. Καίτοι γε οὔτε ἄνεμοι πτέρυγας ἔχουσιν, οὔτε αὐτὸς ἐπὶ πτερύγων περιπατεῖ. Πῶς γὰρ ὁ πανταχοῦ παρών; Ἀλλ' ὅπερ ἔφθην εἰπών, τῇ ἀσθενείᾳ τῶν ἀκουόντων συγκαταβαίνων, ἀπὸ τῶν ἐγχωρούντων ἀνῆγεν αὐτῶν τὴν διάνοιαν. Καὶ πάλιν τὴν βοήθειαν αὐτοῦ 15 βουλόμενος καὶ τὴν ἐκ ταύτης ἀσφάλειαν ἐνδείξασθαι, ταῖς αὐταῖς κέχρηται λέξεσιν, οὕτω λέγων· Ἐν σκέπῃ τῶν πτερύγων σου σκεπάσεις με[b]. Ἐνταῦθα μέντοι οὐ τὸ μετάρσιον καὶ κοῦφον ἡμῖν αἰνίττεται μόνον ὁ προφήτης διὰ τῶν πτερύγων τούτων, ἀλλὰ καὶ ἕτερόν τι φρικῶδες. 20 Δείκνυσι γὰρ ὅτι εἰ καὶ συγκατάβασις ἦν τὸ ὁρώμενον, ὥσπερ οὖν καὶ ἦν, οὐδὲ αἱ ἄνω δυνάμεις πρὸς τὸ μέτρον τοῦτο χωρῆσαι ἠδύναντο. Τὸ γὰρ καλύπτειν τοὺς πόδας καὶ τὰ πρόσωπα καὶ τὰ νῶτα, ἐκπληττομένων ἦν, τρεμουσῶν [τὴν ἀστραπήν], οὐ φερουσῶν τὴν ἀπὸ τοῦ 25 θρόνου πηδῶσαν ἀστραπήν. Διὰ τοῦτο, καθάπερ τινὶ τειχίῳ, τῇ τῶν πτερύγων προβολῇ συνεσκίαζον τὰς ἑαυτῶν ὄψεις· καὶ ὅπερ ἡμεῖς πάσχειν εἰώθαμεν, ἢ βροντῶν καταρρηγνυμένων ἢ ἀστραπῶν, ἐπὶ τὸ ἔδαφος κλινόμενοι, τοῦτο δὴ καὶ ἐκεῖναι ἔπασχον. Εἰ δὲ τὰ Σεραφίμ, αἱ 30 μεγάλαι καὶ θαυμάσιαι δυνάμεις ἐκεῖναι, Θεὸν καθήμενον καὶ ἐπὶ θρόνου καθήμενον ἰδεῖν ἀδεῶς οὐκ ἠδυνήθησαν, ἀλλὰ καὶ τὰς ὄψεις καὶ τοὺς πόδας ἐκάλυπτον, τίς ἂν παραστήσειε λόγος τὴν μανίαν τῶν αὐτὸν τὸν Θεὸν εἰδέναι σαφῶς λεγόντων καὶ τὴν ἀκήρατον ἐκείνην περι- 35 εργαζομένων οὐσίαν; Ταῖς δυσὶν ἐπέταντο καὶ ἐκέκραγον.

6 καὶ > C ‖ 15-16 ταῖς αὐταῖς...λέξεσιν : τῇ αὐτῇ... λέξει C ‖ 16 οὕτω > C ‖ 17 ἐνταῦθα μέντοι : ἐντεῦθεν N ‖ 18 ἡμῖν > LM ‖ 23 τὰ πρόσωπα καὶ

expressions pour des puissances ministérielles, alors que pour le Dieu de l'univers lui-même elle n'a pas évité de lui attribuer cette condescendance ! David, voulant montrer soit la nature incorporelle de Dieu, soit la promptitude de sa présence en n'importe quel lieu, s'exprime ainsi : « Celui qui marche sur les ailes du vent[a]. » Or, les vents n'ont pas d'ailes, et lui-même ne marche pas sur des ailes. Comment le ferait-il, lui qui est présent partout ? Mais, comme je l'ai déjà dit, condescendant à la faiblesse de ses auditeurs il a, en partant de ce qui leur était accessible, élevé leur intelligence. Ailleurs, pour décrire le secours divin et la sécurité qu'il procure, il se sert des mêmes expressions, en disant : « Tu me protégeras à l'ombre de tes ailes[b]. » Ici toutefois, le prophète ne nous suggère pas seulement par ces ailes la sublimité et l'agilité, mais une autre réalité propre à susciter l'effroi. Il montre que si la vision était de la condescendance, comme ce l'était en effet, même les puissances d'en haut ne pouvaient atteindre ce niveau. Se couvrir les pieds, le visage et le dos signifiait en effet qu'elles étaient effrayées, qu'elles tremblaient, qu'elles ne pouvaient supporter l'éclair qui jaillissait du trône. Elles se faisaient donc du revêtement de leurs ailes une sorte de murette pour mettre leurs yeux dans l'ombre ; et ce que nous éprouvons d'ordinaire nous-mêmes lorsque, quand le tonnerre gronde et que brillent les éclairs, nous nous courbons vers le sol, elles l'éprouvaient elles aussi. Or, si les Séraphins, ces puissances grandes et admirables, ne purent regarder sans frayeur Dieu siégeant, et siégeant sur un trône, mais s'ils se voilaient les yeux et les pieds, quel discours pourrait exprimer la folie de ceux qui prétendent connaître Dieu clairement et qui scrutent indiscrètement cette pure essence ? – Avec deux ailes ils volaient, et ils

scripsi ex A : καλύπτειν *cod.* || 24 τὴν ἀστραπὴν *expunxi ex* A || 35-36 ἐπέταντο... ἐπέταντο : ἐπέτοντο... ἐπέτοντο N

3. a. Ps. 103, 3. b. Ps. 16, 8.

Τί ποτέ ἐστι τοῦτο τό· Ἐπέταντο καὶ τί παρασημᾶναι βούλεται; Ὅτι διηνεκῶς περὶ τὸν Θεόν εἰσι καὶ παρ' αὐτοῦ οὐκ ἀφίστανται, ἀλλ' αὐτὴ αὐτοῖς ἡ πολιτεία, τὸ διηνεκῶς εἰς αὐτὸν ᾄδειν, τὸ διαπαντὸς εὐφημεῖν τὸν ποιή-
40 σαντα. Οὐ γὰρ εἶπεν· Ἐκέκραξαν, ἀλλ' Ἐκέκραγον, τουτέστι, διηνεκῶς τοῦτο ἔργον ἔχουσιν.

Ἕτερος πρὸς τὸν ἕτερον καὶ ἔλεγον· Ἅγιος, ἅγιος, ἅγιος. Τοῦτο τὴν παναρμόνιον αὐτῶν συμφωνίαν δηλοῖ καὶ τὴν μετὰ πολλῆς ὁμονοίας εὐφημίαν. Οὗτος ὁ ὕμνος
45 οὐκ εὐφημία μόνον ἐστίν, ἀλλὰ καὶ προφητεία τῶν καταληψομένων τὴν οἰκουμένην ἀγαθῶν καὶ δογμάτων ἀκρίβεια. Τίνος δὲ ἕνεκεν οὐκ εἶπον ἅπαξ καὶ ἐσίγησαν, οὐδὲ δεύτερον καὶ ἔστησαν, ἀλλὰ τρίτον καὶ προσέθηκαν; Οὐκ εὔδηλον ὅτι τῇ Τριάδι τὸν ὕμνον ἀναφέρουσαι τοῦτο
50 ἐποίουν; Διά τοι τοῦτο ὁ μὲν Ἰωάννης περὶ τοῦ Υἱοῦ φησιν εἰρῆσθαι, ὁ δὲ Λουκᾶς περὶ τοῦ Πνεύματος, οἱ δὲ προφῆται περὶ τοῦ Πατρός[c]. Καὶ τὰ ἑξῆς δὲ ταύτην ἡμῖν ἐμφαίνει τὴν ἔννοιαν. Μετὰ γὰρ τὸν ὕμνον ἐπήγαγον· Πλήρης πᾶσα ἡ γῆ τῆς δόξῆς αὐτοῦ, ὅπερ ἦν προφη-
55 τείας ἀκριβοῦς· τὴν μέλλουσαν γνῶσιν προαναφωνοῦσι, δι' ἧς ἡ οἰκουμένη τῆς δόξης ἐνεπλήσθη τοῦ Θεοῦ· ὡς τό γε παλαιὸν καὶ ἡνίκα ταῦτα ἐλέγετο, οὐ μόνον τὸ λοιπὸν τῆς οἰκουμένης μέρος, ἀλλὰ καὶ αὐτὴ τῆς Ἰουδαίας ἡ χώρα πολλῆς ἀσεβείας ἦν ἐμπεπλησμένη καὶ οὐδεὶς οὐδαμοῦ τὸν
60 Θεὸν ἐδόξαζε. Καὶ μάρτυς αὐτὸς ὁ προφήτης λέγων ὅτι Δι' ὑμᾶς τὸ ὄνομά μου βλασφημεῖται ἐν τοῖς ἔθνεσι[d]. Πότε οὖν πλήρης ἐγένετο ἡ γῆ τῆς δόξης αὐτοῦ; Ὅτε ὁ ὕμνος οὗτος εἰς τὴν γῆν κατηνέχθη καὶ συγχορευταὶ τῶν ἄνω δυνάμεων οἱ κάτω γεγόνασιν ἄνθρωποι καὶ μίαν τὴν
65 μελῳδίαν ἀνήγαγον καὶ κοινὴν τὴν εὐφημίαν ἐποιήσαντο.

37-38 παρ' αὐτοῦ C A : παρ' αὐτὸν καὶ *cett.* ‖ 40 γὰρ > C ‖ εἶπεν + ὅτι C ‖ 41 ἔχουσιν + τὸ δὲ C ‖ 42-43 καὶ – τοῦτο > C ‖ 43 συμφωνίαν αὐτῶν ~ C ‖ 48 ἀλλὰ C : οὐδὲ *cett.* ‖ 51-52 οἱ δὲ προφῆται LM A : ὁ δὲ προφήτης *cett.* ‖ 53 μετὰ – ἐπήγαγον > N ‖ 54 ὅπερ : καὶ C ‖ 55 ἀκριβοῦς + τοῦτο C ‖

criaient. Quel est le sens de ce mot : ils volaient ; que veut-il faire entendre ? Qu'ils sont continuellement autour de Dieu et ne s'éloignent pas de lui, mais que leur condition même est de chanter continuellement pour lui, de célébrer sans interruption leur Créateur. Il n'a pas dit en effet : ils se mirent à crier, mais ils criaient, c'est-à-dire : c'est leur occupation continuelle.

« Ils se criaient l'un à l'autre ces paroles : Saint, saint, saint. » Cela montre que leur concert est en harmonie parfaite et leur louange en plein accord. Cet hymne n'est pas seulement une louange, mais encore une prophétie annonçant les biens qui vont se répandre sur la terre et une juste expression de la doctrine. Mais pourquoi ayant dit « saint » une fois n'ont-ils pas fait silence, et l'ayant dit deux fois ne se sont-ils pas arrêtés, mais ils l'ont répété une troisième fois ? N'est-il pas évident que c'était pour faire monter leur hymne vers la Trinité ? Voilà pourquoi Jean dit que cette parole s'applique au Fils, Luc à l'Esprit et les prophètes au Père[c]. Et la suite nous montre clairement cette signification, car après l'hymne ils ont ajouté : « Toute la terre est pleine de sa gloire », ce qui était le fait d'une prophétie exacte ; ils annoncent la connaissance à venir par laquelle le monde fut rempli de la gloire de Dieu. Dans l'antiquité en effet, et quand ces paroles étaient dites, non seulement le reste du monde, mais le pays même de Judée était tout rempli d'impiété et personne nulle part ne glorifiait Dieu. Le prophète lui-même en témoigne lorsqu'il dit : « A cause de vous mon nom est blasphémé parmi les nations[d]. » Quand donc la terre fut-elle pleine de sa gloire ? Quand cet hymne descendit sur la terre et que les hommes d'ici-bas se joignirent au chœur des puissances d'en haut pour faire monter une seule

προαναφωνοῦσι : -ούσης C || 57 ἐλέγετο : ἐγένετο CN || 62 ἐγένετο πλήρης ~ C

c. Jn 6, 69 ; Lc 2, 25 ; Os. 11, 9 ; Hab. 1, 12 ; Is. 1, 4 ; 5, 16 ; 10, 20 etc.
d. Is. 52, 5.

Εἰ δὲ ἀναισχυντεῖ πρὸς ταῦτα ὁ Ἰουδαῖος, δειξάτω πότε πᾶσα ἡ γῆ τῆς δόξης αὐτοῦ πλήρης ἐγένετο ταύτης τῆς ἀπὸ τῆς γνώσεως; Ἀλλ' οὐκ ἂν ἔχοι δεῖξαι, κἂν μυριάκις ἀναισχυντῇ.

70 4. ***Καὶ ἐπήρθη τὸ ὑπέρθυρον ἀπὸ τῆς φωνῆς, ἧς ἐκέκραγον.*** Εἶδες προφητείας εὐκολίαν τὰ πράγματα ἀλλήλων ἐχόμενα; Μετὰ γὰρ τὸν ὕμνον τοῦτον καὶ τὸ πληρωθῆναι τὴν γῆν τῆς δόξης αὐτοῦ, ἐπαύσατο τὰ Ἰουδαϊκὰ ἅπαντα, ὅπερ καὶ αὐτὸ διὰ τοῦ ἐπαρθῆναι τὸ 4 ὑπερθυρον ἐδήλωσεν. Ἐρημώσεως γὰρ τουτὶ τὸ σημεῖον ἦν, καὶ ἀνατροπῆς τοῦ ναοῦ· τοῦ ναοῦ δὲ ἀφανισθέντος, καὶ τἄλλα συγκατελύετο πάντα. Καὶ ἵνα μάθῃς ὅτι ἡ Καινὴ τὴν Παλαιὰν ἔπαυσεν· Ἀπὸ τῆς φωνῆς, φησίν, 5 ἐπήρθη τὸ ὑπέρθυρον· τουτέστιν ἀπὸ τοῦ παραγενέσθαι τὴν δοξολογίαν ταύτην καὶ λάμψαι τὴν χάριν καὶ τὴν δόξαν ἐκχυθῆναι πανταχοῦ τῆς οἰκουμένης, τὰ τῆς σκιᾶς ἐκποδὼν γέγονε. ***Καὶ ὁ οἶκος ἐνεπλήσθη καπνοῦ.*** Ἐμοὶ καὶ τοῦτο δοκεῖ σημεῖον εἶναι τῆς ἁλώσεως τῆς αὐτοὺς 10 καταληψομένης καὶ τοῦ βαρβαρικοῦ πυρὸς καὶ τοῦ χαλεπωτάτου ἐμπρησμοῦ.

5. ***Καὶ εἶπον· Ὦ τάλας ἐγὼ ὅτι κατανένυγμαι, ὅτι ἄνθρωπος ὢν καὶ ἀκάθαρτα χείλη ἔχων καὶ ἐν μέσῳ λαοῦ ἀκάθαρτα χείλη ἔχοντος ἐγὼ οἰκῶ καὶ τὸν Κύριον Σαβαὼθ 15 εἶδον τοῖς ὀφθαλμοῖς μου.*** Ἐξέπληξε τὸν προφήτην ἡ ὄψις, διανέστησεν, εἰς πολὺν τὸν φόβον ἐνέβαλε, πρὸς ἐξομολόγησιν ἐκίνησεν, ἀκριβέστερον τὴν εὐτέλειαν τῆς οἰκείας οὐσίας ἐπιγνῶναι παρεσκεύασε. Τοιοῦτοι γὰρ οἱ ἅγιοι πάντες· ἐπειδὰν μείζονος ἀπολαύσωσι τιμῆς τότε ταπει-20 νοῦνται μειζόνως. Οὕτω καὶ ὁ Ἀβραὰμ τῷ Θεῷ διαλεγόμενος, γῆν καὶ σποδὸν ἑαυτὸν ἐκάλει[a] · οὕτω καὶ Παῦλος, ὅτε τῆς ὄψεως ἐκείνης κατηξιώθη, τότε ἔκτρωμα[b] ἑαυτὸν

66 ὁ > V MG || 68 ἔχοι : ἔχῃ MN ἔχει V || 72 γὰρ + τὸ πληρωθῆναι N
4, 1 τουτὶ τὸ V : τοῦτο *cett.* || 3 συγκατελύετο LMC : συγκατελύοντο N κατελύοντο V || 4 φησι *post* ἔπαυσεν *transp.* C || φησὶν + ὅτι LM || 8 καὶ —

mélodie et procurer une louange commune. Si le Juif refuse impudemment cette explication, qu'il montre donc à quel moment toute la terre fut pleine de sa gloire, celle qui vient de la connaissance? Mais il ne pourrait le montrer, fût-il mille fois impudent.

4 *Et le linteau fut soulevé par le cri qu'ils poussaient*. As-tu vu la simplicité de la prophétie, la manière dont les événements se succèdent? Après cet hymne en effet, après que la terre eut été remplie de sa gloire, tout le judaïsme prit fin, ce qu'a indiqué Isaïe par le soulèvement du linteau. C'était le signe de la désolation et de la destruction du Temple; or, le Temple une fois disparu, tout le reste se défaisait. Et pour t'apprendre que la Nouvelle Alliance a mis fin à l'Ancienne, «par leur cri, dit-il, le linteau fut soulevé», ce qui signifie : par l'apparition de cette louange, par le resplendissement de la grâce, par l'effusion de la gloire sur toute la terre, l'ombre a été dissipée. *Et la maison se remplit de fumée*. Cela me paraît aussi le signe de sa prise inopinée, du feu que les Barbares allumeront, de son effroyable embrasement.

5 *Alors je dis : Malheureux que je suis! Je suis perdu, car je suis un homme aux lèvres impures, j'habite au milieu d'un peuple aux lèvres impures, et j'ai vu de mes yeux le Seigneur Sabaoth*. La vision a épouvanté le prophète, elle l'a bouleversé, l'a jeté dans une grande frayeur, l'a poussé à une confession, l'a préparé à connaître plus exactement la bassesse de sa propre nature. Tels sont tous les saints : plus ils sont honorés, plus ils s'humilient. Ainsi Abraham s'entretenant avec Dieu s'appelait terre et poussière[a]; ainsi Paul, lorsqu'il fut favorisé de sa vision, s'appela un avorton[b]. De même aussi Isaïe se

ἐνεπλήσθη : τὸ τὸν οἶκον δὲ ἐμπλησθῆναι C ‖ ἐνεπλήσθη : ἐπλήσθη LM ‖ 8-9 ἐμοὶ – τοῦτο > C ‖ 9 ἁλώσεως : ἀναλώσεως N ‖ αὐτοὺς : αὐτοῖς V ‖ 13 καὶ² > LMN ‖ 15 ἐξέπληξε + τοίνυν C ‖ 16 τὸν : τῶν N > LMC ‖ 17 οἰκείας : ἰδίας C

4. a. cf. Gen. 18, 27. b. cf. I Cor. 15, 8.

ὠνόμασεν· οὕτω δὴ καὶ οὗτος ταλανίζει ἑαυτόν πρότερον ἀπὸ τῆς φύσεως λέγων· Ὢ τάλας ἐγώ, ὅτι
25 κατανένυγμαι, ὅτι ἄνθρωπος ὤν· εἶτα ἀπὸ τῆς γνώμης, Καὶ ἀκάθαρτα χείλη ἔχων. Ἀκάθαρτα αὐτοῦ τὰ χείλη ἐκάλεσεν, ὡς ἔγωγε οἶμαι, πρὸς τὴν παράθεσιν τῶν ἐμπύρων στομάτων ἐκείνων τῶν καθαρῶν δυνάμεων, τῆς ἀκριβεστάτης λειτουργίας ἐκείνης. Καὶ οὐδὲ ἐνταῦθα ἔστη,
30 ἀλλὰ καὶ ὑπὲρ τοῦ λαοῦ παντὸς ἐξομολογεῖται, ἐπάγων καὶ λέγων· Ἐν μέσῳ λαοῦ ἀκάθαρτα χείλη ἔχοντος ἐγὼ οἰκῶ. Καὶ τίνος ἕνεκεν χείλη ἐνταῦθα αἰτιᾶται; Τὸ ἀπαρρησίαστον ἐμφαίνων. Ἐπεὶ καὶ οἱ παῖδες οἱ τρεῖς τοῦτο αὐτὸ ἔλεγον σχεδόν, ἐν τῇ καμίνῳ ὄντες· Οὐκ
35 ἔστιν ἡμῖν ἀνοῖξαι τὸ στόμα[c]. Καὶ νῦν, ἐπειδὴ ὑμνῳδίας ἦν καιρὸς καὶ εὐφημίας καὶ τὰς ἄνω δυνάμεις ἑώρα τοῦτο ποιούσας, εἰκότως ἐπὶ τὰ χείλη τρέπει τὸν λόγον, τὰ μάλιστα πρὸς τὴν τοιαύτην διακονίαν καλούμενα. Ἀλλὰ τὰ μὲν αὐτοῦ διὰ τοῦτο ἀκάθαρτα ἐκάλεσε, τὰ δὲ τοῦ λαοῦ
40 οὐχ οὕτως, ἀλλ' ἐπειδὴ πολλῆς ἀνομίας ἦσαν ἐμπεπλησμένοι. Καὶ τὸν βασιλέα Κύριον εἶδον τοῖς ὀφθαλμοῖς μου. Διὰ τοῦτο στένω καὶ θρηνῶ, φησίν, ὅτι τοσαύτης ἠξιώθην τιμῆς ἀνάξιος ὢν ὑπερβαινούσης μου τὴν ἀξίαν, ἀναβεβηκυίας μου τὴν φύσιν. Ὅταν δὲ λέγῃ· Εἶδον, μὴ
45 τὴν ἀκριβῆ κατανόησιν νόμιζε, ἀλλὰ τὴν αὐτῷ δυνατήν. Καὶ σκόπει πόσον τῆς ἐξομολογήσεως τὸ κέρδος. Κατηγόρησεν ἑαυτοῦ καὶ εὐθέως ἐκαθάρθη. Ἐπειδὴ γὰρ ταῦτα εἶπε τὰ ῥήματα·

6. ***Ἀπεστάλη πρός με,*** φησίν, ***ἓν τῶν Σεραφὶμ καὶ ἐν τῇ***
50 ***χειρὶ αὐτοῦ εἶχεν ἄνθρακα, ὃν τῇ λαβίδι ἔλαβεν ἀπὸ τοῦ θυσιαστηρίου.*** 7. ***Καὶ ἥψατο τοῦ στόματός μου καὶ εἶπεν· Ἰδοὺ ἥψατο τοῦτο τῶν χειλέων σου καὶ ἀφελεῖ τὰς ἀνομίας σου καὶ τὰς ἁμαρτίας σου περικαθαριεῖ.*** Τινὲς μὲν καὶ τῶν

26 αὐτοῦ τὰ > N || 31-32 οἰκῶ ἐγώ ~ N || 32 ἐνταῦθα χείλη ~ LM || 36 καιρὸς ἦν ~ LMN || 47 εὐθέως + ἀπεστάλη τὸ Σεραφὶμ καὶ ἐξ αὐτοῦ C || 47-49 ἐπειδὴ – Σεραφὶμ > C || 49 φησίν, πρός με ~ LM || φησίν > N || 50

déclare malheureux, d'abord à cause de sa nature : « Malheureux que je suis ! Je suis perdu, car je suis un homme », puis à cause de ses dispositions : « aux lèvres impures ». Il a déclaré ses lèvres impures, me semble-t-il, par comparaison avec les bouches enflammées de ces puissances pures, avec ce ministère si fidèlement rempli. Il ne s'en est pas tenu là, mais il étend sa confession à tout le peuple, poursuivant en ces termes : « J'habite au milieu d'un peuple aux lèvres impures. » Et pourquoi met-il ici en cause les lèvres ? Pour montrer l'incapacité de parler librement. Les trois enfants s'exprimaient presque de la même manière, quand ils étaient dans la fournaise : « Nous ne pouvons pas ouvrir la bouche[c]. » Maintenant que c'était le moment des hymnes et de la louange, qu'il voyait les puissances d'en haut s'en acquitter, il en vient tout naturellement à parler des lèvres, qui sont spécialement appelées à ce ministère. Mais, si c'est la raison pour laquelle il a appelé ses lèvres impures, il n'en est pas de même pour les lèvres du peuple ; c'est parce qu'ils étaient, eux, remplis de toute sorte d'iniquité. « Et j'ai vu de mes yeux le Roi, le Seigneur. » Voilà pourquoi je gémis et me lamente, dit-il, d'avoir été, malgré mon indignité, jugé digne d'un tel honneur, qui dépasse mon mérite, qui surpasse ma nature. Cependant, lorsqu'il dit : « J'ai vu », ne pense pas qu'il s'agit d'une compréhension exacte, mais de celle dont il était capable. Et vois quelle est la récompense de la confession. Il s'est accusé, et aussitôt il a été purifié. Lorsqu'il eut prononcé ces paroles, dit-il,

6 L'un des Séraphins fut envoyé vers moi, il tenait dans sa main un charbon, qu'il avait pris avec des pincettes sur l'autel. 7 Il en toucha ma bouche et dit : Voici, cela a touché tes lèvres, cela t'enlèvera tes fautes et te purifiera de tes péchés.

αὐτοῦ > C || 53 καὶ^2 > *Montf.*

c. Dan. 3, 33.

μυστηρίων τῶν μελλόντων σύμβολα ταῦτα εἶναί φασι, τὸ
55 θυσιαστήριον, τὸ πῦρ τὸ ἐπικείμενον, τὴν διακονουμένην
δύναμιν, τὸ ἐν τῷ στόματι δίδοσθαι, τὸ καθαίρειν τὰ
ἁμαρτήματα· ἡμεῖς δὲ τέως τῆς ἱστορίας ἐχόμεθα καὶ
λέγομεν τίνος ἕνεκεν τοῦτο γεγένηται. Μέλλει πέμπεσθαι
πρὸς τὸν δῆμον τὸν Ἰουδαϊκόν, φοβερά τινα ἀπαγγέλλων
60 καὶ ἀφόρητα. Πέμπεται τοίνυν τὰ Σεραφίμ, ὥστε <ἀπαλ-
λάξαι> φόβου καὶ παρρησίας αὐτὸν ἐμπλῆσαι. Καὶ ἵνα μὴ
προβάλληται, καθάπερ Μωϋσῆς, λέγων ἰσχνόφωνος εἶναι[d]
καὶ Ἱερεμίας, νεώτερος εἶναι[e], οὕτω καὶ οὗτος ἀκάθαρτα
χείλη ἔχειν καὶ μὴ δύνασθαι διακονῆσαι τοῖς λεγομένοις,
65 ἔρχεται τὰ Σεραφὶμ ἐκκαθαίροντα αὐτοῦ τὰ ἁμαρτήματα,
οὐκ οἰκείᾳ δυνάμει (τοῦτο γὰρ Πατρὸς καὶ Υἱοῦ καὶ ἁγίου
Πνεύματος μόνον), ἀλλ' ἐπιτάγματι καὶ δόσει τῶν
ἀνθράκων. Οὐ γὰρ εἶπεν· Ἰδοὺ ἀφαιρῶ ἐγώ, ἀλλ' Ἰδοὺ
τοῦτο ἀφαιρεῖται τὰς ἀνομίας σου, καὶ τὰς ἁμαρτίας σου
70 περικαθαριεῖ διὰ τὸ ἐπίταγμα τοῦ πέμψαντος. Τίνος δὲ
ἕνεκεν ἐν τῇ λαβίδι τὰ Σεραφὶμ ἔλαβε τὸν ἄνθρακα; Οὐ
γὰρ δὴ ἡ ἀσώματος δύναμις ἐγκατακαίεσθαι ἔμελλεν ὑπὸ
τῶν ἀνθράκων. Τίνος ἕνεκεν ταῦτα γεγένηται; Διὰ πολλὴν
συγκατάβασιν. Διὰ δὴ τοῦτο καὶ ἀπὸ τοῦ θυσιαστηρίου
75 λαμβάνει, ἔνθα αἱ θυσίαι προσεφέροντο καὶ οἱ καθαρμοὶ
τῶν ἁμαρτημάτων. Εἰ δὲ λέγοις· Πῶς τὸ στόμα οὐ
κατεκάη τοῦ προφήτου; Μάλιστα μὲν οὐδὲ πῦρ αἰσθητὸν
ἦν τὸ φαινόμενον· ἄλλως δέ, ὅταν ὁ Θεὸς ἐργάζηταί τι,
μὴ πολυπραγμόνει, μηδὲ περιεργάζου.

5 Καὶ γὰρ ἐνεργοῦν καὶ αἰσθητὸν πῦρ σώμασιν ὁμιλῆσαν,
τὰ τοῦ πυρὸς οὐκ ἐπεδείξατο. Εἰ δὲ ἔνθα κληματίδες καὶ
πίσσα, τῆς οἰκείας ἐπελάθετο φύσεως ἡ φλόξ, τί θαυμά-

58 λέγομεν : λέγωμεν N ‖ 60 τὰ : τὸ CN ‖ Σεραφὶμ + πρὸς αὐτόν C ‖ <ἀπαλλάξαι> *ex* A *addidi* ‖ 61 φόβου V LMN : θάρρους C ‖ 62 προβάλληται V : -βάληται *cett.* ‖ 63 Ἱερεμίας + τὸ V ‖ οὗτος + τὸ V + τὰ *cett.* ‖ 65 τὰ[1] : τὸ LCN ‖ 66 καὶ[1] + τοῦ C ‖ καὶ[2] + τοῦ C ‖ 69 ἀφαιρεῖται : ἀφαιρεῖ N ‖ 71 τὰ : τὸ LMCN ‖ 73 τίνος + οὖν CN ‖ 76 λέγοις : λέγεις LMCN ‖ 77 μὲν + ὅτι *Montf.*

Certains disent qu'on a ici des symboles des mystères futurs : l'autel, le feu placé sur lui, la puissance qui l'administre, l'imposition sur la bouche, la purification des péchés ; pour notre part, nous nous en tenons pour le moment au récit et nous disons pourquoi cela s'est passé. Le prophète va être envoyé au peuple juif pour annoncer des événements terribles, intolérables. On lui envoie donc le Séraphin pour le libérer de sa peur et le remplir d'assurance. Et pour que, comme Moïse qui dit qu'il a une voix grêle[d] et Jérémie qu'il est trop jeune[e], il ne prétexte pas que lui a des lèvres impures et ne peut pas rendre le service qu'on lui demande, le Séraphin vient purifier ses péchés, non par sa propre puissance – car cela n'appartient qu'au Père, au Fils et au Saint-Esprit –, mais sur ordre et par l'application des charbons. Il n'a pas dit : Voici, je t'enlève, mais : Voici, cela t'enlève tes fautes et te purifiera de tes péchés, par ordre de celui qui m'a envoyé. Mais pourquoi le Séraphin a-t-il pris le charbon avec des pincettes ? La puissance incorporelle ne risquait assurément pas de se brûler avec des charbons ! Pourquoi donc cela s'est-il produit ? Par grande condescendance. C'est bien pour cela qu'il prend le charbon sur l'autel où l'on apportait les offrandes et les sacrifices d'expiation pour les péchés. Et si tu demandes : pourquoi la bouche du prophète n'a-t-elle pas été brûlée ? C'est que l'objet de la vision n'était pas un feu matériel ; au reste, quand Dieu fait quelque chose, ne t'en mêle pas, ne sois pas trop curieux.

Un feu actif et matériel a pu toucher des corps sans manifester les propriétés du feu. Mais si, là où il y avait des sarments et de la poix, la flamme a oublié sa nature propre[1],

5, 1 ἐνεργοῦν LC : ἐνεργὸν MN ἐνεργῶν V

d. cf. Ex. 4, 10. e. cf. Jér. 1, 6.

1. Allusion aux trois enfants jetés dans la fournaise : *Dan.* 3, 46.

ζεις, εἰ νῦν τοσαύτης παραδοξοποιίας γενομένης ἐκάθηρεν,
5 ἀλλ' οὐκ ἔκαυσε τουτὶ τὸ πῦρ;

8. ***Καὶ ἤκουσα τῆς φωνῆς Κυρίου λέγοντος· Τίνα ἀποστελῶ καὶ τίς πορεύσεται πρὸς τὸν λαὸν τοῦτον;*** Ὁρᾷς πόσον ἤνυσεν ἡ ὄψις, πόσον κατώρθωσεν ὁ φόβος; Καίτοι γε καὶ ἐπὶ Μωϋσέως τοιοῦτόν τι γέγονεν· εἰ γὰρ
10 μὴ Σεραφὶμ ἐφάνη, μηδὲ αὐτὸς ἐπὶ θρόνου καθήμενος, ἀλλ' ὅμως ἕτερον παράδοξον θέαμα τότε ἐδείχθη τῷ προφήτῃ καὶ τοιοῦτον, ὡς μηδένα ἀντιβλέψαι δυνηθῆναι τῷ φαινομένῳ. Ὁ γὰρ βάτος ἐκαίετο, φησί, καὶ οὐ κατεκαίετο[a]. Ἀλλ' ὅμως καὶ μετ' ἐκεῖνα καὶ τὴν πολλὴν
15 τοῦ Θεοῦ παραίνεσιν ὁ μέγας ἀναδύεται Μωϋσῆς καὶ σκήπτεται καὶ μυρίας ἐπινοεῖ προφάσεις παραιτήσεως, λέγων· Ἰσχνόφωνός εἰμι καὶ βραδύγλωσσος καί· Προχείρισαι σὺ ἄλλον, ὃν ἐξαποστελεῖς[b]. Καὶ Ἱερεμίας δὲ τὴν ἡλικίαν προβάλλεται[c]. Καὶ Ἰεζεκιὴλ δὲ μετὰ τὸ
20 κελευσθῆναι ἑπτὰ διατρίβει περὶ τὸν ποταμὸν ἡμέρας, ἀναδυόμενος καὶ ὀκνῶν. Διὸ καὶ τὴν παραβολὴν ἐκείνην προσέθηκεν ὁ Θεὸς λέγων· Σκοπὸν δέδωκά σε τῷ οἴκῳ Ἰσραήλ· καὶ ὅτι Τὴν ψυχὴν αὐτῶν ἐκ χειρός σου ἐκζητήσω[d]. Ἰωνᾶς δὲ οὐ μόνον παρῃτήσατο, ἀλλὰ καὶ ἐδραπέ-
25 τευσε[e]. Τί οὖν; τολμηρότερος πάντων ὁ Ἡσαΐας καὶ Μωϋσέως τοῦ μεγάλου; Καὶ τίς ἂν τοῦτο εἴποι; Πόθεν οὖν κελευόμενος ἐκεῖνος ἀνεδύετο, οὗτος δὲ μὴ φανερῶς ἐπιταγεὶς εἰσεπήδησεν; Οὐδὲ γὰρ εἶπεν· Ἄπελθε· ἀλλὰ τοῦ Θεοῦ λέγοντος· Τίνα ἀποστελῶ; ἥρπασε τὸ ἐπίταγμα.
30 Τινὲς μὲν οὖν φασιν, ὅτι ἐπειδὴ ἥμαρτε, τὸν Ὀζίαν οὐκ ἐλέγξας κατατολμῶντα τῶν ἀδύτων, ὑπὲρ ἐκείνης βουλόμενος ἀπολογήσασθαι τῆς ἁμαρτίας, τῇ μετὰ ταῦτα προθυμίᾳ τῆς ὑπακοῆς ἐπεπήδησε ταχέως, ὥστε ἐξιλεώσασθαι τὸν Θεόν. Διὰ γὰρ τοῦτο καὶ ἀκάθαρτα τὰ χείλη

6 λέγοντος + τὸ V || 13 φαινομένῳ + προφήτην C || ὁ V MN : ἡ *cett.* || 17-18 καί[2] – ἐξαποστελεῖς > C || 18 σὺ : σοὶ LM A || 21-24 διὸ – ἐκζητήσω >

pourquoi t'étonner si à présent, quand s'accomplit un tel prodige, ce feu a purifié, mais il n'a pas brûlé ?

8 Et j'entendis la voix du Seigneur qui disait : Qui enverrai-je, et qui ira vers ce peuple ? Vois-tu ce qu'a réalisé la vision, quel redressement a opéré la crainte ? Un fait semblable est arrivé du temps de Moïse. Bien qu'on n'ait vu paraître ni Séraphins, ni Dieu lui-même siégeant sur son trône, c'est néanmoins un autre spectacle étonnant qui fut alors offert au prophète, et tel que personne ne pouvait regarder en face l'apparition. « Le buisson brûlait, est-il dit, et il ne se consumait pas[a]. » Toutefois, même après cela et après de pressantes invites de Dieu, le grand Moïse se dérobe, s'excuse, forge mille prétextes pour refuser, en disant : « J'ai la voix grêle et la langue embarrassée », et : « Choisis-en un autre que tu enverras[b]. » Jérémie allègue sa jeunesse[c]. Et Ézéchiel, après avoir reçu l'ordre divin, passe sept jours sur les bords du fleuve, se dérobant et hésitant. C'est pourquoi Dieu ajouta cette comparaison : « Je t'ai donné comme guetteur à la maison d'Israël », et encore : « Je réclamerai leur âme de ta main[d]. » Jonas, lui, non content de refuser, prit la fuite[e]. Alors quoi ? Isaïe est-il plus hardi que tous, même que le grand Moïse ? Qui oserait le prétendre ? Comment se fait-il donc que l'un se dérobait à un ordre reçu, tandis que l'autre, sans avoir reçu d'injonction formelle, se précipita ? Dieu ne lui dit pas : Pars, mais comme Dieu disait : Qui enverrai-je ? il se saisit de cette parole comme d'un ordre. Certains disent qu'Isaïe avait péché en ne reprochant pas à Ozias de faire outrage au sanctuaire, et que c'est pour se laver de ce péché qu'il mit ensuite tant de hâte à obéir, afin de se rendre Dieu de nouveau favorable. C'est la raison

C || 22 δέδωκά σε : δέδωκας ἐν N || 27 ἐκεῖνος κελευόμενος ~ LMC || 28 εἶπεν + αὐτῷ C || 34-35 αὐτοῦ τὰ χείλη ~ LMC

5. a. Ex. 3, 2. b. Ex. 4, 10.13. c. cf. Jér. 1, 6. d. Éz. 3, 17-18. e. cf. Jonas 1, 1-3.

35 αὐτοῦ ἔλεγεν εἶναι διὰ τὸ ἀπαρρησίαστον. Ἀλλ᾽ οὐκ ἂν ἀνασχοίμην τῶν ταῦτα λεγόντων· ἀξιοπιστότερος γὰρ αὐτῶν ὁ Παῦλος, ὁ τολμήτην αὐτὸν καλῶν καὶ λέγων· Ἡσαΐας δὲ ἀποτολμᾷ καὶ λέγει[f]. Διὰ γοῦν τοῦτο οὐδὲ τῷ κοινῷ, ὥς φασι, νόμῳ τὴν ζωὴν κατέλυσεν, ἀλλὰ χαλεπω-
40 τάτην ὑπέστη τιμωρίαν, τῶν Ἰουδαίων οὐκ ἐνεγκόντων αὐτοῦ τὴν παρρησίαν. Χωρὶς δὲ τούτων οὐδέ φησιν ἡ Γραφή που, ὅτι παρῆν, ἡνίκα τὰ κατὰ τὸν Ὀζίαν ἐγίνετο, καὶ παρὼν ἐσίγα, ἀλλ᾽ οἴκοθεν καὶ παρ᾽ ἑαυτῶν ταῦτα οἱ λέγοντες στοχάζονται. Τί οὖν ἔστιν εἰπεῖν; Ὅτι οὐκ ἦν
45 ἴσον τὸ Μωϋσέως, καὶ τοῦτο. Ὁ μὲν γὰρ εἰς ἀλλοτρίαν ἐπέμπετο καὶ βάρβαρον χώραν καὶ πρὸς τύραννον, μαινόμενον καὶ λυττῶντα· οὗτος δὲ πρὸς τοὺς οἰκείους καὶ πολλὰ πολλάκις ἀκηκοότας καὶ ἐν πολλῷ παιδευθέντας χρόνῳ· καὶ οὐ τοσαύτης ἀνδρείας ἦν τὸ ὑπακοῦσαι ἐκεῖ
50 τε καὶ ἐνταῦθα. Τινὲς δέ φασιν ὅτι καὶ ἕτερόν τι αὐτῷ τὴν προθυμίαν ἐποίησε ταύτην. Ἐπειδὴ γὰρ ὑπέρ τε ἑαυτοῦ καὶ τοῦ λαοῦ ἐξωμολογήσατο καὶ τὰ Σεραφὶμ εἶδεν ἀποσταλέντα καὶ ἐκκαθάραντα αὐτοῦ τὰ χείλη, προσδοκήσας ὅτι καὶ τῷ λαῷ ταῦτα συμβήσεται καὶ ταῦτα
55 ἀπελεύσεται ἀπαγγέλλων, προθύμως ἥρπασε τὸ λεχθέν. Ὥσπερ γὰρ ἦσαν φιλόθεοι, οὕτω καὶ φιλόστοργοι μάλιστα πάντων ἀνθρώπων οἱ ἅγιοι. Ἐλπίσας οὖν λύσιν τινὰ τῶν κακῶν ἀπαγγελεῖν, ἐπεπήδησε ταχέως καί φησιν· ***Ἰδοὺ ἐγώ εἰμι, ἀπόστειλόν με.*** Ἄλλως δὲ καὶ ψυχὴν σφόδρα
60 πρὸς κινδύνους παρατεταγμένην εἶχε· καὶ δῆλον αὐτοῦ τοῦτο τὸ ἦθος διὰ πάσης τῆς προφητείας ἐστίν. Ἐπεὶ οὖν

36 ἀνασχοίμην : ἀνάσχοιμι LM ‖ 39 κοινῷ > C ‖ 41 τὴν αὐτοῦ ~ C ‖ 42 που > C ‖ [ἡνίκα *hic denuo* G ‖ ἐγίνετο : ἐγένετο G ‖ 43-44 οἱ λέγοντες ταῦτα ~ N ‖ 45 τὸ : τοῦ GC ‖ τοῦτο : τοῦτου LMG ‖ 46 καὶ[1] + εἰς LMGC ‖ τύραννον + καὶ LMGCN ‖ 48 πολλὰ > V ‖ 49 τοσαύτης : τῆς αὐτῆς V ‖ 51 ἑαυτοῦ : αὐτοῦ L ‖ 52 τὰ > C ‖ 53 ἀποσταλέντα... ἐκκαθάραντα : ἀποσταλὲν... ἐκκαθάραν C ‖ 58 ἀπαγγελεῖν V : ἀπαγγέλλων *cett.* ‖ 61 τῆς > LMG

pour laquelle il disait que ses lèvres étaient impures, car il n'avait pas parlé avec franchise. Mais je ne puis admettre leur explication. Paul mérite plus de créance quand il reconnaît ainsi sa hardiesse : « Isaïe s'enhardit jusqu'à dire[f]. » Cela explique qu'il ne termina pas sa vie, à ce qu'on dit, selon la loi commune, mais qu'il subit le supplice le plus affreux, car les Juifs ne supportèrent pas son franc-parler[1]. D'ailleurs, l'Écriture ne dit nulle part qu'il ait été présent quand se produisit l'épisode d'Ozias ni qu'étant présent il ait gardé le silence ; ceux qui l'affirment font des conjectures personnelles et arbitraires. Qu'est-il donc possible de dire ? Que le cas de Moïse et le sien n'étaient pas identiques. Moïse était envoyé dans un pays étranger et barbare, à un tyran en proie à la démence et à la fureur ; mais lui était envoyé à des compatriotes, qui avaient souvent entendu et pendant longtemps reçu force enseignements ; il ne fallait donc pas un aussi grand courage pour obéir dans l'un et l'autre cas. Certains disent toutefois qu'une autre raison lui a inspiré cette ardeur. Lorsqu'il eut fait sa propre confession et celle du peuple et qu'il eut vu le Séraphin qui lui avait été envoyé et lui avait purifié les lèvres, il s'attendait au même traitement pour le peuple et à la mission d'aller le lui annoncer ; aussi accueillit-il avec empressement tout ce qui lui était dit. Tout comme ils étaient amis de Dieu, les saints chérissaient tous les hommes. Dans l'espoir d'annoncer une délivrance des maux, il manifesta une grande hâte et dit : *Me voici, envoie-moi*. Il avait d'ailleurs une âme toute prête à affronter les dangers, et ce trait de son caractère paraît à travers toute sa prophétie. Quand il eut donc promis d'aller et

f. Rom. 10, 20.

1. Cf. Introduction, *supra*, p. 20. « Il subit le supplice le plus affreux » : Isaïe aurait été scié entre deux planches. Cette tradition de son martyre se trouve dans le *Talmud* et le *Targum* (*IV Rois* 21, 26), mais aussi dans l'*Ascension d'Isaïe* (5, 14). Elle se retrouve chez les Pères de l'Église, par exemple dans le *Contre Tryphon* de JUSTIN, 120, 5 : « Isaïe, que vous avez scié avec une scie de bois », dans le *De Patientia* de TERTULLIEN, XIV, 1

ὑπέσχετο ἀπελεύσεσθαι καὶ οὐκ ἐτόλμα λοιπὸν ἀνανεῦσαι, τότε ἀκούει τὰ λυπηρά. Καὶ γὰρ καὶ ὁ Θεὸς αὐτὸν σοφῶς μετεχείρισεν. Οὐ γὰρ ἐξ ἀρχῆς εἶπε · Πορεύθητι καὶ εἰπέ,
65 ἀλλὰ πρότερον μετέωρον ποιήσας τὸ ἐπίταγμα καὶ ἄδηλον τῆς ἀποστολῆς τὸν τρόπον. Ἐπειδὴ ῥᾳδίως ὑπήκουσε, λέγει τὰ καταληψόμενα τοὺς Ἰουδαίους κακά. Τίνα δὲ ταῦτα ἦν;

9. ***Πορεύθητι, φησί, καὶ εἰπὲ τῷ λαῷ τούτῳ· Ἀκοῇ***
70 ***ἀκούσετε καὶ οὐ μὴ συνῆτε, καὶ βλέποντες βλέψετε καὶ οὐ μὴ ἴδητε.*** 10. ***Ἐπαχύνθη γὰρ ἡ καρδία τοῦ λαοῦ τούτου, καὶ τοῖς ὠσὶν αὐτῶν βαρέως ἤκουσαν καὶ τοὺς ὀφθαλμοὺς αὐτῶν ἐκάμμυσαν, μήποτε ἴδωσι τοῖς ὀφθαλμοῖς καὶ τοῖς ὠσὶν ἀκούσωσι καὶ τῇ καρδίᾳ συνῶσι καὶ ἐπιστρέψωσι καὶ***
75 ***ἰάσωμαι αὐτούς.*** Ταῦτα οὐδὲ ἑρμηνείας οἶμαι δεῖσθαι, τῶν ἀκριβῶς ταῦτα ἐπισταμένων, προλαβόντων καὶ ἐξηγησαμένων αὐτά, Ἰωάννου τε τοῦ υἱοῦ τῆς βροντῆς[g] καὶ Παύλου τοῦ τὰ παλαιὰ καὶ τὰ καινὰ μετὰ ἀκριβείας εἰδότος. Ὁ μὲν γὰρ ἐν τῇ Ῥώμῃ πρὸς τοὺς συνελθόντας
80 μέν, ἀποπηδήσαντας δὲ καὶ οὐκ ἀνασχομένους τῶν λεγομένων, δημηγορῶν ἔλεγε · Καλῶς εἶπε τὸ Πνεῦμα τὸ ἅγιον · Ἀκοῇ ἀκούσετε καὶ οὐ μὴ συνῆτε[h]. Ὁ δὲ τῆς βροντῆς υἱός, ἐπειδὴ θαύματα ἑώρων καὶ οὐκ ἐπίστευον καὶ δογμάτων ἤκουον, καὶ οὐ προσεῖχον (ἀνέστησε γὰρ
85 Λάζαρον ὁ Χριστὸς καὶ ἀνελεῖν αὐτὸν ἐπεχείρουν[i] · δαίμονας ἤλαυνε καὶ δαιμονῶντα ἐκάλουν[j] · τῷ Πατρὶ προσῆγε καὶ πλάνον ὠνόμαζον[k] καὶ τὰς ἐναντίας ἐδέχοντο δόξας[l]), μνημονεύει τῆς προφητείας ταύτης λέγων · Καλῶς εἶπεν Ἡσαΐας ὁ προφήτης, ὅτι Ἀκοῇ ἀκούσετε καὶ οὐ μὴ
90 συνῆτε καὶ βλέποντες βλέψετε καὶ οὐ μὴ ἴδητε[m].

67 τοὺς Ἰουδαίους : τοῖς Ἰουδαίοις V ‖ 70 ἀκούσετε... βλέψετε : ἀκούσητε... βλέψητε V ‖ 73 ἴδωσι : εἴδωσι GN ‖ 74 καί[1] – συνῶσι > N ‖ 75 αὐτοὺς + τάχα δὲ C ‖ οὐδὲ ἑρμηνείας οἶμαι δεῖσθαι ταῦτα ~ C ‖ 82 ἀκούσετε : ἀκούσητε V ‖ 87 προσῆγε : προσήγαγε LMG

(*CCL* 1, p. 315), dans les *Commentaires sur Isaïe* d'Origène et de Jérôme, etc.

qu'il n'osait plus reculer, c'est à ce moment qu'il entend de pénibles annonces. Dieu l'a en effet traité avec sagesse. Il ne lui a pas dit d'emblée : Va et dis, mais il a d'abord laissé le commandement en suspens, et imprécise la nature de sa mission. Quand il s'est montré disposé à obéir, Dieu lui révèle les maux qui vont fondre sur les Juifs. Quels étaient-ils ?

9 Va, dit-il, et dis à ce peuple : Vous entendrez de vos oreilles, et vous ne comprendrez certes pas, vous regarderez de vos yeux et vous ne verrez certes pas. 10 Le cœur de ce peuple s'est épaissi et de leurs oreilles ils ont entendu sourdement ; ils ont fermé les yeux de peur qu'ils ne voient de leurs yeux, n'entendent de leurs oreilles, ne comprennent de leur cœur, ne se convertissent, et que je ne les guérisse. Je ne pense pas que ces paroles aient besoin d'interprétation, car ceux qui connaissent exactement ces questions ont pris les devants et les ont expliquées, Jean le fils du tonnerre[g], et Paul qui connaissait à la perfection l'Ancien et le Nouveau Testament. Ce dernier, s'adressant à Rome à ceux qui d'abord s'étaient rassemblés, mais ensuite écartés, car ils ne supportaient pas ses paroles, les haranguait en ces termes : « Le Saint-Esprit a bien parlé : Vous entendrez de vos oreilles et vous ne comprendrez certes pas[h]. » Quant au fils du tonnerre, comme les Juifs voyaient des miracles et ne croyaient pas, entendaient des enseignements et n'y prêtaient pas attention – le Christ avait ressuscité Lazare, et ils cherchaient à le faire mourir[i] ; il chassait des démons, et ils l'appelaient démoniaque[j] ; il conduisait au Père, et ils le traitaient de séducteur[k] et adoptaient les opinions contraires[l] –, il leur rappelle cette prophétie en disant : « Le prophète Isaïe a bien parlé : Vous entendrez de vos oreilles et vous ne comprendrez certes pas, vous regarderez de vos yeux, et vous ne verrez certes pas[m]. »

g. cf. Mc 3, 17. h. Act. 28, 25-26. i. cf. Jn 11, 43-53.
j. cf. Lc 11, 14-15 ; Jn 8, 52 ; 10, 20. k. cf. Matth. 27, 63.
l. cf. Jn 5, 43 ; Matth. 24, 11. m. Jn 12, 38-40.

6 Ἐπειδὴ γὰρ τὰ ἔνδον ὄμματα τῆς διανοίας πεπήρωντο, οὐδὲν ὄφελος ἦν αὐτοῖς τῶν ἔξωθεν ὀφθαλμῶν, τοῦ κριτηρίου τῆς διανοίας διεφθαρμένου. Διὰ τοῦτο βλέποντες οὐκ ἔβλεπον καὶ ἀκούοντες οὐκ ἤκουον· καὶ τὴν αἰτίαν
5 προστίθησιν, ὅτι οὐχὶ τὰ αἰσθητήρια ἦν διεφθαρμένα, οὐδὲ ἡ φύσις λελωβημένη, ἀλλὰ ἡ καρδία πεπηρωμένη. Ἐπαχύνθη γὰρ ἡ καρδία τοῦ λαοῦ τούτου, φησί· πάχος δὲ διανοίας γίνεται ἀπό τε ἁμαρτημάτων, ἀπό τε βιωτικῶν ἐπιθυμιῶν. Καὶ ταύτην ἐξηγούμενος τὴν παχύτητα ὁ
10 Παῦλος ἔλεγεν· Οὐκ ἠδυνήθην ὑμῖν λαλῆσαι ὡς πνευματικοῖς ἀλλ' ὡς σαρκικοῖς· οὔπω γὰρ ἠδύνασθε, ἀλλ' οὐδ' ἔτι νῦν δύνασθε. Καὶ τὴν αἰτίαν προστίθησι λέγων· Ὅπου γὰρ ἐν ὑμῖν ἔρεις καὶ ζῆλοι καὶ διχοστασίαι, οὐχὶ σαρκικοί ἐστε[a]; Ἐπεὶ οὖν κἀκεῖνοι φθόνῳ πολλῷ καὶ
15 βασκανίᾳ τηκόμενοι καὶ ἑτέροις μυρίοις πολιορκούμενοι πάθεσι, παχὺ τὸ ὄμμα τῆς διανοίας εἰργάσαντο, καθαρὰ βλέπειν οὐκ ἔτι λοιπὸν ἠδύναντο. Διὸ ἑτέρας περὶ τῶν δρωμένων δόξας ἐλάμβανον καὶ τὰς ἐναντίας. Ταῦτα οὖν μετὰ ἀκριβείας ὁρῶν ὁ προφήτης, προανεφώνησε καὶ τοῦ
20 νοσήματος τὴν αἰτίαν. Σὺ δέ μοι σκόπει, ὡς δυοῖν προφητειῶν οὐσῶν, τὴν μὲν περὶ τῆς Ἐκκλησίας καὶ τῶν τῆς οἰκουμένης ἀγαθῶν τὰ Σεραφὶμ ἐδέξαντο λέγοντα· Ἅγιος, ἅγιος, ἅγιος, Κύριος Σαβαώθ, πλήρης πᾶσα ἡ γῆ τῆς δόξης αὐτοῦ· τὴν δὲ περὶ τῆς ἁλώσεως καὶ τῶν τιμωριῶν
25 τῶν Ἰουδαϊκῶν τῷ προφήτῃ κατέλιπον, ἵνα κἀντεῦθεν μάθῃς τῆς Ἐκκλησίας τὴν ὑπεροχήν.

11. ***Καὶ εἶπον, ἕως πότε, Κύριε;*** Ὁρᾷς ὡς μάτην οὐδὲ εἰκῇ ἐστοχασάμεθα τῆς ὑπακοῆς τοῦ προφήτου τῆς μετὰ πολλῆς προθυμίας γεγενημένης; Ἐπειδὴ γοῦν τἀναντία ὧν
30 προσεδόκησεν ἤκουσεν ἐρημίαν, πανωλεθρίαν, ἀξιοῖ τὸ γοῦν

6, 8-9 βιωτικῶν ἐπιθυμιῶν CA : βιωτικῆς ἐπιθυμίας *cett.* ‖ 11 ἀλλ' ὡς σαρκικοῖς > *Montf.* ‖ 12 νῦν > V ‖ προστίθησι : προ- LMG ‖ 14 πολλῷ > V ‖ 15 βασκανία : βασκανίαις V ‖ καὶ — πολιορκούμενοι > V ‖ 20-33 σὺ — ἁμαρτάνοντας *post* ἐπήρωσαν (42) *transp.* C ‖ 20 δυοῖν V : δύο *cett.* ‖ 25

Comme chez eux les yeux intérieurs de l'intelligence étaient mutilés, ils ne retiraient aucune utilité de leurs yeux extérieurs, puisque leur faculté de jugement était corrompue. C'est pourquoi en voyant ils ne voyaient pas, en entendant ils n'entendaient pas. Isaïe en donne aussitôt la raison : ce n'est pas que les organes de leurs sens aient été altérés, ni leur nature endommagée, mais que leur cœur était mutilé. « Le cœur de ce peuple s'est épaissi », dit-il ; or, l'épaississement de l'esprit provient des péchés et de la concupiscence terrestre. C'est à propos de cet épaississement que Paul disait : « Je n'ai pas pu vous parler comme à des spirituels, mais comme à des êtres charnels car vous ne pouviez pas m'entendre, et vous ne le pouvez même pas encore. » Et il en donne la raison en ces termes : « Puisqu'il y a parmi vous des rivalités, des jalousies, des divisions, n'êtes-vous pas charnels[a] ? » Ceux-là aussi, consumés à force de malveillance et de dénigrement, et assiégés par mille autres passions, avaient donc épaissi le regard de leur intelligence ; aussi ne pouvaient-ils désormais avoir un regard clair. Ils adoptaient donc des opinions erronées sur ce qu'ils voyaient, et des opinions contraires. Le prophète, qui le voyait avec lucidité, a dénoncé à l'avance la cause du mal. Remarque pour ta part, je te prie, qu'il y a deux prophéties : celle qui concerne l'Église et les biens promis au monde, les Séraphins l'ont prise pour eux en disant : « Saint, saint, saint le Seigneur Sabaoth ; toute la terre est pleine de sa gloire » ; tandis que celle qui concerne la captivité et les châtiments des Juifs, ils l'ont laissée au prophète afin de t'apprendre par là la prééminence de l'Église.

11 Et je dis : Jusques à quand, Seigneur ? Tu vois que ce n'est pas sans motif ni au hasard que nous avons estimé que l'obéissance du prophète était pleine d'empressement. Dès qu'il a entendu le contraire de ce qu'il attendait, c'est-à-dire la

κατέλιπον : κατέλειπον C || 29 γοῦν : γὰρ C

6. a. I Cor. 3, 1.3.

μέτρον μαθεῖν τῆς τιμωρίας· οὐδὲ γὰρ ἐτόλμα ὁλοκλήρου τῆς ὀργῆς αὐτοὺς ἐξαρπάσαι, διὰ τὸ προλαβόντα τὸν Θεὸν δεῖξαι ἀσύγγνωστα ἁμαρτάνοντας. Οὐ γὰρ συναρπαγῆς ἦν αὐτῶν τὰ τολμήματα, οὐδὲ γνώμης ἐπηρεαζομένης, ἀλλὰ
35 ψυχῆς ἔργον ποιουμένης τὴν παρακοὴν καὶ διανοίας φιλονείκου, καθάπερ ἐκ μελέτης τινὸς καὶ σπουδῆς, ἀνθισταμένης τοῖς ὑπὸ τοῦ Θεοῦ κελευομένοις. Τοῦτο γοῦν αἰνιττόμενος ἔλεγε· Μήποτε ἴδωσι τοῖς ὀφθαλμοῖς καὶ τῇ καρδίᾳ συνῶσι καὶ ἐπιστρέψωσι καὶ ἰάσωμαι αὐτούς.
40 Ὡσανεὶ δεδοικότες γάρ, φησί, μήποτέ τι τῶν δεόντων μάθωσιν, οὕτω μετὰ πολλῆς τῆς σπουδῆς τὴν διάνοιαν αὐτῶν ἐπήρωσαν. Ἐπεὶ οὖν καὶ ἡ κατηγορία βαρυτάτη καὶ ἡ τιμωρία ἀπαραίτητος, ὅπερ ἦν λειπόμενον, τοῦτο ζητεῖ μαθεῖν· ἀλλ' ἐν τάξει τοῦ μαθεῖν ἱκετηρίαν εἰσάγει. Ἐπειδὴ
45 δὲ οὐδὲ ὑπὲρ τούτου φανερῶς ἱκετεῦσαι ἐτόλμα, διὰ τοῦτο μαθήσεως προσχήματι ἐρώτησιν ἐπινοεῖ λέγων· Ἕως πότε, Κύριε; Καὶ εἶπεν· ***Ἕως ἂν ἐρημωθῶσι πόλεις παρὰ τὸ μὴ κατοικεῖσθαι καὶ οἶκοι παρὰ τὸ μὴ εἶναι ἀνθρώπους· καὶ ἡ γῆ καταλειφθήσεται ἔρημος.*** 12. ***Καὶ μετὰ ταῦτα μακρυνεῖ***
50 ***ὁ Θεὸς τοὺς ἀνθρώπους καὶ πληθυνθήσονται οἱ καταλειφθέντες ἐπὶ τῆς γῆς*** 13. ***καὶ ἔτι ἐπ' αὐτῆς ἐστι τὸ Ἐπιδέκατον. Καὶ πάλιν ἔσται εἰς προνομὴν ὡς τερέβινθος καὶ ὡς βάλανος, ὅταν ἐκπέσῃ ἐκ τῆς θήκης αὐτῆς. Σπέρμα ἅγιον τὸ στήλωμα αὐτῆς.*** Τὴν προφητείαν ἀπαρτίσας ἐκείνην, ἐπὶ
55 τὴν ἱστορίαν πάλιν ἐξάγει τὸν λόγον, τήν τε ἅλωσιν τῶν δέκα φυλῶν προαναφωνῶν, τήν τε διὰ τὴν αἰχμαλωσίαν ἐκείνην ἐπὶ ταῖς δύο φυλαῖς μακροθυμίαν γεγενημένην· εἶτα καὶ τὴν τούτων αὐτῶν ἀπαγωγήν, ἐπειδὴ εἰς οὐδὲν δέον ἐχρήσαντο τῇ μακροθυμίᾳ· καὶ τὴν ἐκ τοῦ λειψάνου

37 κελευομένοις *conieci ex* A : γενομένοις LMGC γινομένοις V N || 43 ζητεῖ : ζητῶν C || 44 ἀλλ' – μαθεῖν > C || εἰσάγει : προσάγει N || 45 οὐδὲ : οὐχ LMG || 53 θήκης : ἐνθήκης V || 54 προφητείαν + φησί C || 57 γεγενημένην μακροθυμίαν ~ C

1. L'Épidékaton est à proprement parler la dixième partie, la dîme. Cf. ANDOCIDE, *Discours* 13, 7 ; XÉNOPHON, *Helléniques* 1, 7, 10. Jean donne à

désolation, la ruine, il demande à savoir du moins l'étendue du châtiment ; il n'osait pas en effet tenter de les arracher complètement à la colère, car Dieu avait pris les devants pour montrer que leurs péchés étaient irrémissibles. Leurs audaces ne consistaient pas dans la rapine ni dans l'insolence, mais dans une âme qui faisait profession de désobéissance, dans un esprit chicanier qui, par une sorte de préméditation et de goût, s'opposait aux commandements de Dieu. C'est ce qu'il suggérait par ces mots : « de peur qu'ils ne voient de leurs yeux, n'entendent de leurs oreilles, ne comprennent de leur cœur, ne se convertissent, et que je ne les guérisse ». Comme s'ils craignaient, dit-il, d'apprendre quelqu'un de leurs devoirs, ils ont mis beaucoup de soin à mutiler leur intelligence. Puisque l'accusation était très grave et la punition inévitable, il cherche à apprendre ce qui restait à savoir ; mais, tout en s'efforçant d'apprendre, il présente une supplication. N'osant toutefois pas supplier ouvertement à ce sujet, il imagine, sous prétexte de s'instruire, la question que voici : « Jusques à quand, Seigneur ? » Et Dieu dit : *Jusqu'à ce que les villes soient dévastées au point de n'être plus habitées, et les maisons au point qu'il n'y ait plus d'hommes, et la terre restera déserte. 12 Et après cela, Dieu prolongera les hommes et ceux qui auront été laissés sur elle se multiplieront ; 13 et il y reste encore l'Épidékaton*[1]*. Et elle sera de nouveau vouée au pillage, comme un térébinthe, et comme un gland, lorsqu'il tombe hors de son enveloppe. Sa souche est une semence sainte*[2]. Ayant terminé cette prophétie, Isaïe en revient à la narration, prédisant la prise des dix tribus, et la longanimité manifestée à l'égard des deux tribus par cette captivité, puis la déportation de ces tribus elles-mêmes, pour n'avoir tiré aucun profit de la

ce mot un sens particulier : ce qui dépasse dix, le surplus.

2. Cette phrase ne figure pas dans la Septante. BASILE, *Commentaire sur Isaïe* (*PG* 30, 445), indique que seule la version de Théodotion la donne. JÉRÔME, *Commentaire sur Isaïe* (*CCL* 73, p. 95), signale sa présence également dans la version d'Aquila et le texte hébraïque.

60 πάλιν ἀναφθησομένην αὐτοῖς εὐημερίαν. Ὅταν μὲν γὰρ λέγῃ· Ἕως ἂν ἐρημωθῶσι πόλεις παρὰ τὸ μὴ κατοικεῖσθαι, τῶν δέκα φυλῶν τὴν αἰχμαλωσίαν αἰνίττεται. Καὶ γὰρ ἄρδην ἠφανίσθησαν ἅπαντες καὶ μετὰ πολλῆς τῆς σφοδρότητος ἀνάρπαστοι γενόμενοι πάντες εἰς
65 τὴν ἀλλοτρίαν ἀπηνέχθησαν, ὡς καὶ τὰς πόλεις ἁπάσας ἑστάναι κενὰς ἀνθρώπων καὶ τὴν γῆν ἔρημον τῶν θεραπευόντων αὐτὴν εἰς ὠφέλειαν τῶν ὑπολειφθησομένων. Ὅταν μὲν οὖν λέγῃ· Ἕως ἐρημωθῶσι πόλεις παρὰ τὸ μὴ κατοικεῖσθαι καὶ οἶκοι παρὰ τὸ μὴ εἶναι ἀνθρώπους, τότε
70 λέγει καὶ τὴν αἰχμαλωσίαν. Ὅταν δὲ λέγῃ ὅτι Καὶ μετὰ ταῦτα μακρυνεῖ ὁ Θεὸς τοὺς ἀνθρώπους, ἢ τὴν ὁλοσχερῆ πάντων εὐπραγίαν αἰνίττεται ἢ τὴν μετὰ τὴν ἀπαγωγὴν τῶν δέκα φυλῶν γενομένην ταῖς δύο φυλαῖς εὐημερίαν. Ἀπαλλαγέντες γὰρ τοῦ Σεναχειρὶμ καὶ τοῦ βαρβαρικοῦ
75 στρατοπέδου, καὶ τῆς παραδόξου νίκης ἀπολαύσαντες, εἰς πλῆθος πάλιν ἐπέδοσαν καὶ εἰς βίου μῆκος, οὐδενὸς πολέμου θορυβοῦντος αὐτούς. Ὅταν δὲ εἴπῃ ὅτι Μακρυνεῖ ἢ τὸ πλῆθος τῶν ἀνθρώπων ἢ τὸ μῆκος τῶν ἐτῶν αἰνίττεται. Καὶ ἵνα μάθῃς ὅτι περὶ τῶν δύο φυλῶν ταῦτά
80 φησιν, ἐπήγαγεν ὅτι Ἐπ' αὐτῆς ἐστι τὸ Ἐπιδέκατον, Ἐπιδέκατον λέγων τὸ ἐπάνω τῶν δέκα, τὸ περισσὸν τῶν δέκα, ὅπερ ἦσαν αἱ δύο φυλαί. Ταύτῃ καὶ Παῦλος τῇ λέξει κέχρηται λέγων· Ἐπάνω πεντακοσίοις ἀδελφοῖς[b], τουτέστι, πλείοσι πεντακοσίων. Καὶ πάλιν ἔσται εἰς
85 προνομὴν ὡς τερέβινθος. Τουτέστι, αἱ δύο φυλαί. Καὶ ὡς βάλανος, ὅταν ἐκπέσῃ τῆς θήκης αὐτῆς. Ὥσπερ γὰρ ἀτερπὴς ἐκεῖνος ὁ καρπὸς ἐκπεσὼν τῆς θήκης, οὕτω καὶ οὗτοι καταγέλαστοι καὶ ἐπονείδιστοι ἔσονται τῆς πόλεως

65 ἀπηνέχθησαν : ἐπήχθησαν N ‖ πόλεις ἁπάσας : πολλὰς ἁπάσας πόλεις C ‖ ἁπάσας : πάσας N ‖ 67 θεραπευόντων C A : θεραπευσόντων V θεραπευσάντων LMGN ‖ 68-69 παρὰ – καὶ > C ‖ 70 αἰχμαλωσίαν + λέγει C ‖ 76 ἐπέδοσαν : ἐπέδωκαν LMGC

longanimité, et la prospérité qui s'attachera de nouveau à eux à partir du « reste ». Quand il dit en effet : « jusqu'à ce que les villes soient dévastées au point de n'être plus habitées », il suggère la captivité des dix tribus. Ils disparurent en effet tous complètement, et après avoir été enlevés avec grande violence, ils furent tous déportés en terre étrangère, de telle sorte que toutes les villes furent dépeuplées, et la terre privée des hommes qui la cultivaient pour les besoins de ceux qui seraient laissés. Quand donc il dit : « jusqu'à ce que les villes soient dévastées au point de n'être plus habitées, et les maisons au point qu'il n'y ait plus d'hommes », il parle alors de la captivité. Mais lorsqu'il dit : « Après cela, Dieu prolongera les hommes », il suggère ou bien le bonheur complet de tous, ou bien la prospérité dont jouiront les deux tribus après la déportation des dix autres. Une fois délivrés de Sennachérib et de l'armée barbare, et favorisés d'une victoire inespérée [1], ils virent de nouveau s'accroître leur nombre et la durée de leur vie, car aucune guerre ne venait les troubler. En disant : « il prolongera », il suggère soit le nombre d'hommes, soit la longueur des années. Et pour t'apprendre qu'il dit cela des deux tribus, il a ajouté : « il y reste l'Épidékaton », appelant *Épidékaton* ce qui est au-dessus de dix, ce qui dépasse dix, comme c'était le cas des deux tribus. Paul recourt à cette même tournure quand il dit : « au-dessus de cinq cents frères [b] », c'est-à-dire plus de cinq cents. « Et elle sera de nouveau vouée au pillage, comme un térébinthe. » Il s'agit des deux tribus. « Et comme un gland, quand il tombe hors de son enveloppe. » De même en effet que ce fruit est triste à voir, une fois tombé hors de son enveloppe, de même ceux-ci seront un objet de risée et de moquerie lorsqu'ils auront été, tous sans exception chassés

b. I Cor. 15, 6.

1. Les deux tribus ont bénéficié de la victoire remportée sur Sennachérib et dont Dieu fut l'auteur.

ἐκπεσόντες καὶ τῆς δόξης ἐκείνης γυμνωθέντες ἅπαντες.
90 Σπέρμα ἅγιον τὸ στήλωμα αὐτῆς. Οὐ μὴν ἀνίατα τὰ κακὰ ἔσται, φησίν, οὐδὲ ἀτελεύτητα, ἀλλὰ τὸ σπέρμα αὐτῆς ἅγιον ἔσται, καὶ Στήλωμα, τουτέστι, βέβαιον, πεπηγός, ἀκίνητον, ἀναμένον τὴν τῶν πραγμάτων μεταβολήν. Τῆς μὲν γὰρ εὐπραγίας ἐκπεσοῦνται, αὐτοὶ δὲ οὐ πανωλεθρίαν
95 ὑποστήσονται, ἀλλὰ μενοῦσι καὶ στήσονται, ἕως ἂν ἀπολάβωσι τὴν προτέραν πολιτείαν πάλιν καὶ ἐπὶ τὴν προτέραν ἐπανέλθωσιν ἁγιστίαν.

89 ἅπαντες + διὰ δὲ τοῦ C ‖ 90 αὐτῆς + ἐνδείκνυται ὡς C ‖ 91 φησίν > C ‖ 95 ἂν > V.

de leur ville et dépouillés de cette gloire. « Sa souche est une semence sainte. » Les maux ne seront pas, dit-il, sans remède ni sans fin, mais sa semence sera sainte, elle sera une souche, c'est-à-dire ferme, fixe, immuable, dans l'attente du changement de la situation. La prospérité leur échappera, mais eux-mêmes ne subiront pas la ruine complète, ils demeureront et resteront debout, jusqu'à ce qu'ils recouvrent leur premier état et reviennent à leurs rites antérieurs.

ΚΕΦΑΛ. Ζ΄

1 1. ***Καὶ ἐγένετο ἐν ταῖς ἡμέραις Ἄχαζ τοῦ Ἰωαθὰν τοῦ Ὀζίου βασιλέως Ἰούδα.*** Ὅπερ πολλάκις εἶπον, τοῦτο καὶ νῦν ἐρῶ, ὅτι τὸ παλαιὸν αἱ προφητεῖαι οὐ διὰ τοῦτο ἐγίνοντο, ἵνα ἁπλῶς οἱ Ἰουδαῖοι τὰ μέλλοντα μάθωσιν,
5 ἀλλ' ἵνα μαθόντες, ἐντεῦθεν κερδάνωσι καὶ τῷ φόβῳ τῆς ἀπειλῆς γένωνται σωφρονέστεροι καὶ τῇ τῶν ἀγαθῶν ὑποσχέσει προθυμότεροι περὶ τὴν τῆς ἀρετῆς ἐργασίαν, ἑκατέρωθεν μανθάνοντες τοῦ Θεοῦ τήν τε δύναμιν καὶ τὴν περὶ αὐτοὺς κηδεμονίαν. Καὶ γὰρ ταύτης ἕνεκεν τῆς αἰτίας
10 προελέγετο τὰ λεγόμενα, καὶ ἵνα μὴ νομίσωσιν ἁπλῶς καὶ ὡς ἔτυχε τὰ συμβαίνοντα ἐπιέναι, κατά τινα ἀκολουθίαν φύσεως ἢ πραγμάτων φοράν, ἀλλὰ εἰδῶσιν, ὅτι ἄνωθεν καὶ ἐκ τῆς τοῦ Θεοῦ ψήφου ταῦτα ἑκάτερα γίγνεται · ὅπερ αὐτοὺς τὰ μέγιστα εἰς θεογνωσίαν ὠφέλει. Ἀλλ' ἐπειδή,
15 καθάπερ καὶ ἔμπροσθεν ἔφθην εἰπών, ἡ προφητεία οὐκ ἐν αὐτῷ τῷ καιρῷ τὴν ἀπόδειξιν εἶχεν, ἀλλὰ τὰ μὲν ῥήματα τότε ἐλέγετο, τὰ δὲ πράγματα μακροῖς ὕστερον ἔμελλον ἐκβήσεσθαι χρόνοις, ἐνίων τῶν ἀκουόντων πολλάκις καὶ προαπερχομένων καὶ οὐ δυναμένων δικάσαι τῇ τῶν
20 λεγομένων ἀκολουθίᾳ, ὅρα τί ποιεῖ καὶ πραγματεύεται ὁ Θεός. Προφητείαν προφητείαις συνάπτει μακροτέραις ἐγγυτέραν, τὴν ἐπὶ τῆς γενεᾶς αὐτῶν γενομένην τῶν μακρὸν ὕστερον ἐσομένων μεγίστην ἀπόδειξιν παρεχόμενος.

Ἐπὶ δὲ τῶν εὐαγγελίων καὶ ἑτέρως μεθοδεύει τουτὶ τῆς
25 ὠφελείας τὸ εἶδος, θαύματα προφητείαις συνάπτων καὶ

Testes V LMGCN A

1, 2 ὅπερ > C ‖ 4 μάθωσι τὰ μέλλοντα ~ C ‖ 6 ἀγαθῶν > C ‖ 8 ἑκατέρωθεν C A : ἑτέρωθεν *cett.* ‖ 12 εἰδῶσιν LGC A : ἴδωσιν *cett.* ‖ 17-18

CHAPITRE VII

1 Et il arriva aux jours d'Achaz, fils de Joathan, fils d'Ozias, roi de Juda. Ce que j'ai souvent dit, je le dirai encore maintenant : les prophéties de jadis n'étaient pas faites simplement pour instruire les Juifs des événements futurs, mais pour qu'ils tirassent profit de cette instruction, pour que la crainte inspirée par la menace les rendît plus sages et la promesse des biens plus zélés à pratiquer la vertu, l'une et l'autre leur révélant la puissance de Dieu et sa sollicitude à leur égard. C'est pour cette raison que ce qui est dit était dit à l'avance, afin qu'ils ne crussent pas que les événements survenaient simplement au hasard, suivant un certain ordre naturel ou suivant le cours des choses, mais qu'ils sussent que bonheur et malheur venaient d'en haut, en vertu d'un décret de Dieu, ce qui leur était extrêmement utile pour la connaissance de Dieu. Toutefois, puisque la prophétie, comme je viens de le dire, ne se réalisait pas sur l'heure, mais que les paroles étaient dites à un moment donné, tandis que les faits ne devaient se produire qu'après de longs délais, alors que souvent certains des auditeurs disparaissaient sans pouvoir juger de la conformité des paroles, vois ce que Dieu fait et quel moyen il emploie. Il lie une prophétie à d'autres prophéties, la plus proche aux plus lointaines, faisant de celle qui se serait réalisée de leur temps la preuve éclatante de celles qui s'accompliront plus tard.

Dans les évangiles il use d'une autre méthode pour obtenir ce même avantage : joignant les miracles aux prophéties et

ἐκβήσεσθαι ἔμελλον ~ C || 22 γενομένην : γιναμένην V || μακρὸν : μακρῷ C μακρῶν V || 24-64 ἐπι – σωτηρίαν > C

θάτερον θατέρῳ κατασκευάζων. Οἷον τι λέγω· προσῆλθεν αὐτῷ ὁ λεπρός ποτε καὶ ἐκαθάρθη καὶ μετ' ἐκεῖνον πάλιν ὁ τοῦ ἑκατοντάρχου παῖς ἀπηλλάγη τῆς χαλεπῆς ἀρρωστίας[a] ἐκείνης καὶ σημεῖα ταῦτα μεγάλα ἦν· ἀλλ' ὅμως οὐκ
30 ἔστη μέχρι τῶν σημείων, ἀλλὰ καὶ προφητείαν προστέθεικεν. Ἐπειδὴ γὰρ ὁ ἑκατόνταρχος τὴν θαυμαστὴν ἐκείνην καὶ μεγάλην ἐπεδείξατο πίστιν, δι' ἧς τὸν παῖδα ἀπήλλαξε τῆς ἀρρωστίας, ἐπήγαγεν ὁ Χριστὸς λέγων· Πολλοὶ ἀπὸ ἀνατολῶν καὶ δυσμῶν ἥξουσι καὶ ἀνακλι-
35 θήσονται μετὰ Ἀβραὰμ καὶ Ἰσαὰκ καὶ Ἰακώβ, οἱ δὲ υἱοὶ τῆς βασιλείας ἐκβληθήσονται ἔξω[b]. Ταῦτα δὲ ἔλεγε, καὶ τὴν τῶν ἐθνῶν κλῆσιν καὶ τὴν τῶν Ἰουδαίων ἀποβολὴν προαναφωνῶν· ὃ δὴ νῦν ἐπὶ τῶν ἔργων ἐξέβη καὶ τοῦ ἡλίου φανερώτερον ἅπασι δείκνυται· ἀλλὰ τότε τέως
40 ἄδηλον ἦν καὶ τοῖς ἀπίστοις οὐκ εὐπαράδεκτον. Διὰ δὴ τοῦτο σημεῖον προέλαβε τὸ τότε ἐκβάν, τῷ μετὰ ταῦτα συμβησομένῳ πολλὴν προαποτιθέμενος τὴν πίστιν· ὥσπερ οὖν καὶ αὐτὴ ἡ προφητεία, ἐπὶ τῶν ἔργων φαινομένη νῦν, τῷ σημείῳ τῷ τότε γενομένῳ πολλὴν παρέχει τὴν
45 βεβαίωσιν. Τί γὰρ ἂν εἴποι ὁ ἄπιστος; ὅτι οὐκ ἐκαθάρθη ὁ λεπρός; Βλεπέτω τῆς προφητείας τὴν ἀλήθειαν, καὶ ἀπὸ ταύτης καὶ τῷ σημείῳ πιστευέτω. Τί δὲ ἂν εἴποιεν οἱ τότε Ἰουδαῖοι; ὅτι ἃ προλέγει οὐκ ἔστιν ἀληθῆ; Ὁράτωσαν τὸν λεπρὸν καθαιρόμενον καὶ ἀπὸ τῶν ἐπ' ἐκείνου
50 γενομένων καὶ περὶ τῶν μελλόντων μὴ ἀπιστείτωσαν, μέγιστον λαμβάνοντες ἐνέχυρον ἐκεῖνοι μὲν τῆς προφητείας τὸ σημεῖον, οἱ δὲ νῦν τοῦ σημείου τὴν προφητείαν. Εἶδες πῶς θάτερον διὰ θατέρου κατασκευάζεται; Τοῦτο καὶ ἐπὶ τῆς Παλαιᾶς γινόμενον ἴδοι τις ἄν. Ἐπεὶ
55 γὰρ καὶ ὁ Ἱεροβοὰμ τὴν χαλεπὴν ἐκείνην ἐμάνη μανίαν καὶ δαμάλεις ἔστησε χρυσᾶς, ἐλθὼν ὁ προφήτης τά τε

26 θατέρῳ V : διὰ θατέρου *cett.* ‖ 37 κλῆσιν LMG A : ἐκκλησίαν *cett.* ‖ 42 προαποτιθέμενος A *Savilius* : προαποτιθέμενον *cod.* ‖ 43 αὐτὴ : αὕτη G ‖ 44 γενομένῳ : γεναμένῳ V ‖ 45 γὰρ : δ' LMG ‖ 54 γινόμενον : γιγνόμενον

confirmant les uns par les autres. Je donne un exemple. Un jour le lépreux s'approcha de lui et fut purifié, après lui le serviteur du centurion fut à son tour délivré d'une grave infirmité[a] ; c'étaient là des signes importants ; et cependant il n'en resta pas aux signes, mais il y ajouta la prophétie. Quand le centurion eut manifesté cette foi grande et admirable, au moyen de laquelle il délivra son serviteur de son infirmité, le Christ ajouta : « Beaucoup viendront du Levant et du Couchant et se mettront à table avec Abraham, Isaac et Jacob, tandis que les fils du Royaume seront jetés dehors[b]. » En parlant ainsi, il annonçait la vocation des nations et la réprobation des Juifs ; ces événements sont maintenant réalisés et se montrent à tous plus clairement que le soleil ; mais ils étaient alors dans l'obscurité et il paraissait difficile aux incrédules de les admettre. Aussi le Christ donna-t-il pour signe au préalable le miracle qu'il fit alors, assurant ainsi une garantie totale à ce qui devait se passer ensuite ; comme la prophétie elle-même, dont les faits montrent aujourd'hui l'accomplissement, confirme abondamment le signe qui fut alors donné. Que pourrait dire l'incrédule ? Que le lépreux n'a pas été purifié ? Qu'il considère donc la vérité de la prophétie et que celle-ci le fasse croire aussi au signe ! Et que pouvaient dire les Juifs de ce temps-là ? Que ce qu'il prédisait n'était pas vrai ? Qu'ils voient donc le lépreux purifié, et d'après ce qui lui est arrivé qu'ils ne refusent pas de croire aux événements futurs, en accueillant cette excellente garantie que leur donnait alors le signe pour la prophétie et que donne à ceux d'aujourd'hui la prophétie pour le signe ! Tu as vu comment ils s'appuient l'un l'autre. On peut le constater aussi dans l'Ancien Testament. Lorsque Jéroboam, en proie à sa dangereuse folie, érigea des génisses d'or, le prophète survint, lui prédit l'avenir et lui donna aussitôt un

LMN || ἐπεὶ : ἐπειδὴ LMGN || 55 καὶ > N

1. a. cf. Matth. 8, 1-13. b. Matth. 8, 11.

μέλλοντα προανεφώνησεν καὶ σημεῖον εὐθέως ἔδωκεν. Ἵνα γὰρ μηδεὶς ἀπιστῇ τοῖς μετὰ τριακόσια συμβησομένοις ἔτη, τὸν βωμὸν ἔρρηξε καὶ τὴν πιότητα ἐξέχεε καὶ τὴν χεῖρα
60 τοῦ βασιλέως ἐξήρανεν[c], ἀπὸ τῶν πρὸ τῶν ὀφθαλμῶν γινομένων τῶν μετὰ πολὺν χρόνον συμβησομένων σαφῆ παρεχόμενος τὴν ἀπόδειξιν. Καὶ πολλὰ τοιαῦτα ἴδοι τις ἂν καὶ ἐν τῇ Καινῇ καὶ ἐν τῇ Παλαιᾷ γινόμενα, τοῦ Θεοῦ διαφόρως τὴν ἡμετέραν οἰκονομοῦντος σωτηρίαν. Ὃ δὴ
65 καὶ ἐνταῦθα γέγονε καὶ μετὰ πλείονος τῆς περιουσίας· οὐ γὰρ δὴ σημεῖον μόνον, ἀλλὰ καὶ προφητείαν ὁμοῦ καὶ σημεῖον συνέπλεξεν. Ἀλλ' ὥστε σαφέστερα γενέσθαι τὰ λεγόμενα, αὐτὴν μετὰ ἀκριβείας τὴν ἱστορίαν ἐπέλθωμεν.

Καὶ ἐγένετο ἐν ταῖς ἡμέραις Ἄχαζ τοῦ Ἰωαθὰν τοῦ
70 Ὀζίου βασιλέως Ἰούδα, ***ἀνέβη Ῥασὴν βασιλεὺς Ἀρὰμ καὶ Φακὲς υἱὸς Ῥωμελίου βασιλεὺς Ἰσραὴλ ἐπὶ Ἰερουσαλὴμ πολεμῆσαι αὐτὴν καὶ οὐκ ἠδυνήθησαν πολιορκῆσαι αὐτήν.*** 2. ***Καὶ ἀνηγγέλη εἰς τὸν οἶκον Δαυΐδ, λεγόντων· συνεφώνησεν Ἀρὰμ πρὸς τὸν Ἐφραΐμ.*** Ἔστι μὲν ἱστορία τὰ
75 εἰρημένα καὶ πραγμάτων διήγησις· ἀλλ' ὁ νοῦν ἔχων καὶ ὀξὺ βλέπων, πολὺ καὶ ἐντεῦθεν καρπώσεται τὸ κέρδος, τοῦ Θεοῦ τὴν πολλὴν σοφίαν καὶ τὴν ὑπὲρ τῶν Ἰουδαίων κηδεμονίαν καταμανθάνων. Οὔτε γὰρ ἐκ προοιμίων τὸν πόλεμον ἀνεχαίτισεν, οὔτε ἐπελθόντα κρατῆσαι τῆς πόλεως
80 συνεχώρησεν, ἀλλὰ τὴν ἀπειλὴν ἀφεὶς γενέσθαι τὴν διὰ τῶν ῥημάτων, τὴν πεῖραν ἐκώλυσεν, ὁμοῦ μὲν ἐκείνους ἀφυπνίζων καὶ τῆς ῥαθυμίας ἀπαλλάττων, ὁμοῦ δὲ τὴν ἑαυτοῦ δύναμιν ἐνδεικνύμενος, ὅτι δυνατὸν αὐτῷ καὶ πρὸς αὐτὸ τῶν δεινῶν τὸ τέλος ἐλθόντων, ὥσπερ οὐδὲ ἀρχὴν
85 εἰληφότων, οὕτω τοὺς ἐμπίπτοντας ἀκεραίους διατηρῆσαι. Ὃ πολλαχοῦ ποιοῦντα αὐτὸν ἔστιν ἰδεῖν· οἷον ἐπὶ τῆς

58 γὰρ > LMG ‖ ἔτη : ἔτεσιν V[1] LMG ‖ 59 πιότητα A : ποιότητα *cett.* ‖ 65-67 καὶ[2] — συνέπλεξεν > C ‖ 68 ἐπέλθωμεν : διέλθωμεν V ‖ 69-74 τοῦ — Ἐφραΐμ > C ‖ 70 Ἀρὰμ : Σαρὰμ LM ‖ 84 ὥσπερ > V[1] N ‖ 85 διατηρῆσαι : διατηρῆσθαι C

signe. Afin que personne ne doutât de ce qui devait arriver trois cents ans plus tard [1], il brisa l'autel, répandit la graisse [2] et dessécha la main du roi [c], donnant par le spectacle offert aux yeux la preuve éclatante de ce qui arriverait longtemps après. On trouverait aussi dans le Nouveau et dans l'Ancien Testament beaucoup d'exemples semblables, car Dieu pourvoit de différentes façons à notre salut. C'est donc ce qui est arrivé ici, et avec une profusion particulière, car il n'y a pas seulement un signe, mais Dieu a entrelacé la prophétie et le signe. Mais pour rendre plus clair ce que nous disons, parcourons avec toute notre attention le récit lui-même.

« Et il arriva aux jours d'Achaz, fils de Joathan, fils d'Ozias, roi de Juda », *que Rasen, roi d'Aram, et Phacès, fils de Romélias, roi d'Israël, montèrent vers Jérusalem pour l'attaquer, mais ne purent l'assiéger* [3]. *2 On l'annonça à la maison de David* [4] *en ces termes : Aram s'est accordé avec Ephraïm.* Ces paroles sont l'histoire et la narration des faits, mais l'homme intelligent et clairvoyant en tirera un grand profit, en découvrant la grande sagesse de Dieu et sa sollicitude à l'égard des Juifs. Il ne refoula pas la guerre dès l'origine et ne permit pas non plus à l'agresseur de s'emparer de la ville, mais, laissant la menace se produire en paroles, il en empêcha l'effet, pour réveiller les Juifs et les tirer de leur torpeur, et en même temps manifester sa puissance ; il lui est en effet possible, même lorsque les dangers sont arrivés à leur comble, de garder sains et saufs, tout comme si ces dangers n'avaient pas commencé, ceux qui y tombent. On peut voir qu'il agit ainsi en maintes

c. cf. III Rois 13, 4-5.

1. A Jéroboam (787-747) est annoncée la naissance de Josias (640-609) roi réformateur. Le laps de temps indiqué ici n'est qu'approximatif.
2. Il s'agit de la graisse des victimes immolées sur l'autel.
3. Les opérations militaires ont dû se dérouler au printemps de 734. Cf. *IV Rois* 16, 5.
4. La maison de David désigne le roi et son entourage. Cf. *II Sam.* 3, 1.

καμίνου τῆς Βαβυλωνίας[d] καὶ ἐπὶ τοῦ λάκκου τῶν λεόντων[e] καὶ ἐφ' ἑτέρων μυρίων πραγμάτων. Καὶ γὰρ ἦλθον οὗτοι καὶ ἐπολιόρκησαν, καὶ τῶν τειχῶν ἁψάμενοι 90 καὶ τὴν διάνοιαν τῶν ἔνδον οἰκούντων κατασείσαντες, οὐδὲν ἴσχυσαν περαιτέρω.

2 Ἔστι δὲ κἀντεῦθεν ἰδεῖν τῶν δέκα φυλῶν τὴν παρανομίαν, ὅτι οὐ μόνον ἐμφύλιον ἀνείλοντο πόλεμον, οὐδ' ὅτι πρὸς τοὺς ἀδελφοὺς ἐστασίασαν, ἀλλ' ὅτι καὶ ἀλλοφύλοις καὶ ἀλλογενέσιν ἑαυτοὺς συνῆψαν καὶ οἱ μηδὲ ἁπλῶς 5 κοινωνεῖν αὐτοῖς ἐπιτραπέντες καὶ συμμάχους ἐκάλουν, καὶ συνεφράττοντο καὶ κατὰ τῆς πόλεως ἵσταντο. Τὸν γὰρ Ῥασὴν ἀλλόφυλον ὄντα κατὰ τῆς μητροπόλεως ἤγειρον. Καὶ ἦν τὰ τῆς μάχης ἀνώμαλα. Παρὰ μὲν γὰρ ἐκείνοις πλῆθος ἄπειρον καὶ πόλεις καὶ ἔθνη καὶ δῆμοι· ἐνταῦθα 10 δὲ τούτων οὐδέν, ἀλλὰ πόλις μία ἡ μητρόπολις, ὥστε ἐκ περιουσίας φανῆναι τοῦ Θεοῦ τὴν ἰσχύν. Οὐδενὸς γὰρ ὅπλα κινοῦντος, οὐδὲ ἐξιόντος καὶ παραταττομένου, ἐξέπιπτον ἐκεῖνοι τῶν πονηρῶν τούτων ἐγχειρημάτων. Οὐ γὰρ ἠδυνήθησαν, φησί, πολιορκῆσαι αὐτήν. Καίτοι τί τὸ 15 κωλῦον ἦν; Οὐδὲν ἕτερον, ἀλλ' ἡ τοῦ Θεοῦ χεὶρ ἀοράτως αὐτοὺς ἀποκρουομένη. Πλὴν ἀλλ', ὅπερ εἶπον, τὸν μὲν πόλεμον ἀπεκρούσατο, τὸν δὲ φόβον οὐκ εὐθέως ἀνεῖλεν.

Ἀνηγγέλη γάρ, φησίν, εἰς τὸν οἶκον Δαυΐδ, ὅτι συνεφώνησεν Ἀρὰμ πρὸς τὸν Ἐφραΐμ. ***Καὶ ἐξέστη ἡ ψυχὴ αὐτοῦ*** 20 ***καὶ ἡ ψυχὴ τοῦ λαοῦ αὐτοῦ.*** Ὅταν μέλλῃ τι παράδοξον ὁ Θεὸς ποιεῖν, οὐκ εὐθέως ἐπάγει τὸ θαῦμα, ἀλλὰ πρότερον τοὺς μέλλοντας ἀπολαύειν ἐν αἰσθήσει τῶν δεινῶν ἀφίησι γενέσθαι, ἵνα μετὰ τὴν ἀπαλλαγὴν τῶν δεινῶν μηδεμίαν ἀγνωμοσύνην ἐπιδείξωνται. Ἐπειδὴ γὰρ οἱ πολλοὶ τῶν 25 ἀνθρώπων, τὰ μὲν ὑπὸ τύφου, τὰ δὲ ὑπὸ ῥαθυμίας

87 καὶ C A : > *cett.* ‖ 88 καὶ[1] > LMG ‖ 89 τειχῶν : τοίχων L
2, 2 ἀνείλοντο LMGC : εἵλαντο V N ‖ 5 αὐτοῖς κοινωνεῖν ~ C ‖ 7 ἤγειρον V A : ἤγειραν *cett.* ‖ 10 πόλις : πόλεων C ‖ 16 ἀλλ' > C ‖ 18 ἀνηγγέλη : ἀνηγγέλθη G ‖ συνεφώνησεν + τὸν C ‖ 22 ἀφίησι : ἀφίησει *(sic)*

occasions, par exemple dans la fournaise de Babylone[d], dans la fosse aux lions[e], et en bien d'autres circonstances. Ainsi donc les ennemis vinrent assiéger la ville, mais après s'être approchés des murs et avoir jeté l'alarme chez les habitants, ils furent incapables d'en faire davantage.

On peut voir aussi par là la culpabilité des dix tribus : non seulement elles engagèrent une guerre civile et se soulevèrent contre leurs frères, mais elles lièrent partie avec des races et des nations étrangères ; elles donnèrent même le nom d'alliés à des gens avec qui elles n'avaient même pas le droit d'avoir de rapports ; elles se coalisèrent avec eux et campèrent avec eux devant la ville. Elles avaient excité Rasen un étranger, contre leur métropole. Les conditions de la lutte étaient inégales. Dans leur camp se trouvaient une multitude innombrable, des cités, des nations, des peuples ; ici, rien de tout cela, une seule ville, la métropole, si bien que la force de Dieu put se manifester avec éclat. Sans que personne courût aux armes, entrât en campagne et se rangeât en bataille, les autres échouèrent dans leurs efforts coupables ; « Ils ne purent, dit-il, l'assiéger. » Qu'y avait-il pourtant qui les en empêchât ? Pas autre chose que la main de Dieu qui les écartait de manière invisible. Cependant, comme je l'ai dit, s'il repoussa la guerre, il ne dissipa point aussitôt la crainte.

« On annonça en effet, dit-il, à la maison de David qu'Aram avait fait alliance avec Ephraïm. » *Et son âme fut bouleversée ainsi que celle de son peuple*. Quand Dieu va faire quelque chose d'extraordinaire, il n'opère pas le miracle aussitôt, mais auparavant il laisse ceux qui en seront les bénéficiaires prendre conscience des dangers, afin qu'ils ne montrent pas d'ingratitude lorsqu'ils en auront été délivrés. Comme la plupart des hommes, soit par orgueil soit par indolence, oublient les

V ἀφήσει *Montf.* || 23 τῶν δεινῶν > C

d. cf. Dan. 3, 49-50. e. cf. Dan. 6, 22-23.

ἐπιλανθάνονται τῶν δεινῶν μετὰ τὴν ἀπαλλαγὴν τῶν
δεινῶν ἢ μὴ ἐπιλανθανόμενοι ἑαυτοῖς λογίζεσθαι
βούλονται τὰ κατορθώματα, πρότερον ἀφεὶς αὐτοὺς ὑπὸ
τῶν λυπηρῶν κατασείεσθαι, τότε τὴν ἐλευθερίαν δίδωσι
30 τῶν ἐνοχλούντων· ὃ δὴ καὶ ἐνταῦθα πεποίηκεν. Ἀφῆκεν
αὐτῶν τὰς καρδίας ἐκστῆναι, ἀφῆκεν εἰς ἀγωνίαν γενέσθαι
πολλὴν καὶ τότε τὴν λύσιν ἐπήγαγε. Τοῦτο καὶ ἐπὶ τοῦ
μεγάλου πεποίηκε Δαυΐδ. Ἐπειδὴ γὰρ ἔμελλεν αὐτὸν εἰς
τὴν παράταξιν ἐξαγαγεῖν καὶ τὸ λαμπρὸν ἐκεῖνο τρόπαιον
35 ἐγείρειν διὰ τῶν ἐκείνου χειρῶν, οὐκ ἐκ προοιμίων τοῦ
πολέμου τοῦτο ἐποίησεν, ἀλλ' ἀφεὶς τεσσαράκοντα ἡμέρας
αὐτοὺς κατεργασθῆναι τῷ φόβῳ, ὅτε τὴν οἰκείαν
ἀπέγνωσαν σωτηρίαν καὶ μυρία ὀνειδίζοντος τοῦ
βαρβάρου, οὐδὲ οὕτω τις ἐτόλμησε διεγερθῆναι καὶ
40 δέξασθαι τὸν ἀντίπαλον, τότε δή, τότε τῆς ἥττης αὐτῶν
ὁμολογηθείσης, καὶ τῆς ἀσθενείας φανερᾶς γενομένης,
ἤγαγε τὸ μειράκιον ἐπὶ τὸν πόλεμον καὶ τὴν παράδοξον
ἐκείνην νίκην εἰργάσατο[a]. Εἰ γὰρ καὶ μετὰ ταῦτα καὶ τὴν
τοσαύτην τῆς ἀσθενείας αὐτῶν ἀπόδειξιν ὁ σωθεὶς
45 βασιλεύς, ὑπὸ φθόνου καὶ βασκανίας τηκόμενος, ἐπε-
βούλευε τῷ Δαυΐδ, τοῦ πάθους γενόμενος ὅλος, καὶ
ἀγνώμων περὶ τὸν εὐεργέτην ἐφάνη[b], εἰ μὴ τοσοῦτον
ἔδωκεν ἔλεγχον καὶ τῆς αὐτοῦ καὶ τοῦ στρατοπέδου
παντὸς ἀνανδρείας, τί οὐκ ἂν ἐποίησε; Τοῦτο αὐτὸ καὶ
50 ἀλλαχοῦ πολλαχοῦ τὸν Θεὸν ποιοῦντα ἴδοι τις ἄν· ὃ δὴ
καὶ ἐνταῦθα γίνεται. Ἐπειδὴ γὰρ μέλλει λύειν τὸν πόλεμον
καὶ ἀπαλλάττειν αὐτοὺς τῶν λυπηρῶν, ἀφίησι πρότερον
τῶν δεινῶν αἰσθέσθαι.

Ἐξέστη γάρ, φησίν, ἡ ψυχὴ αὐτοῦ καὶ ἡ ψυχὴ τοῦ
55 λαοῦ αὐτοῦ, ***ὃν τρόπον ἐν δρυμῷ ξύλον ὑπὸ πνεύματος
σαλευθῇ.*** Καὶ τοῦτο προφητείας ἴδιον, τὸ τὰ ἀπόρρητα
αὐτῶν εἰς μέσον ἐξαγαγεῖν. Τὸ γὰρ πάθος ἡμῖν ἑρμηνεύει

28 αὐτοὺς ἀφεὶς ∼ LMGC ‖ 30-31 αὐτῶν τὰς καρδίας ἐκστῆναι ἀφῆκεν ∼ C ‖ 31 ἀφῆκεν : καὶ C ‖ 32-53 τοῦτο – αἰσθέσθαι > C ‖ 33 ἔμελλεν :

dangers une fois qu'ils en sont délivrés ou encore, sans les oublier, veulent s'attribuer tout le mérite du succès, Dieu permet qu'ils soient d'abord bouleversés par leurs épreuves et leur accorde seulement alors la délivrance de leurs tourments ; c'est ce qu'il a fait en cette circonstance. Il permit que leur cœur fût troublé, il permit qu'ils fussent saisis d'une profonde angoisse, et ensuite seulement leur apporta la délivrance. Il agit de même à l'époque du grand David. Alors qu'il voulait le faire aller à son poste de combat et élever par ses mains ce glorieux trophée, il ne fit pas cela dès le début de la guerre, mais il les laissa travaillés par la peur durant quarante jours, mais quand ils eurent désespéré de leur salut et qu'ils subissaient mille outrages du Barbare sans que nul n'osât se dresser et affronter l'adversaire, c'est alors, alors qu'il avouaient leur défaite et que leur faiblesse était devenue patente, que Dieu mena l'adolescent à la guerre et lui fit remporter cette surprenante victoire[a]. Si, même après cela, même après une telle démonstration de leur faiblesse, le roi qui avait été sauvé, consumé par la jalousie et la malveillance, tendait des embûches à David, étant possédé tout entier par la passion, et se montra ingrat envers son bienfaiteur[b], qu'aurait-il donc fait s'il n'avait pas offert d'abord un pareil étalage de sa propre lâcheté et de celle de toute l'armée ? On peut voir Dieu agir ainsi dans beaucoup d'autres cas ; c'est ce qui se produit ici. Lorsqu'il va mettre fin à la guerre et les délivrer de leurs maux, il les laisse d'abord prendre conscience des dangers.

« Son âme, dit-il, chancela, ainsi que l'âme de son peuple », *tout comme dans un taillis un arbuste est secoué par le vent.* C'est le propre de la prophétie de révéler les secrets des cœurs. Le prophète nous explique l'état d'âme de chacun et, pour plus

ἤμελλεν V || 45 τηκόμενος : νικώμενος V || 48 καί[2] + τῆς LMG || 49 ἀνανδρείας V : ἀνδρείας *cett.* || 55 τρόπον + ὅταν LMGCN || 57 ἐξαγαγεῖν : ἀγαγεῖν V

2. a. cf. I Sam. 17, 4-51. b. cf. I Sam. 19, 9-10.

τῆς ἑκάστου διανοίας καὶ σαφηνείας ἕνεκεν καὶ εἰκόνα προστίθησιν καὶ ὥστε δεῖξαι τὴν ἐπίτασιν τῆς ἀγωνίας.
60 Διεσείσθη γὰρ αὐτῶν, φησίν, ἡ ψυχή, κατεβλήθη τὸ φρόνημα, ἀπέγνωσαν τῆς σωτηρίας, ἐν ἐσχάτοις ἐνόμιζον εἶναι, οὐδὲν χρηστὸν προσεδόκων, ἕκαστος ὑπὸ τῶν οἰκείων λογισμῶν προδεδομένος ἦν. Τί οὖν ὁ Θεός; Προλέγει τὴν ἀπαλλαγὴν καὶ τότε αὐτὴν ἐργάζεται, ἵνα μὴ
65 ἄλλῳ τινὶ λογίσωνται πάλιν τὴν τῆς πόλεως ἐλευθερίαν, καὶ πέμπει τὸν προφήτην προαναφωνοῦντα τὰ μέλλοντα.

3. ***Εἶπε γάρ,*** φησί, ***Κύριος πρὸς Ἡσαΐαν· Ἔξελθε εἰς συνάντησιν τοῦ Ἄχαζ, σὺ καὶ ὁ καταλειφθεὶς Ἰασοὺβ ὁ υἱός σου, πρὸς τῇ κολυμβήθρᾳ τῆς ἀνόδου τοῦ ἀγροῦ τοῦ***
70 ***κναφέως.*** 4. ***Καὶ ἐρεῖς αὐτῷ· φύλαξαι τοῦ ἡσυχάσαι καὶ μὴ φοβοῦ, μηδὲ ἡ ψυχή σου ἀσθενείτω· μηδὲ φοβηθῇς ἀπὸ τῶν δύο ξύλων τῶν δαλῶν τῶν καπνιζομένων τούτων. Ὅταν γὰρ ὀργὴ τοῦ θυμοῦ μου γένηται, πάλιν ἰάσομαι.*** Τί ἐστιν, Ἔξελθε εἰς συνάντησιν; Ἀπὸ τοῦ φόβου καὶ τῆς ἀγωνίας
75 οὐχ ἡσύχαζεν ὁ βασιλεύς, οὐδὲ οἴκοι μένειν ἠνείχετο, ἀλλ' ὅπερ ἔθος τοῖς πολιορκουμένοις ὑπομένειν, συνεχῶς ἐξῄει, τὰ τείχη περισκοπῶν, πρὸς ταῖς πύλαις γινόμενος, περιεργαζόμενος καὶ πολυπραγμονῶν, πῶς τὰ τῶν πολεμίων διάκειται πράγματα. Διὰ τοῦτό φησιν· Ἔξελθε εἰς
80 συνάντησιν. Τί δέ ἐστι· Σὺ καὶ ὁ καταλειφθεὶς Ἰασοὺβ ὁ υἱός σου; Ἰασοὺβ τῇ Ἑβραίων γλώττῃ ἡ ἀναστροφὴ λέγεται καὶ ἡ διαγωγή. Διὰ τοῦτο καὶ ὁ Ἰεσσαὶ πέμπων τὸν Δαυῒδ ἔλεγε· Καὶ τὸ Ἰασοὺβ αὐτῶν λήψῃ· τουτέστι, τὴν ἀναστροφὴν αὐτῶν ἀπαγγελεῖς μοι καὶ τί διάγουσι
85 πράττοντες[c].

3 Καὶ ἐνταῦθα τοίνυν, ἐμοὶ δοκεῖ, ὁ προφήτης κελεύεται πλῆθος μεθ' ἑαυτοῦ λαβεῖν, ἵν' ὅταν ἐκβῇ τὰ γεγενημένα, μὴ ἔχῃ ἀγνωμονεῖν ὁ βασιλεύς, ὡς οὐδὲν τούτων ἀκηκοὼς

58 ἕνεκεν : ἕνεκα C ‖ καὶ > C *Montf.* ‖ 59 ἐπίτασιν : ἐπίγνωσιν LC ‖ τῆς ἀγωνίας τὴν ἐπίγνωσιν ~ C ‖ 60 φησίν, αὐτῶν ~ C ‖ ψυχὴ + καὶ C ‖ 65 τὴν > V ‖ 69 τῇ κολυμβήθρᾳ LMG A : κολυμβήθραν *cett.* ‖ 70 κναφέως :

de clarté, il ajoute une image, de façon à montrer l'intensité de l'angoisse. Leur âme, dit-il, fut secouée, leur esprit fut abattu, ils désespérèrent du salut, ils se croyaient dans un péril extrême et n'attendaient rien de bon ; chacun était trahi par ses propres pensées. Que fait donc Dieu ? Il prédit la délivrance, et alors l'opère, pour qu'ils n'attribuent plus à un autre la liberté de la ville, et il envoie le prophète annoncer l'avenir.

3 Le Seigneur, dit-il, *dit à Isaïe : Sors à la rencontre d'Achaz, toi et le fils qui t'a été laissé, Iasoub, près de la piscine qui est sur la montée du champ du foulon, 4 et tu lui diras : Prends soin de rester calme, ne crains pas, que ton âme ne faiblisse pas, ne redoute pas ces deux bouts de tisons fumants. Quand la colère de mon cœur aura éclaté, je vous guérirai encore.* Que signifie : Sors à la rencontre ? La peur et l'angoisse ne laissaient pas de répit au roi, et il ne supportait pas de rester chez lui mais, comme le font d'ordinaire les assiégés, il sortait continuellement, inspectait les remparts, se tenait près des portes, s'agitait et se démenait, s'enquérant des préparatifs des ennemis. De là les mots : « Sors à la rencontre. » Mais pourquoi : « toi et le fils qui t'a été laissé, Iasoub » ? Dans la langue hébraïque, Iasoub désigne le genre de vie, la conduite [1]. C'est pourquoi Jessé envoyant David disait : « Tu observeras leur Iasoub », c'est-à-dire : tu me rapporteras leur manière de vivre, leurs occupations [c].

Ici donc, me semble-t-il, le prophète reçoit l'ordre de prendre beaucoup de gens avec lui afin que, lorsque les événements se produiront, le roi ne puisse pas feindre l'ignorance,

γναφέως V C || 75 ἡσύχαζεν : οὐκ ἐβούλετο ἡσυχάζειν N || 80-81 ὁ υἱός σου Ἰασοὺβ > L
3, 1 κελεύεται : κελεύεσθαι C

c. I Sam. 17, 18.

1. Dans son *Commentaire sur Isaïe,* JÉRÔME parle de Iasoub comme du fils d'Isaïe et voit en ce nom, *qui interpretatur reliquus et conuertens,* un nom prophétique (cf. *In Es.* 7, 1-3, *CCL* 73, p. 97).

παρὰ τοῦ προφήτου. Ὃ οὖν φησι, τοῦτό ἐστιν· ἔξελθε εἰς
5 συνάντησιν, σὺ καὶ οἱ ἀναστρεφόμενοι μετὰ σοῦ, οἱ καταλειφθέντες τοῦ λαοῦ. Μὴ θαυμάσῃς δὲ εἰ υἱὸν αὐτοῦ καλεῖ τὸν λαόν· καὶ γὰρ προϊὼν φησιν· Ἰδοὺ ἐγὼ καὶ τὰ παιδία, ἅ μοι ἔδωκεν ὁ Θεός[a]. Καὶ γὰρ πατέρων τάξιν ἐπεῖχον οἱ ἅγιοι, τῇ ἀγάπῃ καὶ τῇ κηδεμονίᾳ τῇ περὶ τὸν
10 δῆμον ἐκεῖνον πάντας τοὺς τῆς φύσεως ἀποκρύπτοντες πατέρας. Καταλειφθέντας δέ φησι, διὰ τὸ πολλοὺς ἀπενηνέχθαι ὑπὸ τῶν πολεμίων. Ἐν τῇ ὁδῷ τοῦ ἀγροῦ τοῦ κναφέως. Πολλῆς μοι καὶ τοῦτο ἀπορίας εἶναι δοκεῖ, εἴ γε οἱ συγκεκλεισμένοι καὶ πολιορκούμενοι καὶ μηδὲ προκῦψαι
15 τολμῶντες, ἔξω πυλῶν ἐφαίνοντο. Καὶ γὰρ ἔξω τειχῶν ἡ ὁδὸς αὕτη φαίνεται νῦν οὖσα. Τίς οὖν ἡ λύσις τῆς ἀπορίας ταύτης; Ὅτι τὸ παλαιὸν ἕτερον περιεβέβλητο τεῖχος· καὶ γὰρ διπλᾶ τῇ πόλει τὰ τείχη ἦν· καὶ τοῦτο ῥᾴδιον ἐξ ἑτέρου προφήτου[b] κατιδεῖν ἐστι τοῖς βουλομένοις
20 προσέχειν. Ἐξελθὼν τοίνυν ἀνίστησιν αὐτῶν τὰ φρονήματα καταπεπτωκότα καὶ κελεύει θαρσεῖν ὑπὲρ τῶν μελλόντων. Ἡσύχασον γάρ, φησί, καὶ μὴ φοβοῦ· καὶ δαλοὺς ξύλων καλεῖ τοὺς βασιλέας, ὁμοῦ μὲν αὐτῶν τὸ σφοδρόν, ὁμοῦ δὲ τὸ εὐχείρωτον ἐνδεικνύμενος. Καὶ γὰρ
25 τὸ Καπνιζομένων, διὰ τοῦτο προστέθεικε, τουτέστιν, ἐγγὺς ὄντων τοῦ σβεσθῆναι λοιπόν. Εἶτα δηλῶν, ὡς οὐ τῆς ἐκείνων δυνάμεως, ἀλλὰ τῆς αὐτοῦ συγχωρήσεως ἡ ἔφοδος ἦν, φησίν·

Ὅταν γὰρ ὀργὴ τοῦ θυμοῦ μου γένηται, πάλιν ἰάσομαι.
30 5. ***Καὶ ὁ υἱὸς τοῦ Ἀρὰμ καὶ ὁ υἱὸς τοῦ Ῥωμελίου, ὅτι ἐβουλεύσαντο βουλὴν πονηράν, Ἐφραῒμ καὶ ὁ υἱὸς τοῦ Ῥωμελίου κατὰ σοῦ λέγοντες·*** 6. ***Ἀναβησόμεθα εἰς τὴν Ἰουδαίαν καὶ κακώσομεν αὐτὴν καὶ συλλαλήσαντες***

9 τῇ² > LMGN ‖ 13 κναφέως : γναφέως V C ‖ ἀπορίας καὶ τοῦτο ~ V C ‖ 18 τὰ τείχη ἦν τῇ πόλει ~ V ‖ 22-24 καὶ² — ἐνδεικνύμενος : δαλοὺς οὖν καλέσας αὐτοὺς ὁμοῦ μὲν καὶ τὸ σφοδρόν, ὁμοῦ δὲ καὶ τὸ εὐχείρωτον δείκνυσι C ‖ 24 δὲ : δὲ καὶ C ‖ 25 καπνιζομένων C : καπνίζειν A καπνιζομένον *cett.* ‖ προστέθεικε : -τίθησι A -έθηκε LMGC ‖ 29 ἰάσομαι +

comme s'il n'en avait rien appris par la voix du prophète. Voici donc ce que Dieu lui dit : Sors à la rencontre, toi et tous ceux qui vivent avec toi, ceux du peuple qui ont été laissés. Ne t'étonne pas s'il appelle le peuple son fils ; car plus loin il dit : « Me voici, moi et les petits enfants que Dieu m'a donnés[a]. » En effet, les saints jouaient le rôle de pères ; par leur amour et par leur sollicitude pour ce peuple ils éclipsaient tous les pères selon la nature. Et s'il parle de ceux qui ont été laissés, c'est que beaucoup ont été emmenés par les ennemis. — « Sur le chemin du champ du foulon ». Ces mots me semblent présenter une grande difficulté, puisque ces gens enfermés, assiégés, n'osant même pas se pencher à l'extérieur, se montraient ainsi hors des portes. Ce chemin se voit en effet aujourd'hui hors de l'enceinte. Quelle est donc la solution de cette difficulté ? C'est qu'autrefois une autre enceinte entourait la ville ; celle-ci possédait deux enceintes fortifiées, et il est facile de s'en assurer d'après un autre prophète[b], si l'on s'intéresse à la question. En sortant, il relève donc les esprits abattus et les invite à reprendre courage pour l'avenir. « Sois calme, dit-il, n'aie pas peur », et il appelle les rois des « bouts de tisons », montrant à la fois leur brutalité et leur fragilité. C'est pour cette raison qu'il a ajouté le mot « fumants », c'est-à-dire prêts à s'éteindre. Puis, pour montrer que l'invasion n'était pas l'effet de la puissance de ces rois, mais de la permission de Dieu, il dit :

« Quand la colère de mon cœur aura éclaté, je vous guérirai encore. » *5 Le fils d'Aram et le fils de Romélias ont machiné un dessein pervers — Éphraïm et le fils de Romélias*[1] *— contre toi en disant : 6 Nous monterons contre la Judée, nous lui*

δηλοῖ ὡς οὐδὲ ἡ ἔφοδος τῶν ἐχθρῶν τῆς ἐκείνης δυνάμεως ἦν, ἀλλὰ τῆς αὐτοῦ συγχωρήσεως C ‖ 33 κακώσομεν CN A : κακώσωμεν *cett.* ‖ συλλαλήσαντες + αὐτοῖς LMGN

3. a. Is. 8, 18. b. cf. Jér. 52, 7.

1. « Éphraïm et le fils de Romélias » ne se lisent pas dans la Septante, mais dans la version dite lucianique. La version arménienne omet ces mots.

ἀποστρέψομεν αὐτοὺς πρὸς ἡμᾶς καὶ βασιλεύσομεν αὐτῆς
35 *τὸν υἱὸν Ταβεήλ.* 7. *Τάδε λέγει Κύριος Σαβαώθ· Οὐ μὴ μείνῃ ἡ βουλὴ αὕτη, οὐδὲ ἔσται·* 8. *ἀλλ' ἡ κεφαλὴ Ἀρὰμ Δαμασκὸς καὶ ἡ κεφαλὴ Δαμασκοῦ Ῥασίν. Καὶ ἔτι ἑξήκοντα καὶ πέντε ἔτη καὶ ἐκλείψει ἡ βασιλεία Ἐφραῒμ ἀπὸ λαοῦ.* 9. *Καὶ ἡ κεφαλὴ Ἐφραῒμ Σομόρων καὶ ἡ*
40 *κεφαλὴ Σομόρων ὁ υἱὸς τοῦ Ῥωμελίου. Καὶ ἐὰν μὴ πιστεύσητε, οὐδὲ μὴ συνῆτε.* Πάλιν ὁ προφήτης μεγίστην ἀπόδειξιν παρέχεται τῆς προφητείας. Ἐπειδὴ γὰρ ὁ φόβος κατέσεισε καὶ πρὸ ὀφθαλμῶν ἦν τὰ δεινά, τὰ δὲ χρηστὰ ἐν ἐλπίσι καὶ προσδοκίαν ὑπερβαίνοντα πᾶσαν καὶ οἱ ἀκροώ-
45 μενοι οὐ σφόδρα πιστοί, ὅρα τί ποιεῖ. Δίδωσι σημεῖον μέγιστον τῶν ἐκβησομένων, τὰ βουλεύματα τῶν πολεμίων εἰς μέσον ἐκφέρων. Λέγει γὰρ αὐτῶν τὴν γνώμην, μεθ' ἧς ἐπεστράτευσαν τῇ πόλει καὶ τί πρὸς ἀλλήλους διελέχθησαν καὶ τί συνθέντες ἐπανῆλθον καὶ δείκνυσιν ἢ
50 προδοσίαν τὸ πρᾶγμα ὂν (Συλλαλήσαντες γάρ, φησίν, αὐτοῖς, ἀποστρέψομεν αὐτοὺς πρὸς ἡμᾶς) ἢ πολλῇ τῇ ἀπονοίᾳ μεθύοντας καὶ νομίζοντας μηδὲ ὅπλων αὐτοῖς δεῖν, μηδὲ παρατάξεως καὶ συμβολῆς εἰς τὸ τὴν πόλιν λαβεῖν. Ἀρκεῖ γὰρ ἡμῖν φανῆναι, φησί, μόνον καὶ διαλεχ-
55 θῆναι, καὶ πάντας αἰχμαλώτους λαβόντας ἀπελθεῖν. Εἶτα, ὅπερ πάσχουσιν οἱ ἀλαζόνες, ὑπὸ τῆς ἐλπίδος ταύτης φυσηθέντες καὶ περὶ βασιλέως βουλεύονται, ὡς ἤδη τῆς πόλεως ἁλούσης, καὶ τίνα ἐπιστῆσαι δεῖ τῇ μητροπόλει. Καὶ τὰ μὲν ἐκείνων τοιαῦτα, φησί· τὰ δὲ τοῦ Θεοῦ
60 πάντων ἐκείνων ἀναιρετικά. Διὸ καὶ ἐπήγαγε· Τάδε λέγει Κύριος· καὶ οὐκ ἔστη, ἀλλὰ προσέθηκε, Σαβαώθ. Ὅταν γάρ τι μέγα ἀπαγγέλλειν μέλλῃ, τῆς δυνάμεως ἀναμιμνῄσκει τοῦ Θεοῦ καὶ τῆς βασιλείας τῆς ἄνω καὶ τῆς θαυμαστῆς ἐκείνης ἀρχῆς καὶ παραδόξου. Τί οὖν φησιν ὁ
65 Θεός; Οὐ μὴ μείνῃ ἡ βουλὴ αὕτη, οὐδὲ ἔσται· ἀλλ' ἡ

34 ἀποστρέψομεν G[2]CN A : -στρέψωμεν *cett.* || βασιλεύσομεν : βασιλεύσωμεν V LMG[1] || 35 Σαβαώθ > N || 39-40 καὶ[2] – Σομόρων > V ||

ferons du mal et, nous étant concertés, nous les amènerons à notre parti et nous lui donnerons pour roi le fils de Tabéel. 7 Voici ce que dit le Seigneur Sabaoth. Ce projet ne tiendra pas, ce ne sera pas. 8 La tête d'Aram, c'est Damas, et la tête de Damas, c'est Rasen. Encore soixante-cinq ans, et le royaume d'Éphraïm cessera d'être un peuple. 9 La tête d'Éphraïm est Somorôn, et la tête de Somorôn le fils de Romélias. Si vous ne croyez pas, vous ne comprendrez certes pas.
De nouveau le prophète donne une très grande preuve de sa prophétie. Quand la peur les avait secoués, que le malheur était sous leurs yeux, mais le bonheur seulement en espérance et au-delà de toute prévision, et que les auditeurs n'étaient pas très confiants, vois ce qu'il fait. Il donne un signe éclatant de ce qui doit arriver, en mettant à découvert les projets des ennemis. Il révèle leur dessein, qui les avait fait attaquer la ville et ce qu'ils s'étaient dit les uns aux autres, ce qu'ils avaient comploté avant de monter, et il montre ou bien que c'était une trahison – « Nous étant concertés nous les amènerons à notre parti » –, ou bien qu'enivrés d'un orgueil insensé ils ne croyaient même pas avoir besoin d'armes, ni de troupes en ligne, ni d'un combat pour prendre la ville. Il nous suffit de nous montrer, leur fait-il dire, de parler et de partir après les avoir faits tous prisonniers. Puis, à la manière des fanfarons, enflés de cette espérance, ils discutent sur un roi, comme si la ville était déjà prise, et sur celui qu'il faudra mettre à la tête de la métropole. Tels sont leurs projets, dit-il, mais le dessein de Dieu est de les renverser tous. C'est pourquoi Isaïe a ajouté : « Voici ce que dit le Seigneur », et sans s'arrêter il a joint le mot « Sabaoth ». Lorsqu'en effet il va faire une annonce importante, il rappelle la puissance de Dieu, le royaume d'en haut et cette admirable et étonnante souveraineté. Mais que dit Dieu ? « Ce

ἐν : ἐπ' LMG[2] || 51 ἀποστρέψομεν N A : -στρέψωμεν *cett.* || 54 φησίν φανῆναι ~ C || 61 προσέθηκε : -τέθεικε LMGN || 62 μέλλῃ : λέγῃ C || 63 τῆς[3] > V || 64 φησιν > C

κεφαλὴ Ἀρὰμ Δαμασκός. Ἡ ἀρχὴ αὐτοῦ, φησίν, ἡ ἐξουσία αὐτοῦ ἐν Δαμασκῷ στήσεται καὶ περαιτέρω οὐ προβήσεται. Καὶ ἡ κεφαλὴ Δαμασκοῦ Ῥασήν. Καὶ ὁ ἄρχων Δαμασκοῦ, φησί, καὶ ὁ κρατῶν Ῥασὴν ἔσται·
70 τουτέστιν, ἐν τοῖς αὐτοῦ μενεῖ καὶ πλείονα οὐ προσθήσει δύναμιν αὐτῷ. Καὶ ἐτι ἑξήκοντα καὶ πέντε ἔτη καὶ ἐκλείψει ἡ βασιλεία Ἐφραῒμ ἀπὸ λαοῦ.

4 Μεγίστη δὲ τῆς ἀληθείας ἀπόδειξις, ὅταν καὶ τοὺς καιροὺς προλέγωσιν οἱ προφῆται, παρέχοντες τοῖς βουλομένοις ἐξετάζειν μετὰ ἀκριβείας τῆς προφητείας τὴν δύναμιν. Νῦν μὲν γάρ, φησίν, ἀποστήσονται τῆς πόλεως·
5 μετὰ δὲ πέντε καὶ ἑξήκοντα ἔτη ὁλόκληρον ἀπολεῖται τὸ ἔθνος καὶ ἡ βασιλεία τοῦ Ἰσραὴλ οἰχήσεται καὶ οἱ πολέμιοι λαβόντες αὐτοὺς ἀπελάσονται πάντας. Νῦν μέντοι πρὸ τῆς ἁλώσεως ἐκείνης οὐδὲν πλέον τῶν οἰκείων λήψονται. Ἵνα γὰρ μὴ ἀκούσας ὁ βασιλεὺς ὅτι μετὰ ἑξή-
10 κοντα πέντε ἔτη ἀπολοῦνται, λέγῃ πρὸς ἑαυτόν, τί οὖν; ἐὰν νῦν ἡμᾶς λαβόντες, τότε ἀπολοῦνται, τί τὸ ὄφελος ἡμῖν; θάρρει, φησί, καὶ περὶ τῶν παρόντων. Ἁλώσονται γὰρ τότε παντελῶς· νῦν μέντοι πλέον τῶν οἰκείων οὐδὲν ἕξουσιν. Ἀλλ' ἔσται ἡ κεφαλὴ Ἐφραΐμ, τουτέστι, τῶν
15 δέκα φυλῶν, ἡ Σαμαρεία· ἐκεῖ γὰρ ἦν αὐτοῖς ἡ βασιλεία· καὶ οὐκ ἐκταθήσεται περαιτέρω· καὶ ἡ κεφαλὴ Σαμαρείας ὁ βασιλεὺς τοῦ Ἰσραήλ· ὅπερ ἐπὶ τοῦ Δαμασκηνοῦ ἔλεγε, τοῦτο καὶ ἐνταῦθα δηλῶν, ὅτι οὐδὲν πλέον ἕξουσιν, ὧν νῦν κατέχουσιν. Εἶτα, ἐπειδὴ πράγματα εἶπεν ὑπερ-
20 βαίνοντα λόγον ἀνθρώπινον καὶ ἀνώτερα τῆς τῶν λογισμῶν ἀκολουθίας καὶ προφητεία τὸ λεγόμενον ἦν, εἰκότως ἐπήγαγεν· Ἐὰν μὴ πιστεύσητε, οὐδὲ μὴ συνῆτε. Μὴ ζήτει, φησί, πῶς καὶ τίνι τρόπῳ ταῦτα ἔσται· Θεὸς γάρ ἐστιν ὁ ἐργαζόμενος καὶ πίστεώς σοι δεῖ μόνης καὶ

66 Δαμασκός + καὶ LMG ‖ ἀρχὴ + τοίνυν C ‖ αὐτοῦ : αὐτῷ C ‖ φησίν > C ‖ 68 καὶ[2] : ἤγουν C ‖ 70 μενεῖ : μένει V L ‖ 71 αὐτῷ : ἑαυτῷ C

projet ne tiendra pas, ce ne sera pas. La tête d'Aram, c'est Damas. » Sa souveraineté, dit-il, son pouvoir resteront à Damas et ne s'étendront pas au-delà. « Et la tête de Damas, c'est Rasen. » Celui qui gouverne Damas, veut-il dire, celui qui y exerce l'autorité, c'est Rasen, ce qui signifie : il restera dans son territoire et n'agrandira pas sa puissance. « Encore soixante-cinq ans, et le royaume d'Éphraïm cessera d'être un peuple. »

On a une preuve très grande de la vérité quand les prophètes déterminent d'avance les temps, donnant ainsi à ceux qui le désirent le moyen de reconnaître avec précision la valeur de la prophétie. Maintenant, dit-il, ils s'éloigneront de la ville, et dans soixante-cinq ans la nation tout entière sera détruite, et le royaume d'Israël disparaîtra, les ennemis les prendront et les déporteront tous. Mais maintenant, avant cette conquête, ils ne prendront rien de plus que ce qui leur appartient. De peur en effet que le roi, apprenant qu'ils allaient périr dans soixante-cinq ans, ne se dise à lui-même : Eh quoi ! S'ils nous prennent aujourd'hui et qu'ils périssent plus tard, quel avantage en aurons-nous ? Aie confiance aussi pour le présent, dit le prophète. Ils seront alors totalement conquis, mais maintenant ils n'auront rien de plus que ce qui leur appartient. La tête d'Éphraïm, c'est-à-dire des dix tribus, est Samarie – c'est là qu'était leur royauté – et il ne s'étendra pas au-delà. Et la tête de Samarie est le roi d'Israël. Ce qu'il disait de Damas, il le montre également ici : ils n'auront rien de plus que ce qu'ils possèdent à présent. Puis, comme il avait parlé de choses qui échappent à la raison humaine et qui dépassaient la logique des raisonnements et que ces paroles étaient une prophétie, il ajoute tout naturellement : « Si vous ne croyez pas, vous ne comprendrez certes pas. » Ne cherche pas, dit-il, comment ni par quel moyen cela arrivera. C'est Dieu qui agit, tu n'as

4, 7 πάντας C A : πάντες *cett.* || 9 λήψονται : ὄψονται C || 10 ἑαυτὸν : αὐτὸν LMGC || 13 οὐδὲν τῶν οἰκείων ~ V || 18 δηλῶν : λέγων C || ὅτι > C || ὧν : ἢ ταῦτα ἃ V || 24-25 καὶ ἐννοήσεις : κἂν ἐννοήσῃς LMG

25 ἐννοήσεις τοῦ ποιοῦντος τὴν δύναμιν· πᾶσαν ἔλαβες τῶν εἰρημένων τὴν ἀπόδειξιν. Διὸ καὶ ὁ προφήτης Δαυΐδ ἔλεγεν· Ἐπίστευσα, διὸ καὶ ἐλάλησα[a]. Καὶ ὁ Παῦλος εἰκότως ἐπιλαβόμενος τῆς ῥήσεως ταύτης, ἐπὶ μείζονα αὐτὴν εἵλκυσε πράγματα λέγων· Ἔχοντες δὲ τὸ αὐτὸ 30 Πνεῦμα τῆς πίστεως κατὰ τὸ γεγραμμένον· Ἐπίστευσα, διὸ καὶ ἐλάλησα καὶ ἡμεῖς πιστεύομεν, διὸ καὶ λαλοῦμεν[b]. Εἰ γὰρ τὰ παλαιὰ πίστεως ἔχρηζε, τοσοῦτον ἀπέχοντα τῶν ἐν τῇ Καινῇ, ὅσον ἡ γῆ τῶν οὐρανῶν, πολλῷ μᾶλλον ἡ τῶν οὕτως ὑψηλῶν δογμάτων γνῶσις καὶ οὐδὲ εἰς νοῦν 35 ἐλθόντων τινί ποτε. Ὅπερ οὖν καὶ αὐτὸς δηλῶν ἔλεγεν· Ἃ ὀφθαλμὸς οὐκ εἶδεν καὶ οὖς οὐκ ἤκουσε καὶ ἐπὶ καρδίαν ἀνθρώπου οὐκ ἀνέβη, ἃ ἡτοίμασεν ὁ Θεὸς τοῖς ἀγαπῶσιν αὐτόν[c].

10. ***Καὶ προσέθετο Κύριος λαλῆσαι τῷ Ἄχαζ λέγων·*** 40 11. ***Αἴτησαι σεαυτῷ σημεῖον παρὰ Κυρίου τοῦ Θεοῦ σου εἰς βάθος ἢ εἰς ὕψος.*** 12. ***Καὶ εἶπεν Ἄχαζ· Οὐ μὴ αἰτήσω, οὐδὲ μὴ πειράσω Κύριον.*** 13. ***Καὶ εἶπεν*** Ἡσαΐας· ***Ἀκούσατε δή, οἶκος Δαυΐδ· μὴ πικρὸν ὑμῖν ἀγῶνα παρέχειν ἀνθρώποις; Καὶ πῶς Κυρίῳ παρέχετε ἀγῶνα;*** 14. ***Διὰ*** 45 ***τοῦτο δώσει Κύριος αὐτὸς ὑμῖν σημεῖον. Ἰδοὺ ἡ παρθένος ἐν γαστρὶ λήψεται καὶ τέξεται υἱὸν καὶ καλέσουσι τὸ ὄνομα αὐτοῦ Ἐμμανουήλ.*** Πολλὴ τοῦ Θεοῦ συγκατάβασις καὶ τοῦ βασιλέως ἡ ἀγνωμοσύνη. Ἔδει μὲν γὰρ αὐτὸν ἀκούσαντα τοῦ προφήτου μηδὲν ἀμφιβάλλειν περὶ τῶν εἰρημένων· εἰ 50 δὲ καὶ ἀμφέβαλλε, κἂν σημεῖον λαβόντα πιστεῦσαι, ὅπερ πολλοὶ τῶν παρὰ Ἰουδαίοις πεποιήκασι. Καὶ γὰρ ὁ Θεός, φιλάνθρωπος ὤν, οὐδὲ τοῦτο παρῃτήσατο παρασχεῖν πολλάκις τοῖς παχυτέροις καὶ χαμαὶ συρομένοις καὶ τῇ γῇ προσηλωμένοις, οἷον ἐποίησεν ἐπὶ τοῦ Γεδεών[d]. Ἐπειδὴ 55 γὰρ πάντων καταδεέστερος ἦν καὶ παχύτατος, ὅρα ποῦ

27 καὶ[1] > V GC ‖ 34 γνῶσις δογμάτων ~ M ‖ 40-41 εἰς βάθος ἢ εἰς ὕψος παρὰ Κυρίου τοῦ Θεοῦ σου ~ MG ‖ 40 τοῦ > N ‖ 43 Δαυΐδ : Ἰσραήλ L ‖ μὴ > G ‖ 47 πολλὴ + καὶ C ‖ 53-54 καὶ[2] – προσηλωμένοις > C ‖ 55 γὰρ : δὲ C

besoin que de foi, et tu reconnaîtras la force de l'artisan ; tu as reçu la preuve complète de ce qui a été dit. C'est pour cela aussi que le prophète David disait : « J'ai cru, c'est pourquoi j'ai parlé[a]. » Et Paul, s'emparant à juste titre de cette formule, l'a transportée à des réalités plus hautes, et il dit : « Ayant le même esprit de foi, selon ce qui est écrit : J'ai cru, c'est pourquoi j'ai parlé, nous aussi nous croyons, c'est pourquoi nous parlerons[b]. » Car si les enseignements anciens réclamaient la foi, alors qu'ils étaient aussi éloignés de ceux du Nouveau Testament que la terre l'est des cieux, il en est de même à bien plus forte raison de la connaissance de vérités si sublimes, qui ne sont jamais venues à l'esprit de personne. Paul le montrait encore en ces termes : « Ce que l'œil n'a pas vu, que l'oreille n'a pas entendu et qui n'est pas monté au cœur de l'homme, ce que Dieu a préparé pour ceux qui l'aiment[c]. »

10 Et le Seigneur parla encore à Achaz en ces termes : 11 Demande pour toi un signe au Seigneur ton Dieu, en profondeur ou en hauteur. 12 Et Achaz dit : Je ne demanderai rien, je ne tenterai pas le Seigneur. 13 Et Isaïe dit : *Écoutez donc, maison de David ! Est-ce trop peu pour vous d'entrer en lutte avec les hommes ? Comment se fait-il que vous entriez en lutte avec le Seigneur ? 14 Aussi le Seigneur vous donnera-t-il lui-même un signe. Voici que la vierge concevra et enfantera un fils, et on lui donnera le nom d'Emmanuel.* Grande est la condescendance de Dieu, grande aussi l'irréflexion du roi. Il aurait dû, en entendant le prophète, ne pas douter de ce qui lui était dit, et même s'il avait douté, croire au moins après avoir reçu un signe, ce que beaucoup de Juifs ont fait. En effet, dans son amour pour les hommes, Dieu n'a pas refusé non plus d'accorder cette faveur, souvent à des gens grossiers, qui se traînaient à terre et étaient rivés au sol, comme il le fit pour Gédéon[d]. Comme le roi était particulièrement médiocre et

4. a. Ps. 115, 1. b. II Cor. 4, 13. c. I Cor. 2, 9 ; cf. Is. 64, 3 ; Jér. 3, 16. d. cf. Jug. 6 - 8.

καταβαίνει πάλιν ὁ Θεός. Αὐτὸς αὐτὸν ἐφέλκεται καὶ προτρέπει πρὸς τὸ σημεῖον αἰτῆσαι · καίτοι γε οὐδὲ μικρὸν τοῦτο σημεῖον ἦν, τὸ ἐλέγξαι αὐτοῦ τὰ ἀπόρρητα καὶ εἰς μέσον ἀγαγεῖν αὐτοῦ τὴν γνώμην ἅπασαν καὶ τὴν ὑπό-
60 κρισιν διελέγξαι πᾶσαν. Ἐπειδὴ γὰρ ὁ μὲν προφήτης εἶπεν · Αἴτησαι σεαυτῷ σημεῖον, ἐκεῖνος δὲ τὸν σφόδρα πιστὸν ὑποκρινόμενος ἔλεγεν · Οὐ μὴ αἰτήσω, οὐδὲ μὴ πειράσω Κύριον, ὅρα πῶς μετὰ πολλῆς τῆς σφοδρότητος ἐπάγει τὴν τομὴν ὁ προφήτης, εἰκότως μετὰ τὴν ἀπό-
65 δειξιν τῆς ὑποκρίσεως βαρυτέραν ποίουμενος τὴν κατηγορίαν. Διὰ δὴ τοῦτο ἐκεῖνον μὲν οὐδὲ ἀποκρίσεως ἀξιοῖ, πρὸς δὲ τὸν δῆμον ἀποστρέφεται λέγων · Ἀκούσατε, οἶκος Δαυίδ · μὴ μικρὸν ὑμῖν, ἀγῶνα παρέχειν ἀνθρώποις ; Καὶ πῶς Κυρίῳ παρέχετε ἀγῶνα ; Ἀσαφὲς τὸ εἰρημένον · διὸ
70 δὴ δεῖ τὴν ῥῆσιν ἀναπτύξαι μετὰ ἀκριβείας. Ὃ γὰρ λέγει, τοιοῦτόν ἐστι · μὴ γὰρ ἐμά ἐστι τὰ ῥήματα ; μὴ γὰρ ἐμὴ ἡ ἀπόφασις ; Εἰ δὲ ἀνθρώποις ἀπιστεῖν ἁπλῶς καὶ ἄνευ λόγου βαρὺ καὶ ἐγκλημάτων ἄξιον, πολλῷ μᾶλλον Θεῷ. Τὸ οὖν ἀγῶνα παρέχειν οὐδὲν ἕτερόν ἐστιν ἢ ἀπιστεῖν.
75 Τοῦτο οὖν, φησί, μὴ μικρόν ἐστιν ἔγκλημα ; μὴ ἡ τυχοῦσα κατηγορία τοῖς ἀνθρώποις ἀπιστεῖν ; Εἰ δὲ τοῦτο βαρύ, πολλῷ μᾶλλον τῷ Θεῷ.

5 Καὶ τοῦτο δὲ ἔλεγεν, ἵνα μάθωσι πάντες, ὅτι ἀνεξαπάτητος ἔμεινεν ὁ προφήτης, οὐκ ἀπὸ τῶν ῥημάτων παραλογιζόμενος τῶν εἰρημένων, ἀλλ' ἀπὸ τῶν ἐν τῇ διανοίᾳ τοῦ Ἄχαζ φέρων τὴν ψῆφον. Τοῦτο καὶ ὁ Χριστὸς
5 πολλάκις ἐπὶ τῶν εὐαγγελίων ἐποίησε. Πρὶν ἢ γὰρ τὴν ἀπὸ τῶν σημείων παρασχεῖν ἀπόδειξιν, τὴν κακίαν τῶν Ἰουδαίων εἰς μέσον ἄγων τὴν ἐν διανοίᾳ τυρευομένην, οὐ

57 οὐδὲ μικρὸν : μηδ' ὀλίγον C ‖ 60 ὁ μὲν προφήτης > C ‖ 61-62 τὸν σφόδρα πιστὸν : τῶν ἀπιστῶν L ‖ 63 πειράσω + τὸν LMGN ‖ τῆς > CL ‖ 64 τομὴν : τόλμην MN τόλμαν LG ‖ 65 τῆς ὑποκρίσεως V² C A : > *cett.* ‖ 68 μὴ > G ‖ 70 δὴ > CN ‖ δεῖ > V LMG ‖ 71 τοιοῦτον : τοῦτο V N ‖ τὰ ῥήματά ἐστιν ~ V N ‖ 73 μᾶλλον + τῷ LC ‖ 75 ἔγκλημά ἐστι ~ N ‖ 76 τοῖς V G A : τὸ *cett.*

grossier, regarde à quel point Dieu condescend encore. Il l'attire à lui et l'invite à demander un signe ; pourtant, ce n'était pas non plus un signe sans importance que d'avoir révélé ses secrets, exposé au grand jour toute sa pensée et confondu toute son hypocrisie[1]. Quand le prophète dit : « Demande pour toi un signe » et que lui, affectant une grande foi, répondait : « Je ne demanderai rien, je ne tenterai pas le Seigneur », vois avec quelle vigueur le prophète tranche dans le vif, rendant avec raison son accusation plus lourde quand il a eu la preuve de l'hypocrisie. C'est pourquoi il ne daigne même pas lui répondre, mais il se tourne vers le peuple en disant : « Écoutez, maison de David ! Est-ce trop peu pour vous d'entrer en lutte avec les hommes ? Comment se fait-il que vous entriez en lutte avec le Seigneur ? » Ces propos sont obscurs ; il faut donc élucider soigneusement le passage. Ce qu'il veut dire, c'est ceci : ces paroles sont-elles les miennes ? cette déclaration est-elle de moi ? S'il est grave et répréhensible de refuser sans examen et sans raison de croire les hommes, ce l'est beaucoup plus de le refuser à Dieu. Entrer en lutte n'est donc pas autre chose que refuser de croire. Ce reproche, dit-il, n'est-il pas grave ? Est-ce une faute sans importance que de refuser de croire les hommes ? Or, si cela est grave, il l'est beaucoup plus de le refuser à Dieu.

5 Il tenait ce langage pour apprendre à tous que le prophète n'était pas sujet à l'erreur, car il ne se laissait pas tromper par les paroles prononcées, mais il portait sa sentence d'après ce qu'Achaz avait dans l'esprit. Le Christ a souvent agi de même dans les évangiles. Avant même de présenter la démonstration par les signes, il donnait, en découvrant la malice que tramaient dans leur esprit les Juifs, un signe qui n'était pas

5, 1 πάντες : ἅπαντες C || 7 ἐν διανοίᾳ V N A : κατὰ διάνοιαν C οἷα LMG || τυρευομένην : τυρευομένοις L τυρευομένης MG

1. Le miracle ou le signe, c'est que Dieu lit dans le cœur du roi et veut lui faire dévoiler son hypocrisie.

μικρὸν τοῦτο παρεῖχε σημεῖον· οἷον ἐπὶ τοῦ παραλυτικοῦ πεποίηκεν. Ἐπειδὴ γὰρ εἶπε πρὸς αὐτόν· Θάρσει, τέκνον· 10 ἀφέωνταί σου αἱ ἁμαρτίαι, ἐκεῖνοι δὲ ἔλεγον ἐν ἑαυτοῖς· Βλασφημεῖ· φησί, πρὶν ἢ σφῖγξαι τὸν παραλελυμένον· Τί βουλεύεσθε πονηρὰ ἐν ταῖς καρδίαις ὑμῶν[a]; μέγιστον θεότητος τοῦτο παρέχων τεκμήριον, τὸ τὰ ἀπόρρητα εἰδέναι τῆς διανοίας. Σὺ γὰρ ἐπίστασαι, φησί, καρδίας 15 μονώτατος[b]. Καὶ ὁ Δαυῒδ πάλιν φησίν· Ἐτάζων καρδίας καὶ νεφροὺς ὁ Θεός[c]. Τοῦτο καὶ τοῖς προφήταις ἐδίδου πολλάκις ὁ Θεὸς εἰδέναι, ἵν' οἱ ἀκούοντες μανθάνωσιν ὅτι οὐδὲν ἀνθρώπινον τῶν εἰρημένων, ἀλλ' ἄνωθεν καὶ ἐκ τῶν οὐρανῶν ἡ ψῆφος ἅπασα κατενήνεκται. Διὰ δὴ τοῦτο καὶ 20 ὁ μεγαλοφωνότατος οὗτος Ἡσαΐας, ἐπειδὴ μετὰ πολλῆς τῆς ἐπιεικείας διελέχθη τῷ βασιλεῖ καὶ τῶν δεινῶν ἀπήλλαξε καὶ θαρρεῖν ἐκέλευσεν ὑπὲρ τῶν παρόντων καὶ τεκμήρια τούτου παρέσχεν αὐτῷ, τὸ τὴν βουλὴν ἐξαγγεῖλαι τῶν ἐπιστρατευσάντων καὶ τὴν προδοσίαν ἐλέγξαι 25 καὶ τὴν ἅλωσιν τοῦ Ἰσραὴλ προειπεῖν τὴν παντελῆ καὶ ὁλόκληρον καὶ τὸν χρόνον προσθεῖναι, οὐκ ἠρκέσθη τούτοις, ἀλλὰ καὶ περαιτέρω πρόεισι καὶ οὐκ ἀναμένει σημεῖον αὐτὸν αἰτῆσαι, ἀλλὰ καὶ μὴ βουλόμενον δι' ὑπερβολὴν ἀπιστίας προτρέπεται· καὶ οὐδὲ ἁπλῶς, ἀλλὰ καὶ 30 κύριον τῆς αἱρέσεως ποιεῖ· οὐδὲ γάρ φησι, τὸ καὶ τὸ σημεῖον, ἀλλ' ὅπου βούλει, φησί· πλούσιος ὁ Δεσπότης, παναλκὴς ἡ δύναμις, ἄφατος ἡ ἐξουσία. Ἂν ἐκ τῶν οὐρανῶν βουληθῇς, οὐδὲν τὸ κωλῦον· ἂν ἐκ τῆς γῆς, οὐδὲν τὸ ἐμποδίζον. Τοῦτο γάρ ἐστιν· Ἢ εἰς βάθος ἢ εἰς 35 ὕψος. Ἐπειδὴ δὲ οὐδὲ οὕτως αὐτὸν ἐπεσπάσατο, οὐδὲ ἐνταῦθα ἐσίγησεν, ἀλλ' ἔλεγχον ἐπαγαγὼν καὶ τοῦτον ὑπὲρ διορθώσεως τοῦ ἀκούοντος καὶ τοῦ δεῖξαι, ὡς οὐκ ἠπάτησεν, οὐδὲ παρελογίσατο, ἀνακαλύπτει προφητείαν ἀπόρρητον, τὴν ἐπὶ σωτηρίᾳ τῆς οἰκουμένης ἐσομένην καὶ

8 παρεῖχε + τὸν V ‖ 9 πεποίηκεν : ἐποίησεν N ‖ 10 ἀφέωνται : ἀφέονται N ‖ σου : σοι C ‖ 13 τοῦτο θεότητος ~ C ‖ 15 Δαυΐδ : Παῦλος V N ‖ 19 δὴ

médiocre ; il le fit par exemple à propos du paralytique. Lorsqu'il eut dit en effet : « Courage, mon enfant ! Tes péchés sont remis », et que les Juifs disaient en eux-mêmes : « Il blasphème », il dit, avant de guérir le paralysé : « Pourquoi ces mauvais sentiments dans vos cœurs[a] ? » Il donnait ainsi la preuve la plus grande de sa divinité, la connaissance des pensées secrètes. « Car tu connais les cœurs, est-il dit, toi seul entre tous[b]. » Et David dit aussi : « Dieu qui sonde les reins et les cœurs[c]. » Dieu donnait souvent cette connaissance aux prophètes, pour apprendre à leurs auditeurs qu'il n'y avait rien d'humain dans leurs paroles, mais que tout le jugement avait été porté d'en haut, des cieux. Voilà bien pourquoi cet Isaïe à la voix si puissante, après avoir parlé au roi avec beaucoup d'aménité, l'avoir délivré des dangers, l'avoir invité à prendre courage dans la situation présente et lui avoir donné des preuves de ce qu'il disait, en révélant le projet des assaillants, en dénonçant la trahison, en prédisant la conquête pleine et entière d'Israël, en en déterminant le temps, Isaïe ne s'en est pas tenu là, il va plus avant, il n'attend pas qu'Achaz demande un signe, il l'y exhorte alors qu'il s'y refuse par une incrédulité excessive ; et il ne l'exhorte pas simplement, mais il le laisse maître de son choix ; car il ne dit pas : tel ou tel signe, mais : où tu veux ; le Seigneur est riche, sa puissance irrésistible, son pouvoir indicible. Si tu veux que le signe vienne des cieux, rien ne s'y oppose ; de la terre, il n'y a pas d'obstacle. C'est le sens des mots : ou en profondeur ou en hauteur. Mais comme même ainsi il n'a pu le persuader, il n'a pas alors cessé de parler, mais il ajoute un blâme, destiné à la fois à corriger l'auditeur et à lui montrer qu'il ne l'a pas trompé ni égaré par de faux arguments, et il développe une prophétie mystérieuse concernant le salut de l'univers et la restauration de toutes

> V C || 26 προσθεῖναι : -θῆναι LMG || 27 ἀλλὰ > V N || 28 αὐτὸν αἰτῆσαι σημεῖον ~ C

5. a. cf. Matth. 9, 2-7. b. III Rois 8, 39. c. Ps. 7, 10.

40 ἐπὶ διορθώσει τῶν πραγμάτων ἁπάντων· καί φησι τὸ σημεῖον οὐχὶ τῷ Ἄχαζ δίδοσθαι λοιπόν, ἀλλὰ τῷ κοινῷ τῶν Ἰουδαίων δήμῳ. Παρὰ μὲν γὰρ τὴν ἀρχὴν πρὸς αὐτὸν τὸν λόγον ἀπέτεινεν· ἐπειδὴ δὲ ἀνάξιον ἐκεῖνος ἑαυτὸν ἀπέφηνε, τῷ κοινῷ τοῦ λαοῦ διαλέγεται. Διὰ τοῦτο 45 γάρ, φησί, δώσει, οὐχὶ σοί, ἀλλ' ὑμῖν σημεῖον. Ὑμῖν, τίσιν; Τοῖς ἐν τῷ οἴκῳ Δαυΐδ. Καὶ γὰρ ἐκεῖθεν ἐβλάστησε τὸ σημεῖον. Τί οὖν τὸ σημεῖόν ἐστιν; Ἰδοὺ ἡ παρθένος ἐν γαστρὶ λήψεται καὶ τέξεται υἱὸν καὶ καλέσουσι τὸ ὄνομα αὐτοῦ Ἐμμανουήλ. Παρατηρητέον, ὅπερ καὶ ἔμπροσθεν 50 εἶπον, ὅτι οὐ τῷ Ἄχαζ δίδοται λοιπὸν τὸ σημεῖον. Καὶ ὅτι οὐ στοχασμός, αὐτὸς ὁ προφήτης καὶ ἐνεκάλεσε καὶ κατηγόρησε λέγων· Μὴ μικρὸν ὑμῖν, ἀγῶνα παρέχειν ἀνθρώποις; καὶ προσέθηκε· Διὰ τοῦτο δώσει Κύριος ὑμῖν σημεῖον. Ἰδοὺ ἡ παρθένος ἐν γαστρὶ ἕξει. Εἰ δὲ μὴ 55 παρθένος ἦν, οὐδὲ σημεῖον ἦν. Τὸ γὰρ σημεῖον ἐκβαίνειν δεῖ τὴν κοινὴν ἀκολουθίαν καὶ τὴν τῆς φύσεως ὑπερβαίνειν συνήθειαν καὶ ξένον εἶναι καὶ παράδοξον, ὥστε ἕκαστον ἐπισημαίνεσθαι τῶν ὁρώντων καὶ ἀκουόντων. Διὰ γὰρ τοῦτο καὶ σημεῖον λέγεται, διὰ τὸ ἐπίσημον. Ἐπί- 60 σημον δὲ οὐκ ἂν γένοιτο, εἰ μέλλοι κρύπτεσθαι τῇ κοινωνίᾳ τῶν ἄλλων πραγμάτων. Ὥστε εἰ περὶ γυναικὸς ὁ λόγος ἦν νόμῳ φύσεως τικτούσης, τίνος ἕνεκεν σημεῖον καλεῖ τὸ καθ' ἑκάστην γινόμενον ἡμέραν; Διὰ δὴ τοῦτο καὶ ἀρχόμενος οὐκ ἁπλῶς εἶπεν· Ἰδου παρθένος, ἀλλ' ἰδοὺ 65 ἡ παρθένος, τῇ προσθήκῃ τοῦ ἄρθρου ἐπίσημόν τινα καὶ μόνην τοιαύτην γεγενημένην ἡμῖν αἰνιττόμενος. Ὅτι γὰρ ἡ προσθήκη αὕτη τοῦτο ἐνδείκνυται, δυνατὸν καὶ ἀπὸ τῶν εὐαγγελίων μαθεῖν. Ἐπειδὴ γὰρ ἔπεμψαν πρὸς τὸν Ἰωάννην οἱ Ἰουδαῖοι ἐρωτῶντες, Τίς εἶ; οὐκ ἔλεγον· Σὺ

43-44 ἑαυτὸν ἐκεῖνος ~ LMGCN || 45 γάρ, φησί : λέγων C || δώσει + κύριος C || 49 καὶ > L || 50 λοιπὸν > N || 52 μὴ > G || 53 ὑμῖν > N

1. L'oracle d'Isaïe a soulevé bien des discussions. Sans entrer dans le

choses : il dit que ce signe n'est plus donné à Achaz, mais au peuple Juif tout entier. Au commencement c'était à lui seul qu'il adressait la parole ; mais comme il s'était montré indigne il parle au peuple tout entier. Aussi, dit-il, le Seigneur donnera, non pas à toi, mais à vous, un signe. A vous : qui est-ce donc ? Les membres de la maison de David. C'est là en effet qu'a germé le signe. Quel est donc ce signe ? « Voici que la vierge concevra et enfantera un fils, et on lui donnera le nom d'Emmanuel. » Il faut observer, comme je l'ai dit, que ce n'est plus à Achaz qu'est donné le signe. Ce n'est pas là une conjecture ; les reproches et les accusations du prophète justement le montrent bien. « Est-ce trop peu pour vous d'entrer en lutte avec les hommes ? » Et il a ajouté : « Aussi le Seigneur vous donnera-t-il un signe. Voici que la vierge concevra. » Si ce n'était pas une vierge, il n'y aurait pas de signe. Le signe doit en effet sortir de l'ordre commun, déborder le cours habituel de la nature, être insolite et inattendu, à tel point que chacun de ceux qui le voient ou en entendent parler lui reconnaisse ce caractère. C'est pour cela qu'on l'appelle signe, à cause de son caractère significatif. Or, il ne serait pas significatif s'il devait se confondre avec le commun des événements ; s'il s'agissait donc d'une femme qui enfante suivant la loi de la nature, pourquoi appeler signe ce qui se passe chaque jour ? Aussi, dès le début, il n'a pas dit tout bonnement : voici qu'une vierge, mais : voici que la vierge, nous suggérant par l'emploi de cet article qu'il s'agissait d'une vierge remarquable et unique[1]. Que cette adjonction ait cette portée, on peut l'apprendre aussi par les évangiles. Quand les Juifs envoyèrent demander à Jean : Qui es-tu ? ils ne disaient pas : Es-tu christ ? mais : Es-

débat, on peut faire observer que le terme hébreu *almah* est traduit dans la Septante tantôt par παρθένος (ici et en *Gen.* 24, 43), tantôt par νεᾶνις (en *Ex.* 2, 8 ; *Ps.* 67, 26 ; *Cant.* 1, 3 ; 6, 8), tantôt par νεότης (en *Prov.* 30, 19). Il désigne une fille nubile, mais non mariée. C'est ainsi du moins que l'ont compris les traducteurs de la Septante.

70 εἶ χριστός, ἀλλ' Εἰ σὺ εἶ ὁ Χριστός· οὐδὲ ἔλεγον, Σὺ εἶ προφήτης, ἀλλ' Εἰ σὺ εἶ ὁ προφήτης[d]· ὧν ἕκαστον ἐξαίρετον ἦν. Διὰ τοῦτο καὶ ἀρχόμενος ὁ Ἰωάννης οὐκ ἔλεγεν· Ἐν ἀρχῇ ἦν Λόγος, ἀλλ' Ἐν ἀρχῇ ἦν ὁ Λόγος καὶ ὁ Λόγος ἦν πρὸς τὸν Θεόν[e]. Οὕτω δὴ καὶ ἐνταῦθα 75 οὐκ εἶπεν· Ἰδοὺ παρθένος, ἀλλ' Ἰδοὺ ἡ παρθένος· καὶ μετὰ ἀξιώματος προφήτῃ πρέποντος τὸ Ἰδού. Μόνον γὰρ οὐχὶ ὁρῶντος ἦν τὰ γινόμενα καὶ φανταζομένου καὶ πολλὴν ἔχοντος ὑπὲρ τῶν εἰρημένων πληροφορίαν. Τῶν γὰρ ἡμετέρων ὀφθαλμῶν ἐκεῖνοι σαφέστερον τὰ μὴ 80 ὁρώμενα ἔβλεπον. Τὴν μὲν γὰρ αἴσθησιν εἰκὸς καὶ ἀπατηθῆναι· ἡ δὲ τοῦ Πνεύματος χάρις ἀνεξαπάτητον παρείχετο τὴν ἀπόφασιν.

6 Καὶ τίνος ἕνεκεν οὐ προσέθηκε, φασίν, ὅτι ἐκ Πνεύματος ὁ τόκος ἔσται; Προφητεία ἦν τὸ λεγόμενον καὶ συνεσκιασμένως ἀπαγγεῖλαι ἔδει, ὃ πολλάκις εἶπον, διὰ τὴν τῶν ἀκουόντων ἀγνωμοσύνην, ἵνα μὴ σαφῶς πάντα 5 μαθόντες καὶ τὰ βιβλία πάντα κατακαύσωσιν. Εἰ γὰρ τῶν προφητῶν οὐκ ἐφείσαντο, πολλῷ μᾶλλον τῶν γραμμάτων οὐκ ἂν ἀπέσχοντο. Καὶ ὅτι οὐ στοχασμὸς τὸ εἰρημένον, ἕτερός τις βασιλεὺς ἐπὶ τοῦ Ἱερεμία αὐτὰ τὰ βιβλία λαβὼν κατέτεμε καὶ πυρὶ παρεδίδου. Εἶδες μανίαν ἀφόρητον; 10 εἶδες ὀργὴν ἀλόγιστον; Οὐκ ἤρκεσεν αὐτῷ τὸ ἀφανίσαι τὰ γράμματα, ἀλλὰ καὶ ἐνέπρησε, τὸ ἀλόγιστον αὐτοῦ πάθος πληρῶσαι βουλόμενος. Ἀλλ' ὅμως καὶ ἀσαφῶς εἰπὼν ὁ θαυμάσιος οὗτος προφήτης, τὸ πᾶν ἐνεδείξατο. Παρθένος γάρ, ἕως ἂν μένῃ παρθένος, πόθεν ἄλλοθεν κυήσειεν, εἰ μὴ 15 ἀπὸ Πνεύματος ἁγίου; Τὸ γὰρ νόμον λῦσαι φύσεως οὐδενὸς ἑτέρου ἦν, ἀλλ' ἢ τοῦ δημιουργοῦ τῆς φύσεως. Ὥστε εἰπὼν ὅτι τέξεται ἡ παρθένος, τὸ πᾶν ἐνέφηνεν.

74 δὴ > N ‖ 76 προφήτῃ : προφητείᾳ C ‖ 80 εἰκὸς : εἰκὼς L[1]MG
6, 1 φασίν *scripsi ex* A : φησίν *cod.* ‖ 2 πνεύματος + ἁγίου V ‖ 5 μαθόντες : μανθάνοντες *Montf.* ‖ 12-13 οὗτος ὁ θαυμάσιος ~ C ‖ 14 πόθεν + ἂν LMG ‖ ἄλλοθεν + ἂν C

tu le Christ? Ils ne disaient pas non plus: Es-tu prophète? mais : Es-tu le prophète[d] ? Chacun de ces titres était singulier. C'est aussi pour cette raison qu'au commencement de son évangile Jean ne disait pas : Au commencement était un Verbe, mais : « Au commencement était le Verbe, et le Verbe était avec Dieu[e]. » De même ici le prophète n'a pas dit : Voici qu'une vierge, mais : « Voici que la vierge », en employant avec la dignité qui convient au prophète le mot « voici ». En effet, il voyait presque les événements, il se les représentait et avait une pleine certitude de ce qu'il disait. Car, avec plus de netteté que nos yeux, ces hommes voyaient l'invisible. Il est normal qu'il y ait des erreurs des sens, mais la grâce de l'Esprit donnait de parler sans risque d'erreur.

6 Et pourquoi, dit-on, le prophète n'a-t-il pas ajouté que l'enfantement serait l'œuvre de l'Esprit ? Sa parole était une prophétie, et il fallait prophétiser de façon voilée, comme je l'ai dit souvent, à cause de l'aveuglement des auditeurs, de peur qu'en apprenant clairement tous les faits, ils ne brûlassent tous les livres. Si en effet ils n'ont pas épargné les prophètes, ils auraient encore bien moins respecté leurs écrits. Et ce n'est pas là de ma part une conjecture : du temps de Jérémie, un autre roi prit justement les livres, les mit en pièces et les livra au feu. Vois-tu cette folie intolérable, cette colère aveugle ? Il ne lui a pas suffi de faire disparaître les écrits ; désireux d'assouvir sa passion insensée, il les a brûlés[1]. Cependant, tout en parlant en termes obscurs, cet admirable prophète a tout indiqué. Tant qu'elle reste vierge, comment une vierge pourrait-elle concevoir, si ce n'est par l'Esprit Saint ? Il n'appartenait à aucun autre qu'à l'auteur de la nature d'en suspendre les lois, si bien qu'en disant que la vierge enfantera, il a tout dévoilé.

d. cf. Jn 1, 19-25. e. Jn 1, 1.

1. Le roi s'appelait Joïaqim. Cf. *Jér.* 36, 23 (LXX : 43, 23).

Εἰπὼν τοίνυν τὸν τόκον, λέγει καὶ τὸ ὄνομα τοῦ τικτομένου, οὐ τὸ τεθέν, ἀλλὰ τὸ ἀπὸ τῶν πραγμάτων. Ὥσπερ
20 γὰρ τὴν Ἱερουσαλὴμ καλεῖ πόλιν δικαιοσύνης[a], καίτοι γε οὐδαμοῦ δικαιοσύνης ἐκλήθη πόλις, ἀλλὰ ἀπὸ τῶν πραγμάτων ταύτην εἶχε τὴν προσηγορίαν, διὰ τὸ πολλὴν γεγενῆσθαι τὴν ἐπὶ τὸ βέλτιον αὐτῆς μεταβολὴν καὶ τὴν τοῦ δικαίου προστασίαν (καὶ γὰρ ὅταν πόρνην καλῇ[b], οὐχ ὡς
25 τῆς πόλεως οὕτω ποτὲ κληθείσης, ἀλλὰ ἀπὸ τῆς κακίας τὸ ὄνομα τίθησιν· οὕτω δὴ καὶ μετὰ ταῦτα ἀπὸ τῆς ἀρετῆς)· τὸ αὐτὸ τοίνυν καὶ ἐπὶ τοῦ Χριστοῦ λεκτέον, ὅτι τὸ ἀπὸ τῶν πραγμάτων αὐτῷ ὄνομα τέθεικε. Τότε γὰρ μάλιστα μεθ' ἡμῶν ὁ Θεὸς γέγονεν, ἐπὶ τῆς γῆς ὀφθεὶς καὶ τοῖς
30 ἀνθρώποις συναναστρεφόμενος καὶ τὴν πολλὴν ἐπιδεικνύμενος περὶ ἡμᾶς κηδεμονίαν. Οὐκέτι γὰρ ἄγγελος, οὐδὲ ἀρχάγγελος μεθ' ἡμῶν, ἀλλ' αὐτὸς καταβὰς ὁ Δεσπότης τὴν πᾶσαν ἀνεδέξατο διόρθωσιν, πόρναις διαλεγόμενος, τελώναις συνανακείμενος, εἰς ἁμαρτωλῶν οἰκίας εἰσιών,
35 λῃσταῖς παρρησίαν διδούς, μάγους ἐφελκόμενος, πάντα περιιὼν καὶ διορθούμενος, καὶ αὐτὴν τὴν φύσιν ἑνῶν πρὸς ἑαυτόν. Ταῦτα οὖν πάντα ὁ προφήτης προαναφωνεῖ, ὁμοῦ καὶ τὸν τόκον λέγων καὶ τὸ κέρδος τῶν ὠδίνων τὸ ἄφατον ἐκεῖνο καὶ ἄπειρον. Ὅταν γὰρ ὁ Θεὸς μετὰ
40 ἀνθρώπων ᾖ, οὐδὲν δὴ δεῖ λοιπὸν δεδοικέναι, οὐδὲ τρέμειν, ἀλλ' ὑπὲρ ἁπάντων θαρρεῖν· ὅπερ οὖν καὶ ἐγένετο. Καὶ γὰρ τὰ ἀρχαῖα ἐκεῖνα καὶ ἀκίνητα ἐλύθη κακὰ καὶ ἡ κατὰ τοῦ κοινοῦ γένους ἀπόφασις ἀνῃρεῖτο[c] καὶ τῆς ἁμαρτίας τὰ νεῦρα ἐκέκοπτο καὶ διαβόλου
45 τυραννὶς κατελύετο καὶ ὁ πᾶσιν ἄβατος παράδεισος ἀνδρο-

21 ἐκλήθη δικαιοσύνης ~ C ‖ ἐκλήθη + ἡ LMG ‖ 22 ταύτην > N ‖ γεγενῆσθαι : γενέσθαι V ‖ 25 ποτὲ > N ‖ 28 αὐτῷ LGCN A : αὐτὸ V M ‖ 28-29 μεθ' ἡμῶν μάλιστα ~ N ‖ 29 μεθ' ἡμῶν > G ‖ 33 ἀνεδέξατο : ἐνεδείξατο N ‖ 34 εἰς > V ‖ 40 δὴ > CN ‖ δεῖ > V LMG

6. a. Is. 1, 26. b. Is. 1, 21. c. cf. Col. 2, 14.

En parlant donc de l'enfantement, il dit aussi le nom de celui qui est enfanté, non pas le nom qui lui a été imposé, mais celui qui résulte des faits [1]. De même en effet qu'il appelle Jérusalem ville de justice [a], bien que nulle part elle n'ait porté ce nom, mais parce que les événements lui avaient valu cette appellation, car une grande amélioration s'y était produite et elle était devenue le rempart de la justice ; et quand il l'appelle prostituée [b], ce n'est pas qu'elle ait jamais été nommée ainsi, mais il lui donne ce nom à cause de sa perversité ; de même fait-il ensuite à cause de sa vertu. Il faut donc dire la même chose à propos du Christ : il lui a imposé le nom qui ressort des faits. En effet, c'est alors surtout que Dieu fut avec nous [2], quand on le vit sur la terre, vivant avec les hommes et manifestant une grande sollicitude envers nous. Ce n'était plus un ange, ni un archange avec nous, mais le Maître lui-même était descendu pour se charger de tout réformer, conversant avec les prostituées, prenant ses repas avec les publicains, entrant dans les maisons des pécheurs, donnant aux brigands la liberté de parler, attirant les mages, circulant partout et redressant tout, et s'unissant à la nature elle-même. Tout cela donc, le prophète l'annonce, en parlant de cet enfantement, et du bienfait indicible et infini de cet accouchement. Quand Dieu est avec les hommes, il ne faut plus rien craindre désormais, il ne faut plus trembler, mais avoir en tous points confiance ; c'est donc justement ce qui s'est passé. Les maux anciens et immuables furent dissipés: la sentence portée contre notre commune espèce était annulée [c], les nerfs du péché étaient coupés, la tyrannie du diable renversée, le paradis inaccessible à tous était d'abord

1. Le nom d'Emmanuel s'imposait puisque l'enfant n'avait d'autre père que Dieu.

2. Emmanuel, Immânû-él, signifie Dieu avec nous, Dieu nous protège en allié fidèle.

φόνῳ καὶ λῃστῇ πρῶτον ἠνοίγετο[d] καὶ οὐρανῶν ἀψῖδες ἀνεπετάννυντο καὶ ἀγγέλοις ἄνθρωποι συνανεμίγνυντο καὶ πρὸς τὸν βασιλικὸν θρόνον ἡ φύσις ἡ ἡμετέρα ἀνήγετο καὶ τοῦ ᾅδου τὸ δεσμωτήριον ἄχρηστον ἦν καὶ ὁ θάνατος
50 ὄνομα λοιπὸν ἔμενεν ὄν, πράγματος ἀπεστερημένον· καὶ μαρτύρων χοροὶ καὶ γυναῖκες κατακλῶσαι τοῦ ᾅδου τὰ κέντρα. Ταῦτα οὖν πάντα προορῶν ὁ προφήτης ἐσκίρτα καὶ ἐχόρευε καὶ δι' ἑνὸς ῥήματος ἡμῖν αὐτὰ ἐνεδείκνυτο, προφητεύων ἡμῖν τὸν Ἐμμανουήλ.
55 15. ***Βούτυρον καὶ μέλι φάγεται, πρὶν ἢ γνῶναι αὐτὸν ἢ προελέσθαι πονηρὰ ἐκλέξεται τὸ ἀγαθόν.*** 16. ***Διότι πρὶν ἢ γνῶναι τὸ παιδίον ἀγαθὸν ἢ κακόν, ἀπειθεῖ πονηρίᾳ, τοῦ ἐκλέξασθαι τὸ ἀγαθόν.*** Ἐπειδὴ τὸ τικτόμενον παιδίον οὔτε ἄνθρωπος ἦν ψιλός, οὔτε Θεὸς μόνον, ἀλλὰ Θεὸς ἐν
60 ἀνθρώπῳ, εἰκότως καὶ ὁ προφήτης ποικίλλει τὸν λόγον, νῦν μὲν τοῦτο, νῦν δὲ ἐκεῖνο λέγων καὶ τὰ παράδοξα τιθεὶς καὶ οὐκ ἀφιεὶς ἀπιστηθῆναι τὴν οἰκονομίαν διὰ τὴν τοῦ θαύματος ὑπερβολήν. Εἰπὼν γὰρ ὅτι τέξεται ἡ παρθένος, ὅπερ ἦν ἀνωτέρω φύσεως καὶ ὅτι κληθήσεται
65 Ἐμμανουήλ, ὃ καὶ αὐτὸ μεῖζον προσδοκίας ἦν, ἵνα μή τις τὸν Ἐμμανουὴλ ἀκούσας, τὰ Μαρκίωνος πάθῃ καὶ νοσήσῃ τὰ Οὐαλεντίνου διὰ τὴν οἰκονομίαν, διαρρήδην ἐπήγαγε καὶ τῆς οἰκονομίας τὴν σαφεστάτην ἀπόδειξιν, ἀπὸ τῆς τραπέζης αὐτὴν πιστούμενος. Τί γάρ φησι; Βούτυρον καὶ

46 οὐρανῶν *scripsi ex* A : οὐράνιοι V[2] οὐρανοῦ *cett.* || 47 ἄνθρωποι : -πος V N || συνανεμίγνυντο *scripsi* : συνανεμίγνυτο V ἀνεμίγνυτο *cett.* || 50 ὄν : ὧν C || 51 κατακλῶσαι : κατακλάσασαι *Montf.* || 52 πάντα οὖν ταῦτα ~ C || 52-53 ἐσκίρτα – καὶ[2] > C || 53 αὐτὰ : ταῦτα LMG > C || 56-58 διότι – ἀγαθόν > N || 57 τοῦ : τὸ M || 63 ἡ > LMGN || 64 ἀνωτέρω : ἀνώτερον LMGC || 67 τὰ + τοῦ V || 68 τὴν > *Montf.*

d. cf. Lc 23, 42-43.

1. Marcion, qui était à Rome dans la communauté chrétienne vers 140, quitta l'Église peu après et s'en alla fonder une secte dont les structures étaient calquées en bien des points sur celles de l'Église. Il rejetait l'Ancien Testament et le Dieu de la Loi ; il expurgeait le Nouveau Testament de tout

ouvert à un homicide et à un brigand[d], les voûtes des cieux s'ouvraient, l'homme se mêlait aux anges, notre nature était élevée jusqu'au trône royal. La prison de l'enfer devenait inutile, la mort n'était plus qu'un nom privé de réalité ; des chœurs de martyrs et des femmes brisaient les aiguillons de l'enfer. La prévision de tous ces événements faisait tressaillir et danser le prophète, et il nous les désignait par un seul mot, en nous prédisant l'Emmanuel.

15 Il mangera du beurre et du miel; avant de connaître par lui-même ou de choisir le mal, il élira le bien. 16 Car, avant que le petit enfant connaisse le bien ou le mal, il se détourne du vice pour choisir le bien. Puisque l'enfant mis au monde n'était pas simplement un homme, ni seulement Dieu, mais Dieu dans un homme, le prophète diversifie à juste titre son discours, parlant tantôt d'un aspect, tantôt de l'autre, proposant les merveilles et ne laissant pas contester le plan divin en raison de la grandeur du prodige. Après avoir dit que la vierge enfanterait, ce qui était au-dessus de la nature, et qu'on l'appellerait Emmanuel, ce qui en soi dépassait toute attente, pour éviter qu'en entendant parler d'Emmanuel on ne souffrît du mal de Marcion[1] et de la maladie de Valentin[2] en raison du plan divin, il a ajouté expressément la démonstration très claire de ce plan, en prenant pour argument la nourriture. Que dit-il en

ce qui rappelait l'Ancien. Il fut combattu à son époque par Justin, puis par IRÉNÉE (*Contre les hérésies*, I, 27), par TERTULLIEN *(Adversus Marcionem)*. Le marcionisme survécut longtemps à son fondateur.

2. Valentin, un des maîtres à penser du gnosticisme au IIe siècle. IRÉNÉE lui consacre de longues pages dans son ouvrage *Contre les hérésies* (livres I et II). La « maladie » de Valentin consistait à professer une mythologie ahurissante d'Êtres supérieurs (Éons), dérivant les uns des autres et remontant ainsi à un Éon Suprême. Les êtres matériels que nous sommes, issus de la déchéance d'un Éon d'étage inférieur, n'avaient accès à l'Éon Suprême que s'ils possédaient en eux, par privilège, une semence spirituelle, ce qui était le cas des Valentiniens... Le valentinisme et ses avatars étaient encore bien présents à la mémoire de l'Église à la fin du IVe siècle, on le voit par cette mention dans le Commentaire de Jean.

70 μέλι φάγεται. Τοῦτο δὲ οὐκ ἂν εἴη θεότητος, ἀλλὰ τῆς φύσεως τῆς ἡμετέρας. Διὰ γάρ τοι τοῦτο οὐδὲ ἄνθρωπον ἁπλῶς πλάσας ἐνῴκησεν ἐν αὐτῷ, ἀλλὰ καὶ κυήσεως ἠνέσχετο καὶ ταύτης ἐννεαμηνιαίου καὶ ὠδίνων καὶ σπαργάνων καὶ τῆς ἐκ πρώτης ἡλικίας τροφῆς, ἵνα διὰ 75 πάντων ἐμφράξῃ τὰ στόματα τῶν ἀρνεῖσθαι τὴν οἰκονομίαν ἐπιχειρούντων. Ταῦτα οὖν ἄνωθεν προορῶν ὁ προφήτης οὐχὶ τὰς ὠδῖνας λέγει καὶ τὸν θαυμαστὸν τόκον μόνον, ἀλλὰ καὶ τὴν ἐν πρώτῃ ἡλικίᾳ τροφήν, τὴν ἐν αὐτοῖς τοῖς σπαργάνοις, οὐδὲν τῶν λοιπῶν ἐξαλλάττουσαν 80 ἀνθρώπων, οὐδέ τι ξένον κατὰ τοῦτο ἔχουσαν. Οὔτε γὰρ ἅπαντα ἐξηλλαγμένα ἦν αὐτῷ, οὔτε πάντα κοινά. Τὸ μὲν γὰρ ἐκ γυναικὸς τεχθῆναι κοινόν, τὸ δὲ ἀπὸ παρθένου μεῖζον ἢ καθ' ἡμᾶς. Τὸ δὲ τραφῆναι πάλιν τῷ κοινῷ τῆς φύσεως νόμῳ καὶ τὸ αὐτὸ τοῖς πολλοῖς κοινόν· τὸ δὲ 85 ἄβατον γενέσθαι πονηρίᾳ τὸν ναὸν ἐκεῖνον, καὶ μηδὲ εἰς πεῖραν ἐλθεῖν πονηρίας, τοῦτο ξένον καὶ παράδοξον καὶ αὐτοῦ μόνου. Διὸ δὴ κἀκεῖνο καὶ τοῦτο τέθεικεν. Οὐ γὰρ μετὰ τὴν πεῖραν τῆς κακίας ἀπέστη τῆς κακίας, φησίν, ἀλλὰ ἄνωθεν καὶ ἐκ προοιμίων αὐτῶν πᾶσαν ἀρετὴν 90 ἐπεδείκνυτο. Ὃ καὶ αὐτὸς ἔλεγε· Τίς ἐξ ὑμῶν ἐλέγχει με περὶ ἁμαρτίας[e]; καί, Ἔρχεται ὁ ἄρχων τοῦ κόσμου τούτου καὶ ἐν ἐμοὶ ἔχει οὐδέν[f].

7 Καὶ αὐτὸς οὗτος προϊὼν ὁ προφήτης λέγει ὅτι Ἁμαρτίαν οὐκ ἐποίησεν, οὐδὲ εὑρέθη δόλος ἐν τῷ στόματι αὐτοῦ[a]. Τοῦτο δὴ καὶ ἐνταῦθά φησιν, ὅτι πρὶν ἢ γνῶναι αὐτὸν ἢ προελέσθαι πονηρὰ ἀπὸ τῆς ἡλικίας ἐκείνης τῆς 5 ἀπειροκάκου, ἀπ' αὐτῶν τῶν προοιμίων τὴν ἀρετὴν ἐπιδείξεται καὶ οὐδὲν ἕξει πρὸς τὴν κακίαν κοινόν. Διότι πρὶν ἢ γνῶναι τὸ παιδίον ἀγαθὸν ἢ κακόν, ἀπειθεῖ πονηρίᾳ, τοῦ

71 τοι > V ‖ 72 ἐν > V C ‖ 73 καὶ[1] + τῆς V ‖ 82 ἐκ γυναικός *cod.* A[mg] : ἐξ ἀνδρός A ‖ 83 δὲ > V N ‖ 84 τὸ αὐτὸ : αὐτὸ C τῷ αὐτῷ G ‖ 87 κἀκεῖνο : κἀκείνῳ N ‖ 88 τῆς κακίας[1] > LMGC ‖ 90 ὑμῶν : αὐτῶν V N

7, 2 δόλος εὑρέθη ~ V

effet ? « Il mangera du beurre et du miel. » Cela ne peut être le fait de la divinité, mais concerne notre nature. Pour cette raison, Dieu n'a pas simplement façonné un homme pour habiter en lui, mais il a supporté d'être porté dans un sein, et cela durant neuf mois, il a supporté l'enfantement et les langes, ainsi que la nourriture du premier âge, pour fermer la bouche de façon complète à ceux qui voudraient nier le plan divin. Prévoyant cela de loin, le prophète ne parle pas seulement de l'accouchement et du merveilleux enfantement, mais aussi des aliments du premier âge, ceux qu'on donne déjà au berceau, qui ne différaient en rien de ceux des autres hommes et n'avaient à cet égard rien d'insolite. Tout n'était pas différent en lui, et tout non plus n'était pas commun. Naître d'une femme est commun, mais naître d'une vierge surpasse notre condition. De même, être nourri selon la loi commune de la nature et de la même façon que la multitude est un point commun ; mais que ce temple ait été inaccessible au mal et n'en ait même pas fait l'expérience, c'est chose insolite et surprenante, et qui n'appartient qu'à lui seul. C'est pourquoi le prophète a indiqué l'un et l'autre point. Ce n'est pas après avoir fait l'expérience du mal, dit-il, qu'il s'est écarté du mal, mais d'emblée, dès le commencement, il faisait montre de toute vertu. Il le disait lui-même : « Qui de vous me convainc de péché[e] ? » Et encore : « Le prince de ce monde vient, et il n'a aucun pouvoir sur moi[f]. »

Notre prophète dit lui-même plus loin : « Il n'a pas commis le péché et la tromperie n'a pas été trouvée sur ses lèvres[a]. » C'est précisément ce qu'il affirme ici : avant qu'il connaisse ou choisisse le mal, dès cet âge innocent, dès ses prémices mêmes, il manifestera sa vertu, et il n'aura rien de commun avec le mal. C'est pourquoi « avant que le petit enfant connaisse le bien ou le mal, il se détourne du vice pour choisir le bien. » De

e. Jn 8, 46. f. Jn 14, 30. **7.** a. Is. 53, 9.

ἐκλέξασθαι τὸ ἀγαθόν. Πάλιν ταῖς αὐταῖς λέξεσι τὸ αὐτὸ
νόημα αἰνίττεται καὶ ἐνδιατρίβει τῷ λόγῳ. Ἐπειδὴ γὰρ
10 σφόδρα ἦν ὑψηλὸν τὸ εἰρημένον, τῇ συνεχείᾳ τῆς
διηγήσεως αὐτὸ πιστοῦται. Ὅπερ γὰρ ἀνωτέρω ἐδήλωσεν
εἰπών · Πρὶν ἢ γνῶναι αὐτὸν ἢ προελέσθαι πονηρά, τοῦτο
προϊὼν ἠνίξατο εἰπών · Πρὶν ἢ γνῶναι τὸ παιδίον · καὶ
ἐπεξηγήσει κέχρηται πάλιν λέγων · Ἀγαθὸν ἢ κακόν,
15 ἀπειθεῖ πονηρίᾳ, τοῦ ἐκλέξασθαι τὸ ἀγαθόν. Τούτου γὰρ
αὐτοῦ μόνον ἦν τὸ ἐξαίρετον. Διὸ καὶ ὁ Παῦλος αὐτὸ
στρέφει συνεχῶς καὶ Ἰωάννης δὲ ἰδὼν αὐτόν, τοῦτο
ἀνεκήρυξε λέγων · Ἴδε ὁ ἀμνὸς τοῦ Θεοῦ, ὁ αἴρων τὴν
ἁμαρτίαν τοῦ κόσμου[b]. Ὁ δὲ τὴν ἑτέρων αἴρων, πολλῷ
20 μᾶλλον αὐτὸς ἀναμάρτητος ἦν. Καὶ ὁ Παῦλος, ὅπερ ἔφθην
εἰπών, συνεχῶς αὐτὸ ἀναβοᾷ. Ἐπειδὴ γὰρ ἔμελλεν
ἀποθνήσκειν, ἵνα μή τις νομίσῃ τῶν ἀπίστων, ὅτι οἰκείας
ἁμαρτίας τίνει δίκην, συνεχῶς αὐτοῦ τὸ ἀναμάρτητον εἰς
μέσον ἄγει, ἵνα τὸν θάνατον αὐτοῦ τῆς ἡμετέρας ἁμαρτίας
25 λυτήριον ὄντα δείξῃ. Διὸ καὶ ἔλεγε · Χριστὸς ἐγερθεὶς ἐκ
νεκρῶν οὐκέτι ἀποθνήσκει. Καὶ γὰρ ὃ ἀπέθανε, τῇ ἁμαρτίᾳ
ἀπέθανεν[c]. Οὐδὲ ἐκεῖνον τὸν θάνατον, ὡς ὑπεύθυνος ὤν,
φησί, κατὰ τὸν τῆς ἁμαρτίας λόγον ἀπέθανεν, ἀλλ' ὑπὲρ
τῆς κοινῆς ἁπάντων πλημμελείας. Εἰ τοίνυν τῷ προτέρῳ
30 κατὰ τοῦτο ὑπεύθυνος οὐκ ἦν, ἐκ περιουσίας ἀποδέ-
δεικται, ὅτι οὐκέτι ἀποθανεῖται.

***Καὶ καταλειφθήσεται ἡ γῆ, ἣν σὺ φοβῇ, ἀπὸ προσώπου
τῶν δύο βασιλέων.*** Ὅπερ συνεχῶς ὁ προφήτης ποιεῖ,
τοῦτο καὶ ἐνταῦθα πεποίηκε. Μετὰ τὴν προφητείαν ἐπὶ τὴν
35 ἱστορίαν ἐξάγει τὸν λόγον. Τοῦτο καὶ ἐπὶ τῶν Σεραφὶμ
κατασκευάσαντα σαφῶς ἀπεδείξαμεν, ὃ καὶ ἐνταῦθα εἰργάσατο. Εἰπὼν γὰρ τὰ μέλλοντα ἔσεσθαι τῆς οἰκουμένης
ἀγαθά, εἰς τὸν βασιλέα λοιπὸν τρέπει τὸν λόγον. Διὸ καὶ
ἐπήγαγε λέγων · Καὶ καταλειφθήσεται ἡ γῆ. Τί ἐστι <Τὸ>

9 ἐπειδὴ : ἐπεὶ LMG || 10 ὑψηλὸν ἦν ~ N || 13 εἰπὼν GC A : τῷ εἰπεῖν N

nouveau, par les mêmes expressions, il suggère la même idée et il insiste sur son affirmation. Ce qu'il a dit est si élevé qu'il le confirme par la suite de son discours. Ce qu'il a montré précédemment en disant : « avant de connaître par lui-même ou de choisir le mal », il l'a suggéré plus loin par ces mots : « avant que le petit enfant connaisse... », et il s'explique en ajoutant : « ... le bien ou le mal, il se détourne du vice pour choisir le bien. » Ce n'était qu'à lui qu'appartenait cette prérogative. Aussi Paul y revient-il continuellement, et Jean, en le voyant, a fait cette proclamation : « Voici l'Agneau de Dieu, qui enlève le péché du monde[b]. » Celui qui enlevait le péché des autres, était à bien plus forte raison exempt lui-même de péché. Et Paul, comme je l'ai dit, ne cesse de le clamer. Comme le Christ devait mourir, de peur que quelque incroyant ne pensât qu'il expiait son propre péché, Paul ne se lasse pas de proclamer qu'il est sans péché, pour montrer que c'est de notre péché que sa mort est la rançon. C'est pourquoi il disait : « Le Christ ressuscité des morts ne meurt plus. Sa mort fut une mort au péché[c]. » Cette mort, dit-il, il ne l'a pas subie comme responsable lui-même pour cause de péché, mais pour la prévarication commune. Si donc il n'était pas soumis à la première mort, selon ce raisonnement, il est abondamment prouvé qu'il ne mourra plus.

Elle sera laissée, la terre pour laquelle tu as peur, loin des regards des deux rois. Ce que fait constamment le prophète, il l'a fait encore ici. Après la prophétie, il passe à l'histoire. Nous avons clairement montré qu'il a procédé ainsi à propos des Séraphins ; il a agi de même ici. Après avoir parlé des biens qu'allait recevoir l'univers, il s'adresse maintenant au roi. Il a donc ajouté : « Elle sera laissée, la terre. » Qu'est-ce à dire :

εἰπεῖν *cett.* || 16 μόνον V : μόνῳ *cett.* || 21 ἀναβοᾷ : ἀνεβόα N || 34 καὶ > *Montf.* || 38 καὶ > C || 39 καὶ > V || τί + γὰρ M || τὸ *addidi ex* A

b. Jn 1, 29. c. Rom. 6, 9-10.

40 καταλειφθήσεται; Ἀνέπαφος ἔσται, ἐλευθέρα ἔσται, οὐδὲν πείσεται ἀηδές, τὰ τοῦ πολέμου οὐχ ὑποστήσεται. Καὶ καταλειφθήσεται ἡ γῆ, ἣν σὺ φοβῇ, ὑπὲρ ἧς δέδοικας, ὑπὲρ ἧς τρέμεις, ἀπὸ προσώπου τῶν δύο βασιλέων, τοῦ τε Δαμασκηνοῦ καὶ τοῦ Ἰσραηλίτου. Εἶτα, ἵνα μὴ τῇ τῶν 45 ἀγαθῶν προφητείᾳ ῥαθυμότερος γένηται, μηδὲ ὑπὸ τῆς εἰρήνης χαυνότερος, ἐπισφίγγει πάλιν αὐτοῦ τὴν ψυχὴν λέγων·

17. ***Ἀλλὰ ἐπάξει ὁ Θεὸς ἐπὶ σὲ καὶ ἐπὶ τὸν λαόν σου καὶ ἐπὶ τὸν οἶκον τοῦ πατρός σου ἡμέρας, αἳ οὔπω ἥκασιν, 50 ἀφ' ἧς ἡμέρας ἀφεῖλεν Ἐφραῒμ ἀπὸ Ἰούδα τὸν βασιλέα τῶν Ἀσσυρίων.*** Διὰ γὰρ τούτων τῶν βαρβάρων τὴν ἔφοδον δηλοῖ, δι' ἧς τὴν πόλιν πρόρριζον ἀνέσπασαν καὶ λαβόντες αὐτοὺς αἰχμαλώτους ἀπῆλθον. Καὶ προλέγει ταῦτα, οὐχ ἵνα γένηται, ἀλλ' ἵνα τῷ φόβῳ γενόμενοι 55 σωφρονέστεροι, τὴν ἀπειλὴν ἀποκρούσωνται. Ἐπειδὴ δὲ οὔτε ὑπὸ τῶν χρηστῶν, ὧν παρ' ἀξίαν ἀπήλαυσαν, ἐγένοντο βελτίους (ὅτι δὲ παρ' ἀξίαν ἀπήλαυσαν, ἔδειξεν ἡ γνώμη τοῦ βασιλέως καὶ ἡ ὑπερβάλλουσα ἀπιστία), οὔτε τῇ ἀπειλῇ τῶν φοβερῶν μετεβάλλοντο, ἀλλὰ πρὸς 60 ἑκάτερον τῆς ὠφελείας τὸ φάρμακον ἀντέστησαν χαλεπῶς, ἐπάγει λοιπὸν βαθυτέραν τὴν τομήν, τὴν σηπεδόνα ἐκτέμνων καὶ τοὺς ἀνίατα νοσοῦντας ἐκκόπτων. Τί δέ ἐστιν· Ἀφ' ἧς ἡμέρας ἀφεῖλεν Ἐφραῒμ ἀπὸ Ἰούδα τὸν βασιλέα τῶν Ἀσσυρίων; Ἐπῆλθον οἱ βάρβαροι, πάντας 65 αὐτοὺς ἀναρπασόμενοι· ἀλλ' ἀφέντες τὸν Ἰούδα καὶ τὰς δύο φυλάς, ἐτράπησαν κατὰ τοῦ Ἰσραήλ. Ὃ τοίνυν λέγει, τοῦτό ἐστιν· ἀπὸ τῆς ἡμέρας ἐκείνης, ἀφ' ἧς αἱ δέκα φυλαὶ πρὸς ἑαυτὰς ἐφελκύσονται τὸ τῶν βαρβάρων στρατόπεδον, ὑμῶν ἀποστήσαντες, τῇ τῆς οἰκείας ἁμαρτίας 70 ὑπερβολῇ καὶ καθ' ἑαυτῶν καλέσαντες αὐτοὺς ἀπενεχθῶσιν, ἀπ' ἐκείνης χρὴ δεδοικέναι καὶ φοβεῖσθαι λοι-

40 ἔσται : ἐστι LM ‖ ἐλευθέρα ἔσται > V ‖ οὐδὲν V C : οὐδὲ *cett.* ‖ 43 προσώπου > C ‖ τε V : > *cett.* ‖ 56 οὔτε : οὐδὲ LMC ‖ 57 ἐγένοντο –

Elle sera laissée? Elle sera intacte, libre, elle ne subira pas d'affreux dommages, elle n'endurera pas les maux de la guerre. « Et elle sera laissée, la terre pour laquelle tu as peur », pour laquelle tu crains, tu trembles, « loin des regards des deux rois », celui de Damas et celui d'Israël. De peur néanmoins que cette prédiction de bonheur ne rende le roi plus négligent ou la paix, sans ressort, de nouveau le prophète lui étreint l'âme en disant :

17 Mais Dieu fera venir sur toi, sur ton peuple et sur la maison de ton père des jours qui ne sont pas encore venus depuis le jour où Éphraïm a séparé de Juda le roi des Assyriens. Par ces mots il désigne l'invasion des Barbares qui détruisirent la ville de fond en comble et se retirèrent en emmenant les habitants prisonniers. Il fait ces prédictions non pour qu'elles se réalisent, mais pour que la frayeur les rende plus sages et qu'ils détournent ainsi la menace. Mais comme ni les faveurs dont ils avaient joui sans l'avoir mérité ne les avaient rendus meilleurs – qu'ils en aient joui sans mérite, les sentiments du roi et l'excès de son incrédulité en sont la preuve –, ni la menace des catastrophes ne les faisait changer, mais qu'ils résistaient fâcheusement à l'action de ces deux remèdes bienfaisants, il recourt alors à une incision plus profonde, amputant la partie gangrenée, retranchant les malades incurables. Que signifie « depuis le jour où Éphraïm a séparé de Juda le roi des Assyriens »? Les Barbares survinrent avec l'intention de les emmener tous de force ; mais négligeant Juda et les deux tribus, ils se tournèrent contre Israël. Voici donc ce qu'il veut dire : à partir du jour où les dix tribus auront écarté de vous et attiré sur elles l'armée des Barbares, par l'énormité de leurs propres péchés, et que ce faisant elles seront déportées, depuis ce jour-là il vous faut craindre et trembler. Car,

ἀπήλαυσαν > C A || βελτίους : σωφρονεστέρους N || 59 μετεβάλλοντο : μετεβάλοντο N || 61 βαθυτέραν : βαρυτέραν V || 67 τοῦτο : τοιοῦτο G || ἧς + ἄν V N || 68 ἐφελκύσονται : -ωνται GCN

πόν. Ὁδῷ γὰρ προβαίνοντες καὶ ἐφ' ὑμᾶς ἥξουσιν, εἰ μὴ μεταβάλλοισθε. Καί φησιν, ἀπὸ τῆς ἡμέρας ἐκείνης ἐπάξει αὐτούς. Οὐ γὰρ ὁμοῦ τῶν Ἰσραηλιτῶν ἀπενεχθέντων,
75 κἀκεῖνοι ἑάλωσαν, ἀλλὰ βραχὺς μεταξὺ γέγονε χρόνος.

8 Ὃ τοίνυν λέγει, τοῦτό ἐστιν, ὅτι τῇ ψήφῳ ἔκτοτε ἐπήγαγεν ἂν τὰς ἡμέρας· ἀλλ' ἀνέμενεν ὁ Θεὸς καὶ ἐμακροθύμει, καίτοι τῆς ἀξίας τῶν ἁμαρτημάτων ἔκτοτε ἀπαιτούσης τὴν τιμωρίαν· ὅπερ πολλαχοῦ ποιεῖν εἴωθε,
5 τῆς κυρίας παραγενομένης ἡμέρας, ἀναβάλλεσθαι καὶ ἀναδύεσθαι· ὃ καὶ τῆς αὐτοῦ φιλανθρωπίας τεκμήριον μέγιστον καὶ τῆς ἀγνωμοσύνης τῶν οὐκ ἐθελόντων εἰς δέον αὐτοῦ κεχρῆσθαι τῇ μακροθυμίᾳ ἀπόδειξις σαφεστάτη. Τοῦτο οὖν καὶ ἐνταῦθά φησιν, ὅτι ἀπὸ τότε ἡ
10 ἀπειλή, ἀπὸ τότε ἡ ἀπόφασις, ἐκ τότε ἡ θεήλατος ὀργή, ἵνα ἐπὶ θύραις ἀγαγὼν τὴν τιμωρίαν, διαναστήσῃ πρὸς μετάνοιαν καὶ βελτίους ἐργάσηται καὶ μετὰ τὴν ἐκείνων ἅλωσιν ἐν ἀγωνίᾳ καταστήσῃ, μηδέ, ἐπειδὴ οἱ μὲν ἀπηνέχθησαν, οἱ δὲ διέφυγον, ῥᾳθυμότεροι ταύτῃ γένωνται.
15 18. ***Καὶ ἔσται ἐν τῇ ἡμέρᾳ ἐκείνῃ, συριεῖ Κύριος μυίαις, αἳ κυριεύσουσι μέρους ποταμοῦ Αἰγύπτου.*** Ὁρᾷς ὡς οὐ μάτην ἔλεγον, ὅτι τὸν φόβον αὐξῆσαι βουλόμενος, ἀπὸ τῆς ἡμέρας ἐκείνης ἐπισείει τὴν ἀπειλήν. Τὰ γοῦν ἑξῆς τουτõ δηλοῖ, δι' ὧν ἐπαίρει τὸν φόβον τῷ λόγῳ καὶ τὰ
20 στρατόπεδα αὐτοῖς δῆλα ποιῶν, ἅπερ ἦν αὐτοῖς φοβερώτατα, καὶ τὴν εὐκολίαν τῆς ἐφόδου δηλῶν, ὃ μεθ' ὑπερβολῆς αὐτοὺς κατέσειε, καὶ τὸ στῖφος τῆς στρατιᾶς ἐμφαίνων, ὃ μάλιστα αὐτῶν ἐξίστη τὴν διάνοιαν· ταῦτα δὲ ἅπαντα διὰ τῶν ἑξῆς ᾐνίξατο. Σκόπει δέ. Καὶ ἔσται ἐν τῇ
25 ἡμέρᾳ ἐκείνῃ, φησί, συριεῖ Κύριος μυίαις. Μυίας ἐνταῦθα

73 μεταβάλλοισθε : -βάλοισθε MG[1]CN

8, 2 ἀνέμενεν : ἀνέμεινεν MGN ‖ 5 παραγενομένης : -γινομένης LMGCN ‖ 7 τῶν > C ‖ 12 καὶ[1] > *Montf.* ‖ 13 μηδέ : καὶ μὴ C ‖ 14 γένωνται ταύτῃ ~ LMGC ‖ 18 ἐπίσειει : ἐπιθήσει V ‖ 22 καὶ > V ‖ στῖφος *scripsi ex* A *post Savilium* : ξίφος V πλῆθος *cett.* ‖ στρατιᾶς : στρατείας V ‖ 23 ἐξίστη LMG :

poursuivant leur route, ils viendront sur vous, si vous ne changez pas. Depuis ce jour-là, dit-il, il les fera venir. S'ils ne furent pas, en effet, déportés en même temps que les Israélites, ils furent pris, eux aussi, mais après un court laps de temps[1].

Ce qu'il veut donc dire ici est que selon son décret Dieu aurait déjà amené ces jours ; mais il attendait et se montrait longanime, bien que la gravité des péchés déjà commis appelât le châtiment. En bien des cas l'on voit Dieu agir de la sorte : quand le jour fixé est arrivé, il diffère, il recule, preuve évidente de son amour pour les hommes et démonstration éclatante de l'ingratitude de ceux qui ne veulent pas profiter à temps de sa longanimité. Ce qu'il veut dire ici aussi est que la menace est immédiate, la sentence immédiate, la colère divine immédiate, afin qu'en amenant la vengeance à leurs portes il les excite à la pénitence, les rende meilleurs et, après la captivité des autres, les jette dans l'angoisse et que, pour avoir eux-mêmes échappé quand les autres avaient été déportés, ils n'en deviennent pas plus indolents.

18 Et il arrivera en ce jour-là que le Seigneur sifflera les mouches qui régneront sur une partie du fleuve Égypte. Tu le vois, j'avais raison de dire que, voulant augmenter leur effroi, il brandit dès ce jour-là la menace. Ce qui suit du moins montre comment il excite la peur par son discours : il leur fait voir les armées, ce qui était pour eux le plus effrayant ; il montre la facilité de l'invasion, ce qui les secouait à l'extrême ; il fait apparaître la masse des combattants, ce qui leur troublait particulièrement l'esprit, et il a suggéré tout cela par les paroles suivantes, prêtes-y attention : « Et il arrivera en ce jour-là, dit-il, que le Seigneur sifflera les mouches. » Ici il a

ἐξίστησι V ἐξέστησε CN || 25 μυίας > V

1. La chute de Samarie, capitale des dix tribus, eut lieu en 721 et fut suivie d'une déportation massive. En 587, Jérusalem, à son tour, fut détruite.

τοὺς Αἰγυπτίους ἐκάλεσε, διὰ τὸ ἀναιδὲς καὶ ἀναίσχυντον καὶ ὅτι συνεχῶς διακρουόμενοι συνεχῶς ἐπῄεσαν καὶ οὐδὲ μικρὸν ἀναπνεῖν συνεχώρουν, ἀλλὰ μυρία παρεῖχον αὐτοῖς πράγματα πολλάκις, καθάπερ αἱ μυῖαι τοῖς τραύμασιν,
30 οὕτω διηνεκῶς ταῖς τούτων ἐφιζάνοντες συμφοραῖς. Τούτους οὖν ἄξει, φησίν, ὁ Θεός. Ἀλλ' οὐκ εἶπεν, ἄξει, ἀλλὰ Συριεῖ, τὴν εὐκολίαν ἐμφαίνων τῆς ἀνόδου καὶ τὸ ἄμαχον τῆς τοῦ Θεοῦ δυνάμεως καὶ ὅτι ἀρκεῖ νεῦσαι μόνον καὶ πάντα ἕπεται. Καὶ εἰκότως ἀπὸ τούτων
35 πρότερον ἄρχεται τῆς ἀπειλῆς, ὧν ἤδη διὰ τῶν ἔργων πεῖραν εἰλήφεισαν. ***Καὶ τῇ μελίσσῃ, ἥ ἐστιν ἐν χώρᾳ Ἀσσυρίων.*** Ὁ Σύρος καὶ ὁ Ἑβραῖος, ὥς φασιν, οὐ λέγουσι, μελίσσας, ἀλλά, Σφῆκας. Ἐπειδὴ γὰρ οὐ σφόδρα αὐτῶν ἦσαν ἐν πείρᾳ, τῇ εἰκόνι τοῦ σφηκὸς εἰς πολλὴν
40 αὐτοὺς ἐνέβαλλεν ἀγωνίαν, τὸ σφοδρὸν αὐτῶν, τὸ πληκτικόν, τὸ ἀμυντικόν, τὸ πικρὸν τῶν τραυμάτων, τὸ ταχὺ τῆς παρουσίας, τὸ δυσφύλακτον διὰ τοῦ ζώου τούτου δηλῶν.

19. ***Καὶ ἐλεύσονται καὶ ἀναπαύσονται πάντες ἐν ταῖς
45 φάραγξι τῆς χώρας καὶ ἐν ταῖς τρώγλαις τῶν πετρῶν καὶ εἰς τὰ σπήλαια καὶ εἰς πᾶσαν ῥαγάδα καὶ ἐν παντὶ ξύλῳ.*** Εἰπὼν τὸ φοβερὸν τῶν ἐθνῶν καὶ τὸ τάχιστον τῆς στρατείας, λέγει καὶ τὸ πλῆθος λοιπόν. Καὶ οὐκ εἶπε· Στρατοπεδεύσονται, ἀλλά· Ἀναπαύσονται, οὐδὲ ὡς εἰς
50 πολεμίαν ἀφικνούμενοι χώραν, ἀλλ' ὡς τῇ οἰκείᾳ ἐντρυφῶντες, οὐδὲ ὡς καμάτου δεόμενοι καὶ πόνων, ἀλλ' ὡς ἐπὶ φανερὰν ἀπαντήσοντες νίκην καὶ ἕτοιμον ληψόμενοι τὴν ἁρπαγήν. Διὰ τοῦτό φησιν· Ἐλεύσονται καὶ ἀναπαύσονται, ὃ τῶν νενικηκότων ἐστὶ καὶ τρόπαιον στησάντων

26 ἐκάλεσε *post* ἀναίσχυντον *transp.* C ‖ 31 ἄξει... ἄξει : ἕξει... αὔξει V ἄγει... ἄγει A ‖ 35 διὰ τῶν ἔργων > V ‖ 36 εἰλήφεισαν : εἴληφα V ‖ 37 ὥς φασιν > C ‖ 38 ἐπειδὴ : ἐπεὶ LM ‖ 39 τοῦ σφηκὸς *scripsi ex* A : τῶν ζώων C τοῦ ζώου *cett.* ‖ 44-46 καὶ – ξύλῳ *post* λοιπὸν (48) *transp.* C ‖ 47 εἰπὼν + δὲ C ‖ τάχιστον V : τάχος *cett.* ‖ 48 στρατείας V G²C : στρατιᾶς *cett.* ‖ 51 ὡς οὐδὲ ~ LMGN ‖ πόνων : πόνου V

appelé mouches les Égyptiens, à cause de leur effronterie et de leur impudence et parce que, repoussés continuellement, ils revenaient continuellement à la charge, sans même les laisser souffler un peu ; ils leur suscitaient au contraire souvent mille ennuis et, comme les mouches se posent sur les plaies, venaient continuellement se poser sur leurs malheurs. Dieu les conduira donc, dit-il ; cependant il n'a pas dit « conduira », mais « sifflera », pour montrer la facilité de l'invasion, l'invincibilité de la puissance de Dieu, et qu'il lui suffit de faire signe pour que tout obéisse [1]. Et il est normal qu'il commence ces menaces par celles dont ils avaient déjà fait l'expérience par les faits. *Et l'abeille qui est au pays des Assyriens.* Le syriaque et l'hébreu [2], à ce qu'on dit, ne portent pas « abeilles », mais « guêpes ». Comme ils n'avaient pas encore bien fait l'expérience des Assyriens, il recourait à l'image de la guêpe pour les jeter dans une grande angoisse [3] ; c'était l'impétuosité de l'ennemi, son acharnement, son endurance, la douleur des blessures, la rapidité de son arrivée, la difficulté de s'en préserver qu'il montrait par cet animal.

19 Et ils viendront et se reposeront tous dans les ravins du pays, dans les fentes des rochers, dans les cavernes, dans toute anfractuosité et sur tout arbre. Après avoir parlé du caractère redoutable de ces nations et de l'extrême mobilité de leur armée, il lui reste à en dire l'importance. Il n'a pas dit : « ils camperont », mais : « ils se reposeront », non comme s'ils arrivaient dans un pays ennemi, mais comme s'ils prenaient leurs aises chez eux, non comme s'ils devaient connaître la fatigue et les peines, mais comme s'ils devaient aller au-devant d'une victoire assurée et s'emparer d'un butin tout préparé. C'est pourquoi il dit : « ils viendront et se reposeront », ce qui est le fait des vainqueurs, de ceux qui ont érigé un trophée et qui se

1. Cf. *Iliade* I, 528-530.

2. Le texte hébraïque porte cependant « abeille ».

3. L'abeille est un symbole des ennemis acharnés dans *Deut.* 1, 44 ; *Ps.* 118, 12.

55 καὶ μετὰ τὸν πολὺν ἱδρῶτα καὶ τὰς σφαγὰς ἀναπαυομένων. Καὶ οὐκ ἀναπαύσονται ἐν πεδίοις μόνον· ἀλλ' ἐπειδὴ τὸ πλῆθος ἄπειρον καὶ οὐχ ἱκανὴ ἡ χώρα δέξασθαι τῶν σωμάτων τὸν ἀριθμόν, καὶ φάραγγες καὶ πέτραι καὶ ὄρη καὶ νάπαι καὶ πάντα καλυφθήσεται τοῖς βαρβαρικοῖς 60 σώμασι. Καίτοι εἰ καὶ μὴ σφοδροὶ ἦσαν, μηδὲ οὕτω ῥαγδαῖοι, ἤρκει τὸ πλῆθος αὐτοὺς καταπλῆξαι· ὅταν δὲ ἀμφότερα ᾖ, καὶ πλῆθος τοσοῦτον καὶ δύναμις τηλικαύτη καὶ τὸ πάντων χαλεπώτερον, ἡ τοῦ Θεοῦ ὀργὴ στρατηγοῦσα, ποία λοιπόν ἐστι σωτηρίας ἐλπίς; Τὸ δὲ Εἰς πᾶσαν 65 ῥαγάδα καὶ ἐν παντὶ ξύλῳ ὑπερβολικῶς εἴρηται. Οὐ γὰρ δὴ ἐπὶ τῶν δένδρων ἔμελλον ἀναπαύεσθαι, ἀλλ' ὁμοῦ, καθάπερ εἶπον, καὶ τὴν ὑπερβολὴν ᾐνίξατο καὶ τῇ μεταφορᾷ τῶν σφηκῶν ἐνέμεινεν.

20. ***Ἐν τῇ ἡμέρᾳ ἐκείνῃ ξυρήσει Κύριος τῷ ξυρῷ τῷ*** 70 ***μεμεθυσμένῳ.*** Αὐξήσας τὸν φόβον ἀπὸ τῶν στρατοπέδων, ἐπιτείνει πάλιν αὐτόν, ἐπὶ τὸν οὐρανὸν τὸν λόγον ἀνάγων, δεικνὺς ὅτι οὐ βάρβαροί τινες Αἰγύπτιοι καὶ Πέρσαι, ἀλλ' ὁ Θεός ἐστιν ὁ πολεμῶν τοῖς Ἰουδαίοις. Ξυρὸν δὲ ἐνταῦθα τὴν ἀφόρητον ὀργὴν αὐτοῦ φησι καὶ ἣν οὐδεὶς 75 ὑποστῆναι δυνήσεται, μετ' εὐκολίας ἐπιοῦσαν καὶ ἀναλίσκουσαν. Ὥσπερ γὰρ αἱ τρίχες τοῦ σώματος τοῦ ξυροῦ τὴν ἀκμὴν οὐκ ἂν ἐνέγκαιεν, ἀλλ' εἴκουσιν εὐθέως καὶ παραχωροῦσιν· οὕτω δὴ καὶ τὰ Ἰουδαϊκὰ πράγματα τὴν θεήλατον ὀργὴν ἐκείνην οὐκ ἂν ὑποσταῖέν ποτε, φησί.

9 Ξυρὸν τοίνυν μεμεθυσμένον τὴν ἀκμάζουσαν, τὴν μεμεστωμένην τοῦ Θεοῦ ὀργήν, τὴν πεπληρωμένην ἀπόφασιν ἡμῖν ἐνδείκνυται. ***Πέραν δὲ τοῦ ποταμοῦ βασιλέως Ἀσσυρίων,*** τὸ πέραν τοῦ Εὐφράτου φησίν· ἅπερ ἦν ἡ 5 Ἰουδαία καὶ ἡ Παλαιστίνη πᾶσα ἀπὸ Περσίδος ἐπανιοῦσι. Ταῦτα οὖν ἅπαντα ἀφανιεῖ, φησίν, ἄρδην. Κεφαλὴν δὲ καὶ

55 ἀναπαυομένων C A : ποιούντων LMGN ποιουμένων V || 57 καὶ > *Montf.* || 61 ῥαγδαῖοι : ῥαγδέοι N || 62 καὶ – καὶ > *Montf.* || 64 ἐλπὶς σωτηρίας ~ LMGC || 77 ἐνέγκαιεν : ἐνέγκαι C

9, 2 πεπληρωμένην : πεπληροφορημένην N || 2-3 ἡμῖν ἀπόφασιν ~ N || 4

reposent après beaucoup de sueur et de carnages. Et ils ne se reposeront pas seulement dans les plaines ; mais, puisque leur multitude est innombrable et le pays trop petit pour contenir toute cette engeance, ravins, rochers, montagnes, vallons, tout sera recouvert de cette engeance barbare. Et même s'ils n'étaient pas si féroces ni si impétueux, leur nombre suffirait à inspirer la terreur ; mais, quand les deux causes se réunissent, un si grand nombre et une telle puissance et, ce qui est plus grave que tout, quand la colère de Dieu les mène au combat, quel espoir de salut reste-t-il ? La formule « dans toute anfractuosité et sur tout arbre » est hyperbolique. Ils n'allaient certes pas en effet se reposer sur les arbres, mais le prophète a à la fois, comme je l'ai dit, suggéré l'hyperbole et poursuivi la métaphore des guêpes.

20 En ce jour-là le Seigneur rasera avec le rasoir enivré. Après avoir excité la crainte au moyen des armées, il l'augmente encore en élevant son discours jusqu'au ciel ; il montre que ce ne sont pas des Barbares, Égyptiens et Perses [1], mais que c'est Dieu qui fait la guerre aux Juifs. Il donne ici le nom de rasoir à sa colère irrésistible, devant laquelle nul ne pourra tenir, qui s'avance et détruit avec aisance. De même que les poils du corps ne peuvent résister au tranchant du rasoir, mais qu'ils cèdent et tombent aussitôt, l'état juif, dit-il, est incapable de tenir devant cette colère divine [2].

Par le rasoir enivré il nous représente la colère de Dieu à son paroxysme, dans sa plénitude, et l'exécution de sa sentence. *Au-delà du fleuve du roi des Assyriens* désigne ce qui est au-delà de l'Euphrate ; telle était la position de la Judée et de toute la Palestine en venant de Perse. Tout cela, dit-il, il le fera disparaître complètement. La tête, les poils, la barbe, les

τὸ : τὰ C > V

1. Les Perses sont en fait des Assyriens.
2. La métaphore du rasoir est inspirée par le fait que l'on rasait la tête des prisonniers pour les avilir.

τρίχας καὶ πώγωνα καὶ πόδας, ὁλόκληρον τὴν χώραν φησὶ τῇ παραβολῇ τοῦ σώματος, πᾶσαν αὐτῶν τὴν χώραν περιλαμβάνων τῷ λόγῳ, ὥσπερ καὶ ἀρχόμενος ἔλεγε· Πᾶσα
10 κεφαλὴ εἰς πόνον καὶ πᾶσα καρδία εἰς λύπην. Ἀπὸ ποδῶν ἕως κεφαλῆς οὐκ ἔστιν ἐν αὐτῷ ὁλοκληρία[a]· οὐ περὶ ἑνὸς ἀνθρώπου λέγων, ἀλλ' ὁλόκληρον τὴν χώραν ἑνὶ σώματι παραβάλλων. Τοῦτο δὴ καὶ ἐνταῦθά φησιν, ὅτι καὶ χαλεπὴν ὑποστήσεται τὴν τιμωρίαν πᾶσα ἡ γῆ. Καὶ τὸ
15 μὲν διὰ τοῦ ξυροῦ, τὸ δὲ διὰ τῆς τοῦ σώματος εἰκόνος ἐνέφηνε, δηλῶν ὅτι ξυροῦ παντὸς χαλεπώτερον καὶ τοὺς ἀνθρώπους καὶ τὰ ἀπὸ τῆς γῆς ἀναλώσει ἡ παρὰ τοῦ Θεοῦ φερομένη ψῆφος καὶ γυμνὴν αὐτὴν καὶ ἔρημον καταλείψει. Εἶτα τὴν ἐρημίαν ταύτην δι' ἑτέρας εἰκόνος
20 ἐνδείκνυται. Ποιεῖ δὲ αὐτό, ὥστε διὰ πάντων ἀκμάζοντα μένειν τὸν φόβον καὶ μὴ καταμαραίνεσθαι τῷ μήκει τοῦ λόγου τὴν ἀγωνίαν. Καὶ δοκεῖ μὲν τοῖς οὐ προσέχουσι χρηστῶν τινων ἐπαγγελίαν εἶναι τὸ λεγόμενον· οἱ δὲ ἀκριβῶς ἐξετάζοντες ἴσασιν ὅτι ἐπιτεταμένης ἐρημίας ἐστὶν
25 ἀπόδειξις. Τί γάρ φησι;

21. ***Καὶ ἔσται ἐν τῇ ἡμέρᾳ ἐκείνῃ, θρέψει ἄνθρωπος δάμαλιν βοῶν καὶ δύο πρόβατα.*** 22. ***Καὶ ἔσται, ἀπὸ τοῦ πλεῖστον ποιεῖν γάλα φάγεται βούτυρον, ὅτι βούτυρον καὶ μέλι φάγεται πᾶς ὁ καταλειφθεὶς ἐπὶ τῆς γῆς.*** Ταῦτα
30 πολλήν, ὡς ἔφθην εἰπών, ἐρημίαν ἐνδείκνυται. Ἡ γὰρ πυροὺς καὶ κριθὰς φέρουσα γῆ, τῶν ἀνθρώπων ἐρημωθεῖσα, δαψιλῆ παρέξει νομὴν τοῖς προβάτοις καὶ οὕτω δαψιλῆ, ὡς διὰ τὴν εὐθηνίαν τῆς τοιαύτης τραπέζης ἀρκεῖν καὶ δύο πρόβατα καὶ δάμαλιν μίαν πηγὰς τῷ
35 κεκτημένῳ παρέχειν γάλακτος. Ὥστε ἡ εὐθηνία τῆς εὐωχίας τῶν ἀλόγων τῆς τῶν ἀνθρώπων ἐρημίας μέγιστόν ἐστι τεκμήριον. Καὶ τὸ μέλι δὲ τοῦτο αἰνίττεται· εἰώθασι

7 ὁλόκληρον > C ‖ 8 τὴν χώραν αὐτῶν ~ N ‖ 13 καί[2] > CN ‖ 14 τὴν > V ‖ 15 τοῦ[2] > *Montf.* ‖ 20 αὐτό : τοῦτο C ‖ 23 ἐπαγγελίαν V : ἐπαγγελία *cett.* ‖ 25-30 τί – ἐνδείκνυται > C ‖ 28 ποιεῖν : πιεῖν *Montf.*

pieds[1] : c'est le pays dans sa totalité qu'il indique par la comparaison du corps, embrassant en ces termes leur pays tout entier ; comme il le disait au commencement : « Toute tête est dans la peine, tout cœur dans la tristesse. Des pieds à la tête il n'y a plus en lui rien de sain[a]. » Ce n'est pas d'un seul homme qu'il parle, mais le pays tout entier qu'il compare à un corps unique. Ici aussi il dit que toute la terre subira un terrible châtiment. Il a représenté ce châtiment par le rasoir et la terre par l'image du corps en montrant que, plus redoutable que tout rasoir, la sentence portée par Dieu fera disparaître les hommes et les produits de la terre et la laissera nue et déserte. Il dépeint ensuite cette désolation par une autre image. Il le fait de manière à maintenir toujours la crainte au plus haut degré et à ne pas laisser l'angoisse se flétrir par la longueur du discours. Des gens peu attentifs pensent voir dans cet énoncé la promesse de certains biens ; mais ceux qui se livrent à un examen rigoureux y reconnaissent la description d'une désolation extrême. Que dit-il donc ?

21 Il arrivera en ce jour-là que l'homme élèvera une génisse et deux brebis. 22 Il arrivera qu'à cause de l'abondance de production du lait, il mangera du beurre, car quiconque sera laissé sur cette terre mangera du beurre et du miel. Cela démontre, comme je l'ai déjà dit, une grande désolation. La terre qui produit le blé et l'orge, privée de ses habitants, fournira un pâturage abondant aux brebis, si abondant que grâce à la richesse de cette nourriture deux brebis et une génisse suffiront pour donner à leur possesseur des fontaines de lait. L'abondance de nourriture pour les animaux est ainsi le signe le plus certain de la disparition des hommes. Le miel suggère aussi cette idée : les abeilles ont coutume de séjourner volon-

9. a. Is. 1, 5-6.

1. La Septante parle de la tête, des poils des jambes et de la barbe. L'hébreu également. Le commentaire montre que Jean lisait un texte différent.

γὰρ ταῖς ἐρήμοις ἐμφιλοχωρεῖν αἱ μέλιτται καὶ ἔνθα ἂν πολλῆς νομῆς ἀπολαύωσι καὶ ἔνθα μηδεὶς ὁ ἐνοχλῶν ᾖ.
40 Καὶ ἵνα μάθῃς ὅτι τὴν ἐπιτεταμένην ἐρημίαν αἰνίττεται, τὰ ἑξῆς δηλοῖ.

23. ***Καὶ ἔσται ἐν τῇ ἡμέρᾳ ἐκείνῃ οὗ ἐὰν ὦσι χίλιαι ἄμπελοι χιλίων σίκλων, εἰς χέρσον ἔσονται καὶ εἰς ἄκανθαν.*** 24. ***Μετὰ βέλους καὶ τοξεύματος εἰσελεύσονται ἐκεῖ, ὅτι***
45 ***χέρσος καὶ ἄκανθα ἔσται πᾶσα ἡ γῆ.*** Πολλῆς καὶ τοῦτο δυσπραγίας σημεῖον, ὅταν μὴ ὄρη καὶ νάπαι, ἀλλ' αὐτὴ ἡ βαθύγειος καὶ πολλῆς ἀπολαύουσα τῆς ἐπιμελείας ἀκάνθας φέρῃ. Οὐδὲ γὰρ ἁπλῶς τὸ τίμημα τῶν ἀμπέλων τέθεικεν, ἀλλ' ἵνα καὶ τὴν φύσιν τῆς γῆς ἐπιδείξηται καὶ τὴν
50 πολλὴν τῶν γεωργῶν ἐπιμέλειαν. Ἀλλ' ὅμως ἐκεῖνα τὰ οὕτως εὐθηνούμενα, φησί, καὶ γεωργικῶν ἀπολαύοντα χειρῶν, εἰς τοσαύτην καταστρέψει τὴν ἐρημίαν, ὡς ἀκάνθας μὲν ἀντὶ ἀμπέλων φέρειν, τοσοῦτον δὲ παρέχειν τοῖς εἰσιοῦσι τὸν φόβον, ὡς μηδένα τολμᾶν γυμνὸν καὶ
55 ἄοπλον εἰσιέναι. Τοῦτο δὲ λέγει, τὴν ἐρημίαν ἐμφαίνων τοῦ τόπου καὶ τὴν πολλὴν αὐτόθι τῶν θηρίων διατριβήν. Κατασείσας τοίνυν αὐτῶν τὴν διάνοιαν καὶ μετὰ ἀκριβείας κατεργασάμενος αὐτοὺς τῷ φόβῳ, πάλιν ἀνίησιν ὀλίγον, τὰ χρηστὰ ἀναμίξας καὶ τὴν ἐπὶ τὸ βέλτιον μεταβολήν, ἵνα
60 ἑκατέρωθεν μάθωσι τοῦ Θεοῦ τὴν ἰσχύν. Ἀλλὰ τοῖς μὲν φοβεροῖς ἐνδιατρίβει, τὰ δὲ χρηστὰ εὐθέως εἰπὼν ἀπαλλάττεται. Τί δήποτε; Ὅτι τούτου μάλιστα ἐδέοντο τῆς ἐπιτιμήσεως τοῦ φαρμάκου τότε· διὸ δὴ αὐτὸ μετὰ δαψιλείας ἐπιθείς, ὥστε ἐνδοῦναι μικρὸν ἀναπνεῦσαι καὶ ταύτῃ
65 πάλιν εἰς ἀρετὴν ἐκκαλέσασθαι, καὶ τὰ χρηστὰ ἀναμίγνυσι, λέγων·

25. ***Πᾶν ὄρος ἀροτριώμενον ἀροτριωθήσεται.*** Ὥσπερ γὰρ

39 ᾖ : εἴη LMGC ‖ 41 ἑξῆς : ανωτέρω ἐφεξῆς C ‖ δηλοῖ : εἰρήκασιν C ‖ 46-48 ὅταν... φέρῃ : ὅτι... φέρει V C ‖ 47 βαθύγειος : βαθύγεως N ‖ ἀπολαύουσα : ἀπολαύσασα N ‖ 50 ὅμως + καὶ C ‖ 53 μὲν > C ‖ 57 τοίνυν > C ‖ 62 μάλιστα τούτου ~ V ‖ 62-63 τοῦ φαρμάκου τότε τῆς ἐπιτιμήσεως

tiers dans les régions désertes, car elles y trouvent une abondante pâture sans que personne vienne les troubler. Et que le prophète suggère une solitude extrême, la suite du texte le montre. Sache-le.

23 Et il arrivera en ce jour-là que là où il y a mille vignes de mille sicles[1], *ce sera une terre inculte avec des chardons. 24 Avec une flèche et un arc on y pénétrera, car tout le pays sera un sol stérile, couvert de chardons.* C'est un signe de grand malheur quand non seulement les montagnes et les vallons, mais aussi la terre au sol profond, qui était l'objet de tant de soins, produiront des chardons. Ce n'est pas non plus sans raison qu'il amentionné le prix des vignes, mais pour indiquer la nature du sol et tout le soin apporté par les cultivateurs. Et pourtant ces terrains si fertiles, dit-il, servis par les bras des laboureurs, Dieu les transformera en un tel désert qu'ils porteront des chardons au lieu de vignes et qu'ils inspireront à ceux qui y pénétreront une telle frayeur que nul ne s'y aventurera sans armes ni armure. En s'exprimant ainsi, il met sous leurs yeux la désolation de l'endroit et son envahissement par les bêtes sauvages. Après avoir ainsi bouleversé leur esprit et les avoir fait littéralement mourir de peur, il adoucit de nouveau un peu le ton de son discours, en y mêlant d'heureuses prédictions et l'annonce d'un changement favorable, pour qu'ils reconnaissent sous l'une et l'autre forme la puissance de Dieu. Il s'attarde cependant sur ce qui est effrayant et glisse rapidement sur ce qui est favorable. Pourquoi cela ? Parce qu'ils avaient alors besoin surtout du remède de la correction ; il l'applique donc sans ménagement, puis pour leur permettre de souffler un peu et les encourager de nouveau par ce moyen à la vertu, il introduit les heureuses prédictions en disant :

25 Toute montagne sera labourée par la charrue. De même

~ C || 64 ἐνδοῦναι : δοῦναι C

1. Le texte hébreu parle de mille pièces d'argent.

ἐν τῇ ὀργῇ τοῦ Θεοῦ καὶ ἡ βαθύγειος ἔρημος ἔσται, οὕτω καὶ ἐν τῇ καταλλαγῇ πάλιν καὶ ἡ τραχεῖα τὰ τῆς λιπαρᾶς
70 ἐπιδείξεται γῆς, ἄροτρον δεχομένη καὶ σπέρματα. Τούτων δὲ γενομένων, καὶ τὰ ἐκ τούτων ἅπαντα ἔσται, εἰρήνη καὶ ἄδεια καὶ τὸ θαρσεῖν καὶ μὴ δεδοικέναι, καθάπερ ἔμπροσθεν.

Οὐ γὰρ μὴ ἐπέλθῃ, φησίν, ***ἐκεῖ φόβος. Ἔσται δὲ ἀπὸ τῆς***
75 ***χέρσου καὶ ἀπὸ τῆς ἀκάνθης εἰς βόσκημα προβάτου καὶ πάτημα βοός.*** Καὶ διὰ τούτων πάλιν τὴν εὐθηνίαν αἰνίττεται, ὥσπερ καὶ ἔμπροσθεν προϊὼν λέγει· Μακάριος ὁ σπείρων ἐπὶ πᾶν ὕδωρ, οὗ βοῦς καὶ ὄνος πατεῖ[b]. Ὥσπερ γάρ, ὅταν ἐρημίαν παραστῆσαι βούληται, Σειρῆνας καὶ
80 Ὀνοκενταύρους[c] εἰς μέσον ἄγει τῷ λόγῳ· οὕτως, ὅταν εἰρήνην καὶ ἀσφάλειαν, τὰ χειροήθη καὶ τιθασσὰ τῶν ζώων καὶ συνεφαπτόμενα τῶν γεωργικῶν ἔργων ἡμῖν ταῦτα πανταχοῦ δείκνυσι φαινόμενα, ἀπὸ τούτων τὰ ἐκ τούτων ἐμφαίνων, γεωργίαν καὶ τὴν ἄλλην αὐτῶν δια-
85 κονίαν.

68 βαθύγειος : -γεως N ‖ 69 καὶ² > N ‖ 70 σπέρματα : σπέρμα V ‖ 71 γενομένων : γινομένων LMGC ‖ 75 ἀπὸ > LMGC ‖ εἰς > N ‖ 76 τούτων + δὲ C ‖ 78 οὗ : ὃ N ‖ 80 μέσον : μέστον LM.

que sous la colère de Dieu même la terre fertile sera un désert, de même, lors de la réconciliation la terre rocailleuse montrera les qualités de la terre grasse, en accueillant la charrue et la semence. Quand cela se sera produit, toutes les conséquences s'ensuivront : paix et sécurité, confiance et absence de crainte, comme auparavant.

La frayeur ne surviendra pas là. Il y aura à la place de la terre inculte et des chardons un pâturage pour la brebis et un lieu foulé par le bœuf. Il suggère de nouveau ici la fertilité, comme il en parle plus loin en ces termes : « Heureux celui qui sème le long des eaux, là où le bœuf et l'âne foulent le sol[b]. » Quand il veut peindre les solitudes, il évoque dans son discours sirènes et onocentaures[c] ; de même quand il décrit la paix et la sécurité, il montre les animaux apprivoisés et domestiqués, et nous les fait voir partout collaborer avec nous aux travaux agricoles, nous indiquant par là ce qui vient d'eux : l'agriculture et les autres services qu'ils nous rendent.

b. Is. 32, 20. c. cf. Is. 13, 21-22.

ΚΕΦΑΛ. Η'

1 1. ***Καὶ εἶπε Κύριος πρός με· λαβὲ σεαυτῷ τόμον χάρτου καινόν, μέγαν, καὶ γράψον εἰς αὐτὸν γραφίδι ἀνθρώπου, τοῦ ὀξέως προνομὴν ποιῆσαι σκύλων. Πάρεστι γάρ·*** 2. ***καὶ μάρτυράς μοι ποίησον πιστοὺς ἀνθρώπους, τὸν Οὐρίαν τὸν*** 5 ***ἱερέα, καὶ Ζαχαρίαν υἱὸν Βαραχίου.*** 3. ***Καὶ προσῆλθον πρὸς τὴν προφῆτιν καὶ ἐν γαστρὶ ἔλαβε καὶ ἔτεκεν υἱόν. Καὶ εἶπέ μοι Κύριος· Κάλεσον τὸ ὄνομα αὐτοῦ, ταχέως σκύλευσον, ὀξέως προνόμευσον.*** 4. ***Διότι πρὶν ἢ γνῶναι τὸ παιδίον καλεῖν πατέρα ἢ μητέρα, λήψεται δύναμιν Δαμασκοῦ, καὶ τὰ*** 10 ***σκῦλα Σαμαρείας ἔναντι βασιλέως Ἀσσυρίων.***

Δοκεῖ μὲν ἀπηρτῆσθαι κατὰ τὴν λέξιν ταυτὶ τὰ δύο προστάγματα, καὶ μηδὲν κοινὸν ἔχειν πρὸς ἄλληλα· εἰ δέ τις ἀκριβῶς ἐξετάσειε τῶν νοημάτων τὴν δύναμιν, πολλὴν ὄψεται τὴν συνέχειαν καὶ τὸν σκοπὸν ἕνα. Ἀναγκαῖον δὲ 15 πρῶτον εἰπεῖν, τίνος ἕνεκεν τὸ τῆς προφητείας εἶδος εἰς τὸν τῶν ἀνθρώπων εἰσηνέχθη βίον. [Τίνος οὖν ἕνεκεν εἰσηνέχθη, ἀναγκαῖον εἰπεῖν.] Μέλλειν εἴωθεν ὁ Θεὸς καὶ βραδύνειν πρὸς τὰς τῶν ἁμαρτανόντων τιμωρίας, ὥσπερ οὖν ταχύς ἐστι καὶ ὀξὺς εἰς τὰς τῶν κατορθούντων 20 εὐεργεσίας. Τοῦτο τοὺς ῥαθυμοτέρους ἀναπίπτειν παρασκευάζει, τὸ μὴ κατὰ πόδας ἕπεσθαι τῶν πλημμελημάτων τὴν δίκην. Ἵνα οὖν καὶ ὁ Θεὸς τὴν μακροθυμίαν ἐπιδεικνύηται τὴν ἑαυτοῦ καὶ μηδὲν ἐντεῦθεν ἐκεῖνοι γένωνται ῥᾳθυμότεροι, τὸ τῆς προφητείας κατα-

Testes V LMGCN A

1, 4 ποίησον > V || 10 βασιλέως : βασιλέων N || 11 ταυτὶ : ταῦτα C || 12 προστάγματα V N A : πράγματα *cett.* || ἔχειν : ἔχει V || 14 συνέχειαν *scripsi ex* A, *post Savilium* : συγγένειαν *cod.* || 16-17 τίνος – εἰπεῖν *seclusi ex* A || 24 γένωνται V : γίνωνται *cett.*

CHAPITRE VIII

1 Et le Seigneur me dit : Prends un morceau de papyrus neuf et grand, et écris dessus avec un stylet d'homme qu'on se hâte d'enlever le butin, car c'est le moment. 2 Donne-moi pour témoins des hommes sûrs, le prêtre Urie et Zacharie, fils de Barachie. 3 Puis je m'approchai de la prophétesse, elle conçut et enfanta un fils. Et le Seigneur me dit : Donne-lui comme nom : Fais vite du butin, hâte-toi de piller[1]. *4 Car avant que le petit enfant sache nommer père ou mère, il s'emparera de la puissance de Damas et des dépouilles de Samarie devant le roi des Assyriens.* Il semble que, pris à la lettre, ces deux commandements soient différents et n'aient entre eux rien de commun ; mais en examinant attentivement la portée des idées, on verra qu'il y a entre eux une étroite affinité et que leur but est identique. Il faut dire d'abord pourquoi le genre prophétique a pris place dans l'existence des hommes. [Pourquoi il a pris place, il faut le dire.] Dieu a coutume de tarder et de temporiser pour le châtiment des pécheurs, alors qu'il est rapide et prompt pour accorder ses bienfaits aux gens vertueux. Ce qui porte les indolents à succomber est que la punition ne suit point pas à pas les fautes. Pour montrer sa longanimité, sans qu'ils y trouvent prétexte à la négligence,

1. Les enfants recevaient un nom en rapport avec leur naissance (cf. *Gen.* 30, 6), mais aussi avec leur destin. Cela explique qu'on changeait de nom quand la vie devait prendre une autre direction. Ce fut le cas d'Abram, de Simon, de Saul, qui devaient s'appeler Abraham, Pierre, Paul. Le nom donné au fils d'Isaïe est ici prophétique d'un destin collectif. Cf. encore *Os.* 1, 4.6.8.

25 σκευάζει φάρμακον οὐ τῇ πείρᾳ τῶν κολάσεων, ἀλλὰ τῇ προγνώσει παιδεύων τοὺς ἁμαρτάνοντας τέως, ἵνα, ἂν μὲν βελτίους γένωνται τὰς ἀπειλὰς ἀκούοντες, τὴν διὰ τῆς πείρας κόλασιν διακρούσωνται· ἐὰν δὲ ἐπιμείνωσιν ἀναισθητοῦντες, τότε δὴ καὶ τὴν τιμωρίαν αὐτοῖς ἐπα-
30 γάγῃ. Τοῦτο συνιδὼν ὁ διάβολος καὶ τὸ κέρδος ἡλίκον ἐστὶν ἐννοῶν, τοὺς ψευδοπροφήτας ἀνῆκεν, οἳ τοῖς προφήταις ἀπειλοῦσι λιμούς, λοιμούς, πολέμους, βαρβάρων ἔφοδον, ἀντέλεγον, χρηστὰ ἀπαγγέλλοντες. Ὥσπερ γὰρ ὁ Θεὸς τῷ φόβῳ τῶν ῥημάτων ἐβούλετο τὴν διὰ τῆς πείρας
35 ἀποκρούεσθαι τιμωρίαν, οὕτω καὶ ὁ διάβολος τοὐναντίον εἰργάζετο· τῇ χάριτι τῶν λόγων ἐκλύων καὶ ῥᾳθυμοτέρους ποιῶν, εἰς ἀνάγκην καθίστη τοῦ τὴν διὰ τῶν πραγμάτων ὑπομεῖναι τιμωρίαν. Εἶτα, ἐπειδὴ μετὰ ταῦτα τοῖς ψευδοπροφήταις πιστεύοντες καὶ ἀρετῆς οὐδένα
40 ποιούμενοι λόγον, ἀλλὰ ταῖς ἑαυτῶν ἁμαρτίαις ἐμμένοντες ἐφείλκοντο καὶ τὴν κόλασιν καὶ ἀπὸ τοῦ τέλους καὶ ἡ τῶν προφητῶν ἀλήθεια σαφῶς ἐδείκνυτο καὶ τὸ τῶν ψευδοπροφητῶν ψεῦδος διηλέγχετο, ἕτερον πάλιν κατασκευάζει μηχάνημα πρὸς ἀπώλειαν τῶν ἁλισκομένων. Ἀνέπειθε γὰρ
45 αὐτοὺς εὐεξαπατήτους ὄντας, ὅτι δὴ ταῦτα [τὰ δεινὰ] τὰ συμβάντα ἀπὸ τῆς τῶν δαιμόνων ὀργῆς ἐγένετο, ἀμελουμένων παρ' αὐτῶν καὶ καταφρονουμένων. Τοῦτο τοίνυν τὸ δέλεαρ ἀναιρῶν ὁ Θεός, πρὸ πολλῶν ἄνωθεν χρόνων τὰ μέλλοντα αὐτοὺς καταλήψεσθαι δεινὰ προλέγει, ἵνα μὴ ἐξῇ
50 τοῖς ἀπατῶσιν αὐτοὺς τῇ τῶν δαιμόνων ὀργῇ λογίζεσθαι τὰ συμβαίνοντα. Καὶ ὅτι οὐ στοχαζόμενος ταῦτα λέγω, ἄκουσον Ἡσαΐου λέγοντος· Ἔγνων ὅτι σκληρὸς εἶ καὶ νεῦρον σιδηροῦν ὁ τράχηλός σου καὶ τὸ μέτωπόν σου χαλκοῦν. Διὰ τοῦτο ἐξ ἀρχῆς ἐλάλησά σοι, ἵνα μὴ εἴπῃς,
55 ὅτι τὰ εἴδωλά μοι <τοῦτο> ἐποίησε καὶ τὰ γλυπτὰ καὶ τὰ

28 ἐὰν : ἂν V N ‖ 36 τῶν λόγων GCN A : τὸν λόγον *cett.* ‖ 37 καθίστη : καθίστησι C ‖ τῶν > L ‖ 40 ἐμμένοντες <ταῖς> ἁμαρτίαις ~ C ‖ 42 σαφῶς > V ‖ 45-46 τὰ συμβάντα *scripsi ex* A : τὰ συμ- δεινὰ LMG τὰ δεινὰ τὰ συμ-

Dieu prépare donc le remède de la prophétie, instruisant d'abord les pécheurs, non par l'expérience des châtiments, mais par leur connaissance préalable, afin que s'ils deviennent meilleurs en entendant les menaces, ils échappent à la punition dont ils auraient fait l'expérience ; si au contraire ils restent insensibles, il la leur inflige alors. Le diable, voyant cela et en mesurant l'intérêt, suscita les faux prophètes, qui s'opposaient aux prophètes annonciateurs de famines, de pestes, de guerres, d'invasion des Barbares, en prédisant des événements heureux. Par la crainte qu'inspiraient ses paroles, Dieu voulait écarter le châtiment dont ils auraient fait l'expérience, tandis que le diable agissait de façon contraire : les séduisant par l'agrément des paroles, il les rendait plus indolents et les mettait dans la nécessité de subir le châtiment en réalité. Et comme par la suite leur foi aux faux prophètes, leur dédain pour la vertu et au contraire leur endurcissement dans le péché attiraient sur eux le châtiment et qu'à la fin les prophètes se montraient clairement véridiques, tandis que le mensonge des faux prophètes était démontré, il imagine alors un autre stratagème pour perdre ceux qui se laisseront prendre. Il cherchait à les persuader, eux si faciles à tromper, que ces événements qui leur étaient arrivés avaient été l'effet de la colère des démons qu'ils avaient négligés et méprisés. Pour prévenir ce leurre, Dieu annonce très longtemps à l'avance les malheurs qui vont fondre sur eux, afin qu'il ne soit pas possible à ceux qui les trompent d'imputer ces événements à la colère des démons. Pour te montrer que je n'émets pas une simple conjecture, écoute la parole d'Isaïe : «Je sais que tu es obstiné, que ta nuque a des nerfs de fer et que ton front est d'airain. C'est pourquoi je t'ai parlé dès le commencement afin que tu ne dises pas : Voilà ce qu'ont fait mes idoles, ce qu'ont préparé

V N τὰ συμ- τὰ δεινὰ C || 47 παρ' – καταφρονουμένων > C || αὐτῶν : αὐτῷ V || 49 αὐτοὺς + συμβαίνειν μᾶλλον δὲ V || 50 ἀπατῶσιν : ἐξαπατῶσιν N || 53 νεῦρον σιδηροῦν : νευροσιδηροῦς C || 55 τοῦτο *addidi ex* A || 55-56 τὰ χωνευτὰ καὶ τὰ γλυπτὰ ~ N

χωνευτὰ τοῦτο παρεσκεύασεν. Οὔτε ἠπίστασο, οὔτε ἀκουστά σοι ἐγένετο[a]. Ἐπεὶ οὖν, ὅπερ ἔφην, ὡς καὶ ἐκ τῆς μαρτυρίας ἔστιν ἰδεῖν, ἐκείνοις ταῦτα ἀνετίθεσαν, φθάνει ἡ προφητεία ταύτην ἀναιροῦσα τὴν ἀπάτην καὶ
60 πρὸ πολλῶν αὐτὰ διαγορεύουσα χρόνων. Ἀλλ' ἐπειδὴ καὶ οὕτως εἰκὸς ἦν αὐτοὺς ἀγνωμονοῦντας λέγειν, οὐ προείπετε, οὐ προηκούσαμεν, νῦν πλάττεσθε μετὰ τὴν ἔκβασιν · οὐ γὰρ ᾔδειτε τὰ συμβησόμενα · πόθεν οὖν τοῦτο δῆλον ὅτι εἴρηται ; ὅρα πῶς σαφῶς ἄφυκτον αὐτοῖς κατασκευάζει
65 τὸν ἔλεγχον καὶ τὰ ἀναίσχυντα ἀπορράπτων στόματα. Οὐ γὰρ ἀφίησιν εἰπεῖν μόνον, ἀλλὰ κελεύει καὶ ἐν χάρτῃ γραφῆναι τὰ λεγόμενα καὶ οὐδὲ ἁπλῶς γραφῆναι, ἵνα μὴ ἐξῇ αὐτοῖς λέγειν ὅτι μετὰ ταῦτα ἔπλασεν, ἀλλὰ καὶ μάρτυρας καλεῖ τῶν γραμμάτων ἄνδρας ἀξιοπίστους καὶ
70 ἀπὸ τοῦ ἀξιώματος καὶ ἀπὸ τοῦ τρόπου. Ποίησον γάρ μοι, φησί, μάρτυρας πιστοὺς ἀνθρώπους, τὸν Οὐρίαν τὸν ἱερέα καὶ Ζαχαρίαν τὸν υἱὸν Βαραχίου · ἵνα ὅταν ἐξέλθῃ καὶ λέγωσιν ὅτι οὐκ ἐλέχθη ταῦτα πρὸ πολλῶν τῶν χρόνων, τὸ βιβλίον ἐξενεχθὲν καὶ οἱ μάρτυρες οἱ παρόντες καὶ
75 ἀναισχυντοῦντας αὐτοὺς ἐπιστομίσωσι. Διὰ τοῦτό φησι · Λάβε χάρτου τόμον καινόν, ἵνα μὴ παλαιωθεὶς ἀπόληται, ἀλλὰ μένῃ τῷ χρόνῳ παρεκτεινόμενος καὶ κατηγορῶν διὰ τῶν γραμμάτων αὐτῶν. Καὶ γράψον γραφίδι ἀνθρώπου, τουτέστι καλάμῳ, τὰ μέλλοντα ἔσεσθαι. Τίνα δὲ τὰ
80 μέλλοντα ; Πόλεμος, νίκη βαρβαρική, λαφύρων διανομή, σκύλων ἁρπαγή. Ταῦτα τοίνυν, φησίν, ἅπαντα γράψον, Τοῦ ταχέως προνομὴν ποιῆσαι σκύλων. Πάρεστι γάρ. Τί ἐστι, Πάρεστι γάρ ; Δύο ταῦτα δηλοῖ αὕτη ἡ ῥῆσις · ὅτι τότε ἤδη τῶν ἁμαρτημάτων αὐτῶν τὸ μέγεθος ἀπῄτει τὴν

56 τοῦτο παρεσκεύασεν *scripsi ex* A : μοι ἐποίησεν *cod.* || ἠπίστασο LG^2C : ἠπίστο V MG^1 ἠπίστω N || 63 ᾔδειτε : εἴδετε V || 64 αὐτοῖς ἄφυκτον ~ C || 65 καὶ > LMGCN || 66 κελεύει > N || 69 τῶν γραμμάτων καλεῖ ~ V N || 72 τὸν υἱὸν βαραχίου *post* Ζαχαρίαν *addidi ex* A *et infra* **2,** 6 || 73 τῶν

mes statues taillées ou fondues. Tu ne savais pas, tu n'en as pas entendu parler[a]. » Puisque, ainsi que je le disais et comme peut l'attester ce témoignage, ils attribuaient ces œuvres aux démons, la prophétie prend les devants pour empêcher cette tromperie et annoncer les événements longtemps à l'avance. Mais comme même ainsi il était probable qu'ils diraient dans leur ingratitude : vous n'avez pas prédit, nous n'avons pas entendu à l'avance, vous inventez maintenant, après l'événement, car vous ne connaissiez pas l'avenir, comment prouver que cela avait été dit ? Vois comment Dieu leur apporte clairement une preuve irréfutable et comment il ferme leur bouche impudente. Il ne laisse pas seulement parler le prophète, mais il l'invite à écrire ses paroles sur un papyrus, et non simplement à écrire, mais afin qu'il ne leur soit pas possible de dire qu'il l'a fait après coup, il appelle comme témoins de l'écrit des hommes dignes de foi par leur rang et par leur caractère. « Donne-moi pour témoins, dit-il, des hommes sûrs, le prêtre Urie, et Zacharie, fils de Barachie. » Ainsi, quand l'événement se produira et qu'on dira que ces paroles n'ont pas été prononcées longtemps auparavant, la production du livre avec la présence des témoins fermera la bouche à ces impudents. C'est pourquoi il dit : « Prends un morceau de papyrus neuf », de peur, s'il était vieux, qu'il ne périsse, et afin qu'il se conserve de façon durable et perpétue ses accusations par l'écriture elle-même. « Écris avec un stylet d'homme », c'est-à-dire avec un roseau, les événements futurs. Quels événements futurs ? La guerre, la victoire des Barbares, le partage des dépouilles, la prise du butin. Écris tout cela, dit-il ; « qu'on se hâte d'enlever le butin, car c'est le moment ». Que signifie « c'est le moment » ? Cette expression a deux sens : d'abord que la grandeur des péchés réclamait déjà à ce moment une vengeance, et que le

> V ‖ 76 καινὸν τόμον ~ LMGC ‖ παλαιωθεὶς > LC ‖ 77 καὶ > N ‖ 83 ῥῆσις : κρίσις V ‖ 84 ἤδη > C

1. a. Is. 48, 4-5.8.

85 δίκην καὶ ἐπὶ θύραις ἡ τιμωρία. Αὐτὸς δὲ ἀναβάλλεται, τῇ μακροθυμίᾳ βουλόμενος αὐτοὺς βελτίους ποιῆσαι καὶ ἀποκρούεσθαι τὴν τιμωρίαν· καὶ ὅτι ῥᾴδιον αὐτῷ καὶ εὔκολον νεῦσαι μόνον καὶ πάντα εἰς πέρας ἀγαγεῖν. Ἐπειδὴ γὰρ περὶ βαρβάρων ὁ λόγος ἦν τῶν μελλόντων
90 ἐπιστρατεύειν, μὴ νομίσητε, φησίν, ὅτι τῆς ὁδοῦ τὸ μῆκος καὶ τῆς στρατείας τὸ πλῆθος μέλλησίν τινα ποιεῖ· ἅπερ ἐπ' ἀνθρώπων ἔσεσθαι πέφυκε.

2 Τῷ γὰρ Θεῷ πάρεστιν καὶ ὁ πόρρωθεν ὤν· οὕτως αὐτῷ ῥᾴδιον καὶ εὔκολον ἐν μιᾷ καιροῦ ῥοπῇ καὶ ἐν ἀκαριαίῳ ἀπὸ τῶν ἐσχάτων τῆς γῆς, κἂν πλείους ὦσιν, ἀγαγεῖν εὐθέως καὶ ἐπιστῆσαι. Καὶ μάρτυράς μοι ποίησον πιστοὺς
5 ἀνθρώπους, τὸν Οὐρίαν τὸν ἱερέα, καὶ Ζαχαρίαν τὸν υἱὸν Βαραχίου. Μάρτυρας τίνος; Τοῦ χρόνου· ἵνα, κἂν τὰ γράμματα συκοφαντῆται, οἱ ζῶντες ἄνθρωποι καὶ παρόντες ἡνίκα ἐγράφετο καὶ τὸν χρόνον σαφῶς εἰδότες πότε ταῦτα ἐλέγετο, δυνηθῶσιν ἐπιστομίζειν τοὺς ἀναισχυντεῖν ἐπιχει-
10 ροῦντας. Τῆς αὐτῆς ὑποθέσεως ἔχεται καὶ τὸ ἑξῆς, σαφέστερον ἐπάγον τὸν ἔλεγχον. Πῶς καὶ τίνι τρόπῳ; Τῶν ῥημάτων αὐτῶν ἀκούσωμεν. Προσῆλθε γάρ, φησί, πρὸς τὴν προφῆτιν. Τὴν γυναῖκα τὴν ἰδίαν οὕτως ἐκάλεσεν ἴσως, διὰ τὸ καὶ αὐτὴν πνεύματος ἠξιῶσθαι προφητικοῦ·
15 οὐ γὰρ ἐν ἀνδράσι τὰ τῶν χαρισμάτων εἱστήκει μόνον, ἀλλὰ καὶ εἰς τὸ γυναικεῖον διέβαινε φῦλον. Οὐ γὰρ ὥσπερ ἐν ταῖς βιωτικαῖς χρείαις διῄρηται τὰ γένη καὶ ἄλλα μὲν ἀνδρῶν, ἄλλα δὲ γυναικῶν τὰ ἐπιτηδεύματα, καὶ οὐκ ἂν δυνηθεῖεν τὰ ἀλλήλων ἀνταλλάξασθαι· οὕτω δὴ καὶ ἐπὶ
20 τῶν πνευματικῶν· ἀλλ' ἴσοι οἱ ἀγῶνες καὶ κοινοὶ οἱ στέφανοι. Καὶ τοῦτο καὶ ἐν τῇ Παλαιᾷ καὶ ἐν τῇ Καινῇ μετὰ ἀκριβείας ἴδοι τις ἂν καὶ παρὰ πάντα τὸν βίον

90 τὸ > V || 91 στρατείας : στρατιᾶς N

2, 1 πάρεστιν : παρέστη V παρέστηκεν *Montf. ex* P || καὶ > *Montf.* || ὁ πόρρωθεν ὤν : πόρρωθεν ὄντων C || 4 ἐπιστῆσαι + ἀλλὰ C || 5 τὸν³ > V N ||

châtiment était aux portes. Mais Dieu temporise, voulant les rendre meilleurs par sa longanimité et les soustraire au châtiment. L'expression signifie ensuite qu'il est simple et aisé pour lui, en faisant seulement un signe, de mener toutes choses à leur terme. Et comme il s'agissait des Barbares qui allaient envahir le pays : Ne croyez pas, dit-il, que la longueur de la route et l'importance de l'armée occasionneront quelque retard, ainsi qu'il arrive normalement chez les hommes.

Pour Dieu, celui qui est éloigné est présent ; tant il est simple et aisé pour lui d'amener et de faire paraître en un instant, en un clin d'œil, des extrémités de la terre, des hommes aussi nombreux qu'ils soient. « Donne-moi pour témoins des hommes fidèles, le prêtre Urie et Zacharie, fils de Barachie. » Témoins de quoi ? Témoins du temps ; afin que si l'écrit était contesté à tort, les hommes qui vivaient et étaient présents lors de sa rédaction et qui savaient exactement le moment où cela avait été dit, fussent capables de fermer la bouche aux contradicteurs impudents. Ce qui suit corrobore cette explication en apportant une preuve plus claire. Comment ? de quelle manière ? Écoutons les paroles elle-mêmes. Il s'approcha de la prophétesse, est-il dit. Peut-être est-ce sa propre femme qu'il a désignée ainsi, parce qu'elle aussi avait été favorisée de l'esprit prophétique ; les dons charismatiques n'existaient pas seulement chez les hommes, mais ils étaient aussi attribués à la nature féminine. Il n'en va pas comme dans l'ordre matériel : là les sexes sont séparés, autres sont les occupations des hommes, autres celles des femmes, sans qu'il soit possible aux uns et aux autres de les échanger ; quand il s'agit de l'ordre spirituel, les combats sont égaux et les couronnes semblables. On peut le voir nettement et dans l'Ancien et dans le Nouveau

11 ἐπάγον : ἐπάγων V LMG[1] || τίνι τρόπῳ : τίνα τρόπον N || 14 πνεύματος + ἁγίου C || 17 διῄρηται χρείαις ~ C || 17-18 ἄλλα... ἄλλα : ἄλλο... ἄλλο MN

συμβαῖνον. Ταύτῃ τοίνυν ὁμιλήσας νόμῳ γάμου, κύειν παρεσκεύασε. Καὶ ἐπειδὴ τὸ παιδίον ἐτέχθη, ἐπιτίθησιν
25 αὐτῷ ὄνομα καινὸν καὶ παράδοξον, τὴν ἱστορίαν τῶν ἐσομένων ἔχον. Τί γάρ φησι; Κάλεσον τὸ ὄνομα αὐτοῦ, Ταχέως σκύλευσον, Ὀξέως προνόμευσον· ἵνα κἂν τὰ γράμματα ἀπιστηθῇ τὰ ἐν τῷ τόμῳ κείμενα, ἡ προσηγορία τοῦ παιδίου τὴν ἱστορίαν τῶν ἐκβησομένων ἔχουσα καὶ
30 πρὸ τῆς ἐκβάσεως τῶν γενομένων τεθεῖσα καὶ συνεχῶς παρὰ πάντα καλουμένη τὸν χρόνον, καὶ τῶν σφόδρα ἀναισχυντεῖν ἐπιχειρούντων ἀπορράψῃ τὰ στόματα. Ὅτι γὰρ οὐ μετὰ τὴν ἔκβασιν ἔπλασε ταῦτα ὁ προφήτης, ἀλλ' ἄνωθεν αὐτὰ προῄδει, καὶ οἱ σφόδρα ἀγνωμονεῖν ἐπιχει-
35 ροῦντες ἠδύναντο πείθεσθαι, οἱ πρὸ τῆς τῶν πραγμάτων ἐκβάσεως αὐτὸ τὸ παιδίον ὁρῶντες καλούμενον καὶ τὴν διδασκαλίαν τῶν ἐσομένων συμφορῶν ἀνακηρύττον. Διά τοι τοῦτο καὶ ἑρμηνεύει τῆς προφητείας τὴν δύναμιν καὶ τὸν χρόνον ἐπισημαίνεται μετὰ ἀκριβείας, οὕτω λέγων·
40 Διότι πρὶν ἢ γνῶναι τὸ παιδίον καλεῖν πατέρα ἢ μητέρα, λήψεται δύναμιν Δαμασκοῦ καὶ τὰ σκῦλα Σαμαρείας ἔναντι βασιλέως Ἀσσυρίων. Ὃ δὲ λέγει, τοιοῦτόν ἐστιν. Ἐν τῷ χρόνῳ, φησί, τῆς ἡλικίας τῆς ἀώρου καὶ μηδέπω φθέγγεσθαι δυναμένης, τὰ τῆς νίκης ἔσται καὶ τῶν
45 τροπαίων, οὐχ ὡς τοῦ παιδίου δυναμένου παρατάξασθαι καὶ καθελεῖν τοὺς πολεμίους, ἀλλ' ὡς τῆς ἡλικίας ἐκείνης, τουτέστι, τοῦ χρόνου τοῦ πρὸ τῆς τοῦ παιδίου διαλέξεως παραδιδόντος ἅπαντα τοῖς πολεμίοις.

5. ***Καὶ προσέθετο Κύριος λαλῆσαί μοι ἔτι·*** 6. ***Διὰ τὸ μὴ***
50 ***βούλεσθαι τὸν λαὸν τοῦτον τὸ ὕδωρ τοῦ Σιλωὰμ τὸ πορευόμενον ἡσυχῇ, ἀλλὰ βούλεσθαι ἔχειν τὸν Ῥασὴν καὶ τὸν υἱὸν τοῦ Ῥωμελίου βασιλέα ἐφ' ὑμῶν,*** 7. ***διὰ τοῦτο ἰδοὺ ἀνάγει***

26 ἔχον CN A : ἔχων *cett.* || 29 ἐκβησομένων : συμ- N || 31 πάντα... τὸν χρόνον : πάντας... τῶν χρόνων V || 34 προῄδει LMGN A : προεῖδε V C || 37 ἀνακηρύττον : -κηρύττων C || 38 προφητείας : προτέρας LMGN || 42 τοιοῦτον : τοῦτο LMCN || 51 βούλεσθαι : βουλεύεσθαι LMG || καὶ > N

Testament et y constater qu'il en est ainsi dans toute la vie[1]. Il eut donc commerce avec elle suivant la loi du mariage et la rendit enceinte. Et quand l'enfant a été mis au monde, il lui donne un nom nouveau et étrange, qui contient l'histoire de l'avenir. Qu'est-il dit en effet ? « Donne-lui comme nom : Fais vite du butin, hâte-toi de piller. » Ainsi, même si l'on refusait de croire ce qui était écrit dans le volume, le nom de l'enfant, qui résumait l'histoire des événements futurs, qui avait été imposé avant qu'ils se produisent et qui était continuellement prononcé au cours de la vie, devait fermer la bouche aux contradicteurs même très impudents. Que ce ne soit pas après l'événement qu'il ait imaginé cette prophétie, mais qu'il ait eu cette connaissance antérieurement, ceux-là mêmes qui tentaient de s'aveugler pouvaient s'en convaincre en voyant l'enfant lui-même porter ce nom avant la réalisation des événements et donner ainsi publiquement l'enseignement des calamités futures. Pour cette raison il explique la portée de la prophétie et indique avec précision le temps, en disant : « Avant que le petit enfant sache nommer père ou mère, il s'emparera de la puissance de Damas et des dépouilles de Samarie devant le roi des Assyriens. » Voici ce qu'il veut dire : au temps du bas âge, dit-il, quand l'enfant ne sait pas encore parler, il y aura victoire et trophées : ce n'est pas que le petit enfant puisse ranger une armée en bataille et terrasser les ennemis, mais c'est que cette période, le temps qui précède la parole chez l'enfant, verra livrer toutes choses aux ennemis.

5 Et le Seigneur continua à me parler : 6 Puisque ce peuple ne veut pas de l'eau de Siloé[2] *qui circule doucement, mais qu'il veut avoir Rasen et le fils de Romélias comme rois sur vous,*

1. Cette égalité des sexes dans l'ordre spirituel n'était peut-être pas alors universellement reconnue.

2. Cette fontaine alimentait une piscine dont il est question dans le N.T. : *Lc* 13, 4 ; *Jn* 9, 7-11. Les eaux provenaient de la source de Guihôn : *II Chr.* 32, 30.

Κύριος ἐφ' ὑμᾶς τὸ ὕδωρ τοῦ ποταμοῦ τὸ ἰσχυρὸν καὶ τὸ πολύ, τὸν βασιλέα τῶν Ἀσσυρίων. Ὅπερ ἔθος ἐστὶ τῷ Θεῷ
55 μὴ μόνον τὰς τιμωρίας προλέγειν, ἀλλὰ καὶ τὰς αἰτίας τιθέναι, ὥστε καὶ ταύτῃ παιδεῦσαι τοὺς ἀκούοντας, τοῦτο καὶ ἐνταῦθα ποιεῖ. Εἰπὼν γὰρ τὴν τῶν ἀλλοφύλων διανομὴν καὶ τὰ σκῦλα καὶ προλέγων τὴν τῶν βαρβάρων ἔφοδον, λέγει καὶ τὴν αἰτίαν τοῦ πολέμου. Τίς δέ ἐστιν
60 αὕτη; Ἡ ἀγνωμοσύνη τῶν τὴν πόλιν οἰκούντων. Ἐπεὶ γὰρ βασιλέα, φησίν, ἔχοντες, ἐπιεικῆ καὶ πρᾶον καὶ ἥμερον, ἀπεσκίρτησαν καὶ τυράννων ἐπεθύμησαν καὶ πρὸς ἀλλοτρίαν ἀρχὴν αὐτομολῆσαι ἠπείχθησαν, τὴν οἰκείαν εὐπραγίαν οὐ φέροντες, μετὰ πλείονος τῆς περιουσίας
65 πληρώσω τὴν ἐπιθυμίαν αὐτῶν, βάρβαρόν τινα καὶ ἀνήμερον ἄγων ἄνθρωπον. Κέχρηται δὲ μεταφορικῶς ταῖς λέξεσι, τό τε ἦθος τοῦ ἐγχωρίου δηλῶν βασιλέως καὶ τὴν δύναμιν τοῦ βαρβάρου· ποιεῖ δὲ αὐτό, ὅπερ ἔφην ἀεί, τὸν λόγον ἐμφαντικώτερον κατασκευάζων. Διὰ τοῦτό φησι·
70 Διὰ τὸ μὴ βούλεσθαι αὐτοὺς τὸ ὕδωρ τοῦ Σιλωάμ· οὐ περὶ ὕδατος λέγων, ἀλλ' ἐπειδὴ ἡ πηγὴ ἠρέμα καὶ ἀψοφητὶ πρόεισι, τὸ ἀτάρακτον καὶ ἐπιεικὲς τὸν τρόπον τοῦ τότε βασιλεύοντος τῇ ἠρεμαίᾳ τῶν ὑδάτων διεξόδῳ παραβάλλει καὶ Σιλωὰμ αὐτὸν καλεῖ, διὰ τὸ ἀνεπαχθὲς καὶ
75 ἥμερον· ὃ μεγίστην φέρει τοῖς ἀρχομένοις κατηγορίαν, ὅτι μὴ βαρὺν ἔχοντες ζυγόν, νεωτερίζειν ἐπεχείρουν καὶ ἀλλοτρίοις ἑαυτοὺς διδόναι βασιλεῦσι. Ἐπεὶ οὖν οὐ βούλονται, φησί, τὸν ἥμερον καὶ ἐπιεικῆ, ἀλλὰ τὸν Ῥασὴν καὶ τὸν υἱὸν τοῦ Ῥωμελίου, ἐπάγω, φησί, τὸν Βαβυλώνιον· καὶ τὸ
80 ῥαγδαῖον αὐτοῦ τῆς στρατιᾶς ὕδωρ ποταμοῦ φησι πολὺ καὶ ἰσχυρόν.

3 Εἶτα ἑρμηνεύων τὴν μεταφοράν φησι· Τὸν βασιλέα τῶν

54 τῶν > V ‖ 54 - 3,7 ὅπερ – Ἀσσυρίων *post* αὐτοῦ (3,8) *transp.* C ‖ 56 ταύτῃ : ἐκ ταύτης LMG ἐκ τούτου C ταύταις N ‖ 61 ἔχοντες, φησίν, ~ V ‖ 62 τυράννων : τύραννον C ‖ 64 πλείονος : πολλῆς C ‖ 66 ἄγων > C ‖ 68-69 τὸν λόγον ἀεὶ ~ C ‖ 72 ἀτάρακτον : ἀτάραχον M[2]G ‖ ἐπιεικὲς : ἐπιεικῆ V[1]

7 voici que le Seigneur fait monter contre vous les eaux du fleuve, puissantes et abondantes, le roi des Assyriens. Dieu a coutume de ne pas prédire seulement le châtiment, mais d'en indiquer les causes, pour instruire aussi de cette façon les auditeurs : il le fait encore ici. Après avoir parlé du pillage exercé par les étrangers et du butin, et en prédisant l'invasion des Barbares, il dit aussi la cause de la guerre. Et quelle est cette cause ? L'ingratitude des habitants de la ville. Comme ils avaient un roi conciliant, doux et modéré [1], dit-il, qu'ils lui ont faussé compagnie, ont désiré des tyrans et se sont empressés de passer en transfuges sous la domination étrangère, lassés qu'ils étaient de leur félicité, je satisferai surabondamment leur désir en faisant venir un homme barbare et cruel. Il use d'expressions métaphoriques pour dépeindre le caractère du roi du pays et la puissance du Barbare ; et il le fait, comme je l'ai toujours dit, pour rendre son langage plus expressif. C'est pourquoi il dit : « Puisqu'ils ne veulent pas de l'eau de Siloé » ; il ne parle pas d'eau, mais puisque la source coule doucement et sans bruit, il compare le caractère placide et conciliant du roi qui régnait alors à la calme sortie des eaux, et il l'appelle Siloé à cause de son humeur amène et douce. C'est là le plus grave reproche qu'il adresse à des sujets : n'ayant pas à supporter un joug pesant, ils cherchaient néanmoins à se révolter et à se livrer à des rois étrangers. Puisqu'ils ne veulent pas, dit-il, de celui qui est doux et conciliant, mais qu'ils réclament Rasen et le fils de Romélias, je fais venir, dit-il, le Babylonien [2] ; c'est la fureur de son armée qu'il appelle l'eau abondante et puissante d'un fleuve.

Ensuite, interprétant sa métaphore, il dit : « le roi des Assy-

N || 73 ἠρεμαίᾳ *scripsi* : ἠρέμῃ G^{2}C ἠρεμίᾳ *cett.* || διεξόδῳ V^2 C : ἐξόδῳ *cett.* || 75 ἥμερον : ἤρεμον V CN || 80 στρατιᾶς : στρατείας LMG

1. Le roi est Ézéchias. Cf. *III Rois* 19, 35 ; *II Chr.* 32, 20-21.
2. Il s'agit de Sennachérib, roi d'Assour.

Ἀσσυρίων. Ὁρᾷς πῶς ἀδιάπτωτος ὁ λόγος ὁ ἔμπροσθεν ἡμῖν λεχθεὶς φαίνεται· ὅτι πανταχοῦ ἐν ταῖς μεταφοραῖς ἑαυτὴν ἑρμηνεύειν εἴωθεν ἡ Γραφή; Ὃ δὴ καὶ ἐνταῦθα
5 πεποίηκεν. Εἰποῦσα γὰρ ποταμόν, οὐκ ἐναπέμεινε τῇ μεταφορᾷ, ἀλλ' εἶπε τίνα φησὶ ποταμόν·

Τὸν βασιλέα τῶν Ἀσσυρίων, ***καὶ πᾶσαν τὴν δόξαν αὐτοῦ. Καὶ ἀναβήσεται ἐπὶ πᾶσαν φάραγγα ὑμῶν καὶ περιπατήσει ἐπὶ πᾶν τεῖχος ὑμῶν.*** 8. ***Καὶ ἀφελεῖ ἀπὸ τῆς***
10 ***Ἰουδαίας ἄνθρωπον, ὃς δυνήσεται κεφαλὴν ἆραι ἢ δυνατὸν συντελέσασθαί τι. Καὶ ἔσται ἡ παρεμβολὴ αὐτοῦ, ὥστε πληρῶσαι τὸ πλάτος τῆς χώρας σου.*** Δεικνὺς ὅτι οὐκ ἀνθρωπίνῃ δυνάμει, ἀλλ' ὀργῇ θεηλάτῳ συμβήσεται τὰ γινόμενα, οὐχ ὡς πολέμιον αὐτὸν παραταττόμενον
15 ὑπογράφει, ἀλλ' ὡς ἐπὶ παρεσκευασμένην ἁρπαγὴν ἥκοντα. Οὐ γὰρ στήσεται, φησί, καὶ παρατάξεται, ἀλλὰ τῷ πλήθει τῶν σωμάτων καλύψει τῆς γῆς τὴν ὄψιν καὶ μετ' εὐκολίας περιέσται. Εἶτα καὶ ἐν τῇ ὀργῇ πολὺ τὸ τῆς φιλανθρωπίας. Οὐ γὰρ ἀνασπάσεσθαι αὐτῶν τὴν πόλιν ἀπειλεῖ, ἀλλ'
20 αἰχμαλωσίαν τινὰ καὶ ἀπαγωγὴν προλέγει, τοὺς λειπομένους βουλόμενος τῇ τῶν ληφθέντων τιμωρίᾳ σωφρονεστέρους ποιῆσαι. Ἀφελεῖ γὰρ ἀπὸ τῆς Ἰουδαίας, φησίν, ἄνθρωπον, ὃς δυνήσεται κεφαλὴν ἆραι. Τοὺς ἐν δυναστείᾳ, φησί, τοὺς πάντα ἄγοντας καὶ φέροντας, τοὺς τῷ πλήθει
25 λυμαινομένους αἰχμαλώτους ποιήσει καὶ δούλους, ὥστε τότε τοὺς καταδεεστέρους ἀναπνεῦσαι μικρὸν καὶ τῷ φόβῳ τῶν ἀπαχθέντων καὶ τῆς οἰκείας ἐλευθερίας τῇ ἀδείᾳ γενέσθαι βελτίους. Διὰ τοῦτό φησι· Δυνατὸν συντελέσασθαί τι· τουτέστι, τὸν ἰσχυρόν, τὸν ἐνεργεῖν δυνάμενον,
30 τὸν ὁτιοῦν πρᾶξαι ἰσχύοντα. Καὶ πρὸ τῆς ἀπαγωγῆς δέ, δι' αὐτῆς τῆς ὄψεως ἱκανῶς ὑμᾶς καταπλήξει, φησίν, ὁ βάρβαρος, πᾶσαν πληρῶν τὴν γῆν τῶν βαρβαρικῶν

3, 7 πᾶσαν > C ‖ 10 ἢ : εἰ N ‖ 12 δεικνὺς + δὲ C ‖ 14 γινόμενα V[1] LMG A : λεγόμενα V[2] CN ‖ πολέμιον : πολεμίοις C ‖ 19 ἀνασπάσεσθαι : -σπάσασθαι C ‖ 21 ληφθέντων : λειφ- V C ‖ 27 τῇ > V N ‖ 28 φησιν + εἰ

riens ». Tu vois combien se montre exact le propos que nous tenions précédemment, que partout l'Écriture a coutume d'interpréter les figures qu'elle emploie ! Elle l'a fait également ici. Parlant d'un fleuve, elle n'en est pas restée à la métaphore, mais elle dit de quel fleuve il s'agissait :

« Le roi des Assyriens » *et toute sa gloire. Il envahira tous vos ravins et se promènera sur tous vos murs. 8 Il enlèvera de la Judée tout homme qui sera capable de lever la tête ou d'accomplir quelque chose. Et son camp sera en mesure de couvrir toute l'étendue de ton pays.* Pour montrer que ce n'est pas par une force humaine, mais par une colère divine que se produiront les événements, il ne le décrit pas comme un ennemi qui range ses troupes en bataille, mais comme celui qui vient prendre un butin tout préparé. Il ne s'arrêtera pas, dit-il, pour disposer ses troupes, mais la multitude des hommes cachera la vue de la terre, et il triomphera facilement. Puis, dans la colère même, il y a beaucoup de bonté. Il ne menace pas de ruiner complètement la ville, mais il prédit une captivité et une déportation, voulant assagir ceux qui sont laissés par le châtiment de ceux qui ont été emmenés. — « Il enlèvera de la Judée tout homme qui sera capable de lever la tête. » Ceux qui sont au pouvoir, dit-il, ceux qui se conduisent partout en pillards, ceux qui maltraitent la foule, il en fera des prisonniers et des esclaves, si bien que les inférieurs pourront alors respirer un peu, et par la crainte du sort des déportés et par l'assurance de leur propre liberté ils pourront devenir meilleurs. C'est pourquoi il dit : « capable d'accomplir quelque chose » ; cela désigne l'homme fort, capable d'agir, assez vigoureux pour faire n'importe quoi. Mais, avant même la déportation, par sa seule apparition, dit-il, le Barbare saura vous frapper de terreur, en remplissant tout le pays de son engeance barbare. Voilà pour-

LMGN || 31 δι' αὐτῆς τῆς : διὰ τῆς αὐτοῦ C || ὑμᾶς : ἡμᾶς N || καταπλήξει *scripsi ex* A *post Montf.* : καταπλῆξαι *cod.* || 32 πᾶσαν τὴν γῆν πληρῶν ~ V

σωμάτων. Διὰ τοῦτο ἐπήγαγε· Καὶ ἔσται ἡ παρεμβολὴ αὐτοῦ, ὥστε πληρῶσαι τὸ πλάτος τῆς χώρας σου.
35 ***Μεθ' ἡμῶν ὁ Θεός.*** 9. ***Γνῶτε, ἔθνη, καὶ ἡττᾶσθε· ἐπακούσατε ἕως ἐσχάτου τῆς γῆς καὶ ἰσχύοντες ἡττᾶσθε. Ἐὰν γὰρ πάλιν ἰσχύσητε καὶ πάλιν ἡττηθήσεσθε.*** 10. ***Καὶ ἣν ἂν βουλὴν βουλεύσησθε, διασκεδάσει Κυρίος· καὶ λόγον ὃν ἐὰν λαλήσητε, οὐ μὴ ἐμμείνῃ ἐν ὑμῖν, ὅτι μεθ' ἡμῶν ὁ***
40 ***Θεός.*** Ἐμοὶ δοκεῖ τὴν τοῦ Ἐζεκίου νίκην ἐνταῦθα προλέγειν καὶ τὸ λαμπρὸν ἐκεῖνο τρόπαιον καὶ τῆς νίκης αὐτῆς τὴν αἰτίαν. Εἰ γὰρ καὶ ὅπλα παρ' ἐκείνοις, φησί, καὶ στρατόπεδα ἄπειρα καὶ ἐμπειρία πολεμική, ἀλλ' ἡ πάντων δυνατωτέρα συμμαχία μεθ' ἡμῶν, τουτέστιν ὁ Θεός. Ἦλθε
45 μὲν γὰρ ὁ βάρβαρος, καθὼς ἠπείλησεν ἔμπροσθεν καὶ πολλὰς λαβὼν πόλεις ἀπῆλθε· μετὰ δὲ ταῦτα ἐπιστρατεύσας, τἀναντία ἔπαθε. Καὶ ταῦτα τοίνυν ὁ προφήτης προλέγει καὶ τὸν τῆς νίκης αἴτιον ἀνακηρύττει καὶ πρὸς αὐτοὺς τοὺς βαρβάρους ἀποτείνει τὸν λόγον. Μὴ γὰρ δὴ
50 τῇ προτέρᾳ νίκῃ θαρρήσητε, φησίν· ἐν γὰρ τῇ νῦν ἐφόδῳ μεγίστη παρῆν ἡμῖν ἡ συμμαχία. Γνῶτε τοίνυν τοῦτο αὐτὸ καὶ ἀπόστητε, ὡς ἀδυνάτοις ἐπιχειροῦντες. Εἶτα τὸν αἴτιον τῆς νίκης ἐκείνης ἐμφαίνων, καὶ ὅτι πρὸς τὰς ἐσχατιὰς ἀφίξεται τῆς γῆς ἡ φήμη τὰ κατορθώματα φέρουσα,
55 φησίν· Ἐπακούσατε ἕως ἐσχάτου τῆς γῆς. Οὐδεὶς γὰρ ἀνήκοος τῶν τότε συμβάντων ἐν Ἱεροσολύμοις γέγονε· Διὰ τοῦτό φησιν· Ἐπακούσατε ἕως ἐσχάτου τῆς γῆς καὶ οἱ ἰσχύοντες ἡττᾶσθε. Μεγάλην γὰρ ἐπὶ ῥώμῃ δόξαν ὁ βάρβαρος τότε ἐκέκτητο. Ἰσχυροὺς δὲ ἐνταῦθα οὐ τοὺς ἐν
60 τῇ τοῦ σώματος εὐεξίᾳ μεγάλους φησίν, ἀλλὰ καὶ τοὺς ἐν τῇ τῶν χρημάτων περιουσίᾳ καὶ τῇ τῆς δόξης περιφανείᾳ.

35 ἡττᾶσθε : ἡττᾶσθαι V ‖ 36 καὶ > LMG ‖ ἰσχύοντες V C : ἰσχυκότες LMG οἱ ἰσχυκότες N ‖ 37 καὶ[1] L : > *cett.* ‖ 40 ἐμοὶ + δὲ C ‖ 41 καὶ[2] > V ‖ 43 καὶ > M ‖ 44 ἡμῶν : ὑμῶν C ‖ 45-46 καὶ – ἀπῆλθε > N ‖ 46 ταῦτα + καὶ πάλιν C ‖ 50 θαρρήσητε : θαρρεῖτε LMGC ‖ 51 παρῆν ἡμῖν : παρ' ἡμῖν

quoi il a ajouté : « Et son camp sera en mesure de couvrir toute l'étendue de ton pays. »

Dieu est avec nous. 9 Sachez, nations, et soyez vaincues. Prêtez l'oreille jusqu'aux extrémités de la terre, et vous, les forts, soyez vaincus. Si de nouveau vous êtes forts, de nouveau vous serez vaincus. 10 Quel que soit le projet que vous formiez, le Seigneur le fera échouer, et la parole que vous aurez prononcée ne tiendra certes pas, parce que Dieu est avec nous. Il prédit ici, me semble-t-il, la victoire d'Ézéchias, cet éclatant trophée et la cause de la victoire elle-même. S'il y a chez eux, dit-il, des armes et des troupes innombrables, ainsi que l'expérience de la guerre, eh bien ! nous avons pour nous la plus puissante de toutes les alliances, c'est-à-dire Dieu. Le Barbare est en effet venu, comme il en avait menacé d'avance, il s'est emparé de nombreuses villes, puis s'est retiré ; mais ayant fait ensuite une autre expédition, il subit un sort contraire. Voilà donc ce qu'annonce le prophète, il proclame l'auteur de la victoire et adresse son discours aux Barbares eux-mêmes. Ne vous fiez pas à votre première victoire, dit-il, car dans l'invasion présente nous est venue la plus puissante des alliances. Sachez-le donc et retirez-vous, car vous tentez l'impossible. Puis il désigne l'auteur de cette victoire et dit qu'aux confins de la terre parviendra la renommée qui publiera ses hauts faits : « Prêtez l'oreille jusqu'aux extrémités de la terre. » Il n'est en effet personne qui n'ait appris ce qui s'est alors passé à Jérusalem. C'est pourquoi il dit : « Prêtez l'oreille jusqu'aux extrémités de la terre et vous, les hommes forts, soyez vaincus. » Le Barbare avait alors acquis une grande renommée par sa puissance. Ceux qu'ici le prophète appelle forts sont ceux qui se distinguent non par la santé du corps, mais par l'abondance des richesses et l'illustration de la gloire. « Si de nouveau vous

LMGC || 52 ἀδυνάτοις ἐπι]χειροῦντες *des.* G || 54 ἀφίξεται : ἀφέξεται V ἀφίξετο C || 56 γέγονε : ἔμεινε C || 58 ἰσχύοντες : ἰσχυκότες N || 60 ἐν : ἐπὶ LC || 61 τῇ² > L

Ἐὰν γὰρ πάλιν ἰσχύσητε, φησί, πάλιν ἡττηθήσεσθε καὶ ἣν ἂν βουλεύσησθε βουλήν, διασκεδάσει Κύριος καὶ λόγον ὃν ἐὰν λαλήσητε, οὐ μὴ ἐμμείνῃ ἐν ὑμῖν, ὅτι μεθ' ἡμῶν ὁ
65 Θεός. Ἐπειδὴ γὰρ πονηρὰ παρ' αὐτοῖς ἦν βουλεύματα καὶ προσεδόκων τὴν πόλιν αὐτὴν ἐκ βάθρων ἀνασπᾶσθαι καὶ οὕτως οἴκαδε ἀπελεύσεσθαι, καὶ τὰ βουλεύματα αὐτῶν ὁ προφήτης εἰς μέσον ἄγει καί φησι· μέχρι τῶν ῥημάτων ἅπαντα στήσεται. Εἶτα ἐπειδὴ πράγματα ἀπήγγειλε φύσιν
70 ἀνθρωπίνην ὑπερβαίνοντα, ἀξιόπιστον ποιῶν τὸν λόγον, ἐπὶ τὸ ἀξίωμα τοῦ κατορθοῦντος καταφεύγει, συνεχῶς λέγων, Ὅτι μεθ' ἡμῶν ὁ Θεὸς καὶ ὅτι αὐτὸς ἅπαντα ταῦτα διασκεδάσει τὰ μηχανήματα.

63 βουλὴν βουλεύσησθε ~ LMC ‖ 65 γὰρ > V ‖ 66 ἀνασπᾶσθαι : -σπάσασθαι C ‖ 67-68 εἰς μέσον ὁ προφήτης ~ C ‖ 69 ἅπαντα στήσεται : ἀπαντήσεται LM ἀπαντήσεσθαι C ‖ 73 μηχανήματα + ἐπληρώθη ἡ ἑρμηνεία τοῦ χρυσοστόμου ἡ εἰς τὸν προφήτην Ἡσαΐαν. L ‖ μηχανήματα + ὅτι αὐτῷ ἡ δόξα *Montf.*

êtes forts, dit-il, de nouveau vous serez vaincus. Quel que soit le projet que vous formiez, le Seigneur le fera échouer, et la parole que vous aurez prononcée ne tiendra certes pas, parce que Dieu est avec nous. » Comme ils avaient de funestes desseins et qu'ils espéraient ruiner la ville jusqu'en ses fondations, et s'en retirer chez eux, le prophète expose leurs projets au grand jour et il dit : Tout en restera aux paroles. Puis, comme ce qu'il a annoncé dépasse la nature humaine, il fait appel, pour rendre son discours digne de foi, à la dignité de celui qui redresse la situation, en répétant continuellement : « Dieu est avec nous », et en affirmant que c'est lui qui dissipera toutes ces machinations.

NOTE ANNEXE

LES VARIANTES DE LA VERSION ARMÉNIENNE

Nous signalons ici les variantes, additions ou lacunes que présente la version arménienne confrontée à la tradition grecque de nos manuscrits. Chaque passage est affecté d'un numéro d'ordre. Nous indiquons également, outre son caractère propre, la pagination de l'édition arménienne de 1880 sur laquelle repose notre traduction (cf. *supra,* p. 30), et les références au texte grec que nous publions : chapitre, paragraphe, lignes. (Lorsqu'il n'y a aucune indication contraire, il s'agit de variantes.)

Prologue

1. par ce prophète (li. 2).

2. en accomplissant donc le bien du même (Isaïe) qui assurément connaissait les vertus de tous les saints, Paul (2-4), qui avec assurance, s'exprimait ainsi (5).

3. parce que l'interprétation de la prophétie lui faisait dire tout cela d'un seul mot (7-8).

4. et ce n'est pas tout, mais qu'à plus d'une reprise il sait aussi se montrer compatissant envers le peuple de sa race, et cela plus d'une fois (10).

5. il annonçait avec assurance (13-14).

6. Mais encore ce n'était pas plus faiblement que les affligés qu'il s'affligeait et se torturait ; et avec plus d'amertume que tous les autres il se lamentait et menait le deuil (14-16).

7. De même aussi tous les saints prophètes éprouvaient-ils une tendresse plus que paternelle pour tous ceux dont ils étaient les prophètes, et tout autant sinon plus encore que < le permet > la nature humaine, devant les détresses qui fondaient sur le peuple (17-20).

8. et il n'est pas de père épris de son enfant qui brûlât autant pour sa progéniture que ceux-ci pour ceux dont ils étaient les prophètes (21-22).

9. d'une voix déchirante ils entonnaient les lamentations : quand venait, survenait quelque malheur, ils imploraient Dieu, ils accompagnaient < les captifs > en captivité, ils s'affligeaient des afflictions, ils s'attachaient et

s'ingéniaient à sauver < les pécheurs > de la colère céleste et de l'invasion des péchés (*l'arménien a lu* πτωμάτων *pour* πραγμάτων) qui fondaient sur < eux > (23-27).

10. Voilà pourquoi il n'y a rien d'analogue quand s'émeut la pitié des gouvernants pour ceux dont ils sont les gouvernants et quand on sait être volontiers compatissant et charitable (27-28).

11. la tendresse du père pour les fils de sa race (31).

12. et après avoir manifesté cette même tendresse, il suppliait : (*l'arménien omet* παρακαλεῖν) Ne me contraignez pas pour la brisure de la fille de mon peuple (34-36).

13. il consolera les affligés et les exilés et il ramènera à Dieu quelques-uns d'entre eux (39-41).

14. voyant cette colère s'avancer contre le peuple de sa race (46-47).

15. en les ménageant il appelait les fléaux sur sa personne (47).

16. le patriarche (et) vieillard Abraham, bien qu'étranger aux maux qui venaient et survenaient aux Sodomites estimait que lui-même était impliqué dans la colère (divine) et il ne cessa point qu'il eût tout dit et il priait... (50-55).

17. la colère incendiaire contre les deux places < Sodome et Gomorrhe > (55-56).

18. ils se signalaient en soutenant de nombreux combats (58-59).

19. il était torturé et interrogeait avec frayeur (61-62).

20. tout à fait, dans toutes ses épîtres (65-66).

21. car le salut de beaucoup verra le Christ (ou : beaucoup une fois sauvés verront le Christ) (66-67).

22. et de nouveau (72-73).

23. il s'irrite contre eux (73-74).

24. et il devient leur intercesseur auprès de Dieu (Addition ; 74).

25. Mais à présent, en commençant par le début, nous commenterons tout (75-76).

Commentaire

1. Le prophète dit également la même chose : « il arrivera dans les derniers jours ». Or il appelle montagne, l'Église et la solidité de sa doctrine. De même en effet que des myriades d'armées ont beau encercler des montagnes inébranlables, tendre leurs arcs, se lancer à l'attaque, jeter des javelots, brandir des piques, dresser des machines de guerre, multiplier leurs efforts, elles ne feront toutefois aucun mal aux montagnes inébranlables et inexpugnables ; elles auront déployé leur force et leur puissance sans obtenir aucun résultat. (p. 1 ; ch. II, par. 2, li. 27-34).

2. Mais pour la raison que cela était signifié par ces (images), les mots étaient choisis en fonction de ces dernières : ainsi nous saisissons l'enchaînement des idées, sans tenir compte des mots énoncés. (p. 2 ; II, 2, 57-58).

3. Par les loups et les agneaux (sont figurés) les caractères respectifs des hommes dont certains sont farouches, certains doux. (p. 2 ; II, 2, 59-60).

4. La royauté de la nation juive (p. 2 ; II, 2, 63-64).

5. (Ils ne pourront l'appliquer) au Temple (p. 3 ; II, 3, 29).

6. Malachie (p. 4 ; II, 3, 34).

7. Comme il est écrit (p. 4 ; II, 3, 55-56).

8. Qui a vu un ânon lié par une vrille et attaché à une vigne, qui ne nuise pas à la vigne et n'en détruise le fruit ? (p. 4, II, 3, 63-65).

9. Ce qui appartient aux temps futurs (p. 6 ; II, 4, 34-35).

10. Lorsque vient le Seigneur (p. 6, addition ; II, 4, 42).

11. « Il juge entre les Nations ». L'Apôtre interprétera cela en disant (p. 7 ; II, 4, 60-61).

12. Bien plus, ils entraient facilement en guerre les uns contre les autres, à maintes reprises, et ils se détruisaient mutuellement (p. 8 ; II, 4, 84-86).

13. Mais les lois ordonnaient à tous, en fait, de prendre les armes (p. 8 ; II, 5, 14-15).

14. Et même celui qui vivait dans la cité d'Athènes, où l'on passait son temps dans les procès et le désœuvrement, Socrate, fils de Sophronisque, en sortit une ou deux fois et se prépara au combat (p. 8 ; II, 5, 20-22).

15. Mais ils résident en toute sécurité et sans soucis dans leurs villes fortifiées et c'est d'ailleurs, à l'écart des guerres, qu'ils apprennent la vérité sur celles-ci (p. 9 ; II, 5, 31-33).

16. Quand ils ne forment qu'une seule nation sujette dans l'empire romain (p. 9 ; II, 5, 42).

17. Du reste, qui sait combattre ? Personne, à la seule exception de quelques soldats qui ont été exercés et encadrés uniquement pour cette fin (p. 9 ; II, 5, 53-55).

18. En tombant dans le même égarement, nous serons perdus (p. 12 ; II, 6, 48-49).

19. Dieu voulut corriger ces deux vices chez ceux que l'ennemi s'était efforcé de troubler, afin de les faire se relâcher dans leurs efforts pour la vertu et leur ravir le don rare du libre arbitre (p. 12 ; II, 6, 58-60).

20. pour pouvoir les priver du secours de Dieu (p. 12, addition ; II, 6, 64).

21. Il était convenable et souhaitable pour ceux qui étaient aimés de Dieu de prendre toutes les précautions prescrites par Dieu (p. 13 ; II, 7, 10-12).

22. Il ne se complaira pas dans la puissance du cheval et ne met pas sa joie dans le torse (var. vitesse) du colosse ; le Seigneur met sa joie en ceux qui le craignent (p. 13 ; II, 7, 39-42).

23. Tel un habile médecin, le prophète aussi avant de soigner la maladie indique la cause de l'éruption de la maladie (p. 14 ; II, 7, 45-46).

24. Il suffisait pour cela, dit-il, que les hommes eux-mêmes eussent du mépris pour leur propre folie (p. 15 ; II, 7, 90-92).

25. Parce que sa nature est d'elle-même éternelle et que son élévation n'a

pas de commencement, mais qu'il est à la vérité toujours le Très-Haut parmi les grands. Et l'on parle d'élévation pour cette raison que lorsque les esprits des adversaires et des contradicteurs reçoivent par leur propre expérience des preuves de la Hauteur de Dieu, ils en viennent à s'humilier et à rendre gloire dignement au seul Très-Haut (p. 16; II, 8, 44-50).

26. Il cite les cèdres du Liban, soit que le Liban se trouve tout près de chez eux, soit que, comme les cèdres étaient proches, de même aussi la colère allait naître en des temps rapprochés. Mais par le spectacle de la beauté des navires, il symbolise la prestance des généraux, l'abondance des richesses, la multitude des armes et le bel aspect des serviteurs. En outre, parce que les ennemis devaient venir de loin, il cite, me semble-t-il, les navires étrangers (p. 17; II, 9, 9-15).

27. De peur que l'on n'y voie l'effet d'une invasion antérieure et ne croie qu'ils pillent le pays par leur propre puissance, il rapporte au Dieu de l'univers la terreur (qu'ils inspirent), c'est lui, dit-il, qui amène la guerre et c'est à lui qu'appartient la puissance, parce que par de telles menaces il conduit à s'amender ceux qui auparavant étaient pécheurs (p. 18; II, 9, 25-30).

28. N'est-ce pas pour les rois impies qui n'avaient pas un souffle de salut? Celui-là, dit-il, que vous avez compté pour rien, que vous avez méprisé (en disant) «nous allons et sans fatigue nous prenons la ville», celui-là apparaîtra plus glorieux que tous avec l'aide de Dieu : par sa prière il vous vaincra, et il se sauvait lui-même et la cité (p. 19, addition; II, 9, 60).

29. Quand ni timonier, à l'arrière du navire, ni vigies exercées qui luttent avec les flots ne se rencontreront pour dégager le navire (et le mener) au port (p. 20; III, 1, 19-21).

30. Et pour qu'on ne s'imagine pas que les maladies sont des produits du corps (p. 21; III, 1, 52-53).

31. Eux qui, non moins que les combattants, assureront la paix dans les cités, grâce à leur intelligence avisée et leur art d'apaiser les guerres; ils favoriseront la paix des cités. Et parce que les guerres elles-mêmes naissent souvent de la racine des péchés, il est nécessaire et convenable que (les magistrats) aient les lois entre leurs mains au service authentique du droit, afin de réprimer beaucoup de péchés, ces causes de guerre (p. 22; III, 2, 6-14).

32. Et pourquoi donc leur enlèvera-t-il ceux-ci? C'est qu'alors qu'ils étaient les chefs de par leur primauté, les juges ne rendaient pas un verdict conforme aux décisions légales. Tout comme la rectitude de leurs décrets amasse beaucoup de biens pour les hommes, la corruption des jugements provoque la ruine de beaucoup. Quand il parlait à la synagogue juive, Jésus enveloppait d'obscurité son discours, parce qu'on ne prêtait pas attention à ses propos. Ainsi ces dons rares, source abondante de salut, il les en privait,

puisque ceux qui les recevaient ne voulaient pas en récolter les fruits (p. 22 ; III, 2, 14-22).

33. Quand en effet, à cause des péchés des Juifs, Dieu détournait d'eux sa face, alors il faisait cesser la prophétie (p. 22 ; III, 2, 24-27).

34. C'est pourquoi par le nom de jeunesse il désigne la sottise ; comme cependant, ni la jeunesse n'a de prix, ni la vieillesse, mais seulement les esprits solides, vois Thimothée qui, tout jeune, a reçu le gouvernement (de la communauté) et bien plus sagement que beaucoup de vieillards dirigea les églises (p. 24, addition ; III, 3, 17-20).

35. Et par toute la terre était estimée la sagesse de celui-ci (p. 25 ; III, 3, 21-23).

36. Et du milieu de la fournaise ardente, au pays des Perses, leur vertu les fit sortir paisibles et indemnes (p. 25 ; III, 3, 45-48).

37. mais le plant encore vert, c'est-à-dire le catéchumène, à qui on va imposer les mains (p. 26 ; III, 3, 65-66).

38. c'est-à-dire, le fils s'opposera à son père et le méprisera (p. 27 ; III, 4, 2-3).

39. La cité dont telle est la situation ne diffère en rien d'un navire ballotté par les flots (p. 27 ; III, 4, 7-8).

40. La jeunesse en effet est le commencement de la vie, mais la vieillesse est le terme de l'existence (p. 32 ; III, 6, 58-59).

41. Et si l'on dupe les pauvres, Il (Dieu) le ressent comme une injure personnelle (p. 33, addition ; III, 6, 69).

42. (p. 34, lacune en arménien ; III, 7, 32-35).

43. des glands d'or (p. 35 et 37 ; III, 7, 70 et III, 9, 5).

44. que là où se rencontrent légèreté d'esprit et mollesse s'introduise l'orgueil, il entraîne aussitôt pour leur perte les femmes en toutes sortes de maux (p. 35 ; III, 8, 10-14).

45. Il tourne ici en dérision le caractère féminin ; il montre ouvertement que même en leurs pensées elles ne supportent pas (de n'être pas distinguées) (p. 36 ; III, 8, 17-19).

46. Eux qui avaient des exemples pour devenir meilleurs (p. 39 ; III, 9, 70-71).

47. Et Saphira sa femme (p. 39, addition ; III, 10, 8).

48. Quand elle ajuste l'or sur sa tête, ses oreilles, ses bras, alors les mains de son mari s'écartent de l'aumône et du souci des pauvres (p. 40 ; III, 10, 33-37).

49. On eût aimé les voir sous l'effet d'aussi terribles menaces de sa part accueillir la sagesse et prendre conscience des paroles qui furent prononcées (p. 41 ; III, 10, 66-68).

50. Voila pourquoi il a ajouté également ceci, qui semble être bien lamentable : que vous voyez vides les cabas d'or et de parures, pour (vous) faire ressouvenir que lorsque vous verrez en captivité à la place des ornements et

des atours, les visages poussiéreux et flétris, vous vous rongiez le cœur et l'esprit, (en voyant) quelle misère a succédé à quelle gloire (p. 41 ; III, 10, 68-72).

51. C'est en effet la manifestation de l'habileté d'un excellent médecin (p. 42 ; IV, 1, 20).

52. Tout comme à la canicule le nuage rafraîchit, de même aussi dans l'obscurité de la nuit la clarté d'un bûcher est gaieté (p. 44 ; IV, 1, 87-89).

53. « Maintenant que ferai-je pour ma vigne, que je n'aie fait pour elle ? » J'ai tout fait, mais avec pour seul résultat que je n'ai pas recueilli de fruit. Je ne dis pas que j'ai accordé de nombreux bienfaits, mais que j'ai donné tous les bienfaits ; maintenant je vous requiers (de me dire), vous qui en avez joui, qui avez été témoins de ces bienfaits, je vous cite en justice et non comme des étrangers ou des gens mal informés. Car je suis resté à attendre, et voilà qu'elle produisait ronces et chardon. Et pour lui il prononce ces propos : « Que me fallait-il donc faire, que pour ma part je n'ai pas accompli ? » de quel péché suis-je coupable ? quels sont ces manquements pour lesquels ils ont commis de si grands péchés ? (p. 48 ; V, 2, 62-74).

54. et rendent la nuit plus pesante que la mort (p. 54 ; V, 5, 42-43).

55. Comment pourraient-ils voir se lever le soleil, étinceler le ciel, scintiller les étoiles le soir ou au point du jour, ou encore (admirer) la beauté des créatures et les services qu'elles rendent ? A ce spectacle, leurs yeux, ceux du dehors et ceux du dedans, sont fermés tout le temps dans la torpeur de l'ivresse (p. 54 ; V, 5, 47-50).

56. (p. 54, lacune en arménien ; V, 5, 51-63).

57. Tu vois quel avertissement se trouve même dans le châtiment, puisque ce n'est pas sur-le-champ qu'il a incisé la plaie en profondeur (p. 54 ; V, 5, 66-67).

58. Les gens qui sont dans le dénuement paîtront comme des taureaux, et les agneaux brouteront les déchets (p. 55 ; V, 6, 24-25).

59. « Et comme la courroie le joug des génisses (ils tirent) leurs fautes commises contre la loi ». De même qu'une forte courroie tendra le joug, de même aussi ces manques de foi attirent sur vos personnes la colère de Dieu (p. 56 ; V, 6, 58-62).

60. De la même façon sont à entendre ténèbres et lumière, car ceux-ci (les faux prophètes) entraînaient (le peuple) dans les ténèbres, tandis que les prophètes le guidaient vers la lumière (p. 57, addition ; V, 6, 85).

61. (p. 57, lacune en arménien ; V, 7, 1-14).

62. L'ivresse est toujours un mal, mais surtout celle des chefs dont dépend le sort de tous (p. 58 ; V, 7, 38-50).

63. Voilà pourquoi aussi il en expose la raison au grand jour (p. 58, addition ; V, 7, 54-55).

64. Et de nouveau il montrera qu'ils arrivent avec une grande facilité (p. 59 ; V, 8, 36-37).

65. Il n'est pas non plus circonscrit... et s'asseoir sur un petit siège (p. 61, addition; VI, 1, 55-56).

66. Quand les juges en effet siègent au tribunal, ils n'expédient pas de telles affaires à huis clos mais assis sur un siège de majesté; là sont les assesseurs, là, en ces circonstances, les rideaux, tendus pour la délibération, sont alors tirés (p. 62; VI, 1, 86-89).

67. Car il ne dit pas : nous nous tenons debout et toi, tu es assis, mais toi, tu es assis et nous autres périssons (p. 62, addition; VI, 2, 33-35).

68. Il a appelé gloire, la gloire ineffable qu'il n'est point possible de traduire par des mots. Il appelle ici lumière, la gloire éclatante, ineffable, inscrutable, que personne ne peut traduire par des mots, et non pas une gloire quelconque, mais la gloire de Dieu (p. 64; VI, 2, 43-46).

69. Que peuvent bien être les Séraphins? Des puissances incorporelles (p. 64; VI, 2, 47-48).

70. Et dissimuler les pieds, le visage et le dos, c'est trembler, s'épouvanter et ne pas supporter la gloire émanant du trône (p. 65; VI, 3, 22-25).

71. Et eux, par peur de l'éclat de sa gloire (p. 65, addition; VI, 3, 29).

72. Pourquoi n'ont-ils pas dit saint, pour se taire ensuite, et puis une seconde fois, pour cesser ensuite, et puis une troisième fois, et ont-ils ajouté autre chose? (p. 66; VI, 3, 47-48).

73. Car il appartenait à une exacte prophétie d'annoncer à l'avance la future gloire de Dieu qui remplira tout l'univers, c'est-à-dire la connaissance de Dieu (p. 66; VI, 3, 54-56).

74. Quand donc toute la terre fut-elle instruite de la connaissance de celui-ci? (p. 66; VI, 3, 72-73).

75. le feu), dont ils incendiaient les villes (p. 67, addition; VI, 4, 10).

76. Quand Paul fut jugé digne de cette vision, c'est alors qu'il se considéra en toute humilité, comme un avorton. De même il s'appelle un misérable : d'abord il confesse la faiblesse de sa nature et ensuite il révèle ses pensées (p. 67; VI, 4, 21-25).

77. Et : Comment leur suis-je, moi, semblable? (p. 67, addition; VI, 4, 29).

78. Tout de même il disait que ses lèvres étaient impures; il se rappelait en effet que ses lèvres étaient appelées à remplir un bien redoutable ministère (p. 68, addition; VI, 4, 38-41).

79. Il envoyait le séraphin pour bannir la crainte (du prophète) et (le) remplir d'assurance (p. 68; VI, 4, 60-61).

80. N'est-il point vrai que c'était le propre des puissances incorporelles de n'être pas blessées par les charbons ardents? (p. 69; VI, 4, 71-73).

81. (p. 70, lacune en arménien; VI, 5, 41-43).

82. Vois-tu combien nous avons fait d'inutiles conjectures sur la prompte obéissance du prophète? (p. 72; VI, 6, 27-29).

83. Quand il eut achevé cette prophétie qui devait se réaliser pour le

monde entier, il passe dans son discours au siège de la ville et à ce qui attend les dix tribus dans la captivité ; il le prédit d'emblée, et pour les deux tribus il montre la longanimité de Dieu qui se manifestait à cette époque, quoiqu'elles dussent tomber ensuite en captivité, car elles ne mirent nullement à profit cette longanimité ; seuls ceux qui étaient restés ont joui de la prospérité (p. 73 ; VI, 6, 54-57).

84. Après cela Dieu temporisa avec les hommes. C'est à entendre de la prospérité de toutes les tribus, ou encore de la félicité qui adviendrait à cette époque pour les deux tribus, après la déportation des dix autres (p. 73 ; VI, 6, 70-73).

85. Ceux qui arriveraient par la suite, il en fera des croyants (p. 76 ; VII, 1, 41-42).

86. Le lépreux fut-il purifié, ou ne fut-il pas purifié ? Alors la prophétie est véridique. Mais s'ils ne croient pas à la prophétie, le lépreux va les confondre, lui qui, purifié, était sur place, afin que par là ils reçussent une preuve de ce qui allait arriver (p. 76 ; VII, 1, 45-53).

87. Lorsque les souffrances sont dans les cœurs et qu'elles sont révélées, cela n'est le fait que de la prophétie ou de Dieu qui scrute les cœurs. Et que dit-il ? (p. 78 ; VII, 2, 57-59).

88. Ils n'avaient aucun soulagement, non seulement celui-là, mais encore tout le peuple : ils pensaient, chacun, qu'ils seraient conduits en captivité (p. 78-79 ; VII, 2, 61-63).

89. Ce qu'il a, il le tiendra, et il n'osera entrer en campagne nulle part ailleurs (p. 81 ; VII, 3, 70-71).

90. C'est Dieu, dit-il : il agit comme il veut, et tu as besoin seulement de foi ; et lorsque tu songeras à la puissance de l'auteur des miracles, tu comprendras alors la vérité de ses dires (p. 82 ; VII, 4, 23-26).

91. Il mettait au grand jour leur méchanceté qui était coagulée (litt. caillée) dans leurs cœurs (p. 84 ; VII, 5, 7).

92. dont la valeur pour chacun d'eux apparaît grâce à l'article (p. 86 ; VII, 5, 71-72).

93. à cause de la justice, cité de justice (p. 87 ; VII, 6, 26).

94. notre nature), ce qui convient à son corps (p. 88, addition ; VII, 6, 71).

95. Non seulement il parle du merveilleux enfantement, mais il ne tient pas secrets les langes ; si bien que (Jésus) n'avait rien en sus des autres hommes, ni rien de plus étrange qu'eux (p. 88 ; VII, 6, 77-80).

96. Le fait de tirer son existence d'un homme (*var.* d'une femme) (p. 88 ; VII, 6, 81-82).

97. et que la vierge conserve sa virginité (p. 88 ; VII, 6, 82-83).

98. (p. 90, lacune en arménien, due à l'homoioteleuton : ἀπήλαυσαν ; VII, 7, 56-57).

99. En chevauchant ils emmènent en captivité tout Israël (p. 90, addition ; VII, 7, 66).

100. l'image) de la guêpe (p. 92 ; VII, 8, 39).

101. Voilà pourquoi il dira qu'ils se reposeront, signe d'une victoire et d'un facile butin, eux qui auront multiplié les massacres (p. 92 ; VII, 8, 53-56).

102. Il indique la multitude (p. 93 ; VII, 8, 64-65).

103. Au delà de l'Arazani (affluent de l'Euphrate) (p. 93 ; VII, 9, 4).

104. (p. 93, lacune en arménien ; VII, 9, 19-22).

105. Et ce lieu inspire une telle frayeur à ses habitants et le pays sera dans un tel état que personne n'osera plus y entrer sans armes ni armure : il en montre au grand jour la sauvagerie et la dévastation (p. 94 ; VII, 9, 53-56).

106. (p. 94, lacune en arménien ; VII, 9, 63-64).

107. la terre labourée (p. 95 ; VII, 9, 70).

108. qu'il veuille évoquer le pillage, il met en scène sirènes et hippocentaures ; de même, qu'il veuille signifier la paix et les édifices, il le fait avec les animaux apprivoisés et domestiqués, avec les agriculteurs et l'agriculture (p. 95 ; VII, 9, 78-85).

109. (p. 96, lacune en arménien ; VIII, 1, 53).

110. Ton cou, des nerfs de fer (p. 96 ; VIII, 1, 53).

111. Zacharie) le fils de Barachias (p. 97, addition ; VIII, 1, 72).

112. ma prophétesse (*var.* la prophétesse) (p. 98 ; VIII, 2, 13).

113. Afin que, dût l'écrit voir son authenticité contestée, il existât des témoins en vie, qui en connaissent l'époque et confondent les impudents ; que la postérité aussi soit contrainte à (en reconnaître) la véracité (p. 98 ; VIII, 2, 15-18).

114. (p. 99, lacune en arménien ; VIII, 2, 34-39).

115. Aussi l'interprétation du nom de l'enfant détermine l'époque de manière convaincante (p. 99 ; VIII, 2, 38-39).

116. Mais il appelle aussi le roi Siloé parce qu'il n'opprimait personne et ne torturait personne, et avec indulgence pardonnait à la cité, dont il était le prince, son mépris (p. 100 ; VIII, 2, 74-77).

117. Mais il couvrira la surface de ce pays d'une multitude, et facilement, sans rencontrer d'obstacle, il rassemblera tout (le butin) (p. 100 ; VIII, 3, 16-18).

118. Par la suite il vint directement dans la terre d'Israël et contre son attente il fut battu (p. 101 ; VIII, 3, 46-47).

INDEX SCRIPTURAIRE

Les chiffres de droite renvoient aux pages du présent volume. Les chiffres en italique, indiquent les allusions.

ANCIEN TESTAMENT

NOUVEAU TESTAMENT

INDEX DES NOMS PROPRES

INDEX DE MOTS GRECS

Errata

Page 142, li. 34 : lire avec la version arménienne :

εἲς τὰς τρώγλας τῆς στερεᾶς π.

au lieu de la leçon des manuscrits grecs :

εἲς τὰς στερεὰς π.

Dans la traduction, on aurait donc :

"dans les trous de la pierre dure"

au lieu de :

"dans les durs rochers"

Page 218, lire dans le texte grec :
li. 42 : οὐκ <αὐτοὺς> κατέτεινα
li. 43 : οὐκ <αὐτοὺς> συνέτριψα
que suggère l'arménien.

TABLE DES MATIÈRES

INDEX

SOURCES CHRÉTIENNES

LISTE COMPLÈTE DE TOUS LES VOLUMES PARUS

N.B. – L'ordre suivant est celui de la date de parution (n° 1 en 1942) et il n'est pas tenu compte ici du classement en séries : grecque, latine, byzantine, orientale, textes monastiques d'Occident ; et série annexe : textes para-chrétiens.

Sauf indication contraire, chaque volume comporte le texte original, grec ou latin, souvent avec un apparat critique inédit.

La mention *bis* indique une seconde édition. Quand cette seconde édition ne diffère de la première que par de menues corrections et des *Addenda et Corrigenda* ajoutés en appendice, la date est accompagnée de la mention « réimpression avec supplément ».

1. Grégoire de Nysse : **Vie de Moïse.** J. Daniélou (3e édition) (1968).

2 bis. Clément d'Alexandrie : **Protreptique.** C. Mondésert, A. Plassart (réimpression de la 2e éd., 1976).

3 bis. Athénagore : **Supplique au sujet des chrétiens.** *En préparation.*

4 bis. Nicolas Cabasilas : **Explication de la divine Liturgie.** S. Salaville, R. Bornert, J. Gouillard, P. Périchon (1967).

5. Diadoque de Photicé : **Œuvres spirituelles.** É des Places (réimpr. de la 2e éd., avec suppl., 1966).

6 bis. Grégoire de Nysse : **La création de l'homme.** *En préparation.*

7 bis. Origène : **Hom. sur la Genèse.** H. de Lubac, L. Doutreleau (1976).

8. Nicétas Stéthatos : **Le paradis spirituel.** *Remplacé par le n° 81.*

9 bis. Maxime le Confesseur : **Centuries sur la charité.** *En préparation.*

10. Ignace d'Antioche : **Lettres – Lettres et Martyre de** Polycarpe de Smyrne. P.-Th. Camelot (4e édition) (1969).

11 bis. Hippolyte de Rome : **La Tradition apostolique.** B. Botte (1968).

12 bis. Jean Moschus : **Le Pré spirituel.** *En préparation.*

13. Jean Chrysostome : **Lettres à Olympias.** A.-M. Malingrey. Trad. seule (1947).

13 bis. 2e édition avec le texte grec et la **Vie anonyme d'Olympias** (1968).

14. Hippolyte de Rome : **Commentaire sur Daniel.** G. Bardy, M. Lefèvre. Trad. seule (1947).
2e édition avec le texte grec. *En préparation.*

15 bis. Athanase d'Alexandrie : **Lettres à Sérapion.** J. Lebon. *En prép.*

16 bis. Origène : **Hom. sur l'Exode.** H. de Lubac, J. Fortier. *En prép.*

17. Basile de Césarée : **Sur le Saint-Esprit.** B. Pruche. Trad. seule (1947).

17 bis. 2e édition avec le texte grec (1968).

18 bis. Athanase d'Alexandrie : **Discours contre les païens.** P.-Th. Camelot (1977).

19 bis. Hilaire de Poitiers : **Traité des Mystères.** P. Brisson (réimpression, avec supplément, 1967).

20. Théophile d'Antioche : **Trois livres à Autolycus.** G. Bardy, J. Sender. Trad. seule (1948).
2e édition avec le texte grec. *En préparation.*

21. Éthérie : **Journal de voyage.** H. Pétré. *Remplacé par le n° 296.*

22 bis. Léon le Grand : **Sermons** 1-19. J. Leclercq, R. Dolle (1964).

23. Clément d'Alexandrie : **Extraits de Théodote.** F. Sagnard (réimpr., 1970).

24 bis. Ptolémée : **Lettre à Flora.** G. Quispel (1966).

25 bis. Ambroise de Milan : **Des Sacrements. Des Mystères. Explication du Symbole.** B. Botte (réimpr. de la 2e éd., 1980).

26 bis. Basile de Césarée : **Homélies sur l'Hexaéméron.** S. Giet (réimpr. avec suppl., 1968).

27 bis. **Homélies Pascales.** t. I. P. Nautin. *En préparation.*

28 bis. Jean Chrysostome : **Sur l'incompréhensibilité de Dieu.** J. Daniélou, A.-M. Malingrey, R. Flacelière (1970).

29 bis. Origène : **Homélies sur les Nombres.** A. Méhat. *En préparation.*

30 bis. Clément d'Alexandrie : **Stromate I.** *En préparation.*

31. Eusèbe de Césarée : **Histoire ecclésiastique,** t. I. Livres I-IV. G. Bardy (réimpression, 1964).

32 bis. Grégoire le Grand : **Morales sur Job,** t. I. Livres I-II. R. Gillet, A. de Gaudemaris (1975).

33 bis. **A Diognète.** H.-I. Marrou (réimpr. avec suppl., 1965).

34. Irénée de Lyon : **Contre les hérésies,** livre III. F. Sagnard. *Remplacé par les nos 210 et 211.*

35 bis. Tertullien : **Traité du baptême.** F. Refoulé. *En préparation.*

36 bis. **Homélies Pascales,** t. II. P. Nautin. *En préparation.*

37 bis. Origène : **Homélies sur le Cantique.** O. Rousseau (1966).

38 bis. Clément d'Alexandrie : **Stromate II.** *En préparation.*

39 bis. Lactance : **De la mort des persécuteurs.** 2 vol. *En préparation.*

40. Théodoret de Cyr : **Correspondance,** t. I. Y. Azéma (1955).

41. Eusèbe de Césarée : **Histoire ecclésiastique,** t. II. Livres V-VII. G. Bardy (réimpression, 1965).

42. Jean Cassien : **Conférences,** t. I. E. Pichery (réimpression, 1966).

43 bis. Jérôme : **Sur Jonas.** *En préparation.*

44. Philoxène de Mabboug : **Homélies.** E. Lemoine. Trad. seule (1956).

45. Ambroise de Milan : **Sur S. Luc,** t. I. G. Tissot (réimpr. avec suppl., 1971).

46 bis. Tertullien : **De la prescription contre les hérétiques.** *En préparation.*

47. Philon d'Alexandrie : **La migration d'Abraham.** *Épuisé.* Voir série « Les Œuvres de Philon ».

48. **Homélies Pascales,** t. III. F. Floëri et P. Nautin (1957).

49 bis. Léon le Grand : **Sermons** 20-37. R. Dolle (1969).

50 bis. JEAN CHRYSOSTOME : **Huit catéchèses baptismales inédites.** A. Wenger (réimpr. avec suppl., 1970).

51 bis. SYMÉON LE NOUVEAU THÉOLOGIEN : **Chapitres théologiques, gnostiques et pratiques.** J. Darrouzès et L. Neyrand (1980).

52 bis. AMBROISE DE MILAN : **Sur S. Luc,** t. II. G. Tissot (réimpr. avec suppl., 1976).

53 bis. HERMAS : **Le Pasteur.** R. Joly (réimpr. avec suppl., 1968).

54. JEAN CASSIEN : **Conférences,** t. II. E. Pichery (réimpression, 1966).

55. EUSÈBE DE CÉSARÉE : **Histoire ecclésiastique,** t. III. Livres VIII-X. G. Bardy (réimpression, 1967).

56. ATHANASE D'ALEXANDRIE : **Deux apologies.** J. Szymusiak (1958).

57. THÉODORET DE CYR : **Thérapeutique des maladies helléniques.** 2 volumes. P. Canivet (1958).

58 bis. DENYS L'ARÉOPAGITE : **La hiérarchie céleste.** G. Heil, R. Roques, M. de Gandillac (réimpr. avec suppl., 1970).

59. **Trois antiques rituels du baptême.** A. Salles. Trad. seule. *Épuisé.*

60. AELRED DE RIEVAULX : **Quand Jésus eut douze ans.** A. Hoste, J. Dubois (1958).

61 bis. GUILLAUME DE SAINT-THIERRY : **Traité de la contemplation de Dieu.** J. Hourlier (réimpression, 1977).

62. IRÉNÉE DE LYON : **Démonstration de la prédication apostolique.** L. Froidevaux. Nouvelle trad. sur l'arménien. Trad. seule (réimpr., 1971).

63. RICHARD DE SAINT-VICTOR : **La Trinité.** G. Salet (1959).

64. JEAN CASSIEN : **Conférences,** t. III. E. Pichery (réimpr., 1971).

65. GÉLASE Ier : **Lettre contre les Lupercales et dix-huit messes du sacramentaire léonien.** G. Pomarès (1960).

66. ADAM DE PERSEIGNE : **Lettres,** t. I. J. Bouvet (1960).

67. ORIGÈNE : **Entretien avec Héraclide.** J. Scherer (1960).

68. MARIUS VICTORINUS : **Traités théologiques sur la Trinité.** P. Henry, P. Hadot. Tome I. Introd., texte critique, traduction (1960).

69. **Id.** – Tome II. Commentaire et tables (1960).

70. CLÉMENT D'ALEXANDRIE : **Le Pédagogue,** t. I. H.-I. Marrou, M. Harl (1960).

71. ORIGÈNE : **Homélies sur Josué.** A. Jaubert (1960).

72. AMÉDÉE DE LAUSANNE : **Huit homélies mariales.** G. Bavaud, J. Deshusses, A. Dumas (1960).

73 bis. EUSÈBE DE CÉSARÉE : **Histoire ecclésiastique,** t. IV. Introd. générale de G. Bardy et tables de P. Périchon (réimpr. avec suppl., 1971).

74 bis. LÉON LE GRAND : **Sermons** 38-64. R. Dolle (1976).

75. S. AUGUSTIN : **Commentaire de la Ire Épître de S. Jean.** P. Agaësse (réimpression, 1966).

76. AELRED DE RIEVAULX : **La vie de recluse.** Ch. Dumont (1961).

77. DEFENSOR DE LIGUGÉ : **Le livre d'étincelles,** t. I. H. Rochais (1961).

78. GRÉGOIRE DE NAREK : **Le livre de Prières.** I. Kéchichian. Trad. seule (1961).

79. JEAN CHRYSOSTOME : **Sur la Providence de Dieu.** A.-M. Malingrey (1961).

80. JEAN DAMASCÈNE : **Homélies sur la Nativité et la Dormition.** P. Voulet (1961).

81. Nicétas Stéthatos : **Opuscules et lettres.** J. Darrouzès (1961).
82. Guillaume de Saint-Thierry : **Exposé sur le Cantique des Cantiques.** J.-M. Déchanet (1962).
83. Didyme l'Aveugle : **Sur Zacharie.** Texte inédit. L. Doutreleau. Tome I. Introduction et livre I (1962).
84. **Id.** – Tome II. Livres II et III (1962).
85. **Id.** – Tome III. Livres IV et V, Index (1962).
86. Defensor de Ligugé : **Le livre d'étincelles,** t. II. H. Rochais (1962).
87. Origène : **Homélies sur S. Luc.** H. Crouzel, F. Fournier, P. Périchon (1962).
88. **Lettres des premiers Chartreux,** tome I : S. Bruno, Guigues, S. Anthelme. Par un Chartreux (1962).
89. **Lettre d'Aristée à Philocrate.** A. Pelletier (1962).
90. **Vie de sainte Mélanie.** D. Gorce (1962).
91. Anselme de Cantorbéry : **Pourquoi Dieu s'est fait homme.** R. Roques (1963).
92. Dorothée de Gaza : **Œuvres spirituelles.** L. Regnault, J. de Préville (1963).
93. Baudouin de Ford : **Le sacrement de l'autel.** J. Morson, É. de Solms, J. Leclercq. Tome I (1963).
94. **Id.** – Tome II (1963).
95. Méthode d'Olympe : **Le banquet.** H. Musurillo, V.-H. Debidour (1963).
96. Syméon le Nouveau Théologien : **Catéchèses.** B. Krivochéine, J. Paramelle. Tome I. Introduction et Catéchèses 1-5 (1963).
97. Cyrille d'Alexandrie : **Deux dialogues christologiques.** G. M. de Durand (1964).
98. Théodoret de Cyr : **Correspondance,** t. II. Y. Azéma (1964).
99. Romanos le Mélode : **Hymnes.** J. Grosdidier de Matons. Tome I. Introduction et Hymnes I-VIII (1964).
100. Irénée de Lyon : **Contre les hérésies,** livre IV. A. Rousseau, B. Hemmerdinger, Ch. Mercier, L. Doutreleau. 2 vol. (1965).
101. Quodvultdeus : **Livre des promesses et des prédictions de Dieu,** R. Braun. Tome I (1964).
102. **Id.** – Tome II (1964).
103. Jean Chrysostome : **Lettre d'exil.** A.-M. Malingrey (1964).
104. Syméon le Nouveau Théologien : **Catéchèses.** B. Krivochéine, J. Paramelle. Tome II. Catéchèses 6-22 (1964).
105. **La Règle du Maître.** A. de Vogüé. Tome I. Introd. et chap. 1-10 (1964).
106. **Id.** – Tome II. Chap. 11-95 (1964).
107. **Id.** – Tome III. Concordance et Index orthographique. J.-M. Clément, J. Neufville, D. Demeslay (1965).
108. Clément d'Alexandrie : **Le Pédagogue,** tome II. Cl. Mondésert, H.-I. Marrou (1965).
109. Jean Cassien : **Institutions cénobitiques.** J.-C. Guy (1965).
110. Romanos le Mélode : **Hymnes.** J. Grosdidier de Matons. Tome II. Hymnes IX-XX (1965).
111. Théodoret de Cyr : **Correspondance,** t. III. Y. Azéma (1965).
112. Constance de Lyon : **Vie de S. Germain d'Auxerre.** R. Borius (1965).

113. SYMÉON LE NOUVEAU THÉOLOGIEN : **Catéchèses.** B. Krivochéine, J. Paramelle. Tome III. Catéchèses 23-34, Actions de grâces 1-2 (1965).
114. ROMANOS LE MÉLODE : **Hymnes.** J. Grosdidier de Matons. Tome III. Hymnes XXI-XXXI (1965).
115. MANUEL II PALÉOLOGUE : **Entretien avec un musulman.** A.-Th. Khoury (1966).
116. AUGUSTIN D'HIPPONE : **Sermons pour la Pâque.** S. Poque (1966).
117. JEAN CHRYSOSTOME : **A Théodore.** J. Dumortier (1966).
118. ANSELME DE HAVELBERG : **Dialogues,** livre I. G. Salet (1966).
119. GRÉGOIRE DE NYSSE : **Traité de la Virginité.** M. Aubineau (1966).
120. ORIGÈNE : **Commentaire sur S. Jean.** C. Blanc. Tome I. Livres I-V (1966).
121. ÉPHREM DE NISIBE : **Commentaire de l'Évangile concordant ou Diatessaron.** L. Leloir. Trad. seule (1966).
122. SYMÉON LE NOUVEAU THÉOLOGIEN : **Traités théologiques et éthiques.** J. Darrouzès. Tome I. Théol. 1-3, Éth. 1-3 (1966).
123. MÉLITON DE SARDES : **Sur la Pâque (et fragments).** O. Perler (1966).
124. **Expositio totius mundi et gentium.** J. Rougé (1966).
125. JEAN CHRYSOSTOME : **La Virginité.** H. Musurillo, B. Grillet (1966).
126. CYRILLE DE JÉRUSALEM : **Catéchèses mystagogiques.** A. Piédagnel, P. Paris (1966).
127. GERTRUDE D'HELFTA : **Œuvres spirituelles.** Tome I. **Les Exercices.** J. Hourlier, A. Schmitt (1967).
128. ROMANOS LE MÉLODE : **Hymnes.** J. Grosdidier de Matons. Tome IV. Hymnes XXXII-XLV (1967).
129. SYMÉON LE NOUVEAU THÉOLOGIEN : **Traités théologiques et éthiques.** J. Darrouzès. Tome II. Éth. 4-15 (1967).
130. ISAAC DE L'ÉTOILE : **Sermons.** A. Hoste, G. Salet. Tome I. Introduction et Sermons 1-17 (1967).
131. RUPERT DE DEUTZ : **Les œuvres du Saint-Esprit.** J. Gribomont, É. de Solms. Tome I. Livres I et II (1967).
132. ORIGÈNE : **Contre Celse.** M. Borret. Tome I. Livres I et II (1967).
133. SULPICE SÉVÈRE : **Vie de S. Martin.** J. Fontaine. Tome I. Introduction, texte et traduction (1967).
134. **Id.** – Tome II. Commentaire (1968).
135. **Id.** – Tome III. Commentaire (suite), Index (1969).
136. ORIGÈNE : **Contre Celse.** M. Borret. Tome II. Livres III et IV (1968).
137. ÉPHREM DE NISIBE : **Hymnes sur le Paradis.** F. Graffin, R. Lavenant. Trad. seule (1968).
138. JEAN CHRYSOSTOME : **A une jeune veuve. Sur le mariage unique.** B. Grillet, G.-H. Ettlinger (1968).
139. GERTRUDE D'HELFTA : **Œuvres spirituelles.** Tome II. **Le Héraut.** Livres I et II. P. Doyère (1968).
140. RUFIN D'AQUILÉE : **Les bénédictions des Patriarches.** M. Simonetti, H. Rochais, P. Antin (1968).
141. COSMAS INDICOPLEUSTÈS : **Topographie chrétienne.** Tome I. Introduction et livres I-IV. W. Wolska-Conus (1968).
142. **Vie des Pères du Jura.** F. Martine (1968).
143. GERTRUDE D'HELFTA : **Œuvres spirituelles.** Tome III. **Le Héraut.** Livre III. P. Doyère (1968).

144. **Apocalypse syriaque de Baruch.** Tome I. Introduction et traduction. P. Bogaert (1969).
145. **Id.** – Tome II. Commentaire et tables (1969).
146. **Deux homélies anoméennes pour l'octave de Pâques.** J. Liébaert (1969).
147. ORIGÈNE : **Contre Celse.** M. Borret. Tome III. Livres V et VI (1969).
148. GRÉGOIRE LE THAUMATURGE : **Remerciement à Origène. – La lettre d'Origène à Grégoire.** H. Crouzel (1969).
149. GRÉGOIRE DE NAZIANZE : **La passion du Christ.** A. Tuilier (1969).
150. ORIGÈNE : **Contre Celse.** M. Borret. Tome IV. Livres VII et VIII (1969).
151. JEAN SCOT : **Homélie sur le Prologue de Jean.** E. Jeauneau (1969).
152. IRÉNÉE DE LYON : **Contre les hérésies,** livre V. A. Rousseau, L. Doutreleau, C. Mercier. Tome I. Introduction, notes justificatives et tables (1969).
153. **Id.** – Tome II. Texte et traduction (1969).
154. CHROMACE D'AQUILÉE : **Sermons.** Tome I. Sermons 1-17. J. Lemarié (1969).
155. HUGUES DE SAINT-VICTOR : **Six opuscules spirituels.** R. Baron (1969).
156. SYMÉON LE NOUVEAU THÉOLOGIEN : **Hymnes.** J. Koder, J. Paramelle. Tome I. Hymnes I-XV (1969).
157. ORIGÈNE : **Commentaire sur S. Jean.** C. Blanc. Tome II. Livres VI et X (1970).
158. CLÉMENT D'ALEXANDRIE : **Le Pédagogue.** Livre III. Cl. Mondésert, H.-I. Marrou et Ch. Matray (1970).
159. COSMAS INDICOPLEUSTÈS : **Topographie chrétienne.** Tome II. Livre V. W. Wolska-Conus (1970).
160. BASILE DE CÉSARÉE : **Sur l'origine de l'homme.** A. Smets et M. Van Esbroeck (1970).
161. **Quatorze homélies du IXe siècle d'un auteur inconnu de l'Italie du Nord.** P. Mercier (1970).
162. ORIGÈNE : **Commentaire sur l'Évangile selon Matthieu.** Tome I. Livres X et XI. R. Girod (1970).
163. GUIGUES II LE CHARTREUX : **Lettre sur le vie contemplative** (ou **Échelle des Moines). Douze méditations.** E. Colledge, J. Walsh (1970).
164. CHROMACE D'AQUILÉE : **Sermons.** Tome II. S. 18-41. J. Lemarié (1971).
165. RUPERT DE DEUTZ : **Les œuvres du Saint-Esprit.** Tome II. Livres III et IV. J. Gribomont, É de Solms (1970).
166. GUERRIC D'IGNY : **Sermons.** Tome I. J. Morson, H. Costello, P. Deseille (1970).
167. CLÉMENT DE ROME : **Épître aux Corinthiens.** A. Jaubert (1971).
168. RICHARD ROLLE : **Le chant d'amour (Melos amoris).** F. Vandenbroucke et les Moniales de Wisques. Tome I (1971).
169. **Id.** – Tome II (1971).
170. ÉVAGRE LE PONTIQUE : **Traité pratique.** A. et C. Guillaumont. Tome I. Introduction (1971).
171. **Id.** – Tome II. Texte, traduction, commentaire et tables (1971).
172. **Épître de Barnabé.** R.-A. Kraft, P. Prigent (1971).
173. TERTULLIEN : **La toilette des femmes.** M. Turcan (1971).
174. SYMÉON LE NOUVEAU THÉOLOGIEN : **Hymnes.** J. Koder, L. Neyrand. Tome II. Hymnes XVI-XL (1971).

175. Césaire d'Arles : **Sermons au peuple.** Tome I. Sermons 1-20. M.-J. Delage (1971).

176. Salvien de Marseille : **Œuvres.** Tome I. G. Lagarrigue (1971).

177. Callinicos : **Vie d'Hypatios.** G.J.M. Bartelink (1971).

178. Grégoire de Nysse : **Vie de sainte Macrine.** P. Maraval (1971).

179. Ambroise de Milan : **La pénitence.** R. Gryson (1971).

180. Jean Scot : **Commentaire sur l'évangile de Jean.** É. Jeauneau (1972).

181. **La Règle de S. Benoît.** Tome I. Introduction et Chapitres I-VII. A. de Vogüé et J. Neufville (1972).

182. **Id.** – Tome II. Chapitres VIII-LXXIII, Tables et concordance. A. de Vogüé et J. Neufville (1972).

183. **Id.** – Tome III. Étude de la tradition manuscrite. J. Neufville (1972).

184. **Id.** – Tome IV. Commentaire (I-III). A. de Vogüé (1971).

185. **Id.** – Tome V. Commentaire (IV-VI). A. de Vogüé (1971).

186. **Id.** – Tome VI. Commentaire (VII-IX), Index. A. de Vogüé (1971).

187. Hésychius de Jérusalem, Basile de Séleucie, Jean de Béryte, Pseudo-Chrysostome, Léonce de Constantinople : **Homélies pascales.** M. Aubineau (1972).

188. Jean Chrysostome : **Sur la vaine gloire et l'éducation des enfants.** A.-M. Malingrey (1972).

189. **La chaîne palestinienne sur le psaume 118.** Tome I. Introduction, texte critique et traduction. M. Harl (1972).

190. **Id.** – Tome II. Catalogue des fragments, Notes et Index. M. Harl (1972).

191. Pierre Damien : **Lettre sur la toute-puissance divine.** A. Cantin (1972).

192. Julien de Vézelay : **Sermons.** Tome I. Introduction et Sermons 1-16. D. Vorreux (1972).

193. **Id.** – Tome II. Sermons 17-27, Index. D. Vorreux (1972).

194. **Actes de la Conférence de Carthage en 411.** Tome I. Introduction. S. Lancel (1972).

195. **Id.** – Tome II. Texte et traduction de la Capitulation et des Actes de la première séance. S. Lancel (1972).

196. Syméon le Nouveau Théologien : **Hymnes.** J. Koder, J. Paramelle, L. Neyrand. Tome III. Hymnes XLI-LVIII, Index (1973).

197. Cosmas Indicopleustès : **Topographie chrétienne.** T. III. Livres VI-XII, Index. W. Wolska-Conus (1973).

198. **Livre** (cathare) **des deux principes.** Ch. Thouzellier (1973).

199. Athanase d'Alexandrie : **Sur l'incarnation du Verbe.** C. Kannengiesser (1973).

200. Léon le Grand : **Sermons.** tome IV. Sermons 65-98, Éloge de S. Léon, Index. R. Dolle (1973).

201. **Évangile de Pierre.** M.-G. Mara (1973).

202. Guerric d'Igny : **Sermons.** Tome II. J. Morson, H. Costello, P. Deseille (1973).

203. Nersès Snorhali : **Jésus, Fils unique du Père.** I. Kéchichian. Trad. seule (1973).

204. Lactance : **Institutions divines,** livre V. Tome I. Introd., texte et trad. P. Monat (1973).

205. **Id.** – Tome II. Commentaire et index. P. Monat (1973).

206. Eusèbe de Césarée : **Préparation évangélique,** livre I. J. Sirinelli, É. des Places (1974).
207. Isaac de l'Étoile : **Sermons.** A. Hoste, G. Salet, G. Raciti. Tome II. Sermons 18-39 (1974).
208. Grégoire de Nazianze : **Lettres théologiques.** P. Gallay (1974).
209. Paulin de Pella : **Poème d'actions de grâces** et **Prière.** C. Moussy (1974).
210. Irénée de Lyon : **Contre les hérésies,** livre III. A. Rousseau, L. Doutreleau. Tome I. Introduction, notes justificatives et tables (1974).
211. **Id.** – Tome II. Texte et traduction (1974).
212. Grégoire le Grand : **Morales sur Job.** Livres XI-XIV. A. Bocognano (1974).
213. Lactance : **L'ouvrage du Dieu créateur.** Tome I. Introd., texte critique et trad. M. Perrin (1974).
214. **Id.** – Tome II. Commentaire et index. M. Perrin (1974).
215. Eusèbe de Césarée : **Préparation évangélique,** livre VII. G. Schrœder, É. des Places (1975).
216. Tertullien : **La chair du Christ.** Tome I. Introduction, texte critique et traduction. J.-P. Mahé (1975).
217. **Id.** – Tome II. Commentaire et Index. J.-P. Mahé (1975).
218. Hydace : **Chronique.** Tome I. Introduction, texte critique et traduction. A. Tranoy (1975).
219. **Id.** – Tome II. Commentaire et index. A. Tranoy (1975).
220. Salvien de Marseille : **Œuvres,** t. II. G. Lagarrigue (1975).
221. Grégoire le Grand : **Morales sur Job.** Livres XV-XVI. A. Bocognano (1975).
222. Origène : **Commentaire sur S. Jean.** Tome III. Livre XIII. C. Blanc (1975).
223. Guillaume de Saint-Thierry : **Lettre aux Frères du Mont-Dieu (Lettre d'or).** J.-M. Déchanet (1975).
224. **Actes de la Conférence de Carthage en 411.** Tome III. Texte et traduction des Actes de la 2e et de la 3e séance. S. Lancel (1975).
225. Dhuoda : **Manuel pour mon fils.** P. Riché, B. de Vregille et C. Mondésert (1975).
226. Origène : **Philocalie 21-27 (Sur le libre arbitre).** É. Junod (1976).
227. Origène : **Contre Celse.** M. Borret. Tome V. Introduction et index (1976).
228. Eusèbe de Césarée : **Préparation évangélique.** Livres II-III. É. des Places (1976).
229. Pseudo-Philon : **Les Antiquités Bibliques.** D. J. Harrington, C. Perrot, P. Bogaert, J. Cazeaux. Tome I. Introduction critique, texte et traduction (1976).
230. **Id.** – Tome II. Introduction littéraire, commentaire et index (1976).
231. Cyrille d'Alexandrie : **Dialogues sur la Trinité.** Tome I. Dial. I et II. G.-M. de Durand (1976).
232. Origène : **Homélies sur Jérémie.** P. Nautin et P. Husson. Tome I. Introduction et homélies I-XI (1976).
233. Didyme l'Aveugle : **Sur la Genèse.** Tome I (Sur Genèse I-IV). P. Nautin et L. Doutreleau (1976).
234. Théodoret de Cyr : **Histoire des moines de Syrie.** Tome I. Introduction et **Histoire philothée** I-XIII. P. Canivet et A. Leroy-Molinghen (1977).

235. HILAIRE D'ARLES : **Vie de S. Honorat.** M.-D. Valentin (1977).
236. **Rituel cathare.** C. Thouzellier (1977).
237. CYRILLE D'ALEXANDRIE : **Dialogues sur la Trinité.** Tome II. Dial. III-IV. G.-M. de Durand (1977).
238. ORIGÈNE : **Homélies sur Jérémie.** Tome II. Homélies XII-XX et homélies latines, index. P. Nautin et P. Husson (1977).
239. AMBROISE DE MILAN : **Apologie de David.** P. Hadot et M. Cordier (1977).
240. PIERRE DE CELLE : **L'école du cloître.** G. de Martel (1977).
241. **Conciles gaulois du IVe siècle.** J. Gaudemet (1977).
242. S. JÉRÔME : **Commentaire sur S. Matthieu.** Tome I. Livres I et II. É. Bonnard (1978).
243. CÉSAIRE D'ARLES : **Sermons au peuple.** Tome II. Sermons 21-55. M.-J. Delage (1978).
244. DIDYME L'AVEUGLE : **Sur la Genèse.** Tome II (Sur Genèse V-XVII). Index. P. Nautin et L. Doutreleau (1978).
245. **Targum du Pentateuque.** Tome I : **Genèse.** R. Le Déaut et J. Robert. Trad. seule (1978).
246. CYRILLE D'ALEXANDRIE : **Dialogues sur la Trinité.** Tome III. Livres VI-VII, index. G.-M. de Durand (1978).
247. GRÉGOIRE DE NAZIANZE : **Discours** 1-3. J. Bernardi (1978).
248. **La doctrine des douze apôtres.** W. Rordorf et A. Tuilier (1978).
249. S. PATRICK : **Confession et Lettre à Coroticus.** R.P.C. Hanson et C. Blanc (1978).
250. GRÉGOIRE DE NAZIANZE : **Discours** 27-31 (Discours théologiques). P. Gallay (1978).
251. GRÉGOIRE LE GRAND : **Dialogues.** Tome I. Introduction, bibliographie et cartes. A. de Vogüé (1978).
252. ORIGÈNE : **Traité des principes.** Livres I et II. H. Crouzel et M. Simonetti. Tome I : Introduction, texte critique et traduction (1978).
253. **Id.** – Tome II : Commentaire et fragments. H. Crouzel et M. Simonetti (1978).
254. HILAIRE DE POITIERS : **Sur Matthieu,** t. I : Introduction et chap. 1-13. J. Doignon (1978).
255. GERTRUDE D'HELFTA : **Œuvres spirituelles.** Tome IV. **Le Héraut.** Livre IV. J.-M. Clément, B. de Vregille et les Moniales de Wisques (1978).
256. **Targum du Pentateuque.** Tome II : **Exode et Lévitique.** R. Le Déaut et J. Robert. Trad. seule (1979).
257. THÉODORET DE CYR : **Histoire des moines de Syrie.** Tome II, **Histoire Philothée** (XIV-XXX), **Traité sur la Charité** (XXXI) et Index. P. Canivet et A. Leroy-Molinghen (1979).
258. HILAIRE DE POITIERS : **Sur Matthieu.** Tome II. Chap. 14-33, appendice et index. J.Doignon (1979).
259. S. JÉRÔME : **Commentaire sur S. Matthieu.** Tome II. Livres III et IV, Index. É. Bonnard (1979).
260. GRÉGOIRE LE GRAND : **Dialogues.** Tome II. Livres I-III. A. de Vogüé et P. Antin (1979).
261. **Targum du Pentateuque.** Tome III : **Nombres.** R. Le Déaut et J. Robert. Trad. seule (1979).
262. EUSÈBE DE CÉSARÉE : **Préparation évangélique,** livres IV, 1 - V, 17. O. Zink et É. des Places (1979).

263. Irénée de Lyon : **Contre les hérésies,** livre I. A. Rousseau, L. Doutreleau. Tome I. Introduction, notes justificatives et tables (1979).
264. **Id.** – Tome II. Texte et traduction (1979).
265. Grégoire le Grand : **Dialogues.** Tome III. Livre IV, tables et index. A. de Vogüé et P. Antin (1980).
266. Eusèbe de Césarée : **Préparation évangélique,** livre V, 18-36 et VI. É. des Places (1980).
267. **Scolies ariennes sur le concile d'Aquilée.** R. Gryson (1980).
268. Origène : **Traité des principes.** Tome III. Livres III et IV : Texte critique et traduction. H. Crouzel et M. Simonetti (1980).
269. **Id.** – Tome IV. Livres III et IV : Commentaire et fragments. H. Crouzel et M. Simonetti (1980).
270. Grégoire de Nazianze : **Discours** 20-23. J. Mossay (1980).
271. **Targum du Pentateuque.** Tome IV. **Deutéronome,** bibliographie, glossaire et index des tomes I-IV. R. Le Déaut (1980).
272. Jean Chrysostome : **Sur le sacerdoce (dialogue et homélie).** A.-M. Malingrey (1980).
273. Tertullien : **A son épouse.** C. Munier (1980).
274. **Lettres des premiers Chartreux.** Tome II : Les moines de Portes. Par un Chartreux (1980).
275. Pseudo-Macaire : **Œuvres spirituelles.** Tome I. V. Desprez (1980).
276. Théodoret de Cyr : **Commentaire sur Isaïe,** Tome I : Introduction et sections 1-3. J.-N. Guinot (1980).
277. Jean Chrysostome : **Homélies sur Ozias.** J. Dumortier (1981).
278. Clément d'Alexandrie : **Stromate V.** Tome I : introduction, texte et index par A. Le Boulluec; traduction de P. Voulet (1981).
279. **Id.** – Tome II : commentaire, bibliographie et index par A. Le Boulluec (1981).
280. Tertullien : **Contre les Valentiniens.** Tome I : introduction, texte et traduction. J.-C. Fredouille (1980).
281. **Id.** – Tome II : commentaire et index. J.-C. Fredouille (1981).
282. **Targum du Pentateuque.** Tome V. Index analytique. R. Le Déaut (1981).
283. Romanos le Mélode : **Hymnes.** J. Grosdidier de Matons. Tome V. Hymnes XLVI-LVI (1981).
284. Grégoire de Nazianze : **Discours** 24-26. J. Mossay (1981).
285. François d'Assise : **Écrits.** Th. Desbonnets, Th. Matura, J.-F. Godet, D. Vorreux, o.f.m. (1981).
286. Origène : **Homélies sur le Lévitique.** M. Borret. Tome I : Introduction et Hom. I-VII (1981).
287. **Id.** – Tome II : Hom. VIII-XVI, Index (1981).
288. Guillaume de Bourges : **Livre des guerres du Seigneur.** G. Dahan (1981).
289. Lactance : **La colère de Dieu.** C. Ingremeau (1982).
290. Origène : **Commentaire sur S. Jean.** Tome IV. L. XIX-XX. C. Blanc (1982).
291. Cyprien de Carthage : **A Donat et La vertu de patience.** J. Molager (1982).
292. Eusèbe de Césarée : **Préparation évangélique,** livre XI. G. Favrelle et É. des Places (1982).

293. IRÉNÉE DE LYON : **Contre les hérésies,** livre II. A. Rousseau, L. Doutreleau. Tome I. Introduction, notes justificatives et tables (1982).

294. **Id.** – Tome II. Texte et traduction (1982).

295. THÉODORET DE CYR : **Commentaire sur Isaïe.** Tome II. Sections 4-13. J.-N. Guinot (1982).

296. ÉGÉRIE : **Journal de voyage.** P. Maraval. – **Lettre de Valérius,** M.C. Díaz y Díaz (1982).

297. **Les Règles des saints Pères.** A. de Vogüé. Tome I : **Trois règles de Lérins au Ve siècle** (1982).

298. **Id.** – Tome II : **Trois règles du VIe siècle** (1982).

299. BASILE DE CÉSARÉE : **Contre Eunome,** suivi de EUNOME : **Apologie.** B. Sesboüé, G.M. de Durand et L. Doutreleau. Tome I (1982).

300. JEAN CHRYSOSTOME : **Panégyriques de S. Paul.** A. Piédagnel (1982).

301. GUILLAUME DE SAINT-THIERRY : **Le miroir de la foi.** J.-M. Déchanet (1982).

302. ORIGÈNE : **Philocalie 1-20 et Lettre à Africanus.** M. Harl et N. de Lange (1983).

303. S. JÉRÔME : **Contre Rufin.** P. Lardet (1983).

304. JEAN CHRYSOSTOME : **Commentaire sur Isaïe.** J. Dumortier (1983).

Hors série :

Directives pour la préparation des manuscrits (de « Sources Chrétiennes »). A demander au Secrétariat de « Sources Chrétiennes », 29, rue du Plat, 69002 Lyon.

La Règle de S. Benoît. VII. Commentaire doctrinal et spirituel. A. de Vogüé (1977).

SOUS PRESSE

EUSÈBE DE CÉSARÉE : **Préparation évangélique,** Livres XII-XIII. É. des Places.

BASILE DE CÉSARÉE : **Contre Eunome,** suivi de EUNOME, **Apologie.** B. Sesboüé, G.-M. de Durand et L. Doutreleau. Tome II.

GRÉGOIRE DE NAZIANZE : **Discours** 4-5. J. Bernardi.

SOZOMÈNE : **Histoire ecclésiastique.** Tome I. A.-J. Festugière, B. Grillet, G. Sabbah.

TERTULLIEN : **La Patience.** J.-C. Fredouille.

GUIGUES Ier : **Méditations.** Par un Chartreux.

PROCHAINES PUBLICATIONS

THÉODORET DE CYR : **Commentaire sur Isaïe.** Tome III. J.-N. Guinot.

Historia acephala Athanasii : M. Albert et A. Martin.

TERTULLIEN : **La Pénitence.** Ch. Munier.

JUSTIN : **Apologies.** A. Wartelle.

JEAN D'APAMÉE : **Dialogues et traités.** R. Lavenant.

SOURCES CHRÉTIENNES
(1-304)

Également aux Éditions du Cerf :

LES ŒUVRES DE PHILON D'ALEXANDRIE
publiées sous la direction de
R. ARNALDEZ, C. MONDÉSERT, J. POUILLOUX.
Texte grec et traduction française.

1. **Introduction générale, De opificio mundi.** R. Arnaldez (1961).
2. **Legum allegoriae.** C. Mondésert (1962).
3. **De cherubim.** J. Gorez (1963).
4. **De sacrificiis Abelis et Caini.** A. Méasson (1966).
5. **Quod deterius potiori insidiari soleat.** I. Feuer (1965).
6. **De posteritate Caini.** R. Arnaldez (1972).

7-8. **De gigantibus. Quod Deus sit immutabilis.** A. Mosès (1963).

9. **De agricultura.** J. Pouilloux (1961).
10. **De plantatione.** J. Pouilloux (1963).

11-12. **De ebrietate. De sobrietate.** J. Gorez (1962).

13. **De confusione linguarum.** J.-C. Kahn (1963).
14. **De migratione Abrahami.** J. Cazeaux (1965).
15. **Quis rerum divinarum heres sit.** M. Harl (1966).
16. **De congressu eruditionis gratia.** M. Alexandre (1967).
17. **De fuga.** E. Starobinsky-Safran (1970).
18. **De mutatione nominum.** R. Arnaldez (1964).
19. **De somniis.** P. Savinel (1962).
20. **De Abrahamo.** J. Gorez (1966).
21. **De Iosepho.** J. Laporte (1964).
22. **De vita Mosis.** R. Arnaldez, C. Mondésert, J. Pouilloux, P. Savinel (1967).
23. **De Decalogo.** V. Nikiprowetzky (1965).
24. **De specialibus legibus.** Livres I-II. S. Daniel (1975).
25. **De specialibus legibus.** Livres III-IV. A. Mosès (1970).
26. **De virtutibus.** R. Arnaldez, A.-M. Vérilhac, M.-R. Servel, P. Delobre (1962).
27. **De praemiis et poenis. De exsecrationibus.** A. Beckaert (1961).
28. **Quod omnis probus liber sit.** M. Petit (1974).
29. **De vita contemplativa.** F. Daumas, P. Miquel (1964).
30. **De aeternitate mundi.** R. Arnaldez et J. Pouilloux (1969).
31. **In Flaccum.** A. Pelletier (1967).
32. **Legatio ad Caium.** A. Pelletier (1972).
33. **Quaestiones in Genesim et in Exodum. Fragments grecs.** F. Petit (1978).

34 A. **Quaestiones in Genesim,** I-II (e vers. armen.). C. Mercier (1979).
34 B. **Quaestiones in Genesim,** III-IV (e vers. armen.) (en préparation).
34 C. **Quaestiones in Exodum,** I-II (e vers. armen.) (en préparation).

35. **De Providentia,** I-II. M. Hadas-Lebel (1973).
36. **De animalibus.** A. Terian et J. Laporte (en préparation).

Photocomposition
C.C.S.O.M.
Abbaye de Melleray
44520 Moisdon-la-Rivière
Impression
Imprimerie de l'Indépendant
53200 Château-Gontier

N° Éditeur : 7715

Dépôt légal : 2e trimestre 1983